Un polaco en la corte del Rey Juan Carlos

Manuel Vázquez Montalbán

Un polaco en la corte del Rey Juan Carlos

EXTRA
Alfaguara

ALFAGUARA

© 1996, Manuel Vázquez Montalbán
© De esta edición:
   1996, Santillana, S. A.
   Juan Bravo, 38. 28006 Madrid
   Teléfono (91) 322 47 00
   Telefax   (91) 322 47 71

• Aguilar, Altea, Taurus, Alfaguara S. A.
Beazley 3860. 1437 Buenos Aires
• Aguilar, Altea, Taurus, Alfaguara S. A. de C. V.
Avda. Universidad, 767, Col. del Valle,
México, D.F. C. P. 03100

   ISBN: 84-204-8206-4
   Depósito legal: M. 14.988-1996
© Diseño de cubierta:
   Jesús Sanz
   Imagen de cubierta:
   Fotomontaje de Carlos Yebra
   Tratamiento de imagen:
   Orestis Countouriadis

   Archivo fotográfico de El País y Agencia Efe

Índice

Polaco, -a (s. y adj.). Catalán // Mallorquín.
VÍCTOR LEÓN, *Diccionario de argot español
y lenguaje popular*

1. Madrid en estado de sitio

Madrid que nunca se diga
nunca se publique o piense
que en el corazón de España
la sangre se volvió nieve.

RAFAEL ALBERTI, *Defensa de Madrid*

«He de ir a Madrid para ver al Rey», me dije, alertado desde mi atalaya periférica de cuántas zozobras pasaba la capital del reino a causa de disputas varias, sobre todo entre dos clases de banderías: las políticas y las mediáticas. «Mediático» es un neologismo que viene de la locución inglesa *mass media*, traducible como *medios de comunicación de masas*. Demasiado largo para los minimalistas tiempos que corren, pasó a utilizarse *media* o *los media* y de ahí nació *mediático*, que ha dado lugar a una serie de singulares derivados entre los que destacan *poder mediático* y *lo mediático*. En cierto sentido, las banderías políticas acampadas en la capital se dividían en la gubernamental, PSOE (Partido Socialista Obrero Español), y las demás: Partido Popular, aquelarre de todas las derechas posibles; Izquierda Unida, aquelarre de casi todas las izquierdas posibles, muy preferentemente el Partido Comunista; Convergència i Unió, fusión operativa de dos partidos del centro derecha catalán, Convergència Democràtica y Unió Democràtica; el PNV o Partido Nacionalista Vasco; una serie de partidos menores, aunque algunos dotados de portavoces de muchos decibelios, como la señora Pilar Rahola, representante de Esquerra Republicana de Catalunya, o el señor José Carlos Mauricio, portavoz de Coalición Canaria, ex alto y ex joven dirigente del Partido Comunista de España, considerado en su tiempo incluso como uno de los delfines posibles de Santiago Carrillo. Aunque había coincidencia en el cerco al Gobierno socialista por parte del *poder mediático* y de los partidos de la oposición, algunos alineamientos singulares justificaron que un polaco como yo tuviera la pulsión de irse a la capital a pedir audiencia al Rey. Por ejemplo, el hecho de que los nacionalistas catalanes y vascos respaldaran la política de los socialistas había acentuado las vibraciones negativas de los cercos. Tanto el PP como IU acusaban al partido socialista de hacer una política mediatizada por los intereses españoles o antiespañoles de vascos y catalanes, reproche secundado por la mayoría del poder mediático. Dentro del territorio de los medios de comunicación la lucha final también se planteaba contra el Gobierno, pero a través de supuestos intermediarios, el grupo PRISA (grupo editor de *El País*) y los medios audiovisuales estatales, TVE y Radio Nacional. No están todos los que son, pero son todos los que están y el polaco periférico tenía que asumir además el rifirrafe entre el Gobierno y el llamado Poder Judicial, debido a que los casos de corrupción económica y de terrorismo de Estado que afectaban al partido en el poder convertían a los jueces en sujetos privilegiados, bien del acoso a, bien de la defensa de las almenas del poder socialista. Evidentemente: Madrid parecía en estado de sitio.

Pensé por un momento en pedir audiencia al presidente de Polonia, pero el Honorable siempre está inaugurando personas, cosas, paisajes televisables o barriendo corrupciones polacas bajo las alfombras o respaldando actos empresariales, desde su criterio de que los pueblos marchan si los empresarios se enriquecen. Y cuando no se dedica a trabajos propios de su sexo o cargo, escala montañas sagradas, por orden cronológico o alfabético, dentro de la variada gama de montañas sagradas que tienen los pueblos escogidos. Renuncié, pues, a su bendición. Quedaba claro que en mi largo camino hacia el Rey debía pasar por los cuarteles del poder político, mediático y judicial, sin dejar de lado a poderes fácticos tan antañosos y acrisolados como la Iglesia y la en otro tiempo llamada oligarquía financiera, que en España constituye la riqueza con más capacidad de influencia social. Dejé de lado a los militares, aliviado porque, por primera vez desde la Guerra de Independencia contra los franceses, han dejado de ser un poder fáctico y se dedican a cuestiones de intendencia, de espionaje mal hecho o de patrullaje benéfico internacional, dentro de la compleja operación que trata de convertir la OTAN en el ejército simbólico de la UNICEF o en el embrión de una Santa Alianza cristiana, neoliberal y democrática contra el Islam integrista. No podía olvidar mi condición de *polaco*, epíteto despectivo dedicado a los catalanes desde los tiempos en que el establecimiento del Servicio Militar obligatorio evidenció ante los españoles hispanoparlantes que en algunas zonas del reino sobrevivían extrañas tribus empeñadas en conservar lenguas románicas, que no dialectos, como el catalán o el gallego-portugués, así como el euskera, de origen misterioso y sospechadamente antiespañol. De siempre ha estado el sector hispanoparlante dogmático compuesto de primates recelosos ante las lenguas extranjeras y mucho más ante las que han sobrevivido a la competencia del español dentro de los límites convencionales del Estado. Cuando oyen hablar en catalán, gallego o euskera, les suena a frotamiento de hojas de tijera podadera empeñada en la castración del pene lingüístico de las Españas, una unidad idiomática absolutista y totalitaria que en la práctica jamás existió y que sólo la dictadura franquista estuvo a punto de conseguir. Desde la prepotencia o desde la ignorancia condicionada por la perversidad de los libros de Historia que nos han hecho tal como somos, el hispanoparlante sectario tiende a pensar que el gallego, el catalán y el euskera son inventos de la frágil democracia y más concretamente de líderes nacionalistas separatistas empeñados en acumular hechos diferenciales y separadores cuesten lo que cuesten. Se explica así que, ante la evidencia de que los catalanoparlantes existían, los reclutas y oficiales del ejército español del siglo XIX llamaran *polacos* a los mozos que se expresaban en aquella jerga y que el epíteto pasara a los capítulos despectivos del argot. Incluso, en el lenguaje épico deportivo, una de las penúltimas hazañas del Real Madrid, ganar al Barcelona FC la Supercopa, fue coreada al grito de: *Al bote, al bote, polaco el que no bote*, consigna que era paráfrasis de *Al bote, al bote, fascista el que no bote*, uno de los lemas de la lucha antifascista, ahora adaptado a la condición de arma arrojadiza étnica, secundada a paso de danza por el propio presidente del club madrileño, a la sazón el sexagenario don Ramón Mendoza, que sacaba fuerzas de flaqueza para afrontar tal polonesa. Es sabido que el Barcelona Fútbol Club ha asumido desde los años veinte la condición simbólica de ejército desarmado de Polonia y que el Real Madrid fue un tercio de Flandes más en manos de la propaganda franquista.

El polaco sabía que la progresiva irritación de una parte de los españoles contra los catalanes se debía tanto a la hegemonía del Barcelona durante cuatro ligas de fútbol como a las prestaciones parlamentarias que el nacionalismo catalán le hacía al Gobierno socialista. Tal vez hubieran sido perdonables las cuatro ligas ganadas por el Barcelona, pero en cuanto el PSOE, por sus propios méritos, perdió la mayoría absoluta, la ayuda de los nacionalistas catalanes fue presentada como un interesado préstamo de un pueblo usurero y fenicio encarnado en la figura del presidente autonómico de Polonia, Jordi Pujol, bajito y feo para más agravio, según insistían sus detractores. Un editorial de *Abc* lo decía bien claro:

«El ingenioso Jordi Pujol podría patentar la fórmula para solaz de los especialistas en *hechos consumados*: con 17 diputados y un 4,95% del voto nacional registrado en las últimas elecciones, CIU se ha convertido no sólo en el escudo parlamentario del PSOE y en la explicación aritmética de su supervivencia en el Gobierno, sino en la destinataria de las más costosas gollerías presupuestales y en la discreta y exitosa fuente de un autonomismo insaciable que aspira, en su versión más extremosa, a hacer de la Constitución el plato soñado de su robusto apetito».

Se describe a Pujol habitualmente como un usurero chantajista que chulea al Gobierno de los socialistas para engordar a Cataluña mientras enflaquece España. No era buen momento para volver a Madrid, a pesar de que mi condición de castellanoparlante habitual me permita disimular el acento polaco y no parecer catalán. Podría yo incluso presumir de charnego, hijo y nieto de inmigrantes, gallegos por parte de padre, murcianos por la rama de mi madre, pero asumo mi condición polaca cuando traspaso la imaginaria frontera del Ebro e incluso tengo una cierta tendencia a pagar antes que mis compañeros de mesa, para que nunca pueda decirse que yo contribuyo al imaginario del polaco tacaño y usurero. En tal estado de ánimo contacté en Madrid con el embajador *in péctore* de Polonia en la corte del Rey Juan Carlos, señor Joaquim Gomis, que tuvo la gentileza de facilitarme dossiers sobre cuanto se había dicho en la prensa madrileña a propósito del plazo político fijo concedido por los fenicios catalanes al disminuido Felipe González. Gomis, que es político correoso y diestro a la vez, de largas andaduras y supervivencias, me advirtió que no hiciera caso de la virulencia de las campañas: «Luego los más escandalosos, en privado, son unas excelentes personas, pero aquí, ahora, todo el mundo tiene que llevar hasta sus últimas consecuencias el papel que se ha autoatribuido. Así será probablemente hasta las elecciones generales anticipadas».

Era tónica general de la abundante literatura periodística y radiofónica, preferentemente de la COPE, cadena de relativa obediencia eclesiástica, criticar a Pujol y al nacionalismo catalán como responsables de un genocidio lingüístico cometido contra los hispanoparlantes ciudadanos de Cataluña, a la par que se reprochaba al presidente de la Generalitat de Cataluña apoyar a los socialistas para recibir a cambio prebendas para los catalanes en detrimento de la España pobre. Tal reflexión, si bien aparentemente alejaba cualquier acusación de culpa contra el conjunto de los catalanes, de hecho los presentaba como beneficiados por el juego alevoso de Pujol, en detrimento de la paupérrima España. A partir de esta campaña, las buenas gentes del lugar no matizaron tanto como los columnistas de prensa y radio y arremetieron contra los catalanes como etnia marcada por el espíritu de la «pela», maldita raza esclava del axioma: *Lo que no son pesetas, son puñetas.* Hubo taxista madrileño que se negó a aceptar propina de mano catalana, así como comerciante o industrial de puras esencias españolas que cortó por lo sano cualquier contacto con profesionales o productos catalanes. Incluso hubo quien sus-

tituyó el cava catalán por el que se elabora en la Ribera del
Duero o La Rioja, en una inequívoca demostración de principios contra la odiosa, rica, insaciable Cataluña. Genocida
lingüística y acaparadora, Cataluña volvía a responder al
retrato despectivo que de ella había hecho Fernández Fló-
rez ante el avance del regionalismo catalán en los años veinte: «Cataluña es la única metrópoli que quiere separarse de
las colonias».

Aproveché un sosiego convaleciente para leerme
los dossiers de prensa madrileña aportados por Gomis, empezando por *Abc*, de larga vocación vigilante ante el de-
monio familiar del secesionismo hispano. Mientras escribía
mi novela sobre Franco y mi ensayo sobre Dolores Ibárruri, tuve ocasión de consultar frecuentemente *Abc* a lo largo
del siglo XX y doy fe de la constancia repetitiva de sus argumentos sobre la unidad de España y su visión de la patria
como un cortijo unitario y monolingüe estrechamente vi-
gilado por la Guardia Civil: fuera en la España de 1910,
fuera en la de la última década del milenio. Esta vez la campaña contra los excesos polacos se relanza en coincidencia
con los pactos entre el PSOE y Pujol, primero a ritmo de
tanteo, recordando Jaime Campmany, murciano de evidente
genealogía catalanojaimeconquistadora, que la exaltación
del segador catalán contenida en el himno nacionalista
yerra, porque «los segadores más humillados y encorvados
sobre los campos, con la sangre más injuriada por el peso
de inviernos, primaveras y veranos, no están hoy en Cataluña, rica y plena, sino en las tierras pobres y secas que
esperan redención». Insiste varias veces Campmany en los
apetitos sexuales de Felipe González de yacer con Pujol,
aunque sea a través de la línea telefónica caliente del 903, al
tiempo que sólo ve en el político catalán picardía comer-

cial para llevarse al huerto a los columnistas. Fue Campmany uno de los primeros en fijarse en que Pujol era de
baja estatura: «A lo mejor no es malo que le den al Pujolet
el quince por ciento, al fin y al cabo el pequeño Jordi tiene
más práctica en aplicar la ley de Cassen, o sea, no el sueco,
sino el cachondo, las tres emes: ministrasión, ministrasión,
ministrasión». Atribuye Campmany, en varias ocasiones,
al malogrado humorista Cassen una anécdota que sin duda
utilizó, pero que no era suya, sino de un alcalde lerrouxista
de Barcelona, el inenarrable Pich y Pon. Este señor alar-
deaba de tener en su cerebro la clave para solucionar los
problemas de España: «La clave se resume en las tres emes:
ministrasión, ministrasión, ministrasión». Es decir, administración, administración, administración. Pich y Pon sí
fue un genocida del castellano.

 Abc arropa a Campmany con editoriales donde
reprocha agriamente a Pujol su alianza impía con los socialistas, al tiempo que censura a Pilar Rahola, única representante de Esquerra Republicana en el Parlamento español, porque se ha referido al Rey como «el ciudadano Juan
Carlos». Un diputado de Esquerra Republicana, el poeta
Ventura Gassol, fue rapado por un comando falangista en
las Cortes republicanas de 1931, porque a los fascistas españoles nunca les gustaron las melenas masculinas, pero
Pilar Rahola ha conseguido sobrevivir una legislatura con
el pelo íntegro, eso sí, corto. Ya en 1993 se relanza la campaña contra la persecución del castellano en Cataluña, supuestamente promovida por el Gobierno pujolista con la
complicidad de todas las fuerzas de obediencia catalana.
El pedrusco de escándalo es la pauta de la *inmersión lingüística*, consistente en dar enseñanza en catalán a todos
los niños desde el inicio de su escolarización para *sumer-*

girlos en la lengua propia de Cataluña. Media España se horrorizó ante el imaginario de miles y miles de niños inmigrantes arrebatados de los pechos lingüísticos de sus madres y arrojados a la caldera donde cuece la *escudella i carn d'olla* del idioma de una burguesía nacional y explotadora. Pero en 1993 aún estamos ante una campaña ligera, así en la cantidad como en la calidad, salvo en la contribución que le presta Federico Jiménez Losantos, hombre al que le duele España como solía doler España en los tiempos en que más y mejor dolía. Razones tiene Jiménez Losantos para que le duela el alma y el cuerpo, porque durante su estancia en Barcelona fue secuestrado y tiroteado en una pierna por un comando independentista que quería castigarle por sus denuncias contra el naciente genocidio del castellano. El pacto González-Pujol lo ve Jiménez Losantos como una prueba más de la decadencia española y como la constatación de que no hay muchedumbre más pastueña, de condición más lanar, que la española, y culmina su melancólica visión del otoño español de esta guisa: «Pujol, el déspota catalanista, anuncia que para el año 2000, o sea, dentro de siete, ni una sola escuela de Cataluña tendrá como idioma el español. Y estamos discutiéndole el 15 % del IRPF. Cosas del otoño español».

El Mundo se implica menos en el discurso sobre el genocidio del castellano en Cataluña, pero puja en el combate contra la alianza pujolista que dota a los socialistas de mayoría parlamentaria. No obstante, elogia la presencia de ánimo de Pujol en Madrid cuando fue increpado por un grupo de estudiantes de extrema derecha al grito de «¡Viva la unidad de España!». Diríase que la estrategia de *El Mundo* no es chocar de frente contra la política pujolista, sino alentar a que se divorcie de los socialistas. E incluso de vez en cuando algunos de sus columnistas, como Fermín Bocos, formado periodísticamente en Polonia, o Xavier Domingo, de disciplina étnica polaco-catalana, tratan de explicar la idiosincrasia catalano-polaca frente a la frecuencia de adjetivos como fenicios o polacos. Es casi pedagógico, a manera de un manual de catalanismo para ignorantes, el artículo *Pequeño léxico catalán* de Xavier Domingo, publicado el 8 de mayo de 1993, o el no menos didáctico *Para entrar en lo catalán* del 1 de octubre. No faltan colaboradores del diario que insistan en el carácter chantajista de la alianza entre Pujol y González, y cuando se consuma la alianza estratégica, un editorial denuncia, a la abecedaria manera, el genocidio idiomático catalán por el procedimiento de la inmersión lingüística padecida por los hijos de familias castellanoparlantes. Antonio Gala recuerda: «Mis niños andaluces de ojos negros, si están en Cataluña, no es que fuesen allí para aprender idiomas. Por ejemplo». La acritud sube de tono cuando se atribuye al pacto Pujol-González el nacimiento de agravios comparativos con otros pueblos de España que van a pagar ese acuerdo que representará 13.000 millones de pesetas para Cataluña: «Es el precio que ha tenido que pagar González por el voto favorable de Pujol a los Presupuestos».

En 1994 la polémica se encrespa. El PSOE está cercado por los escándalos de corrupción que inicialmente afectaron al hermano del en otro tiempo todopoderoso Alfonso Guerra y, a partir de este aperitivo, el partido en el Gobierno empieza a enseñar una presunta galería de corruptos y presuntos delincuentes al más alto nivel: el gobernador del Banco de España, Mariano Rubio, no ha declarado a Hacienda beneficios negros, no muchos, pero negros; la directora general del *Boletín Oficial del Estado* parece haber traficado con el precio del papel del boletín y se ha apropiado de cuadros de artistas prestigiosos por el procedimiento de fingirse intermediaria de la Reina o de Carmen Romero, esposa del jefe de Gobierno; altos cargos socialistas están implicados en una red de recaudación de aportaciones económicas al partido que vienen de poderosos bancos o empresas constructoras; el director general de la Guardia Civil, Luis Roldán, se ha enriquecido y nadie sabe cómo ha sido, para finalmente fugarse al extranjero dejando en el más absoluto ridículo a todos los poderes que primero le respaldaban y luego le vigilaban; y por si algo faltara colea el asunto de los GAL, o grupos terroristas de Estado, organizados bajo los Gobiernos socialistas para llevar adelante la guerra sucia contra ETA. Este escándalo no estallará plenamente hasta fines de 1994, cuando se deciden a tirar de la manta los comisarios Amedo y Domínguez, hasta entonces únicos chivos expiatorios del terrorismo de Estado, pero en 1995 los dos implicarán a personas de tanta significación política como los ministros Serra y Barrionuevo y al propio presidente del Gobierno, Felipe González. Será 1995 el año de los horrores políticos, como 1994 lo fue de los horrores económicos, culminado con la intervención del Banco de España sobre Banesto y su presidente, el que había sido presentado como el banquero de la modernidad, Mario Conde, de la noche a la mañana convertido en el peor exponente de la cultura especuladora, la *cultura del pelotazo*, que el propio bizarro banquero había codificado en su libro *El sistema*: «En esta época hay una cosa que se ha llamado la cultura del pelotazo; eso que se llama coloquialmente la cultura del pelotazo es el beneficio obtenido únicamente a base de movimientos especulativos sin comprometerse con el destino o gestión de la empresa, sin planteamiento a largo plazo, sin diseño o proyecto empresarial; el punto álgido se alcanzaría cuando a un beneficio especulativo corresponde además la salida del sujeto del mundo de los negocios para administrar sus ganancias».

Tras la victoria del PP en las elecciones europeas del verano de 1994, el tambaleante partido socialista sólo puede retrasar la convocatoria de elecciones anticipadas gracias a la ayuda parlamentaria de Pujol, y así se explica la progresiva crispación antipujolista y por extensión antipolaca de buena parte de los medios de la capital. *Abc* desarrolla una línea general de desgarrada defensa del castellano en Cataluña y una línea particularizada de obsesión por el pequeño Pujol, Pujolet, cuando no por la diputada republicana catalana Pilar Rahola, alias, según el columnista Campmany, *La Republicanita*, aunque el hecho de que el partido de la diputada sea crítico con respecto a la alianza entre Pujol y González terminará por hacer aceptable a su representante y Pilar Rahola será el único bípedo reproductor nacionalista independentista bien considerado por los medios de la capital, incluso por la COPE, cuya radicalidad contra el nacionalismo catalán provocará la protesta de los obispos catalanes por la línea ideológica de la emisora de la Conferencia Episcopal. Pero no nos alejemos de *Abc*. A las reflexiones ironizantes de Campmany se suma la cada vez más desgarrada alma hispánica de Jiménez Losantos, la acritud herida del españolísimo López Sancho, el refuerzo por los flancos del humor de Alfonso Ussía y la imprevista ayuda de Carrascal, que acude con sus velas y sus corbatas al entierro. Campmany forma parte de los que consideramos que la ironía es el recurso del sentimiento cuando se comprueba·el fracaso de la razón, pero no siempre ha sido exclusivamente irónico en su continuado testimonio sobre el problema catalán y se responsabilizó de un artículo titulado *Franco-Pujol* que empezaba así: «Pujol, se le ve, es un señor bajito. Al lado de Tarradellas se queda en estatura de monaguillo. Por muy pequeño que hagamos el mapa no habría manera de meter a Cataluña dentro de Pujol. Sin embargo Pujol se cree que lleva dentro a toda Cataluña». A partir del dato objetivo de que Pujol es bajito y Franco lo era, glosa Campmany, y suscribe, unas escandalosas declaraciones de Julio Anguita, líder de la izquierda poscomunista, en las que ha comparado a Franco con Pujol porque ambos identifican las ofensas personales con las ofensas a España o a Cataluña. Rechaza Campmany que «quien critica al pequeñete y honorable *president* insulta a la laboriosa, moderada, prudente y respetuosa Cataluña». Lo que se critica es la política aldeana y mercantil de Pujol, sin percibir que, como ha señalado varias veces el propio Anguita, Pujol no defiende los intereses de Cataluña, sino una política económica asumida por el poder económico de toda España que contempla esperanzado las correcciones derechistas que Pujol impone a la política económica socialista. Jiménez Losantos va a las, según él, raíces del problema nacional español dentro de Cataluña, a la inmersión lingüística: «inmersión lingüística para arrancar a los castellanoparlantes sus profundas raíces españolas». Alfonso Ussía llega a decir que su jefe radiofónico, Luis del Olmo, colabora ingenuamente desde Onda Cero en disculpar la tropelía lingüística que se está cometiendo en Cataluña contra el castellano. *Abc*, que diez años atrás había proclamado a plena portada que Pujol era «el español del año», ahora dedica similar espacio a constatar las afinidades entre Pujol y Franco como represores lingüísticos: Franco del catalán y Pujol del castellano.

En esta situación cualquier rábano se coge por las hojas, y cuando se incendia el teatro del Liceo en Barcelona, la promesa de ayuda estatal para su reconstrucción despierta el agravio comparativo: ¿Y la catedral de Burgos? ¿Acaso no amenaza ruina la catedral de Burgos? Temerosos de que la competencia entre el Liceo y la catedral de Burgos acentúe el cisma, y aconsejados por el Rey, que siempre ha visto con malos ojos el uso de la gasolina para apagar el fuego de la desunión española, Pujol y la ministra de Cultura, la valenciana y catalanoparlante Carmen Alborch, presiden un concierto de la Orquesta del Liceo en la seo burgalesa para recaudar fondos añadidos a los muchos que necesita la catedral para rehacerse del mal de la piedra. Las suspicacias interregionales creadas se enciman por cualquier motivo, y así, cuando está a punto de cumplirse el acuerdo de que parte de los fondos documentales de la guerra civil depositados en el Archivo de Salamanca, los documentos requisados en Cataluña por las tropas franquistas, vuelvan a Cataluña, se echan los salmantinos a la calle encabezados, entre otros, por el escritor Torrente Ballester y por autoridades locales de todos los colores, para defender a Salamanca del expolio polaco.

Abc hostiga implacable; *El Mundo* matiza, pero sin duda trata de romper el matrimonio González-Pujol sin suscribir del todo las campañas de *Abc*, la COPE y el tribuno Jiménez Losantos; *Diario 16* editorializa contra Pujol y su inmersión lingüística hasta el punto de publicar más de cincuenta notas o artículos al respecto durante 1994, es decir uno cada seis días. Más difícil es censar los tiempos empleados por la COPE en la denuncia del social-pujolismo,

a partir de la defensa de los castellanoparlantes persegui-
dos en Cataluña e incluso en defensa de los valencianos y
mallorquines sometidos al imperialismo lingüístico del catalán, como si la lengua que se habla en Cataluña, Valencia y Baleares no tuviera una misma raíz y una misma literatura.

La exacerbación se generaliza en 1995. Ya ha dicho Anguita, tras utilizar su burguesímetro de bolsillo, que
la burguesía catalana es la peor de España, afirmación sus-
crita primero con alivio y luego con entusiasmo por todas
las burguesías españolas. El Gobierno está salpicado por los
residuos sangrientos del caso GAL, y mientras los socialistas
se refugian en el *búnker* y convierten al juez instructor, Baltasar Garzón, en su enemigo, el bloque mediático sacude
más que nunca a Pujol porque propicia la continuidad del
Gobierno a pesar de los escándalos. Umbral escribe: «Este
penúltimo pirata del Mediterráneo, este judío de la cuenca
latina, este vendedor de galeones hundidos, el que gestio-
na patrias con mano de pesar bacalao o butifarras, este católico de los otros latines, los de Verdaguer, este banquero
de las esencias catalanas, el amigo de Javi Rosa, este empe-
rador del Gran Tibidabo (Lerroux lo fue del Paralelo),
este antifranquista de derechas, parece dispuesto a gobernar España desde una esquina, chiquito pero matón, y con
quien sea». Jiménez Losantos opina frecuentemente sobre
la fatal sentencia del Tribunal Constitucional que avala la
política lingüística del pujolismo y sataniza a Pujol elevan-
do su apellido a la condición serbio-genocida: Pujolevic.
Campmany se pregunta por los verdaderos motivos que
llevan al presidente de Polonia a seguir sosteniendo el Gobierno de González y se responde: «No parece temerario
imaginar que esos motivos hay que buscarlos en los mis-

mos pecados de corrupción y trapicheos económicos que pudren y empuercan la política de los socialistas. Los escándalos económicos que salpican a Jordi Pujol a través de su partido y de su familia van apareciendo, cada vez con mayor claridad, ante la opinión pública. Hasta ahora habían permanecido casi ocultos y tapados gracias al control que Jordi Pujol ejerce sobre los medios de comunicación en Cataluña».

Así estaba la prosa cuando el polaco decidió ir a Madrid para ver al Rey, pero también hay que hablar de la poesía. Jaime Campmany, versificador humorístico diestro y templado, se había dedicado largamente a flagelar en verso al Gobierno socialista:

> *¡Oh holding de los sociatas,*
> *oh ramillete de empresas,*
> *laberinto de negocios*
> *y tráfico de influencias!*
> *¡Oh ciudad de los sociatas,*
> *en las esquinas cerezas,*
> *las peritas en almíbar*
> *cuelgan de todas las rejas!*
> *¡Son las casas de turrón*
> *y de azúcar las iglesias,*
> *el municipio de nata*
> *y la cárcel de canela,*
> *las torres de caramelo*
> *y los tejados de fresa,*
> *y Guillermo Galeote*
> *venga de pasar la lengua!*
> *Estaba tan encelado,*
> *chupando con otros trepas,*

que se pone muy nervioso
si ve que alguno se acerca
por si quisiera quitarle
el chupa-chups de frambuesa,
y dice que hay que empezar
a repartir las obleas.

En cuanto se consumó la alianza entre el PSOE y Pujol, Campmany dedicó abundante versificación a lo que consideraría sus perniciosos efectos, reivindicando el dialecto panocho, murciano, frente a las pretensiones de la lengua catalana, al menos de la lengua catalana que hablaba Pujol:

Pero la lengua murciana,
que aquí mesmo us esperfollo,
es mucho más encadémica,
de framaticales móos,
que la que gasta el Pujol,
por más nombre Pirindolo,
por tó lo que tié de nano
y tó lo que tié de gordo,
que otros llaman «Cebollete»,
en castellano Cebollo.
En vez de hablar catalán
igual que l'inglés en Oxford,
el mesmo que s'habla en Vich,
patria del Balmes famoso,
qu'escribía aquellas cartas
en plan romano católico,
la llengua de mosen Cinto,
que era un catalán de oro,

habla como una zambomba,
pronuncia como un zambombo
un catalán de «mongeta»
de «botifarra» y de «Mosso»,
de «xiquet» y de «Pagès»
y de «plorar» largo «ploro».
Si er Yordi echa otra soflama
en el chiribito autónomo,
platicando en catalán
como si hablara en chinorro,
me va a entrar una risiquia
por en medio de los morros
que me meo en los zargüelles
y aluego me descojono
o me voy patas abajo
y dejo un saco de abono.

A pesar de llamarle enano, gordo, cebollete y cebollo, no fue Campmany más lejos en el insulto a Pujol, a diferencia de otros columnistas y sobre todo del eco del anticatalanismo que se expresó mediante las llamadas de los radioyentes a sus emisoras preferidas. Pero Campmany no toleró demasiado bien que en una, sólo en una, reunión del Senado celebrada en 1994, los representantes de las comunidades dotadas de lenguas propias las utilizaran en el debate parlamentario: «Es como si Madrid se hubiera llenado de zambombos y de jayanes. Una asamblea de paletos, todos hablando como en su pueblo y todos despreciando el idioma común».

Desde la otra orilla, desde Cataluña los polacos, es decir, desde Polonia los catalanes, fueran o no fueran pujolistas, estuvieran o no estuvieran de acuerdo con la alianza Pujol-González, ratificaban su impresión histórica de que eran rechazados por el resto de España, al mismo tiempo que explotados como una de las comunidades más contribuyentes a las recaudaciones de los tesoros nacionales. El sector de quienes opinan que el castellano es una lengua impropia en Cataluña, a pesar de que la entienda todo el mundo y la hable habitualmente al menos el cincuenta por ciento de sus pobladores, se sintió legitimado para seguir poniendo puertas al campo de la cohabitación lingüística. Hasta los antipujolistas más radicales se sintieron reacios a los insultos a Pujol porque intuían que eran algo más que insultos a una persona. Apareció en esta situación *El Llibre Negre de Catalunya* (El Libro Negro de Cataluña) del historiador Josep Maria Ainaud de Lasarte, elocuentemente subtitulado: *De Felipe V a l'ABC*, es decir, desde el cero de la ocupación de Cataluña por los Borbones a comienzos del siglo XVII, el primer intento de sistemático arrasamiento del hecho diferencial catalán, al infinito de la cruzada emprendida por *Abc* contra el genocidio de la lengua española en Cataluña. Ainaud suministraba un rosario de citas suficientes sobre el talante de las distintas ocupaciones militares, políticas y lingüísticas de Cataluña:

«No se deben elegir medios flacos y menos eficaces, sino los más robustos y seguros, borrándoles de la memoria a los cathalanes todo aquello que pueda conformarse con sus antiguas abolidas constituciones, ussáticos, fueros y costumbres» (Consejo de Castilla, 1715).

«Con la sola diferencia que, como antes todo lo judicial se actuaba en Lengua Cathalana, se escriba en adelante en idioma Castellano o en Latín» (Consejo de Castilla, 1716).

«Nos complacemos mucho en que (conforme al Capítulo Provincial) todos nuestros religiosos hablen entre sí en castellano y a todos mandamos hablen, entre sí y con los demás, o en latín o en castellano, so pena de pan y agua por cada vez que tuviesen con los nuestros conversación tirada en catalán» (Artículo 10 del Decreto de Visita del año 1755 del provincial de los escolapios, padre Jorge Caputi, en Mataró).

«Manda el maestro de La Bisbal a todos sus discípulos que en adelante hablen y repitan los libros en Lengua Castellana; previniendo que no mirará con indiferencia los defectos que en este asunto se cometieren, pues no son dignos de compasión los que con todas sus potencias no cumplen la voluntad de nuestro Amabilísimo Monarca» (Orden del maestro de La Bisbal, Francisco Fina, en aplicación de la Real Cédula de Aranjuez del 23 de junio de 1768, del rey Carlos III, prohibiendo el catalán en la escuela).

No mejoraron las cosas en los dos siglos siguientes, y así se prohíben expresamente las representaciones teatrales en catalán en 1801; se recuerda en 1810 que no son válidas las normas jurídicas de la tradición catalana; se insiste en 1857 en que el catalán no tiene sitio en la escuela pública de Cataluña; se teoriza en 1901 sobre la necesidad de que los catalanes sean excluidos de los cargos públicos; se razona en *La Correspondencia Militar*, en 1905, que los diputados y senadores catalanes deben ser eliminados (sic) del Parlamento; «¡Jamás, jamás transigiré con que Cataluña sea una nación!», se exaltaba Royo Villanoba en 1915 en el Congreso de los Diputados; se detiene en 1924 a Gaudí en Barcelona porque hablaba en catalán por la calle; en 1925 un ciudadano va a la cárcel por llevar un escudo del

Barça; el antólogo recuerda los sucesivos pronunciamientos de *Abc* contra lo diferencial catalán; el político Balbontín asegura en 1932 que el catalanismo es una «mentecatada»; muchos republicanos de Madrid gritan «Muera el Estatuto de Cataluña. Viva la República»; Antonio Goicoechea, diputado monárquico, declara en las Cortes republicanas en 1934 que la mayoría de los catalanes quieren que se les libere del Estatuto de Autonomía; nada más estallar la guerra civil, el general Queipo de Llano sugiere: «Transformemos Madrid en un vergel, Bilbao en una gran fábrica y Barcelona en un inmenso solar», y añadía el etílico militar que lo más patriótico era no pagar las deudas a ningún acreedor catalán. No me extiendo sobre el periodo franquista porque pertenece a la más reciente memoria de los agraviados catalanes y las medidas antipolacas obscenas alternan con las sangrientas y las tragicómicas, pero Ainaud también recopila la más estricta modernidad catalanofóbica, iniciada en 1993 mediante la denuncia de una limpieza lingüística contra el español y de contribuir al divorcio entre los niños inmigrantes catalanoparlantes y sus padres inmigrantes castellanoparlantes. «Igual que Franco pero al revés. Persecución del castellano en Cataluña», titula *Abc* en 1993, casi recién fraguada la alianza impía entre felipismo y pujolismo, y por esta senda llega buena parte de la correspondencia que el diario recibe de ciudadanos aterrados ante la castración lingüística que el español padece en Cataluña, y no empleo la palabra castración porque sí, sino porque en una carta a *Abc* del por otras razones tantas veces admirable Miguel Sánchez Mazas, se dice:

«No nos tiembla hoy la mano ni la pluma al proclamar con la mayor firmeza, desde estas páginas de *Abc* —tan hospitalarias siempre para quienes pretendemos defender la justicia— que esta cruel, traumática y repugnante operación quirúrgica de la actual Generalitat de Cataluña, que está en trance de consumar una auténtica castración lingüística, psicológica, moral, cultural, laboral y social de la noble comunidad hispanoparlante de esa región, es el golpe más bajo que se ha asestado a la cultura de España desde que nuestro país existe».

¿Casualidad que uno de los primeros fusilados por las tropas franquistas tras el Alzamiento fuera un viajante catalán, por el hecho de ser catalán y viajante, oficio fenicio, más el añadido de que el fusilado, apellidado Suñol, fuera presidente del Barcelona FC? ¿Se comprende por fin mi deseo de ir a ver al Rey, al pregonado y proclamado Rey de todos los españoles y tal vez incluso de todos los polacos? Además, el verano de 1995 se estrenaba con la derrota socialista en las elecciones autonómicas, el espectacular avance del PP y el retroceso de Jordi Pujol en las elecciones autonómicas de Cataluña hasta el punto de perder la mayoría absoluta. Se acercaban los jinetes del apocalipsis de la II Transición anunciada por Aznar: «Y el quinto ángel tocó la trompeta, y vi una estrella que cayó del cielo en la tierra; y le fue dada la llave del pozo del abismo» (Apocalipsis, 9, 1). También debería ver a Aznar para que me diera su opinión sobre la cuestión polaca y la línea Oder-Neisser, pero inmerso en mi angustiado propósito desconocía la sutileza de los filtros para llegar a Aznar y las inseguridades del personaje suplidas por la educación poética permanente a base de Kipling y fundamentalmente de su poema *If*, «Si», en condicional:

Si puedes soñar y no hacer de los sueños tu maestro,
si puedes pensar y no hacer de las ideas tu objetivo,
si puedes encontrarte con el Triunfo y el Desastre

y tratar de la misma manera a los dos farsantes;
si puedes admitir la verdad que has dicho
engañado por bribones que hacen trampas para tontos,
o mirar las cosas que en tu vida has puesto, rotas,
y agacharte y reconstruirlas con herramientas viejas...

Todo motivo es bueno para que un provinciano vaya a la capital del reino, pero a mi intención de ver al Rey para que me explicara el estado de la nación se sumaba la obligación de acudir a la Feria del Libro, al borde del solsticio de verano, en ocasión de presentar mi más reciente obra literaria, *Pasionaria y los siete enanitos*, y de prolongar la presencia en el mercado de *Panfleto desde el planeta de los simios* y de *El estrangulador*, recientemente galardonada con el Premio de la Crítica. Solicité de uno de mis editores, el escritor Juan Cruz, que moviera influencias para que Aznar, Felipe González y el Rey me recibieran, y yo me apliqué a la tarea de templar mi espíritu y fortalecer mi conocimiento de la corte para cuando la ocasión llegara, aun a sabiendas de que «El Rey es más que los individuos y menos que la comunidad», o dicho en latín: *Rex est maior singulis, minor universis*. Coincidía mi llegada a Madrid con las últimas presencias del saliente presidente de la Comunidad Autónoma, Joaquín Leguina, en el pasado militante del FLP (Frente de Liberación Popular), como yo, aunque en diferente época. Perdidas las elecciones autonómicas frente al candidato del PP, Ruiz Gallardón, estaba Leguina haciendo las maletas, desde la impresión general de que el PSOE había perdido las elecciones autonómicas en Madrid porque el electorado le había querido dar una patada a Felipe González en el culo de Joaquín Leguina. La obligación de ir a firmar libros al Retiro y la

devoción de llegar hasta el Rey, peldaño a peldaño, a través
de los más dispares y posmodernos poderes fácticos, pasaba por un melancólico encuentro con el derrotado Joaquín Leguina y, previamente, por una recuperación de Esperanza Martínez de la Fresneda, ex compañera del FLP
que había aguantado lo suficiente en aquel grupo como
para empalmar mi militancia, interrumpida en 1961, con
la de Leguina. Esperanza tiene un piso con altillo, en el
barrio de Huertas, y la puerta siempre abierta para los via-
jeros al abismo de su memoria histórica. La mía me conduce a una muchacha poderosa, alta y morena, policrómica
en el vestir y en los afeites, dotada de un culo inevitable para la mirada de acalorados adolescentes sensibles que teníamos los estudiantes conspiradores al final de la década
de los cincuenta. Era la musa del *Felipe* (FLP), no sólo
porque el *Felipe* apenas tuviera efectivos, sino porque se lo
merecía su bien y buen estar de única militante femenina.
Éramos tan pocos en el FLP que teníamos al secretario
general en la cárcel, Julio Cerón, y un *polaco* adolescente,
recién llegado de Barcelona, como yo, para cumplir con el
tercero y último curso de Periodismo, podía situarse de la
noche a la mañana en el Comité Ejecutivo, en el que coincidí con personajes hoy anónimos y otros no tanto, Nicolás
Sartorius por ejemplo. No sólo formé parte de aquella superestructura que era a la vez casi la única base del partido, sino que me convertí en el responsable de relaciones
exteriores y así conseguí conectar con el representante del
ASU (Asociación Socialista Universitaria) Gómez Llorente, por entonces un joven socialista orteguiano con un bigote casi calcado al que hoy lleva Aznar, muy satisfecho
porque a mí no se me notaba el acento catalán, a diferencia
de sus camaradas del MSC (Moviment Socialista Català),

que hablaban con unas vocales o desbocadas o invocadas. Me reuní varias veces con él en el parque de Rosales e incluso preparamos un ensayo general de réplica contrapropagandística a la llegada de Eisenhower a Madrid, del que nadie se enteró y menos que nadie el general Eisenhower.

De vez en cuando las reuniones de los *felipes* se convertían en reducidamente asamblearias y en una de ellas conocí a Esperanza, cuyo trasero era especialmente perseguido por la mirada de otro *polaco* expatriado, Ángel Abad, filósofo experto en Freud e hijo de capitán de la policía armada, carne de futuras caídas, Ángel, carne de cárcel por las culpas contraídas primero en el FLP y posteriormente en el PSUC y en Comisiones Obreras. Ángel y yo reuníamos experiencias policiales coincidentes y nos temíamos que un día u otro las tendríamos carcelarias, como así fue, pero de momento vivíamos en el FLP una clandestinidad casi de bohemia que nos llevaba a improvisar multicopistas a base de rodillos de lavadoras y a ocupar el piso vacío de un notario, padre de nuestro correligionario Fernando Martínez Pereda, aprovechando las vacaciones del buen notario para imprimir propaganda que nos haría solventes ante Tito, nuestro presunto y nunca verificado financiador. De autogestionario a autogestionario. Hoy por ti, mañana por mí, camarada Tito. Pero es la presencia de Esperanza Martínez de la Fresneda la que me interesa rescatar de mi memoria, primero en aquellas sesiones de *voyeurs* y con el tiempo convertida en un necesario referente femenino de mis años de formación política. Ha sido una presencia memorística, de vez en cuando materializada, siempre desde el afecto por nosotros mismos, por lo que habíamos sido, y desde la tenacidad por aceptar sin aspavientos en qué nos habíamos convertido. Tal vez haya frecuentado a Esperanza quince o veinte veces a lo largo de casi cuarenta años, pero siempre había sido con cariño, y en busca de ese antiguo calor me presenté en su casa nada más dejar las maletas en el Palace y conseguir desengancharme de la reverberación de un bolero de Manzanero interpretado al piano bajo la cúpula vidriada del hall-rotonda:

Somos novios, pues los dos sentimos mutuo amor profundo,
y con eso ya ganamos lo más grande de este mundo.
Nos amamos, nos besamos como novios, nos deseamos
y hasta a veces, sin motivo, sin razón, nos enojamos.

Encontré a Esperanza dentro de su nueva silueta de mujer aspirante a la sesentena, muy lejos de las abundancias de la juventud, pero aún dotada de una curiosidad adolescente y de una verbalidad desgarrada de personaje de heroína de sainete de Arniches pasada por la Facultad de Filosofía y Letras. Ahora Esperanza es socialista, muy socialista, mejor dicho, felipista, muy felipista, ha pasado del *Felipe* (FLP) a Felipe González, Felipe para los amigos, y no sólo porque deba buena parte de sus trabajos como profesional liberal del publicismo a su buena relación con las instituciones dominadas por los socialistas, sino porque se lo pide el cuerpo. Esperanza es una incondicional de sus aceptaciones, sean objetos, personas o situaciones, y cuando me recibió esta vez en su casa yo sabía que era tan incondicional mía como de Felipe González, pero algo me dijo que me dio por compañía la intranquilidad mientras regresaba al Palace:

—Es monstruoso el cerco que habéis establecido en torno del pobre Felipe. Os consta su honradez y en cambio dale que dale, cuando no sois las plumas privilegiadas son los jueces, y siempre, siempre, esa oposición que no le ha ganado en las urnas y le quiere ganar en el territorio del descrédito. Tú has firmado una carta pidiendo su dimisión.

—Yo no le critico por criticar, ni porque desee que se hunda para que vengan los otros. Te retrotraigo a crónicas y columnas que vengo publicando desde 1984. No me ha gustado la cultura del poder de eso que llamamos felipismo.

—Ya he leído tus *Felípicas*. Ya sabes que me gusta casi, insisto, casi todo lo que escribes. Pero dime: ¿Lo hubieran hecho los otros mejor que Felipe?

—No es ésa la cuestión. Por primera vez un partido de izquierda ha dispuesto de mayorías absolutas y de más de una década para reformar la cultura del poder y ha sido a la inversa: ha sido la cultura del poder la que lo ha modificado a él.

Le enumero los escándalos acumulados en los últimos años y me centro menos en los de la corrupción económica que en los de abandonismo de la cultura de la izquierda y la corrupción ética que lleva al terrorismo de Estado, al caso GAL. Para legitimar lo que pienso y digo, recurro a la cita de autoridades:

—Dijo Eduardo Mendoza que entre los sueños de nuestra generación no figuraba el del poder y era cierto, pero yo añado: si alguna vez lo habíamos ensoñado, pensábamos ejercerlo de una manera diferente, sin guerras sucias ni cuarteles de Intxaurrondo, sin violaciones de los derechos humanos.

No ha querido proseguir Esperanza la conversación, pero me ha ofrecido su casa, incluso la llave de su casa, por si las estancias en el Palace me deshabitan y quiero recuperar un ambiente propicio mientras consigo encontrar el pasillo que me lleve al Rey. No le digo que gracias a esa frialdad de los hoteles he conseguido escribir buena parte de mis dos últimos libros de poemas y el resto se lo debo a los aviones y a los whiskys tomados a miles de pies sobre el nivel del mar, especialmente en los vuelos de la Varig, que es la compañía que mejor da de comer y sobre todo de beber. Le explico a Esperanza mi plan *polaco* de llegar hasta el Rey, a través de periodos de estancia en la capital recogiendo el cambio atmosférico de la II Transición, la que va del poder socialista a la previsible victoria del PP en las todavía intuidas elecciones anticipadas. Esperanza me pone un compacto con renovadas grabaciones de la Piquer y acabamos la velada yo recordando el inicio de canciones y ella cantándolas con un tronío de *cantaora*.

—¿Qué vas a hacer mañana?

—Quisiera ver a Leguina y debo acudir a la Feria para firmar libros, si es que alguien los quiere. Según mis noticias, sólo se venden libros de derechas y los de Antonio Gala. También me gustaría conversar informalmente con algunos sabios, por ejemplo con Estefanía y Ekaizer, a manera de introducción en el clima de la corte.

—Estefanía no está mal, pero *El País* ya no es lo que era. Desde que se ha sumado a la jauría que cerca a Felipe, ya ni lo compro.

—¿Lees *El Mundo*?

—Ése me lo ha prohibido el médico. Me ha prohibido tocar mierda.

—¿*Diario 16*?

—Más de lo mismo.

—¿*Abc*?

—Ni aunque me lo regalen. No lo leo ni cuando te lo dan gratis en el puente aéreo. Tampoco escucho la radio, casi toda en manos del PP o de comisarios comunistas. Ni veo la televisión, más de lo mismo. Mira, leo *Ya*, porque, como apenas si le queda aliento para sobrevivir, me da la impresión de que si se mete con Felipe lo hace *in artículo mortis*. Toda la prensa, todos los medios se han apuntado al acoso y derribo de Felipe; y los jueces, otro tanto. Lo de Garzón es que ya no tiene nombre. Es un miserable resentido.

—¿Y lo de los GAL tiene nombre?

—Eso es una invención de Amedo, Domínguez, García Damborenea, Ruiz-Mateos, Mario Conde, Garzón y Pedro J. Ramírez.

Acepto la llave de su casa y le recomiendo que cambie de médico o que deje de militar de tan sectaria manera. Hace unos meses se hubiera echado a reír. Ahora no. Regreso al Palace, a cuatro o cinco manzanas de distancia, necesitado de poner en orden los cromos del álbum de mis recuerdos, por encima del rostro crispado de Esperanza abrazada al tablón del naufragio de la ética de la resistencia que no consiguió convertirse en la ética del poder. Anochece el lucernario polícromo de la rotonda del Palace cuando lo atravieso entre residuos de negociaciones del dinero, la política y las letras. En el restaurante aguardo a Karmele Marchante, la única mujer que me ha preguntado en la vida a qué huelen las rodillas. En aquella época Karmele era una radical feminista y hacía entrevistas de este tipo al tiempo que lanzaba tartas de merengue contra la cara del *machista* Sánchez Dragó, aprovechando que él y yo dábamos una conferencia conjunta en un club de opinión dirigido por el futuro hombre fuerte del PP en Cataluña, Aleix Vidal Quadras, entonces Alejo Vidal Quadras. Ahora Karmele codirige un club de debate organizado por mujeres y es una de las señoras de la guerra de la prensa del corazón *heavy*, tal como la tratan las revistas de información general. Karmele es una mujer lunar, de blancura huidiza de toda clase de soles, y se adapta a la penumbra del comedor del Palace como una retenida reverberación de la lámpara de mesa y desde ahí me informa sobre el tono de un Madrid que a su juicio ha caído mucho:

—Una de las cosas que, por ejemplo, en verano estaban muy en auge eran las famosas terrazas. Coches, gente que sale... Ahora a las dos de la mañana el 80% de los días, menos los grandes fines de semana, no hay casi nadie. Percibes como una sensación general de apatía. Tal vez no afecte a la promoción del *bakalao* y todo eso, porque se ha ido al extrarradio, a Costa Polvoranca y por ahí. Pero del antiguo golferío poco queda, y no sólo de nosotros, los *seniors*, sino también de gente más joven que no sale. No sé por qué. El dinero. Hay mucha crisis encubierta. Y la apatía, insisto, la apatía. A la salida de lugares nocturnos como Pachá se producían aglomeraciones de coches, y de gente joven, y de niños bien, y toda la historia, incluso con peleas, y no, no, todo aquello ha descendido en picado. El otro día fui al Hipódromo y estaba lleno, cierto, pero era un sábado. Quedé desbordada ante mí misma porque no me podía imaginar que hubiera tantísima gente para ver carreras de caballos, y además, gente que apuesta. Entonces me estuve fijando en el personal humano y era inclasificable, o sea, era todo un grosor humano. ¿Pijos de derechas? Pues no, inclasificable, o sea, una cantidad de masa madrileña. ¿Gente bien? Me fijé que hacían apuestas de 200.000 pesetas. Mucha gente que hubiera podido antes ocupar otros lugares en la calle, han desertado de las terrazas y tal vez se hayan ido al Hipódromo a por unas cuantas pelas. El Hipódromo es una macrooferta llena de chiringuitos de éstos horrendos de hamburguesas y todas esas tonterías que te puedas imaginar, de puestecitos pequeñitos y una gran orquesta que les toca la

música, y luego alrededor de cuatro turnos de carreras de
caballos. Había, bueno, miles de personas, yo creo que estaba todo Madrid. ¿De dónde ha salido esta gente? Incluso
han caído en picado los acontecimientos nocturnos.

—¿A qué llamas tú acontecimientos nocturnos?

—Bueno, pues mira, por ejemplo, te voy a contar
uno. Hace dos o tres semanas aquí se dieron los premios
de la Asociación de la Prensa Extranjera, un verdadero arco de personajes, desde Almodóvar hasta Adolfo Suárez.
Cuando acabó, salí del ambiente del Palace, donde se mez-
claban las tribus de Almodóvar con las de Suárez, y me fui a
una terraza en la calle de Serrano, cuyo dueño el único mérito que tiene en esta vida es que ha sido ex novio de Ana
Obregón. La terraza está al lado de José Luis, para hacerte
una idea, al lado de aquel bar hawaiano, clásico, de toda la
vida. Desembarco allí y me encuentro a Ana Obregón trata-
da como si fuera Felipe González en los pasillos del Congreso cuando le acosan las cámaras y los micrófonos. Ana
Obregón como única invitada, toda la prensa de Madrid,
absolutamente toda, y Televisión Española, Antena 3, Canal
Plus, Efe, Telemadrid, y dos o tres de éstas de los barrios.
¿Sabes lo que te quiero decir? Todo por Ana Obregón. No
hay duda, Madrid ha caído mucho. Me aparté para verlo
porque para mí misma el circo era inverosímil. Entonces
apareció una multitud de periodistas jóvenes, entusiastas,
preguntándole sobre todo, por ejemplo sobre Bosnia. Ana
Obregón y Bosnia, imagínate, o sobre Garzón o sobre los
«arrepentidos» o sobre la física cuántica, y ella, ella habla
que te habla. No, no hay una nueva ola. Han aparecido unos
cuantos toreros y unas cuantas actrices de diseño, pero no te
los encuentras en ninguna parte. En la ingeniería genética de
la raza ya debe de entrar el aburrimiento. La gente ya no se

dedica al golferío. O se hacen de una secta o tienen un novio o una novia para toda la vida. Y todo el cirio de la Obregón, total, para anunciar *urbi et orbe* que no tenía nada que ver con su ex novio ni con su ex marido. Ésa es la gran noticia global de la noche madrileña situada en la aldea global. Pachá fue el local de moda en los tiempos del triunfalismo felipista y tenía un sitio en el último piso, un chiringuito, que se llamaba El Cielo de Pachá. Cuando la guerra de Irak, yo recuerdo perfectamente esa época, eso se puso de moda, entonces, allí iban todos los de la camada de la Obregón, los ex novios de la Obregón, toda esa pandilla se juntaba allí, y después de toda esta gente no ha salido nadie nuevo.

—¿Y no hay una nueva promoción de referentes para una juventud de derechas?

—El Berlanguita...

—¿Jorge Berlanga? ¿El hijo del director de cine?

—Todos éstos están que no salen. No se les ve en ningún sitio. Luis G. Berlanga tiene dos hijos, uno que trabaja en *Abc* y otro que era rockero, un chico músico muy mono, muy encantador.

—¿Y no salen porque son de derechas?

—Jorgito, como lo llamo yo, no sale a ningún sitio, no se le ve en los últimos tiempos por ningún lado. O sea, toda esta gente, si no es mediante una convocatoria, no salen y no los ves.

Le recuerdo aquel Madrid de itinerarios rituales, el Madrid de los años 70, lleno de lugares emblemáticos adonde iban los progres según una ruta acordada: el pub Santa Bárbara, la Taberna de Antonio Gades, Oliver, Boccaccio. Luego con la *movida* se puso de moda Malasaña. ¿Hay algún lugar hoy equivalente a Malasaña?

—¿Estamos hablando de nocturnidades?

—De nocturnidades hablamos.

—Lo último que hubo de nocturnidad fue Archy. Era el clásico lugar para exhibirse. Un restaurante malísimo, pero la gente se encontraba para verse. Hoy cumple ese cometido el Cock, que es la parte trasera de Chicote. Sobrevive gracias a la presentación de libros. Y es que la gente sólo va a los sitios mediante convocatoria. O porque presentan un libro, o un disco, o porque hacen una fiesta, o porque dan unos premios... Los lugares emblemáticos no han sido sustituidos. Además la gente se mueve por tribus. Por ejemplo, el otro día yo fui a la fiesta de la Residencia de Estudiantes, ¿no? Entonces, todos los de la cultura, toda la cultura para ellos, era *su* fiesta y todos se encontraban allí porque no tenían otro lugar donde reunirse.

Recuerdo que antes ibas a esos asuntos por si sonaba el clarín interior, bebías, te desinhibías y ligabas.

Eran tiempos de transgresión, comenta desengañada Karmele, mientras se dedica ligeramente a un menú ligero que degusta con la punta del tenedor y apenas la comisura de los labios.

—Entonces todo estaba permitido. El modelo de conducta de la progresía ha envejecido, tal vez porque la progresía ha envejecido.

—Y el modelo de conducta de la nueva derecha aún no ha llegado.

—Tú vas ahora a la presentación de un libro, estás bien, saludas a la gente, la gente se toma unas copas, unos más, otros menos, no sé qué, no sé cuántos, pero ahí se termina, no siguen para cenar, y no siguen para tomar copas y todo lo demás. Aquella cadena se ha roto. Todo aquello ha quedado como en un magma, un magma de aburrimientos sumados y cómplices.

La juventud se divierte de otra manera y tal vez haya que leer a Mañas o a Loriga para saber cómo lo hacen, cómo se hace. Le digo que yo he empezado a leer nueva novela madrileña por ver si me conducen a su ignorado octavo día de la semana, pero Karmele no les otorga ni el beneficio de la duda.

—Ésos se saben hasta el último dios del rock que ha salido, esnifan como locos, se pinchan lo que sea, y tal y cual, viven la noche hasta que se caen. Luego vuelven a casa de sus padres. Por encima de ellos, los de más edad, aquí es que ni se esnifa.

Para Karmele Madrid ya no es la ciudad de un millón de cadáveres que vio Dámaso Alonso en 1945, ni la de un millón de chalecos que yo vi durante la transición. Para Karmele Madrid es la ciudad de un millón de aburridos. De aburridos y endogámicos que contemplan desde el más absoluto cansancio la caída socialista y la victoria del PP. Nadie está por el catastrofismo: «¡Que viene la derecha, qué horror!». Aunque algunos saben que si viene la derecha se quedan sin trabajo.

—El ochenta por ciento de mi gente está así: nos quedamos sin trabajo, sin trabajo. No sólo afecta a la gente del PSOE, la de carnet, sino también a un espectro de profesionales simpatizantes, que a veces vienen de las más diversas formaciones de izquierda. Te cito el caso concreto de una amiga mía que llevó todas las cosas de la mujer en la Comunidad de Madrid, de malos tratos, y de la ley de la adopción, bueno, de una serie de cosas, con unos logros muy buenos. Llega el PP y entonces empiezan los temblores, empiezan a aflorar los nervios. En su caso el PP la ha renovado en el cargo.

—Pero ¿le dejan hacer lo que hacía hasta ahora?

—Acaba de aceptarlo. Cabe pensar: «Bueno, estaré mientras pueda», que tú ya sabes lo que es esto y lo jodido que está el mercado de trabajo. En nuestra asociación de mujeres invitamos a Ruiz Gallardón y despertó una gran curiosidad. No se trataba de medrar, sino de departir con el enemigo, a manera de entrenamiento, por si se instalan durante mucho tiempo en el poder. Ante la fragilidad del mercado profesional va a haber transfuguismo a poco que ellos no lo hagan demasiado zafiamente y se impongan las maneras de Ruiz Gallardón o de una Teófila Martínez, que es una tía de derechas pero muy aceptable.

—¿Y los del PP no salen de noche? Por cierto, ¿dónde te podrías encontrar a Benegas, por ejemplo, con una amante?

—Ahora en Casa Lucio zampándose un cogote de merluza. Ya no hay lugares donde puedas encontrarte a un Leopoldo Mª Panero delirando poéticamente o a Juan Benet borracho rodeado de la corte benetiana. Ahora están comiéndose un cogote de merluza o muertos o en su casa o no están.

—Tal vez esperan la llegada de los bárbaros para saber a qué atenerse.

—Es que es más simple. La gente ni se encuentra ni tiene ganas de encontrarse, Manolo. O lo hace de una manera residual en Cock o en Morocco, que había sido de Alaska y tuvo un cierto morbo una temporada, como aquel reducto de Paquito Clavel y los travestís aquellos, los rubios y tal. Al final ya casi no va nadie.

—¿Qué hacen entonces? ¿Ven la televisión?

—Creo que sí. O montan cosas en sus casas.

—Me parece que se está expresando el cansancio biohistórico de una o dos generaciones, las que impulsaron las penúltimas resistencias contra Franco y protagonizaron la transición.

—Te diría que de un par de generaciones impresionantes. Fíjate en todo lo que se había hecho y, bueno, pues hasta hace no demasiados años todo lo que se seguía haciendo. Desde 1992 todo ha caído en picado. ¡Todo es tan efímero! Para empezar, el trabajo. Los medios de comunicación están copados o están en bancarrota. No se emprende casi nada desde la Administración porque no saben quién va a mandar dentro de unos meses, y así estamos desde las elecciones generales de 1993.

—Madrid se ha vuelto una ciudad de supervivientes.

—Sí, excepción hecha de unas cuatro islas. Yo creo que es una comodidad, una molicie, ¿sabes? Han vuelto a aquella regresión tan tremenda de decir «como en casa no hay nada» y quizá tienen mucho miedo de salir de su casa y encontrarse con todo lo que se encuentran, porque los modelos ya los tienen caducos.

—El final de la aventura. Incluso de la aventura controlada.

—Incluso los escándalos económicos o el terrorismo de Estado ya no sacuden a nadie. No te hagas ilusiones. Casi no se lleva ni meterse con los catalanes, con los polacos. Hasta eso cansa. Estamos instalados en el fatalismo. No se discute nada, ni se espera nada nuevo. Lo que más gusta ahora es el cotilleo y el chismorreo. Ni se conversa realmente. Me quejo de que no hay ningún modelo nuevo y de que los modelos viejos no sirven, para mí, que siempre me ha gustado cruzar el charco de las transgresiones. Ahora no me queda espacio para la transgresión, como antes. Y no somos tan mayores, ¿verdad?

2. Esperando a los bárbaros

Esperando a los bárbaros llegaron los nuestros.

FRANCISCO FERNÁNDEZ BUEY,
La barbarie de ellos y de los nuestros

—Todo empezó con la guerra del Golfo.

Manolo Vicent suele subirse a la Historia como si fuera el tranvía a la Malvarrosa y quedo a la espera de que me dé alguna pista sobre el sentido de su frase.

—Allí empezó la crisis económica. Un amigo mío me dijo: Estos banqueros se van a matar.

En la primavera de 1994, Manolo Vicent había entrevistado a Mario Conde, el hombre-anuncio de la riqueza fácil de la década socialista, hasta el punto de que en un *spot* publicitario de una revista de economía, un adolescente sensible explicaba a la cámara: «Leo esta revista porque de mayor quiero ser Mario Conde». Ahora esa misma publicación desvela cada semana las torpezas de Conde, las que le llevaron a la intervención del Banco de España sobre Banesto y con el tiempo a la cárcel y a la generalizada sospecha de que es el hombre que mueve los dossiers más crueles contra la imagen del poder.

—Mario Conde es muy lúcido. Me dijo: Yo soy un negro y Felipe González es otro negro. Los blancos nos dejan actuar de momento, pero nada hay seguro con ellos. Mariano Rubio, el gobernador del Banco de España, también es un negro, pero se cree blanco.

Si recupero el artículo de Vicent *Felipe ¿es blanco o es negro?* me es difícil seleccionar entre tantas evidencias brillantes: «Una tarde de máximo esplendor me recibió Mario Conde en su despacho de Banesto y a esa hora todo el edificio de la calle de Alcalá estaba vacío, pero en el vestíbulo había cuatro guardias con revólver. En un ascensor blindado subí en compañía de uno de aquellos gorilas. A través de la mirilla del ascensor se veían otros vigilantes armados en cada rellano, y al llegar a la planta debida se abrieron las puertas de acero y aparecieron en aquel espacio más guardaespaldas, de tipo bisonte, con más hierros en la cadera». El financiero más admirado y hoy más caído de España confiesa a Vicent que hace cinco años que no pisa la calle, bajo la dictadura de un jefe de seguridad que le impide ir al VIPS a tomarse una tortilla, es un Mario Conde en plenitud de expectativas, convencido de que entre el cabreo creciente contra los socialistas y la desesperanza hacia las posibilidades del PP de Aznar estrenaba un pasillo que le llevaba al poder, como había llegado Berlusconi al poder en Italia. «Sus palabras —comenta Vicent— no eran las de un banquero, sino las de un líder o las de una pantera que espera el instante para dar el zarpazo. Entonces afirmó: *Yo soy un negro que sabe que es negro. Mariano Rubio y Carlos Solchaga son negros que se creen blancos. Felipe González es un negro como yo, y tampoco olvida nunca que es un negro*».

Mario Conde compraba obras de arte como si quisiera montar un museo para él solo, y junto a él fueron masa todos los enriquecidos que se gastaban así el dinero negro e invertían en arte: una inversión segura. Los pintores subían de la noche a la mañana del millón por cuadro a los veinte, y a las salas de arte acudían los millonarios con cajas de zapatos llenas de billetes de diez mil.

—Concretemos sobre policromías. ¿Mario Conde era negro?

—Él lo decía y creo que sí, que era negro, aunque tal vez en un momento determinado se creyó blanco y se pasó de la raya. Era muy fácil distinguir a Mario Conde de su socio Juan Abelló.

—Juan Abelló era blanco.

—Bronceado. Un señorito bronceado por el sol de Kenia. Yo me di cuenta de que la situación hacía aguas cuando se paró el mercado de la pintura. Es el primero que se para. Yo no sé por qué los tertulianos radiofónicos no están más atentos a las cotizaciones en el mercado de la pintura.

—Si gana el PP subirá la pintura.

—Esto no lo sube ni Dios.

Según Vicent, Madrid registra el electroencefalograma plano del *shock*. Toda la clase del poder construida por la transición sufre el efecto *paralís* creado por los escándalos y por una relativa ruina generalizada, por más que se hable de reactivación económica. Es posible que exista, pero la gente no la metaboliza. Psicológicamente está bloqueada en el pesimismo y Aznar tampoco estimula demasiado.

—El problema de Aznar es que es un señor muy mayor.

Manolo Vicent ejerce de mediterráneo en Madrid y ha conseguido corporeizar su oficio. Tiene ojos marinos y una sensualidad calva de reyezuelo de algún conjunto de islas mediterráneas de inútil localización. El escritor valenciano parece haber nacido para dar la réplica a la maldición unamuniana: «Levantinos, os ahoga la estética». Para Vicent, a los de la meseta les ahogan y les engañan las apariencias y los referentes de una ética siempre aplicada a destiempo y con excesivo complejo de culpa.

—Esta derecha que viene, ya lo verás, será puritana.

—Una derecha con despensa, llave en el ropero y cilicio.

—Por ahí van.

—La progresía creó el Madrid de la desinhibición todavía en tiempos de Franco. ¿Recuerdas la ruta que empezaba en el *pub* Santa Bárbara y terminaba en Boccaccio? Luego la democracia y la *movida* pusieron en marcha Malasaña y todo lo que le colgaba para que la juventud se creyera a la vez hija de John Lennon y nieta del socialismo utópico, mientras los *seniors* vivían su noche aparte. Ahora me han dicho que no hay noche.

—No hay noche. O quizá es que los que hacíamos la noche ya no salimos de casa.

En *Del café Gijón a Ítaca* Vicent había descrito los itinerarios que arrastraban la noche madrileña desde la promesa de octavo día de la semana, en los años en que Tierno Galván se disfrazaba de dondiego de noche. «Aquel alcalde, tierno profesor que no era sino una víbora con cataratas, quiso dotar a esta ciudad de una mística socialista y desde arriba le impuso una fiesta continua. Los camiseros se convirtieron en filósofos y éstos se hicieron gastrónomos; los arquitectos crearon espacios lúdicos y en ellos bailaban los especuladores; los revendedores de solares se hicieron aristócratas y los poetas compraban acciones de Papelera, después de consultar el índice Nikkei de la Bolsa de Tokio. Mientras tanto a las tribus urbanas les nacía una cresta de gallo en el occipucio y ésta era subvencionada por el Ministerio de Cultura. No obstante, Madrid entonces parecía tener sustancia: de las gambas al ajillo franquistas se pasó a las colas en los Alphaville y éstas eran las columnas en las que se sostenía la modernidad. Ahora la sustancia de Madrid tal vez era la huida hacia dentro, la búsqueda de ese mar interior que todo el mundo lleva en el diafragma. Ya no hay límites para esa huida. Todos quieren salvarse y cualquiera se siente feliz sólo por el hecho de no pisar una mierda de perro en la calle.»

En aquel Madrid, tan reciente, se podía llegar del café Gijón a Ítaca en una noche. Primero se pasaba por el bar El Pirata, en los traseros del Ministerio de la Guerra, como dice Vicent, un bar para Harleys Davidson y mozas que se pintaban los labios con la ayuda de espejos retrovisores. En la calle de Barbieri aparece el suave nido Very Very Boys, azul y malva, donde casi siempre había un mariquita con la bragueta sembrada de pipas de girasol. En la discoteca El Sol se celebraba, seguramente, el cumpleaños de los Rolling Stones, y en el pasaje de Montera 33 se podía encontrar un ámbito «perfumado por tantas braguetas de caramelo» y sonaba música clásica, «el *Adeste, fideles* navideño..., un gregoriano mezclado con sonidos de bakalao». Y así la retahíla de la búsqueda: Stella, Torito, Troyans, Kiks, Morocco, Revólver, Caracol, Siroco, Titanic, el Corazón Negro, donde había muchos sofás y se lo habían montado de lánguido, «una teoría de la vida espatarrada entre almohadones con flecos». O en el Palacio de Gaviria recorría con los ojos el conglomerado de chicas fascinantes y de homosexuales que «se reproducían en los grandes espejos» mediante la cópula refleja del narcisismo bifronte.

—Y después de este recorrido, te podías ir a Ítaca al día siguiente sin tener la sensación de venir de la berza. Se podía vivir en Madrid y de noche sentirte como en el Mediterráneo y luego coger un avión y confirmar el Mediterráneo. Ítaca. Yo lo hice una vez.

Con las palabras de Vicent en las orejas cerebrales, ávido del espectáculo de retiradas y derrotas, quise ir a ver a

Leguina a la que para mí siempre será Dirección General de Seguridad, por más que actualmente se disfrace de sede del Gobierno de la Comunidad Autónoma de Madrid. Que sigue teniendo algo del espíritu de la antigua central de la represión franquista lo pregonan las letras DGS que aún dominan vigilantes el dintel que separa la recepción de lo que antes fueron dependencias parachequistas. Joaquín Leguina, primer presidente de la Comunidad Autónoma de Madrid, trató de componer la capa de ozono democrático de este caserón nacido para imponer la gobernación de España y reconvertido ahora en centro de la gobernación de Madrid distrito federal. Está Leguina recogiendo los bártulos espirituales y conversamos a dos sobre una mesa circular, casi mesa camilla, que facilita los codos y el descanso de la cabeza para una conversación sobre casquería ideológica, titulable *Idiomas y Talentos*. Hablando no se entiende la gente, y probablemente si habláramos de nuestros respectivos puntos de vista sobre el *felipismo* nos veríamos obligados a respetar el punto de partida de que no pertenecemos a la misma tribu. Leguina inició la dura réplica del PSOE frente a lo que algunos llamaron conspiración contra el resultado electoral de 1993. Leguina, de momento, no habla de conspiración, pero sí de connivencia entre el juez Garzón, Amedo y Domínguez, los respaldos mediáticos de *El Mundo* y su director Pedro J. Ramírez y los económico-estratégicos a cargo de financieros caídos como Mario Conde, Javier de la Rosa o Ruiz-Mateos. Sus acusaciones contra Pedro J. Ramírez han bordeado a veces la truculencia, pero se mueven en torno a la sospecha de que «medio país está acojonado con Pedro J. Ramírez, desde Adolfo Suárez a los demás, les tiene comido el coco a todos». Frente a esa beligerancia de caballero socialista dispuesto a defender el Paso

Honroso, a Leguina se le atribuyen también demandas de juramento de Santa Gadea dirigidas a Felipe González: «Deja de hacer de Don Tancredo, Felipe», se comenta que le espetó en una reunión de altura. «No, no le dije que dejara de hacer de Don Tancredo. Le dije exactamente: Felipe, no puedes hacer de Don Tancredo. El PP no nos ha ganado por la política que hemos hecho sino por cuestiones de primera magnitud como los escándalos de corrupción y porque no tenemos una política de comunicación. La política de comunicación del PP ha conseguido desgastar al PSOE: empieza a primera hora de la mañana con las tertulias radiofónicas, continúa con lo que dicen *Abc* y *El Mundo* y termina a altas horas de la madrugada con más tertulias antisocialistas y el programa de Jesús Hermida en el que el público condena una y otra vez a los socialistas.»

La conversación va por los cerros del *desiderátum* socialista centrado en la defensa del Estado de Bienestar como árbitro ante el capitalismo salvaje o *en defensa de la política*, locución que ha dado título a un libro de reflexión de Leguina, novelista y mártir de la caída de intención de voto hacia el PSOE.

—Lo mejor de una posible pérdida del poder es que así se irán los oportunistas. Hay que reorganizar la instalación territorial del PSOE de cara a una mejor vinculación con el tejido social y hay que pensar en la batalla de la opinión pública que hemos perdido. No sé cuántos instrumentos de creación de imagen tenemos en las manos, pero no están sirviendo de nada. Casi no podemos hacer frente al sindicato factual que unos cuantos periodistas han montado contra el PSOE, y fíjate que no les llamo «sindicato del crimen».

En la prensa declararía Leguina que ha triunfado la política vista como un espectáculo, por goleada, sobre todo basándose en la influencia de medios de comunicación afines: «Cuando montaron el programa de Hermida sabían lo que hacían. Ese programa es el enemigo público número uno del socialismo. Más que *El Mundo*, más que *Abc*. Porque es la trivialización de toda la política. Me parece deplorable que en ese tipo de tertulias donde todo se trivializa, todo el mundo parece saber de todo, nunca se hable de una reflexión o de un libro. Es puro espectáculo trasladado al salón comedor, con una impunidad intelectual tremebunda. Y el PP ha sabido aprovecharlo. El PP es *la internacional situacionista*, porque nunca habla de política, siempre habla de situaciones».

—¿No crees que en esa pérdida de imagen ha podido influir, junto a los escándalos, el carácter demasiado profesional de la militancia en el PSOE?

—Que se vayan los oportunistas y el talante militante aflorará. Me parecía muy interesante una experiencia como la de la Casa Común porque podía ser el crisol de una nueva conciencia de la izquierda enriquecida por los más diversos patrimonios.

—Pero esa Casa Común ha aparecido como una dependencia del INEM, como un instrumento para encontrar trabajo político a la sombra del partido en el poder.

—Por eso te digo, insisto, que cuanto antes se vayan los oportunistas, mejor. Fíjate en la ceremonia de la confusión ideológica que están practicando las derechas: reivindican a Azaña. ¡Aznar reivindica a Azaña! Luego Aznar hace el texto de presentación de un programa de mano de una obra de Buero Vallejo. Ruiz Gallardón es el rostro amable de esa gente, pero llevan en la recámara la derecha de siempre y el Opus Dei está al acecho. Jorge Martínez Reverte ha escrito un informe sobre el retorno del Opus y no encuentra diario que se lo publique. Las derechas se mueven a sus anchas en esta ceremonia de la confusión.

—Se meten por las rendijas de la casa de la izquierda.

—Están vampirizando el progresismo, que ha sido siempre la alternativa de la izquierda, y lo hacen aprovechándose de nuestra excesiva desideologización, de una desertización pragmatista que en cierto sentido hemos impulsado.

¿Qué será el PSOE después de la derrota, sobre todo desde la perspectiva de un dirigente que ya ha perdido la plaza fuerte de Madrid, donde ha gobernado en coalición con IU? Leguina cree en la reconstrucción del partido, basada en la resurrección de los santos y el perdón de los pecados.

—¿A qué bandería del PSOE pertenece Felipe González?

—A la de Felipe González.

El análisis de Leguina de la función social e histórica del socialismo futuro lo suscribiría un amplísimo espectro del izquierdismo en ejercicio. Instituciones democráticas y movimientos sociales. El poder institucional y el poder de una presión social impulsora de las transformaciones sociales.

—Pero los socialistas recuperan este discurso cuando están en la oposición. Cuando vuelven al poder hacen lo imposible para detener la acción de los movimientos sociales. Incluso para desacreditarlos. Fíjate en la cantidad de marrullería que ha habido en la relación entre el PSOE y la UGT.

—El socialismo ha de clarificar su estrategia hacia los movimientos sociales, como ha de clarificarla hacia las capas medias. Eso significa modificar el saber social, el lenguaje, la praxis.

—¿No te irritan esos burócratas del socialismo cuando hablan de los parados como si fueran dígitos y no ofrecen otra salida a la crisis que contentar a la patronal ofreciéndoles trabajadores bonsáis?

—Toda la cultura del trabajo merece revisarse, pero desde una perspectiva política y social. La Economía tiene sus leyes pero deja márgenes a sensibilidades politicosociales diferentes. Es de mal gusto que los mismos que recomiendan a los trabajadores apretarse el cinturón o aceptar el trabajo precario, luego vivan como profesionales excepcionalmente pagados e incluso se conviertan en defraudadores de impuestos. A toda esa gente habría que darles un baño. Un baño de Metro.

Leguina ha dado que hablar por su cerrada, cerril me parece a veces, defensa del ex ministro Barrionuevo, implicado en el caso GAL, convertida en ataques cerrados, cerriles insistiría yo, a Garzón, y por sus contundentes críticas al director de *El Mundo*, Pedro J. Ramírez, convertido por los socialistas en El Gran Inquisidor del PSOE.

—Yo más bien le veo como un inquisidor del *felipismo*.

—A Pedro Jota no le queda otra salida profesional que continuar siendo virulento cuando ganen los del PP, y ésos no se lo van a aguantar. Llegará un momento en que Aznar se planteará: «o Pedro Jota o yo», y la respuesta es obvia. Sería catastrófico para todos que el PP barriera. Si me preguntan qué objetivo deberíamos tener, contestaría: no ser barridos. Es fundamental para poder reconstruir una oferta socialista pasada por la autocrítica.

Le recuerdo la experiencia francesa. Tras el vapuleo electoral sufrido, todos los socialistas notables querían debatir el futuro de la izquierda y llamaban a la unidad de las izquierdas posibles, situadas intra y extramuros, para conseguir una estrategia de reforma social y de dique frente a la prepotencia neoliberal. Pasaron los meses y todo se quedó en una simple espera para ver pasar el cadáver del enemigo, para ver cómo se desgastaba la derecha y tener así la oportunidad del retorno al poder.

—Da la impresión de que la socialdemocracia se ha visto afectada por la desaparición de la guerra fría. Está como bloqueada. No se ha resituado.

—Yo me siento muy próximo a las propuestas de Delors, que probablemente haría suyas Jospin y que en mi opinión dan respuesta a casi todos los problemas de que hemos hablado, incluido el del paro, el de la creación de una nueva cultura del trabajo. Es una cuestión que preocupa a todos, absolutamente a todos los agentes sociales. De vez en cuando me veo con José Luis Leal, el jefe de la patronal bancaria y ex compañero del FLP, y el tema de la cultura del trabajo es recurrente entre nosotros. Sólo la socialdemocracia tiene una respuesta a ese desafío. Para ello es indispensable no ser barridos y que se vayan, que se vayan los oportunistas.

Coincide esta demanda, insistida a la manera de un ritmo paralelístico, con la que me plantea Salvador Clotas en el locutorio central del Palace. Es la hora del aperitivo, pero el que fuera hombre fuerte de la política cultural del PSOE, y hoy responsable de la Fundación Pablo Iglesias, no bebe alcohol a estas horas. Nos recuerdo bebiendo un triple seco casero logrado a base de alcohol de enfermería penitenciaria, cáscara de naranja y azúcar que *destilábamos* en nuestra celda de la cárcel de Lérida. Yo era el único de los cuatro estudiantes allí penados por un delito de Rebelión Militar por Equiparación (nos habíamos manifestado a favor de los huelguistas mineros de Asturias y habíamos cantado *Asturias, patria querida*) que no se desmayaba ante la sangre y el pluriempleado médico penitenciario me nombró practicante, ayudante técnico sanitario se llama ahora, tras un cursillo rapidísimo de especialización consistente en aprender a poner inyecciones intramusculares y a distinguir las pastillas para la úlcera de estómago. Se me nombraba para que, desde el nivel cultural que se suponía en un estudiante de quinto curso de Románicas, no me bebiera el alcohol de la enfermería, y fue lo primero que hice previa manipulación cultural, eso sí, porque de algo ha de servir la cultura. Compañero de cárcel durante más de un año, Salvador Clotas era entonces la gran esperanza blanca *in péctore* de la crítica literaria, así investido nada menos que por Castellet, y de crítico de celda, que no de cámara, me servía en mis aprendizajes de poeta y novelista y de escribidor de *Informe sobre la Información*. En compensación yo le ayudaba a debatir en voz alta sobre literatura y, con los otros dos colegas, a encontrar sus lentillas, a cuatro patas por los suelos, cuando se le caían fruto de las abundantes situaciones de tensión ambiental o simplemente personal. Salvador Clotas fue consultor precoz y privilegiado de Carlos Barral en el *brain trust* de Seix y Barral y no menos privilegiado valido de Ricardo Bofill cuando iniciaba su vuelo desde la Icaria de la Barcelona de la *gauche divine* al infinito de la posmodernidad doricojónica. De pronto me vi a Clotas de urdidor socialista y de urdidor de estrategias culturales del PSOE, así como de escudero intelectual de Alfonso Guerra. Aquel muchacho miope, sensible, calzado con zapatos amarillos, que se comía en la cárcel los comistrajos que yo hacía en un fogoncillo de alcohol tramado con latas de conserva, se había convertido en un poder fáctico socialista capaz de influir sobre las tesis del PSOE a propósito de la *d* en posición intervocálica. Ahora ha padecido un cierto arrinconamiento paralelo a la pérdida de influencia de Alfonso Guerra y por eso cada vez que le veo y consigo que él me vea —sigue siendo esencial, suicida, agresivamente miope— le recomiendo lo mismo que le pide el barítono a la tiple en *El dúo de la Africana*: «No cantes más La Africana, vente conmigo a Aragón, que la que aquí es primadona, reina en mi casa será». Es decir, le pido que deje la Política y vuelva a la Literatura, sin éxito, probablemente porque a Salvador le gusta saber antes que los demás ciudadanos qué va a decir el PSOE a propósito de la *d* en posición intervocálica. Pero en los varios encuentros que tuvimos mientras yo trataba de llegar hasta el Rey, le observé algo desencantado y en la línea leguinista de pedir que se vayan los oportunistas para clarificar el ambiente interno del partido y el retorno al contacto con el tejido social.

—Pero ¿estáis preparados para la derrota?

—No mucho.

—¿Habéis valorado qué va a significar carecer de cadenas de televisión, de emisoras, de diarios afines, de cómplices en el mundo intelectual?

—No, no se ha hecho un inventario de carencias de instrumentos culturales. Se va a luchar para conservar esa base de un 30% del voto y sobre ella afrontar el futuro.

—¿Os habéis imaginado a todas las cadenas de televisión afiliadas a la línea editorial de *Abc*?

—Quizá haya que volver a una cultura de la resistencia. Quizá volveremos a representar a Bertolt Brecht con la ayuda del teatro independiente. Ellos representarán *La Malquerida* de Benavente y nosotros volveremos a Bertolt Brecht.

—La ironía es lo último que se pierde. ¿No se te ha acabado la curiosidad literaria por la política?

—Ésa se me acabó hace tiempo. Afortunadamente conservé otras curiosidades.

—¿La curiosidad morbosa del cómo y por cuánto se pierde el poder?

—Tal vez sea eso.

Le comento los movimientos estratégicos de Serra por sustituir su pérdida de influencia en el PSOE por el control definitivo del PSC. ¿Cómo ve todo eso González? Felipe no pertenece de hecho a ningún bando, ni siquiera al de los renovadores. Felipe ha montado una fracción interna consigo mismo. Se estaban debatiendo por entonces los nombres de los candidatos socialistas para competir con Pujol en las elecciones autonómicas de Cataluña y un hermano del propio Clotas, Higinio, ha sido misteriosamente lanzado como un obstáculo para la candidatura del alcalde de Gerona, Quim Nadal. A los serristas no les gusta que Nadal sea demasiado proclamado, porque todavía sigue siendo sueño de Serra competir algún día por la presidencia de la Generalitat, cuando la memoria social olvide sus corresponsabilidades con los trabajos de fontanería del poder. A pesar de su evidente lucidez, o quizá debido a ella, Clotas no se desdice de guerrista, pero tampoco se muestra demasiado corrosivo con las otras tribus del partido. Sin duda le quedan muchas curiosidades que sólo espera satisfacer dentro de la Casa Común, pero sí me dice que el PSOE debe cambiar de política y de mensajes.

Quedamos emplazados para otros encuentros, sin sospechar que tendremos otro antes de que acabe el día. Ahora me espera Joaquín Estefanía en el restaurante La Ancha, para que me eche las cartas de las futuras estrategias de cuantos factores han hecho la era *felipista* tal como ha sido, uno de ellos *El País*. Es curioso que en los dos restaurantes La Ancha, sea el que está pegadito a las Cortes, sea el de Príncipe de Vergara, en el Madrid del crecimiento económico, se hayan desarrollado buena parte de mis encuentros con cuchillo y tenedor por medio. La Ancha figura en el chip del *establishment* madrileño, no sé si atraído por platos tan sólidos y sabrosos como la tortilla de patatas con almejas o con callos, o por el vicio de verse y reconocerse incluso a la hora del almuerzo o de la cena. Y si, hasta hacía unos meses, los dos restaurantes La Ancha conservaban leyenda de ser territorio socialista, esta vez ya se habían colado los bárbaros y no hubo comida en que no viera e incluso fuera presentado a algún destacado miembro de la avanzadilla del PP en su inexorable ocupación de la capital.

Estefanía ha sido un director de *El País* querido por la redacción y no excesivamente zaherido por los enemigos. Tal vez lo consiguiera porque había hecho política de izquierdas, de muchas izquierdas, en el bajofranquismo y luego fue cocinero antes que fraile en los fogones del diario. Juan Luis Cebrián era otra cosa. Tenía y tiene maneras de príncipe desganado pero activo, y así como de Berlinguer se dijo maliciosamente que siendo adolescente se apuntó a la dirección del PCI, que no al PCI, de Cebrián podría sospecharse que desde muy joven se apuntó a dirigir lo que fuera. En la cabeza de Cebrián había estrategias de multimedia que implican estrategias de alta política y de momento anda subido a estos vuelos, en cambio Estefanía suscitaba el imaginario del que sabe lo que significa guardar las mercancías en los tinglados de los muelles, como pedía el poeta polaco Joan Salvat Papasseit. Heredero de Cebrián como cabeza triunfante de *El País*, pasó como un director de consolidación que tuvo que compartir artículo de portada con el ex director, y lo hizo con solvencia hasta que dimitió o pidió el cese, dando paso a una inquietante etapa en la que se sospechó que *El País* pudiera estar preparando la adaptación a los nuevos tiempos y abriera sus puertas ideológicas a los bárbaros. Ahora Estefanía ha sido ascendido a la condición de supervisor de las publicaciones habidas y por haber del grupo PRISA, desde un despacho instalado en la misma planta de la Gran Vía donde Cebrián y Polanco avizoran el siglo XXI y es posible que el XXII. Desde esa planta tan importante para la real política española, Estefanía trama sucedidos, según obsesiones de juventud no abdicadas, como un debate sobre izquierdas y derechas a propósito de la edición española del libro de Bobbio *Derecha e Izquierda*, o redacta un interesante librito sobre *La Nueva Economía* publicado por Debate. Lo he leído antes de practicar la inmersión gastronómica en La Ancha y he sacado la conclusión de que Estefanía está de acuerdo conmigo: el Bien no existe, pero el Mal sí, sea en economía, sea en meteorología. El libro empieza muy bien: «Un economista es una persona que, leyendo el encierro de Edmundo Dantés en una pequeña celda, lamenta el producto alternativo perdido», cita de Stigler, autor de *El economista como predicador y otros ensayos*. Estefanía constata en su libro la tendencia del capitalismo a instalarse allá donde la mano de obra sea barata, inaugurando una *era de la incertidumbre* en expresión de Galbraith muy aceptada por los economistas, esos sacerdotes melancólicos, «respetuosos profesores de una ciencia lúgubre», como les llamó Carlyle. En un momento en que el capitalismo es rigurosamente universal y el mundo puede concebirse como un mercado único, se han quedado viejos todos los organismos internaciones, sea la ONU, sea el Fondo Monetario Internacional o el Banco Mundial, pero no es *políticamente correcto* decirlo, porque podría sonar a discurso nostálgico-marxista, como no es políticamente correcto analizar críticamente la llamada revolución conservadora como un engañabobos que no va a contribuir precisamente a una mejor distribución de la riqueza. Trasladado este estado de la cuestión a una España a la espera de la victoria de esa *revolución conservadora* que representa el PP y su líder José M.ª Aznar, Estefanía constata la inexistencia de una conciencia social crítica con respecto a la desigualdad realmente existente y a la por venir: «Las desigualdades sociales carecen de cualquier legitimización social. La desigualdad merece condena, pero apenas da lugar a conflictividad. La española es una sociedad poco propensa al conflicto y no se ve a sí misma escindida; la mayoría de los ciudadanos no cree que entre pobres y ricos haya conflicto de clases, o que éste sea fuerte. La ilegitimidad de la desigualdad no se resuelve a través del conflicto ni tampoco a través de forma alguna de acción colectiva radical: la solución debe venir del Estado, pese a que se confíe poco en la efectividad de éste para corregirla». Los españoles conciben la distribución de la riqueza como algo que debe venir desde arriba y esperan la llegada de la derecha como más de lo mismo, sin temer un cambio cualitativo del juego distributivo.

—Tu libro es un diagnóstico melancólico de la situación. Detectas todas las insuficiencias del sistema, pero no ves manera de modificarlas.

—Así nos ha dejado la crisis de una expectativa de transformación social, sea a escala nacional o universal. No hay suficientes datos para saber cómo jugar las cartas de esa transformación, por eso la batalla dialéctica se ha quedado en la trinchera de los neoliberales radicales y los pesimistas defensores del Estado Asistencial. Pero es posible que, como consecuencia de la globalización de la economía, también se globalice la necesidad de un reequilibrio entre los emergentes y los sumergidos, entre el norte y el sur.

—Hace veinte años hubiéramos dicho que esa globalización implicaría una agudización de las contradicciones internas del sistema. Ahora se está avalando un nuevo determinismo. La izquierda debe esperar a que se globalice la ansiedad de emancipación como una consecuencia de la globalización del capitalismo. Debe reconstruirse ese discurso porque siguen vigentes buena parte de sus causas.

Estefanía me remite a la intervención de Fernández Buey en el debate organizado en torno a la presentación de la traducción española del libro de Bobbio *Derecha e izquierda* y retengo un fragmento de lo dicho por Paco: «Del reconocimiento de la diversidad, como hecho biológica y culturalmente observable, no se sigue sin más la defensa politicosocial de la desigualdad humana, como sugiere Bobbio, ni hay ninguna artificialidad en pasar del reconocimiento de la diversidad biológica, cultural, étnica, a la defensa del igualitarismo social, como lo han visto muy bien las mujeres en estos últimos tiempos, y eso es un gran asunto para la discusión de las izquierdas en el mundo actual. Se puede, en efecto, ser sumamente respetuoso con la diversidad biológica, física o cultural de los seres humanos y aspirar también a la igualdad social entre miembros diferentes, diversos, de la especie, de esto que llamamos humanidad. Creo que si se acepta esta precisión en el uso de las palabras, entonces se puede justificar también mejor una cosa que dice Bobbio en el libro y que hasta ahora no ha citado nadie, que es la siguiente: *El comunismo histórico* —dice Bobbio en la página 170— *ha fracasado, pero el desafío que lanzó el comunismo histórico permanece»*. Hasta aquí la cita de Paco Fernández Buey y de Bobbio, pero Octavio Paz, nada menos que Octavio Paz el perseguidor, el cazador de recompensas por la captura de toda nostalgia revolucionaria, sentenció tras la caída del muro de Berlín: «Han desaparecido algunas respuestas, pero siguen planteadas las preguntas».

—¿Y aquí qué va a pasar?

—No creo que el PP se atreva a levantar bandera de un liberalismo extremo. Más o menos seguirán las pautas de la economía posibilista y pactante del PSOE. De todas maneras hay situaciones económicas incontrolables y la contradicción entre la mundialización de la economía y la obsolescencia de los instrumentos internacionales de control es cada vez más evidente y repercute en España. Cada Estado nacional es un mero filtro adaptador.

—¿Con quién va a contar el PP para conducir la economía española?

—No faltan economistas que le llegan de los más contradictorios orígenes: Velarde, que viene del falangismo estatalizador, o Tamames, del PCE, los dos ahora neoliberales. Pero en torno a Rato o Cristóbal Montoro se articularán los economistas ya conocidos y otros que no lo son, Recarte o José Luis Feito. En el PP tienen de todo: thatcherianos puros e impuros, incluso *portillistas*, una fracción más radical del thatcherismo que encabeza ese conservador inglés hijo de exiliados republicanos españoles, Michel Portillo. Los bancos empiezan a acercarse a Aznar para darle el abrazo del oso. Botín e Ibarra ya se lo han dado.

Amusátegui pasteleará cuando sea necesario. Pero la patronal y los banqueros se han rendido a Aznar por cansancio.

—Y el Opus.

—Y el Opus, en efecto. El Opus vuelve, pero no con la ostentación obscena de los tiempos de Franco. Van colando efectivos, así en el aparato político como en el económico del PP, para no hablar del cultural.

—Se aguardan los mentores culturales del PP con expectación. ¿Saldrán de *Abc*?

—No creo. Buscarán, como está haciendo Ruiz Gallardón, a profesionales con un currículo importante, y la influencia doctrinal se filtrará como un aroma, como un perfume. No van a reivindicar la memoria de la derecha española reaccionaria, sino que van a dedicar más esfuerzo a reafirmar los valores conservadores modernizados y el papel de la libertad de iniciativa del individuo frente a la dictadura de lo colectivo.

—¿Qué va a hacer el llamado poder mediático frente a la nueva situación? Las tertulias radiofónicas, la línea dominante en la COPE, *El Mundo*, *Abc*, han convertido la crítica del PSOE en la mercancía favorita, contando con las inmensas facilidades que les ha dado el PSOE para abastecerles. Pero, una vez vencido el PSOE, ¿cómo se van a resituar ante el nuevo poder?

—Ése es uno de los espectáculos mejores por ver.

—Tampoco será manco el espectáculo que puede ofrecer *El País*.

—*El País* está muy condicionado por sus lectores. El cuerpo fundamental de su audiencia no toleraría una decantación interesada hacia el PP.

—Pero *El País* forma parte de un multimedia y los multimedia necesitan estar a bien con el poder.

—Depende de la seriedad de su instalación. No creo que *El País* vaya a flirtear con el PP, entre otras cosas porque Polanco es leal a sus amigos y a las afinidades de los lectores y sabe que no puede cargarse el diario cambiando de línea.

—Pero ha habido cambios en la línea de opinión dominante.

—Creo que, simplemente, se ha reforzado la línea de opinión dominante y el tiempo ha decantado esos cambios. Hemos pasado tiempos muy difíciles porque una de las trincheras de la batalla política pasaba por el territorio mediático y la batalla se hacía a golpe de dossier que sabías adónde iba pero muchas veces no de dónde venía.

Los dossiers parecían en aquel momento inagotables y la presencia inquietante del coronel Perote, el que había sido lugarteniente del general Manglano en el Cesid, ponía en evidencia tanto la fragilidad del sistema de información más importante del Estado como la facilidad para que los secretos de Estado dejaran de serlo a tenor de luchas internas cuya lógica escapaba a los receptores de información. ¿Por qué de pronto se abrían las arcas del poder y salían a la calle revelaciones que ponían en la picota al Gobierno?

Entre Estefanía, la tortilla de patatas con almejas y Ernesto Ekaizer, el primer whisky del día. Necesitaba un tiempo de digestión y meditación, por lo que me fui andando desde el Madrid de la Acrópolis donde se ubican sus edificios institucionales, más la Cibeles y la Fundación Thyssen, al de la Plaza de Oriente, pasando por el de los Austrias. Desde mis tiempos de estudiante desorientado y desorbitado, me han sedado las lejanías camperas y celestes del más allá madrileño percibido desde las verjas del Palacio de Oriente.

—Madrid es una ciudad de un millón de dossiers y estamos en tiempos de *vendetta*.

—Periodismo de investigación o dossiers.

—De todo hay.

Así se concretaría la opinión de Ernesto Ekaizer sobre la que se está armando en Madrid. Arrepentidos de todo tipo arremeten contra el poder y queda salpicada la plana mayor de la década socialista. Se dice que los tres ricos vencidos por las circunstancias y sus propios excesos, Conde, De la Rosa y Ruiz-Mateos se vengan del Gobierno, del *establishment*, del sistema, poniendo en circulación los dossiers que han acumulado no sólo sobre los enemigos sino también sobre los amigos. Mario Conde, Javier de la Rosa y Ruiz-Mateos, la tríada furibunda que ha puesto sus dineros más negros para desvelar todo lo que ellos sabían, y nosotros no, del poder. Estarían en la picota Barrionuevo, Serra, Felipe González, y con los meses incluso se trataría de implicar al Rey. En una fase álgida de la batalla del dossier, en pleno desmoronamiento de todas las columnas socialistas, Narcís Serra la última, me veo con Ekaizer en el café de Oriente, cercado por las obras y el poniente acalorado sobre el Palacio y las lejanías goyescas. ¿O serán esta tarde menores? ¿De Bayeu? Ekaizer forma parte del club de críticos de los agentes y las situaciones de la Economía, críticos convertidos en bombas de explosión avanzada o retardada de informaciones embarazosas, como Jesús Cacho o González Urbaneja, por limitarme a señalar tres actitudes diferenciadas. Argentino de origen, nacionalizado español, Ekaizer tiene cartel de ciudadano inteligentemente autista y de incorruptible en una especialidad en la que es relativamente fácil hacer y deshacer negocios mediante informaciones sesgadas y siempre privilegiadas. Ekaizer permanece recluido para escribir otro libro, pero aún está en las librerías y en mi reciente lectura *Banqueros de rapiña*, una crónica secreta de Mario Conde que resulta un recorrido minucioso por la irresistible ascensión y caída del financiero más famoso de la transición, casi uno de sus símbolos, sobre todo de la llamada *cultura del pelotazo*. Pero no sólo habla su libro de Mario Conde, sino del estado de escándalo económico generalizado vivido en los últimos años, por el que el financiero gallego ha navegado como un almirante corsario: «Conde —cuenta Ekaizer— vive en un área residencial del norte de Madrid, en una lujosa casa rodeada de un alto muro y todos los aparatos de seguridad imaginables. Navega con toda la frecuencia que puede en su yate *Pitágoras*, anclado en Pollensa, Mallorca, donde suele pasar las vacaciones de verano. Es bien conocida su pasión por los toros y asiste regularmente a las corridas de la Plaza de las Ventas. Es considerado también un gran bailarín de sevillanas. Tal es su interés que compró un local conocido como El Portón, que posee "tablaos" adecuados y en donde va a exhibir su curiosidad. También le gusta cazar jabalíes y faisanes en su propia finca de mil doscientas hectáreas en Ciudad Real. Juega con considerable habilidad al mus».

Ekaizer no sólo se muestra muy crítico con Mario Conde sino también con todo y todos los que le hicieron posible.

—Más importante que esos 605.000 millones de pesetas necesarios para sanear Banesto ha sido la deficiente calidad del comportamiento profesional de todos aquellos que han tenido la oportunidad de intervenir en el desarrollo de los acontecimientos. La baja calidad de los banqueros responsables de los hechos, el pasotismo de los auditores, de los expertos en valoraciones, el oportunismo de los partidos políticos, la ayuda embellecedora de la mayor parte de los medios de comunicación, la conducta entre la incompetencia y la codicia de los socios de la Banca Morgan.

—¿Y el Banco de España?

—Al menos el gobernador Rojo tomó la medida de imponer orden. Tarde, pero algo es algo. Y con esa medida se ponía en crisis toda una conducta económica que tenía en Conde o en De la Rosa sus máximos exponentes impunes.

—El final de la impostura.

—De una impostura hecha a la medida de los tiempos del crecimiento más especulativo. Habrá que ver la próxima impostura. Todo el mundo habla de economía productiva y se ha trabajado durante años en la dirección opuesta. El sector financiero se ha desarrollado en buena concordancia con el PSOE y eso ya es irreversible, sin que se hayan solucionado problemas estructurales que siguen anclando a España en el atraso con respecto a los países dominantes en Europa.

Para Ekaizer el PP será genuinamente neoliberal, mientras que el PSOE ha sido bonapartista, más intervencionista, y aunque las líneas maestras de la política económica no puedan cambiar demasiado, lo que está por ver son los efectos sociales de una economía necesariamente austera y la capacidad o voluntad de respuesta de los llamados agentes sociales. No es posible dar un vuelco a la actual situación del mercado de trabajo. Se trata de una crisis más profunda ligada con el signo del crecimiento en tiempos de automatismos y robóticas. ¿Quién le pone el cascabel al gato de la reforma de la Cultura del Trabajo? ¿El PP?

—¿Ganará el PP? —se pregunta Ekaizer en voz alta en el verano de 1995. No lo tiene claro—. Los otros hacen todo lo que pueden para que ganen, pero ellos hacen todo lo que pueden para no ganar. Para empezar, el líder, Aznar.

El nombre de Aznar queda en el aire como el enunciado de la impotencia. Recuerdo lo que me ha dicho Manuel Vicent: «El problema de Aznar es que es un señor muy mayor». Coincidimos Ekaizer y yo en que algo fundamental que reprochar al llamado *felipismo* es el intento de destrucción de todos los referentes de la cultura de izquierdas y la relativización de las instituciones democráticas sometidas al rodillo parlamentario. «Son tiempos de representación usurpada», sentencia Ekaizer, y añade que el papel virulento de los medios de comunicación es consecuencia de esa usurpación.

—En cualquier caso, es imposible profetizar qué va a pasar. Si el PSOE pierde, veremos. De momento, parte de la gran banca ya ha girado el periscopio en dirección a Aznar, y si se confirman las previsiones de cambio se acentuará el respaldo de la gran banca. Botín e Ybarra ya aparecen como los banqueros del PP.

—Pero ¿no es España un país de centro izquierda?

—Hasta ahora lo ha sido. Pero se han introducido factores que atentan contra ese imaginario. Las imágenes fijas que están quedando son las de la improvisación, la chapuza, las verdades ligadas a una guerra de dossiers que de momento ganan los propietarios de dossiers. El PP ha presentado poca cosa más que un imaginario poblado por chicos jóvenes, serios, casi graves y honestos, y chicas Telva enseñando las piernas dentro de un límite. Lamentablemente, el imaginario del PSOE quedará ligado a la cultura del pelotazo y a la gestualidad del equívoco.

Me voy hacia la Feria del Libro con la cabeza llena de las chicas Telva del PP: Celia Villalobos, María Fernanda Rudí, Teófila Martínez, Mercedes de la Merced, avanzadillas de una derecha civilizada dentro de lo que cabe, de una derecha que ha empezado por tener las rodillas humanas como un signo de que también puede humanizar su rostro. Margarita Rivière ha sido la analista lúcida de esta oferta de una progresía de derechas dispuesta a dirigir el país a través de *La década de la decencia*. En *Cómo ser progre y de derechas*, la escritora polaca cuenta cómo la reconquista del poder por parte de la derecha se organizó en torno a tres elementos: reprochar al PSOE su derechización y ofrecer un progresismo alternativo; sustituir la memoria del centro agrupado en torno a Suárez por un nuevo centrismo sin la menor sombra de perdedor, un nuevo centrismo para ganar; finalmente, ¿quién sería el Mio Cid de esta reconquista?, se pregunta la autora: «Se vio claro que no se podía resucitar a un diplodocus que tuviera el techo de cristal franquista, así que, hechas las oportunas consultas, se buscó ALGO NUEVO. Tras un intento fallido —se intentó conjurar el poder andaluz con el contrapoder andaluz—, se recaló en tierras castellanas. Allí estaba EL LÍDER, José M.ª Aznar: de familia recomendable, recomendada. Ambicioso y modesto. Sensato y osado. Paciente y tenaz. Dócil y rebelde. Gris. Joven. Otra generación. Bien casado. Opositor nato. Funcionario. Serio como los comunistas. Austero como un sindicalista. Dúctil como un programa de ordenador. Digno como el más humilde de los servidores del reino. Fiable como una investigación de Menéndez y Pelayo. Flexible a la manera del junco. Centrador y centrado; centrista nato. Un hombre normal. Un español medio. Memoria de elefante. Amigo de sus amigos. Moderno pero clásico. Con el carisma universal de los sin carisma y el atractivo de lo anodino».

Socorro. De ser así, los bárbaros pueden penetrar en la capital, y en el reino todo, sin ser advertidos. Y cuando llego al ámbito de la Feria del Libro en el Retiro, la impresión de que los bárbaros ya están aquí la noto en las colas de compradores que acuden al reclamo de los libros de la derecha trascendente representada por Jiménez Losantos o de la derecha risueña que se encarna en Alfonso Ussía. También se venden los libros de Gala y *Los silencios del Larguero* de José Ramón de la Morena, prueba evidente de que hay una alternativa de poder radiofónico, radiofónico-deportivo para ser más exactos. Pasa Jaime Campmany acompañado de su esposa y recuperamos una antigua conversación y emplazamiento a propósito del pastel La Cierva, un *Oreiller à la belle Aurore* a la murciana que la señora Campmany realiza por encima de los niveles del mismísimo Brillat Savarin. Juan Cruz me informa sobre el estado de mis peticiones para ver a Felipe González, Aznar y el Rey. Ha notado más resistencias en el entorno del presidente del Gobierno que en el entorno del Rey, Aznar en cuanto encuentre un hueco. *Chus* García Sánchez, *Chus* Visor, me presenta al escritor Ray Loriga, pálido como uno de los personajes de las noches más pálidas y huidizo ante los escritores *seniors* como yo lo era a su edad, hasta el punto de cruzar la calle para no encontrármelos en mi acera. Entonces yo pensaba que los escritores suelen ser unos cantamañanas y ahora me aterra la posibilidad de haberme convertido en uno de ellos. Se libera cuanto antes Loriga de la obligación objetiva del encuentro y de la posible, improbable, necesidad de hallar algún tema de conversación que nos una. Noto que me considera poco *grunge* y no le digo que estoy leyendo sus libros para no darle la tarde. Firmo lo que me piden. Pasan tantas muchachas en flor que necesito otro whisky. Busco dedicatorias que personalicen el encuentro, pero no siempre es posible y entonces agrando lo que escribo, la firma, para que el cliente se sienta tan satisfecho por lo que pueda leer como por el tiempo añadido de la dedicatoria. He adquirido una cierta audacia de whisky contrarrestada por la benevolencia fresca de la caída de la tarde y firmo mi último libro de poesía, *Pero el viajero que huye*, en el *stand* de Visor donde *Chus* García Sánchez hace de anfitrión y de informador sobre el talante de los círculos intelectuales próximos a Carmen Romero y a Felipe González. Tenemos los dos muy buena opinión de Carmen Romero y yo una opinión pésima de Felipe González como político de izquierdas, que no como político a secas o como persona, opinión que he puesto por escrito las suficientes veces como para conseguir mi propio aburrimiento. Recuerdo un almuerzo con Carmen Romero en un restaurante y el equívoco creado por una comensal desconocida e imprevista que también se llamaba Carmen Romero. Cuando llegó la Carmen Romero que esperábamos, el equívoco se hizo carne, *gag* de los hermanos Marx ante el espejo, y más todavía cuando la otra Carmen Romero aclaró que había venido al restaurante para reunirse con García Damborenea y otros, en un evidente encuentro fraccional. Bryce Echenique, presente, absorbía la anécdota porque será relato algún día y el polaco periférico asistía a estos prodigios cortesanos con el alborozo de un notario de provincias aireándose en la capital de la mano de Miguel Mihura. *Chus* García Sánchez es leal a sus amigos, lo es a Carmen Romero como Lanzarote a la reina Ginebra, lo es a Felipe en mi presencia y espero me será fiel en presencia de Felipe González, si se tercia. Comparte la sensación de que esto se hunde, pero quizá no tanto como pretende la derecha, aunque cada vez hay más conversiones.

—Es que ya no sabes dónde mirar. Es como aquella película en la que los marcianos se van apoderando de los cuerpos humanos y llega un momento en que no sabes si estás hablando con uno de Chinchón o con un marciano.

Me voy al hotel Wellington, donde un autocar va a recoger a una serie de escritores y críticos invitados a la fiesta que cada año da Miguel García Sánchez, el hermano de Javier, con motivo de la Feria del Libro. Empezó como un encuentro en su piso de la calle de Fernando VI, en la acera de enfrente del mítico *pub* Santa Bárbara y de la librería Antonio Machado, propiedad de Miguel, librería simbólica durante la Resistencia, de las apedreadas o incendiadas por los cómplices de la dictadura. Ahora el encuentro se organiza en el chalet que Miguel y Paz, su mujer, tienen en Villaviciosa de Odón, más allá de Boadilla del Monte, con el Guadarrama lejano y magnético. En el autocar viajamos un grupo de polacos: Toni Munné, Toni López Lamadrid, Beatriz de Moura, Rosa Mora, la responsable de las páginas de libros de *El País*, Llàtzer Moix, jefe de cultura de *La Vanguardia*, Ana M.ª Moix, Esther Tusquets y su hija Milena que tiene nombre de novia de Kafka. Están complicadas las salidas de Madrid y el autocar parece merodear, pero en realidad avanza hacia Boadilla del Monte, donde se deja ver el palacio neoclásico construido para el infante Luis de Borbón, hermano de Carlos III, obra de Ventura Rodríguez, uno de esos referentes arquitectónicos que otorgan identidad y se te meten en la cabeza con su aura de irrealidad neoclásica flotante en un tráfico de diáspora, mientras el autocar sortea fugitivos del terror urbano que trabajan en Madrid y duermen y se reproducen lo más lejos posible de la villa y corte. Por fin llegamos al chalet. Significa un cambio de escenario radical con respecto a las fiestas del libro anteriores que he compartido con los García Sánchez. Recupero rostros y discursos: Javier Alfaya, Valeriano Bozal, Eduardo Mendicutti, Guillermo Altares, Mario Benedetti, Carmen Martín Gaite, Rosana Torres, Vicente Molina Foix, Josefina Aldecoa, Salvador Clotas, más escéptico que esta mañana, José Miguel Ullán; a veces sólo rostros, como el de Alberto Corazón, José Antonio Marina o Jacobo Martínez, editor de Siruela; Jorge Martínez Reverte, ¿o era Gálvez?, ratifica la información de Leguina, en el sentido de que escribió un informe sobre el retorno del Opus que todavía no ha conseguido publicar. Almudena Grandes, la autora de las mejores setenta páginas de la literatura erótica española de todos los tiempos y novelista de mi predilección, me pide por favor que no desee que el Atlético de Madrid baje a segunda división.

—Olvídate de que el presidente es Gil y Gil. Piensa que toda mi familia es del Atlético. ¿Y cómo le digo yo a mi hijo de diez años que su equipo ha bajado a segunda?

Ruego a los dioses más propicios que el Atlético no se vaya a segunda, puesto que ha contado con la mejor ala izquierda de la Historia: García Hortelano y Almudena Grandes. Y Ángel Vivas, siempre, siempre me recuerda que él también es del Atlético. Se empecinan la noche y el relente cuando llegan Ángel González y Caballero Bonald, mientras me desconcierta la prodigiosa transformación de Valeriano Bozal en una muchacha veinteañera, de mirada grave y guapeza lunar. No es Valeriano, bien tratado por la ingeniería biológica de Marraquex, sino su hija Amaya, pintora y bozaliana a juzgar por el bien logrado y no menos bien corregido parecido con su padre. La compruebo insuficientemente, durante los nueve segundos permitidos por la moral USA como para no ser acusado de acoso visual, y me lanzo a recordar con Ullán lo que pudo haber sido y no fue en torno a *Los nueve novísimos*, que pudieron ser incluso once o ciento uno; tememos el futuro con Alfaya, el compañero de *Triunfo* y otras militancias; cierro el paréntesis conversacional con Clotas, que se siente esta noche escéptico y prederrotado; acaricio la buena y a veces triste memoria que me une con González y Caballero Bonald. Con ellos compartí un encuentro de poesía y whisky en Colmenar, hace veintimuchos años, en compañía de otros poetas y de estudiantes norteamericanos, y aquella misma noche debió partir Ángel González para Oviedo. Su madre había muerto. Me dejo seducir por el ir y venir de los canapés, un verdadero *patchwork* de sabores y texturas, mientras circula la bebida, se ablandan los esfínteres, los más jóvenes se marcan estrategias bipersonales para la madrugada y empieza a extenderse el rumor de que hay gentes del PP presentes en la fiesta. ¿En la fiesta de la Antonio Machado, gentes del PP? ¿Quiénes serán? ¿Cómo serán? ¿Cómo han osado infiltrarse en este territorio en otro tiempo reservado al rojerío letraherido y alcoholizado? No nos guía ningún afán discriminatorio, simplemente queremos saber cómo son nuestros prójimos del PP y finalmente les vemos agrupados, endogámicos, sensatos, apacibles, modestos, bien casados, serios como los comunistas anteriores al mayo del 68, flexibles, céntricos, centristas, centrados, refugiados en torno a una misma mesa, como si no se atrevieran, todavía, a adentrarse en territorio proceloso.

—Son mis cuñados —dice Paz, y ahí se termina la búsqueda de la otra cara de la luna. Pero no la conversación, ni el whisky, ni los canapés, ni la luna.

3. *Los ricos son diferentes*

—Scott Fitzgerald: Los ricos son diferentes.
—Hemingway: Sí. Tienen más dinero.

ERNEST HEMINGWAY, *París era una fiesta*

Jesús de Polanco, el dueño de PRISA, me lo diría en un momento de mi largo viaje hacia el Rey: «¿Quién tiene el dinero de verdad? Los bancos». Y a por los bancos me fui. A pesar de que Luis Valls Taberner es del Opus Dei y ha figurado como cerebro imposiblemente gris de muchas de las operaciones estratégicas del Opus para influir en la conciencia social española, ha conseguido sobrevivir al protagonismo de la Obra de Dios bajo el franquismo, ser un banquero siempre de moda, consensuado durante toda la democracia, y ahora una sibila de los tiempos que vienen, en los que se asegura un retorno del Opus. Todos los hermanos Valls Taberner son buenos comunicadores y guapos, según opinión pública y publicada, que suscribo. Luis y Javier Valls Taberner avanzan hacia mí diríase que al mismo paso, algo más retardado Pedro, ya jubilado, pero como un dúo de movimientos sincronizados Luis y Javier me abren las puertas de su novena planta del 29 de la calle de Ortega y Gasset, dentro del complejo del Banco Popular. La mítica planta de las mayestáticas bibliotecas de banqueros renacentistas, de la sala de squash donde las pelotas enloquecen ante la raqueta implacable de Luis Valls Taberner, junto a la piscina en la que cambian de estilo de natación según el negocio. Ahí, ahí está el salón «Comisiones Obreras», donde cohabita la foto dedicada de Antonio Gutiérrez con un cuadro de Ángel Campos, y al lado la «Sala Vaticano», así calificable porque la inauguró un Nuncio de Su Santidad, Dadaglio. Luis Valls recurre por primera vez al sombrero de copa sin fondo de su jefe de prensa, Ángel Rivera, y le pide una fotocopia de la dedicatoria de Antonio Gutiérrez. Dicho y hecho: «La sabiduría y el tesón de un amigo que sabe conseguir lo que se propone, me inducen a la un tanto ridícula firma de esta inexpresiva fotografía. No se confíe, señor Valls, que no es un precedente. Sólo un gesto de amistad. Antonio Gutiérrez». Ahí está el último libro de Jiménez Losantos sobre una bien construida pila de libros, pero muy cerca los recuerdos de la ayuda del Banco a una película de Pilar Miró. El pragmatismo es un nuevo humanismo.

—Decías que estabas escribiendo un libro que hacía referencia a un polaco.

—*Un polaco en la corte del Rey Juan Carlos* es el título. A los catalanes en Madrid se les llama *polacos* y quiero describir cómo un polaco respira esta fase de la transición entre el franquismo y el infinito democrático.

Aún no he terminado de hablar, cuando Luis Valls indica a su jefe de prensa que me dé algo que de nuevo extrae de un sombrero de copa. Un libro. *Españoles y polacos en la corte de Carlos V*, de Jerzy Axer y Antonio Fontán, libro del que leo al azar: «Pocos polacos habría habido antes en España y quizá ninguno de particular relieve». El mundo y la Historia son dos pañuelos. Cuando a estos banqueros *polacos* en Madrid les pregunto quién o quiénes dictaron el apoyo de Pujol a Felipe González que derechizó el programa económico del PSOE, no saben pero contestan que la obviedad de la política económica más adecuada y las alianzas necesarias para la gobernabilidad. No hay que buscar conspiraciones. Ante el temor de que Pujol haya arriesgado mucho y suscitado una reacción electoralmente interesada contra lo catalán, creen lo contrario: en España se admiran muchos aspectos de la manera de entender las cosas de los catalanes y se contempla a Pujol como un modelo de conducta de presidente autonómico.

—Le admiran peyorativamente: ¡Ése sí que sabe barrer para su casa! Durante la final de la Liga de Baloncesto entre el Barcelona y el equipo Unicaja de Málaga, el público gritaba *¡Sarajevo!* como una amenaza de los serbios contra los bosnios.

—Si ha crecido esa animadversión es coyunturalmente.

Hijos de Ferrán Valls Taberner, importante historiador y político de la Lliga Regionalista, el partido catalanista moderado de Cambó, encajan con prudencia bancaria la sorpresa que se llevan los ciudadanos del resto de España cuando llegan a Cataluña y descubren que allí se habla el catalán y sospechan que es una lengua inventada por Pujol para hacerles la puñeta. Es el precio a pagar por la falsificación de la memoria histórica y admiten que el único problema, salvable, entre Cataluña y el resto de España es el de la lengua. Javier Valls cuenta que cuando descubrió a Serrat ponía sus discos a amigos no catalanes y les gustaban mucho hasta descubrir que cantaba en catalán. Los Valls se reconocen barceloneses, catalanes, españoles, europeos. En cambio Javier Valls confiesa las dificultades que experimentaría para considerarse chino. Luis no se pronuncia sobre lo chino. Que a muchos españoles les mortifique tanto la diferencia lingüística catalana como el terrorismo etarra, lo atribuyen a la escasa urbanidad lingüística de los españoles, esa urbanidad que te permite admitir que las lenguas no son exclusividades metafísicas de los Estados. Polacos en Madrid y poderosos, reconocen que el poder transforma, pero no admiten su propio poder: «Ni siquiera tenemos poderes en este Banco, lo cual es heterodoxo». Heterodoxo es una palabra que les gusta, porque define su posición bajo la autarquía bancaria franquista y después, en tiempos de *opas* agresivas que han superado no metiéndose en expediciones anexionistas.

—De todas maneras, a Pujol, el presidente de los *polacos*, durante una entrevista que se le hizo en Antena 3, Manuel Campo Vidal le preguntó: «Bueno, usted cada vez tiene más poder». Y él contestó: «No, en realidad el poder en España lo tienen unas nueve o diez personas».

Empresarios, gente de banca, algún político, editores de multimedia. ¿Quiénes son esos enigmáticos mandarines? El poder económico y empresarial ¿no es cosa de la CEOE?, se preguntan o me preguntan. No admiten que los cuatro o cinco bancos más poderosos estén en condiciones de emitir poder político. No les preocupan los banqueros expansionistas, tipo Botín, ni financiar partidos por vía crediticia: es una inversión como otra cualquiera, con intereses que cobrar. Ni siquiera admiten que se pueda hablar de «la banca», una denominación ideologizada, emparentada con la de «la oligarquía financiera». Cada banco es cada banco; y cada banquero, un mundo.

—Tal vez a la banca española le haya interesado pasar la transición disimulando su capacidad de intervención. Vosotros os habéis sentado a la puerta del Banco Popular para ver pasar los cadáveres de la competencia.

—Los banqueros no existen. En realidad somos bancarios, es decir, gestores de un poder económico y financiero que no nos pertenece y que tampoco controlamos políticamente. La política gubernamental con respecto a la banca ha sido intervencionista, bajo la UCD y bajo el PSOE. A través del Banco de España nos han recordado siempre quién tiene el poder. Pero los bancos generalmente han saneado sus estructuras, su instalación, y salen de esta experiencia intervencionista con menos problemas de los que tenían al entrar.

Con el PSOE o con lo que venga, ellos tranquilos. Nadie pide ya nacionalizar la banca y cuando se pide es a partir de un excesivo crecimiento bancario. Con quedarte por debajo de ese listón se aleja el riesgo. No se pueden instaurar radicalidades, ni socialistas, ni neoliberales. Si gana el PP, la diferencia puede marcarla otro talante. Los socialistas parecen cansados, de todo y de sí mismos, pero no cabe esperar demasiados bandazos. Las estructuras económicas y sociales de España no están para experiencias radicales neoliberales, chicaguianas, thatcherianas, portillistas. Aquí, más o menos, todos los economistas son ex discípulos de Fuentes Quintana, sean del PSOE o del PP. Si deja de gobernar el PSOE y lo hace el PP, algo cambiará, aunque para que nada cambie. Las transformaciones dependerán de la propia evolución económica más que del «personalismo» de unos *trusts* de cerebros o de otros. Los hechos se imponen, lo lógico se impone. Lo racional. Lo que interesa al país. Aunque no se sientan poder, a Luis Valls le gusta reflexionar sobre el poder. Es un fiel lector de Maquiavelo, especialmente de *El Príncipe*, apostillado por Napoleón, sobre todo del apostillado por Napoleón. Maquiavelo inaugura la ciencia política en la Edad Moderna y Napoleón la corrige a las puertas de la Edad Contemporánea. Así, cuando Maquiavelo afirma: «La mejor fortaleza que existe es la de no ser odiado por el pueblo. Aunque tengas fortificaciones, si el pueblo te odia, no te servirán para salvarte», Napoleón, inventor de la policía política moderna, apostilla: «No siempre».

También le interesa a Luis Valls la dimensión teológica del poder. Ha expresado en repetidas ocasiones que se siente más atraído por el Dios del Antiguo Testamento, el Dios poderoso, frente al imaginario de Cristo, el Dios solidario, compasivo.

—Me gusta que Dios intervenga en la Historia. Esa intervención tiene su gracia, diríamos.

—¿Incluso si interviene para ayudar a los serbios?

—A Dios le sobra talento como para amagar sus designios. Si elijo un modelo de conducta de dioses, escojo el de Jehová, basado más en la intervención que en el poder.

Ciertamente prefiere la teología del poder a la de la liberación, pero no excluye los valores de la compasión. El poder sería el elemento ordenador que evita el caos y, por si cambia de signo en España, los Valls Taberner procuran enterarse de por dónde van los vientos reuniéndose con jóvenes estudiantes. ¿Por qué últimamente los estudiantes más activistas en España son del PP? No es una cuestión ontológica. Esos jóvenes han vivido su edad lógica bajo el PSOE y consideran al PP la oposición, la alternativa frente a la corrupción identificada con el PSOE.

—Corrupción ha habido siempre. Lo que pasa es que ahora se habla de corrupción y antes no.

Banqueros antes y después de Franco, lo saben mejor que nadie, y cuando dicen que no les han pillado en el asunto Filesa porque no necesitan pedir favores, dan a entender que los banqueros que han dado dinero a Filesa buscaban favores. Si les recuerdo que el Banco Popular tuvo como consejero a don Camilo Alonso Vega, un contundente represor franquista que llegó a ser director de la Guardia Civil y ministro de la Gobernación, aseguran que nunca se beneficiaron de tan extraño consejero que trataba los asuntos bancarios como si fueran cuarteleros.

—Tal vez para una emergencia, pero a don Camilo lo trajo Pedro Masaveu, que era asturiano como la esposa ·de don Camilo y uno de los principales accionistas del banco. Cedió sus acciones al general y se hizo representar por él. Cuestión de paisanaje.

El final de la economía especulativa y el anuncio de la llegada de la productiva lo acogen con una expectación relativa. Se pudo especular cuando había euforia económica, y ahora que no la hay tal vez no haya más remedio que producir. España no es Manhattan, pero tampoco Somalia, y la cultura del pelotazo tuvo su momento y su final. Como tendrá su final el *star system* bancario que sublimó su máxima estrella en Mario Conde, al que los Valls Taberner no condenan, tal vez porque en el pasado elogiaron modelos de conducta tan diferentes como el de Conde o Escámez. A Luis Valls Taberner se le llama «el banquero florentino», capaz de citar a Mao cuando ya no quedan maoístas y a Maquiavelo cuando todo el mundo condena el maquiavelismo, sin abandonar nunca su puesto en el Opus Dei, obra de la que es destacado numerario. Le digo que a veces me lo he imaginado como un cardenal jugando al squash. Javier en cambio no es del Opus y juega al golf. Son dos maneras muy diferentes de tratar la pelota, maltratada con saña en todos los rebotes posibles, sin escapatoria, en el squash y enviada de excursión, más o menos plácidamente y a su pesar, en el golf. Pero cuando negocian, recuerdan, comentan, parecen dos jugadores de ping-pong, el deporte de su adolescencia, en las Congregaciones Marianas. Como el ping-pong, su praxis bancaria es a la vez armónica y heterodoxa, neoclásica, novecentista, basada en el tríptico: depósito, préstamo, liquidez. Cada año reparten dividendos y el BP ha sido denominado «el mejor banco del mundo». Yo creo que se han beneficiado de dos importantes imaginarios: la sagacidad y el misterio. Lo de la sagacidad es obvio, y en cuanto al misterio se debe a la vinculación de Luis Valls Taberner con el Opus Dei, al más alto nivel. Parece ser que el Opus vuelve. Monta clubes Zayas por todas partes. Reaparece en la Universidad. Parece querer acercarse al poder. ¿Hay socialistas en el Opus? Valls Taberner admite que no conoce ningún caso, pero, los haya o no los haya, no lo considera relevante. El Opus sale de y vuelve a las obsesiones públicas como la serpiente del lago Ness, y ahora se teme o se espera el renacimiento del Opus Dei a través del PP. Luis Valls Taberner no me ha oído bien.

—¿Del PCE?

—Todavía no. Me parece haber dicho del PP.

No existe una infiltración intencionada, aunque es lógico que un profesional del Opus confíe en otro profesional del Opus, de la misma manera que el PSOE ha contado con buen número de «pilaristas» entre sus cuadros dirigentes y nadie ha hablado de una infiltración «pilarista». De Luis Valls Taberner se dice que tenía un teléfono escasamente rojo que le unía directamente a Escrivá de Balaguer y que su papel de miembro numerario del Opus banquero fue equivalente al de Laureano López Rodó político. El misterio del Opus funcionó en tiempos de ocultismo informativo y hoy, me asegura, no cabe la infiltración del Opus a través de una posible hegemonía política del PP. Sólo conllevaría riesgos. La Obra proclama: libertad, libertad, libertad. No, no hay motivos para temer al Opus feroz. El Opus no se acerca por un túnel de silencio. La ironía de Luis Valls ante el descreído le permite confesar que él siempre ha leído *Camino*, el manual de espiritualidad de Escrivá de Balaguer, como un relato autobiográfico, algo así como una novela que Escrivá se contó a sí mismo. Le argumento al banquero Luis Valls que ha tenido la suerte de que sus hermanos no hayan hecho caso a la consigna de Escrivá: «El matrimonio es para la clase de tropa y no para el Estado Mayor de Cristo». Sus hermanos se han casado y las cuñadas le compran camisas y corbatas.

—Pero me compran corbatas que no me acaban de gustar.

Le recuerdo que el Opus se planteó llegar al poder a través de las élites y que ese culto a la élite de los vencedores forma parte de la ideología de la nueva derecha, empeñada en una operación de cirugía estética democrática y de presencia mediática. Los medios de comunicación son los nuevos fetiches del poder, pero los Valls Taberner no secundan ahora la presencia de los bancos en los medios. Cuando se produce es porque quieren defenderse de algo o influir.

Ekaizer, en *Banqueros de rapiña*, aporta un feroz diagnóstico sobre la mediocridad de los agentes implicados en la crisis de Banesto, desde el Banco de España a la Banca Morgan, pasando por el trabajo maquillador de algunos medios de comunicación. ¿Es posible conservar la confianza en los bancos? Hace pocos días yo he leído en una playa de Creta el libro de Mario Conde *El sistema*, en el que testimonia la existencia de una especie de cuerpo de poder, formado por políticos, financieros, empresarios y medios de comunicación que tenían una idea ortodoxa de cómo debía funcionar la política económica y la financiera. Ruiz-

Mateos, Conde o Javier de la Rosa aparecerían como los heterodoxos expulsados a las tinieblas exteriores.

—Se trata de una teoría conspiratoria para no asumir los propios errores —sancionan los Valls Taberner. Les veo un tanto escépticos ante la perspectiva del borrón y cuenta nueva, tanto en lo de la corrupción como en el golpe de timón que marcaría el paso de una economía especulativa a una economía productiva, el fin de la cultura del pelotazo, todo eso que nos venden cada día como valor de cambio. Ante la sensación de crisis generalizada, la relación causa-efecto entre crisis política y económica obliga a plantear la cuestión de las elecciones anticipadas, sobre todo porque los Valls Taberner declararon en 1993 que el adelanto de las elecciones era poco relevante para la economía. ¿Y ahora?

—Ya estoy viendo los titulares: ¡Los hermanos Valls Taberner piden un adelanto de las elecciones!

—No, no busco titulares, busco una respuesta.

Para ellos, el ideal sería esa situación a la que han llegado los italianos: vaya como vaya la política, gobierne quien gobierne, las constantes económicas se mantienen. En plena tormenta política por el caso GAL, leo en *Cinco Días* que la actividad económica apenas lo ha detectado y los Valls añaden que quizá las turbulencias afecten a algunos proyectos muy determinados de inversión exterior o de importación. Insisten en que si viene Aznar pocas cosas cambiarán en la España económica, que se han visto con Aznar y que se lo toman desde hace cinco años como lo que es: una alternativa de poder. Que gobiernen unos, que gobiernen otros, no quiere decir que les sea indiferente, pero el oficio les sitúa al margen de los cambios de poder, o tal vez la influencia doctrinal de su padre, que en *Del Ideario* escribió: «La Historia, lo diré una vez más, tiene un sentido de continuidad; es una concatenación ininterrumpida, dentro de la cual el elemento humano no se transforma, sino que permanece esencialmente invariable».

Creen que el PSOE ha sido prepotente porque tenía mayorías absolutas, y de ahí su desconcierto a partir del momento en que las pierde. Si el PP no tiene mayorías absolutas, no podrá ser tan prepotente. Objeto que es posible que el PSOE, pese a su prepotencia, tuviera que hacerse perdonar el ser de izquierdas ante «los poderes fácticos», pero Luis Valls Taberner me replica:

—Yo tuve una conversación clarificadora con Guerra, días después de las elecciones de 1982, y quedé impresionado de lo bien que conocía a los banqueros ya convertidos en bancarios. Nos tenía bien medidos. Sabe que somos asustadizos porque nuestra materia prima, el dinero, es asustadizo.

No temen que la perpetua instalación en el centrismo céntrico y centrado acentúe el cansancio democrático. No creen que haya aparecido un nuevo príncipe sustitutivo del de la soberanía popular: periodistas, banqueros, jueces, Jesús Gil y Gil, Ruiz-Mateos, la televisión, la Liga nacional de fútbol. Todos esos dioses menores retornarán a sus cuarteles de invierno y volverán las alegres golondrinas de la democracia política convencional. Basta con que se cumplan las fórmulas fundamentales.

—¿Un Estado honesto? ¿Sin fondos reservados, ni doble verdad, ni doble contabilidad, ni doble moral? ¿Qué pensaría Maquiavelo?

—Una vez asumido el sistema, la transparencia se puede aplicar a casi todo. Un Estado es como una empresa. Si las empresas han de ser transparentes, ¿por qué no los Estados?

Como de Maquiavelo se trata, Luis Valls me tiende ahora otro regalo por intermedio del ubérrimo Rivera, otro libro: *La dirección de empresas y Maquiavelo*, de Antony Jay, en el que se puede encontrar la clave de las actitudes de una parte de la banca española: «En épocas recientes muchos dirigentes de empresas absorbidas por sus rivales han aprendido lo que significa cantar aleluya a la fuerza». Racionalistas, amables y pragmáticos, tan generosos con su carísimo tiempo, les pido que me ayuden a superar mi escepticismo sobre la bondad de que alguien administre tu dinero para invertirlo en su propio sentido del poder y de la Historia. El cliente de los bancos ha presenciado el espectáculo del dinero perdido en financiaciones de partidos y otras mucho más invisibles: Filesa o la Operación Roca. ¿Se les puede recomendar que sigan metiendo su dinero en los bancos? Los Valls aceptan a todo tipo de cliente verosímil y en la operación Roca tiraron cincuenta millones de pesetas, pero el balance global anual fue positivo. Eso es lo que cuenta para el cliente. «Sí. Sí. Sí —dicen ahora los tres hermanos al unísono—. Metemos el dinero en el banco, en este banco, naturalmente, capaz de tener una sección especialmente dedicada a créditos políticos». Al avalar la libertad de Vera, ex director general de Seguridad implicado en el caso GAL, la han armado buena.

—Es un producto nuevo. El aval de la fianza para que la gente no ingrese en prisión o le ayude a salir de ella.

—Quién lo hubiera tenido en los años cuarenta, cincuenta y sesenta.

—Cada época ofrece diferentes servicios bancarios posibles.

—Vais a conseguir muchos clientes.

—A lo mejor tenemos que decir: Basta. Hemos cubierto. Todo está registrado. Nada hacemos que no pueda publicarse.

Se autorregalan tres ejemplares de *Pasionaria y los siete enanitos* que dedico a cada uno de ellos. Han leído urgentemente el libro y *Galíndez* para saber con quién iban a almorzar acelgas y coliflor, gallo rebozado o chuleta de Ávila, tocinillo de cielo y fumarse un habano de apropiadísima humidificación. Los antitabaquistas pueden ponerlos en la lista negra. Tan tranquilos ante los antitabaquistas como ante el PSOE o el PP.

—Solemos empezar una negociación poniendo sobre la mesa todos los puros que estamos dispuestos a fumarnos. Por este procedimiento hemos conseguido rendiciones memorables.

¿Terrorismo bancario? Simplemente, la maquiavélica aplicación del axioma de Escrivá de Balaguer: «¡Bendito sea el apostolado del sufrimiento!».

Si los Valls Taberner representan la banca «de toda la vida» que no ha practicado excesivos aventurerismos políticos o mediáticos, el conjunto de la banca privada española aparece presidido por un singular personaje que ha pasado por diferentes fascinaciones personales e intelectuales: condiscípulo de Juan Carlos cuando al joven príncipe se le educaba para heredero de Franco, pasó después por otras compañías, otros ámbitos, otros vecindarios: el trotskismo, la Internacional Situacionista, el FLP —del que llegó a ser militante—, un profesorado en Nanterre donde tuvo por alumno a Cohn Bendit en mayo del 68, experto de la OCDE en los años setenta, director general de Política Económica durante los Pactos de La Moncloa, ministro en un Gobierno de UCD, y ahora la presidencia de la patronal bancaria, que alterna con la redacción de poemas secretos, posiblemente metafísicos. Hayamos militado mucho o poco en el FLP, esa militancia nos dejó una huella y una coartada. La huella que grava toda comunión de los santos en plena juventud y la coartada de haber sido originalmente marxistas no estalinistas, incluso marxistas abiertos a percepciones culturales que entonces aún seguían siendo heterodoxas y que Garaudy censó en *Perspectives de l'homme*. A José Luis Leal, como a Leguina, le puedo hablar, pues, desde una antigua sensación de complicidad que él mismo ha sabido explicar muy bien al referirse a la «fuerte cohesión» telúrica que existe entre los ex militantes del FLP, y le traslado una cuestión que me altera desde que asumí que era el origen de todos los males sociales: oligarquía financiera. ¿Acaso no estoy en presencia de la cabeza visible de la patronal bancaria, parte importante de la oligarquía financiera? Me ha recibido en un despacho equilibrado de una calle tan equilibrada que está dedicada a Velázquez, despacho que servirá de comedor para un frugal desayuno «continental» servido sobre una sólida mesa de trabajo; en las paredes, cuadros de estampas en otro tiempo exóticas: Venecia y el Gran Canal. El anfitrión domina el ritual de comer y hablar, al quite, perfecto ritmo, sin traicionar nunca su hieratismo amable, respaldado por dos ojos grandes y candorosos, de ex rojo y de banquero generoso, este rostro pálido de idealista que ha perdido el color rojo, ¿o ya era tan pálido cuando era rojo?

—Hace unos diez años conseguí almorzar con Felipe González y le pregunté algo que desde nuestra época de rojos tenía en el buche. Ahora que estás en el poder, dime, espejo mágico, ¿existe la oligarquía financiera? A ti te hago la misma pregunta.

José Luis Leal reúne rasgos de aristócrata apacible, lunar o poco amante del sol e intelectualmente cauto. Tal vez por ello no le gusta emitir respuestas mal referenciadas y por eso me responde con una pregunta:

—¿Qué te contestó él?

—Que no era tal como nos la habíamos imaginado. El único que debería saber si Dios existe sería el Papa; del mismo modo, yo creía que sólo los secretarios generales del PCUS estaban en condiciones de garantizar que la Revolución existía. Probablemente Kruschev ya sabía que no. Como presidente de los banqueros españoles, te pregunto: ¿existe la oligarquía financiera?

—Ha habido un cambio grande en cuanto a las relaciones de los bancos con la industria y con el poder político, cambio condicionado por la propia evolución de la actividad bancaria. Hubo una época en que se impuso la idea de que los bancos fueran industriales, lo que provocó que tuvieran una gran influencia en la arquitectura económica del país. Pero a casi todos los bancos industriales les fue mal y finalmente han sido absorbidos por los comerciales. Además, en la legislación europea, el modelo de banco que ha prevalecido en Bruselas es el anglosajón, un banco puramente comercial, frente al modelo alemán, que era un tipo de banco universal implicado en la industria. Bruselas ha primado el modelo anglosajón. Las empresas, para financiarse o capitalizarse en plan expansivo, deben recurrir al mercado de capitales. Si se mira la situación española actual y se compara con la de hace diez años, cada vez se parece más a la anglosajona. Las empresas ahorran más, se autofinancian más y piden menos préstamos a los bancos. Así los bancos tienen menos riesgos, pero también menos posibilidades de actuar como un «poder bancario», como esa oligarquía financiera a la que te referías.

—Pero esa influencia la pueden tener como prestamistas de partidos o del poder mediático. Y la concentración bancaria, unida a la concentración mediática y a la corporativización de la política, puede dar lugar a una compleja nueva oligarquía.

—No da el mismo poder prestar dinero que controlar o telecontrolar una política industrial. Además la competencia es feroz. La banca gana cada vez menos dinero.

—Tenemos los ejemplos de Filesa o los préstamos a fondo perdido, supongo, concedidos a la llamada Operación Roca.

—Los bancos siempre intentan recuperarlos.

—La esperanza nunca debe perderse.

—Tienen que hacerlo, tienen que intentar recuperar el dinero de los depositantes. Ésa es la norma básica: las deudas hay que pagarlas.

—¿En qué medida esa nueva estrategia bancaria es consecuencia estricta de la lógica interna del negocio o ha operado también la presión gubernamental? Los banqueros se quejan del dirigismo del poder.

—Básicamente yo creo que es consecuencia de la presión interna del negocio, porque los bancos que estaban muy metidos en la industria son los que más han sufrido la crisis económica. El Gobierno y las autoridades de supervisión les han inducido a abandonar veleidades industriales por una estrategia de saneamiento general que disminuya el riesgo. Un país no puede sobrevivir con los bancos enfermos.

—De cara a esa panacea de la nueva reindustrialización del país, de nuevas inversiones industriales, que se presenta como posible programa del PP, ¿qué papel tendría la banca?

—Fundamentalmente financiador y, mucho menos, como propietaria de empresas. Nunca como copropietaria de empresas. El modelo anglosajón, nos guste o no nos guste, tiene sus ventajas y sus inconvenientes pero es el que ha prevalecido. El otro modelo, el de la participación en la industria, corresponde más a las primeras fases del desarrollo económico, cuando los mercados financieros están poco desarrollados y hay que apoyar la capitalización de las empresas. Desde esa perspectiva, los tipos de interés deben favorecer más al inversor que al rentista.

—Al parecer, los bancos han entrado por la vereda marcada por los Gobiernos del PSOE y su instrumento, el Banco de España. Parecían muy contentos con la política económica imperante, pero ahora hay síntomas de que huelen nuevo poder y Botín e Ibarra ya han presentado a Aznar como su nueva criatura política. Desde tu posición, ¿cómo está el termómetro de las inquebrantables adhesiones bancarias?

—Hay un problema fundamental que forma parte de la naturaleza de la actividad bancaria. Un banco es a la vez una empresa de servicios y además es una parte esencial del sistema de pagos, lo que coloca a la empresa bancaria en una relación particular con el Gobierno que esté en el poder. A partir de ahí, cada tipo de poder establece su relación con los bancos, pero los márgenes para actitudes diferenciadas son muy estrechos. Por eso los banqueros han de tratar de entenderse bien con el poder político, sea el que sea.

—Pero por debajo o por encima de la estrategia del negocio, el sector bancario tiene una ideología mayori-

taria conservadora. Por el posibilismo y por los buenos resultados para sus intereses, han colaborado con el PSOE,
pero pueden desear que cuanto antes vuelvan las derechas. Independientemente de que le vaya bien o mal, se
puede sentir más tranquilo, psicológicamente más tranquilo,
el sistema bancario, con un poder de derechas, entre comillas, convencional, que con un poder de izquierdas, también entre comillas, convencional.

—Sí, pero habrá siempre una dosis de pragmatismo,
porque ser pragmático es algo que va con el sistema y lo que
quieren los bancos es una situación óptima en la que se les
paguen los préstamos que hacen y esa situación óptima en lo
fundamental la crea el ordenamiento jurídico-económico,
sea el que sea quien está en el poder. Es muy raro que el sistema bancario, en un país desarrollado, adopte posiciones,
como tal, en contra o a favor de un determinado Gobierno.
El sistema, cualquier sistema, tiende a ser conservador.

—Como izquierdista que fuiste, tú tenías una visión ideologizada de lo que era la banca dentro del sistema, y eso se resolvía con la nacionalización, que era el expediente más inmediato que se nos ocurría para que la
banca no molestara, no ejerciera como mediatizadora de
la política. ¿Cuándo y por qué cambiaste de criterio, hasta
el punto de asumir ser el jefe simbólico de los banqueros?

—Curiosamente, la historia de mi cambio de posición arranca de los mismos años en que más actividad política desplegaba, en torno a 1968.

Estuvo en el París de 1968 y hay quien asegura haber descubierto su blanca palidez, «ese rostro tan sereno /
con su blanca palidez», manifestándose entre los grupos
más radicales. Por entonces el joven Leal recibió el rayo de
gracia santificante de asumir las contradicciones entre los

esquemas demasiado teóricos y la obscenidad de lo real, así como el conflicto perenne entre lo colectivo y lo personal, pasando por la lectura de Freud y de su heterodoxo discípulo Wilhelm Reich, tan de moda como Marcuse. «El alcance de los cambios cualitativos de carácter que pueden conseguirse depende de la medida en que la técnica del análisis del carácter pueda penetrar la resistente armadura y liberar los pensamientos y sentimientos patológicos ligados a la misma». Reich *dixit*. El conflicto «mayista» entre lo colectivo y lo personal, entre lo histórico y lo vivencial, dio lugar a la metáfora del *Marat-Sade*, de Peter Weiss: Marat con la obsesión colectiva y Sade con la reivindicación del individuo, del derecho individual al placer; esa metáfora reflejaba una nueva disposición de la joven izquierda, era la historia pero también la vida, lo colectivo pero también lo individual. ¿Sería una grosería reducirlo hoy a términos como lo público y lo privado?

—Para mí, aquello fue importante. Hubo una serie de textos que modificaron profundamente los fundamentos de la crítica social; además se publicaron textos definitivos sobre los procesos de Moscú que evidenciaban a dónde pueden llevar los excesos del esquematismo y del dogmatismo. Empecé a darle un nuevo sentido a la palabra libertad, a valorar más la autonomía individual frente a la determinación de lo colectivo.

Pero ¿qué queda de un joven rojo dentro del cuerpo presente del jefe de la patronal bancaria? ¿Ejerce el cargo como un desafío profesional, simplemente técnico, o piensa que desde una perspectiva política es mejor que lo ejerza una persona que ha sido del *enemigo*?

—Yo a este cargo le he dado un contenido técnico y profesional. De nulo intervencionismo político.

—¿No te supone ninguna escisión de carácter ideológico? La banca tiene que conducirla alguien, pero el sistema en el que se integra, el capitalismo en su fase actual, dura, ¿no te plantea alguna reticencia?

—Al final de un largo viaje ideológico llegas a la conclusión de que no se ha inventado nada mejor que el mercado, eso sí, corregido en sus excesos por el Estado.

—Algo parecido al mercado con cerebro social, y ese cerebro se lo pone el Estado.

—Yo creo que el Estado tiene que intervenir, pero debe hacerlo de una manera distinta a como lo hace ahora. No en lo pequeño, sino en lo grande y para defender los intereses básicos de la comunidad. El Estado tenía que haber sido mucho más beligerante en todo lo que ha sido la especulación urbana, porque éste es un problema capital, y ha mirado para otro lado. La situación económica y social se internacionaliza y a la hora de ponerle cerebro social al mercado se descubre que no es tan fácil. ¿Cómo se racionaliza un mercado condicionado porque es mucho más barato fabricar en el sureste asiático que en Europa?

—¿En qué podría consistir la diferencia entre una política financiera de la izquierda y una política financiera de la derecha, dentro de la omnicidad del sistema, de la universalidad del sistema?

—Debe primar la eficiencia. Haga usted que sean eficientes, que la relación entre préstamos y costes funcione bien. Yo creo que ahora mismo ése es el criterio y no veo una alternativa desde una perspectiva democrática. ¿Puede el Estado, o un grupo de personas elegidas democráticamente, decidir hacia dónde va la sociedad? Incluso, desde la perspectiva asistencial, ¿debe el Estado gestionar directamente la Sanidad y la Seguridad Social o debe garantizar a la gente el dinero suficiente para elegir su sanidad y su seguridad? La respuesta a esto no está nada clara. Puede suceder, y de hecho se debatió ampliamente en los Estados Unidos, que el dinero teóricamente destinado a gastos médicos se utilizara en la compra de televisores. Por eso la mayoría de transferencias están afectadas por una finalidad determinada. Aun así, deberíamos admitir el derecho democrático a equivocarse.

—Hay que tener en cuenta que la mayoría de los seres humanos tienen la libertad de equivocarse a partir de veinte duros y otros la tienen a partir de diez mil millones de pesetas. Algo debería hacer la izquierda en el poder ante eso.

—Sí, sí, claro que tiene algo que hacer. Por ejemplo, en la Sanidad española a mí me parece que está particularmente claro. El Estado debe intervenir y debe considerar, casi como un derecho, el que los españoles sean iguales ante la enfermedad, pero debería introducir elementos de flexibilidad en ese proteccionismo: un catarro te lo puedes curar tú y un cáncer lógicamente ha de tratar de curártelo el Estado. El principio del sentido común y el de la eficiencia son los dos elementos fundamentales que hay que introducir en los esquemas ideológicos. No se puede seguir en la dicotomía: estatalización igual a ética de izquierdas y privatización igual a ética de derechas.

—Los banqueros más publicistas, del estilo de Valls Taberner, han dicho en varias ocasiones que desde la transición se ha visto una sensibilidad intervencionista por parte de los Gobiernos de UCD y el PSOE. ¿En qué sentido lo suscribirías, lo propiciarías, o en tu cargo actual lo tolerarías?

—Estoy de acuerdo en que ha habido una sensibilidad intervencionista en el PSOE, al menos en una primera etapa. Baste recordar que al poco de llegar al poder impusieron a las entidades financieras el control de más de la mitad de su activo. Más tarde dieron marcha atrás, pero a un ritmo tal que aún estamos desandando el camino. Otra cuestión es la del control de la solvencia, que existe en todas partes a partir de reglamentaciones fruto de un mercado legal cada vez más universalizado.

—El Banco de España ha propiciado determinadas fusiones, otras no. Ha tratado de orientar una política de concentraciones en un sentido o en otro.

—Algunas de esas directrices han tenido una finalidad higiénica y de preservación de la solvencia y confianza en el sistema.

Mario Conde fue uno de los que apoyaron a Leal para que accediera a la presidencia de los banqueros, a la espera de que la voluntad higienista de Leal no se revolviera contra sus propios intereses. Por entonces Conde era el guapo de la película de una banca española emergente que no estaba acostumbrada a salir en las fotografías.

—Es curioso que cuando menos poder político tiene la banca es cuando aparece un *star system* bancario y algunos banqueros se convierten en referentes sociales de primera magnitud. Y uno de ellos, Mario Conde, por su guerra con el Banco de España, que Conde presenta como una guerra contra el Gobierno y contra el sistema oligárquico hegemónico.

—No creo en la existencia de ese supuesto sistema. No es otra cosa que la coincidencia en las más altas responsabilidades de gestión de una serie de profesionales a quienes no les une ningún propósito conspiratorio. En algunos casos es una coincidencia institucional y de poder funcional, poder factual transitorio, porque los responsables de los bancos pasan, son gestores con un poder que dura lo que quiere el Consejo de Administración.

—No son banqueros, son bancarios, me dijo Valls Taberner.

—Exactamente, y no es de recibo lo que sostiene Mario Conde, porque un sistema de poder en una situación de mercado no está en condiciones de expulsar sistemáticamente al adversario a las tinieblas exteriores. Sería pertinente preguntarse por los errores cometidos por el supuesto adversario.

—Errores no sólo de los bancarios arrojados a las tinieblas exteriores, tipo Conde, De la Rosa o Ruiz-Mateos. En el libro de Ekaizer *Banqueros de rapiña* hay una sanción terrible sobre la responsabilidad del caso Banesto: la cantidad de coincidentes mediocridades, desde las auditorías hasta la actitud del Banco de España, pasando por las complicidades mediáticas.

—No lo tenía fácil el Banco de España, porque en numerosas ocasiones aconsejó mejoras en la gestión y en los sistemas internos de control que no fueron atendidas. Pero ¿cómo se interviene sin la seguridad de que hay motivos para intervenir? Es un paso muy grave, como se ha visto.

—Durante un largo periodo la política económica española y por extensión la financiera ha parecido regirse por un *trust* de cerebros, cuya conformación se atribuye tanto a Fuentes Quintana como a Mariano Rubio, creando técnicos o fomentando la aparición de técnicos para la UCD, para el PSOE y quién sabe si algún día para el PP: Álvarez Rendueles, García Díez, Raimundo Ortega, el propio Boyer, o Solchaga. Vienen tiempos de cambio, o se sospecha que va a haber un cambio político. ¿Qué cerebros tiene el PP, y en qué medida se va a notar una política económica financiera diferente a la que han podido hacer los socialistas?

—Los equipos del cambio se formaron no sólo en los servicios de estudio del Banco de España o del Urquijo, que patronizaba Ramón Trías Fargas, sino también viajando y estudiando en el extranjero. En buena medida es la promoción formada en el extranjero la que tomó el relevo de la dirección política de la Economía a partir de UCD. Yo estuve en la OCDE en los setenta y tenía bajo mi responsabilidad el análisis y diagnóstico de la situación española. Hay que señalar el papel de algunos cientos de cuadros que ahora tienen en sus manos la dirección económica y que han viajado y estudiado fuera, lo que hace que sepan inglés, francés, alemán, que tengan un *master* o un doctorado por algún centro de estudios superiores. Las empresas ahora mismo están mucho mejor gestionadas que hace quince o veinte años, y lo normal es que contraten a buenos profesionales, y los encontrarán. Siempre se encuentran. Acuérdate de la revolución rusa. Los zaristas pensaron que no prosperaría porque iban a gobernar sus cocineras.

—Pero va a ser difícil contar con primeros espadas en tiempos en que no se les podrá dar sobresueldos ocultos y en los que todo el mundo contemplará con mil ojos los posibles tráficos de influencias. Muchos técnicos preferirán seguir en la iniciativa privada. Aunque siempre esté la compensación de la erótica del poder.

—A quien le vaya eso, tendrá que hacer una elección personal.

—O espiritual. Se habla de que el Opus vuelve a rondar la fortaleza.

—Yo, la verdad es que no lo sé.

—Y si tú no lo sabes, ¿quién lo va a saber?

—No, no, no, lo que sí sé es que el PP tiene la voluntad de hacer participar más a los técnicos, pero no habrá diferencias sensibles con respecto a lo que quiso o pudo hacer el PSOE. Buscarán técnicos solventes, dentro y fuera de su partido, algo parecido a lo que está haciendo Ruiz Gallardón en el Gobierno de Madrid.

—El que eligió para la responsabilidad económica ya ha tenido una angina de pecho. Pobre hombre, puede ser una premonición.

—Las sociedades actuales están tan condicionadas por lo obvio y por lo inevitable que queda muy poco margen para lo diferente. Tal vez el PP sea más sensible al mercado que al intervencionismo. Tal vez se apliquen a cambios estructurales, como proponen, pero éstos no se consiguen de la noche al día.

—En el caso de que se produzca ese cambio de poder, los de la derecha van a recibir la patata caliente de reducir el déficit e imponer unos Presupuestos Generales del Estado restrictivos y antisociales.

—Ningún Gobierno asumirá la reducción del déficit a costa de restringir drásticamente gastos sociales necesarios: sanidad, enseñanza, pensiones. Esos capítulos deben racionalizarse, pero no peligran. El sistema actual de reparto en materia de pensiones no depende de la voluntad política, depende de la relación entre la población activa ocupada y la población pasiva que cobra pensiones ahora, pero sobre todo de la relación que exista cuando deban cobrarlas dentro de veinte años. Hay que reequilibrar desde un consenso social muy lúcido y muy amplio.

—Para el que hace falta una confianza ética en el poder que hoy no existe. Igual resulta que hay que reivindicar la honestidad y la transparencia como una condición *sine qua non*. Pero ¿este sistema no está basado en todo lo contrario?

—No necesariamente. Sin duda en el futuro este sistema sólo podrá continuar basándose en el consenso legitimado por la honestidad. En cuanto a un problema como el de la crisis de la cultura del trabajo es una bomba de explosión retardada que sólo tiene dos salidas: o una disgregación social incontrolable o un consenso ético y político.

—Resulta difícil imaginar eso en este contexto de contratos basura y trabajo precario.

—Cualquier esquema de desarrollo futuro se basa en el conocimiento, en el trabajo cualificado, y ese trabajo no lo estimulan los contratos basura. Pero por otra parte es inevitable la flexibilización del mercado de trabajo.

¿Conoce José Luis Leal quiénes tienen el poder real en España? En Italia, la casi inexistente credibilidad de los políticos protagonistas de los escándalos ha propiciado el protagonismo público de los jueces y el poder real de los grandes financieros y empresarios que ya gobiernan directamente o a través de personajes interpuestos. Una hermana de Agnelli llegó a ser ministro de Asuntos Exteriores. Se tambalea la autonomía del poder político. También en España parece como si lo menos importante fueran los políticos y el sistema parlamentario. Aparece un nuevo príncipe formado por los poderes mediáticos, judiciales, financieros.

—No veo nada especial en la situación española. En cualquier sistema prima el poder institucional. Luego una de las características de la sociedad nuestra es que el poder se distribuye. Ésa es la corrección democrática, la capacidad de contraponer poderes que de otra manera podrían ser egocéntricos y endogámicos.

—Es que, a la hora de la verdad, el que tiene menos poder es el príncipe democrático: el Parlamento. Basta con que se pongan de acuerdo cuatro por teléfono y que luego lo sancione el Parlamento.

—Hemos de normalizar el juego de las alternancias, desdramatizarlo, que nunca más tenga el carácter dramático que asume en estos momentos. Ésa será la garantía de nuestra estabilidad democrática.

—Una pregunta personal, ya que hablamos de alternancias y a propósito de la elección de tu cargo. Ser presidente de la banca privada ¿es una decisión del grupo de banqueros o externa al grupo de banqueros?

—Es una elección de los banqueros y, según nuestros estatutos, los grandes bancos tienen garantizado el derecho a presentar el candidato. Luego decide la Asamblea General de todos los bancos, en donde el voto es proporcional corregido.

—¿Y por cuánto tiempo en el cargo?

—Cuatro años.

—Es curioso que te citen poquísimo en los libros ahora de moda sobre los desastres financieros, tampoco en la prensa. En cambio, de tu antecesor, Rafael Termes, se hablaba mucho. Se dice que fue un jefe autoritario, del Opus, por cierto, y que tú eres un presidente dialogante. Él aparecía como el jefe de los banqueros y tú sólo como el presidente.

—Ser el presidente o ser el jefe no es lo mismo. Lo que sí es lo mismo es la importancia de la tarea que nos ha sido encomendada.

—Tú has sido como uno de esos árbitros de los que dicen que son buenos porque no se nota que están en el campo.

—Te agradezco mucho el símil.

—Pero supongo que a ti te eligieron los bancarios o banqueros a tono con la sensibilidad gubernamental dominante, y cuando llegue el PP harán lo propio.

—Creo que debe prevalecer la profesionalidad en este asunto.

—¿Vienen tiempos de banqueros florentinos a lo Valls Taberner o de banqueros agresivos a lo Botín?

—Vienen tiempos de banqueros profesionales.

¿Cuándo saldrá este libro? Más o menos, después de las elecciones generales. El último capítulo será la descripción de la atmósfera en la corte del Rey Juan Carlos la noche en que comience la II Transición, le informo. Me regala una publicación del Seminario Empresa y Sociedad Civil, dedicada a los aspectos sociales e institucionales de los problemas del empleo en España, investigación basada en un estudio del solvente Víctor Pérez Díaz. El Sumario empieza con una obviedad como una esfera redonda: «El problema del empleo en España es de suma gravedad», y se cierra con cinco conclusiones que resumo de aproximada manera: 1.º: Hacen falta cambios en la conducta y las actitudes de los empresarios y en general en la cultura empresarial. 2.º: Los empresarios deben considerarse profundamente concernidos por el estado de la educación escolar del país. 3.º: Uno de los retos más importantes con el que se enfrentan muy específicamente los empresarios españoles es el de la formación profesional. 4.º: Los empresarios tenemos que aprender no sólo a «vivir con» los sindicatos, sino a vivir con ellos en una relación constructiva. 5.º: Las condiciones actuales y futuras, de incertidumbres y ajustes continuos, requieren, entre otras muchas cosas, mercados internos de trabajo razonablemente diferenciados, grados de estabilidad distintos en cada uno de ellos y la persecución de un objetivo general de mejora o aumento de la empleabilidad del personal.

José Luis Leal no parece creer en las transiciones como ciclos cerrados. Sigue siendo un dialéctico y confía, como San Ignacio, Eliot o Lenin, en que en todo fin hay un principio, y de la Revolución Permanente de Trotski o Julio Cerón, José Luis Leal ha pasado, sin pestañear, a la Transición Permanente.

4. Las tribus mediáticas

¿Significaba esto que Metrópolis quedaba desprotegida? De ninguna manera: en la segunda viñeta se veía a Clark Kent, el retraído periodista que encarna el álter ego del superhéroe, emergiendo pletórico de la cabina, bolígrafo y bloc de notas en ristre, y proclamando a los cuatro vientos: *And now to fight corruption in the highest places!*

PEDRO J. RAMÍREZ, *David y Goliat*

El bloqueo mediático de Esperanza es consecuencia de las batallas tribales que se han dado en el mercado de la información, especialmente en la corte del Rey Juan Carlos, donde acampan preferentemente las tribus codificadas por Félix Santos en el subtítulo de su libro: *Periodistas: Polanquistas, sindicato del crimen, tertulianos y demás tribus.* ¿De qué van las tribus? Los polanquistas serían los líderes de opinión que se mueven en la órbita del grupo PRISA, presidido por Jesús de Polanco, básicamente *El País*, la cadena SER y Canal Plus como principales efectivos. *El sindicato del crimen* fue la denominación peyorativa atribuida a Juan Luis Cebrián que en círculos felipistas se aplicó a columnistas de *Abc*, *El Mundo* y *Diario 16* que demostraban una encarnizada hostilidad a la política del Gobierno y que contaba con evidentes primeras plumas y primeras lenguas del periodismo español contemporáneo: Martín Prieto, Umbral, Pedro J. Ramírez, Jiménez Losantos, Ansón, José Luis Gutiérrez, Jaime Campmany, Alfonso Ussía, Pablo Sebastián. Umbral le puso verso al sindicato del crimen:

> *Los Dalton están llorando*
> *al pie de una rotativa*

porque Jesús de Polanco
sólo publica mentiras,
los Dalton están llorando
llenos de pena cautiva
mientras Jesús de Polanco
les cantaba una guajira.
Polanco es un hombre malo
como una cooperativa.
Pablo Sebastián y Aurora
sacan navaja bandida,
escriben una columna
y se cortan la pilila.
Luego pasan al ataque
pidiendo papel y tinta
y cuentan lo de Cebrián
con la prosa en carne viva.

Posteriormente los del *sindicato del crimen* montaron la AEPI, Agrupación de escritores y periodistas independientes, presidida más o menos simbólicamente por el premio Nobel, Camilo José Cela, y capaz de aglutinar a un profesional como Luis del Olmo, que no se había decantado abiertamente por posiciones antifelipistas, sino más bien antiguerristas. Del Olmo había desarrollado el género de la tertulia radiofónica y no hubo cadena de radio que de mañana, tarde y noche no creara sus propias tertulias a manera de cháchara ilustrada y perenne que ha ido cargando las ondas hertzianas de España de los peores sonidos para el poder. Con el tiempo las tertulias radiofónicas se convirtieron en parlamentos particularizados por el signo estratégico de cada emisora: así, la COPE aglutinó, preferentemente en torno de Antonio Herreros, el parlamento plural más aguerrido e intransigente contra el pacto González-Pujol, parlamento que ha ido asilando a los tertulianos fugitivos de asambleas radiofónicas más moderadas; la SER configuró un parlamento de centro izquierda templado al que progresivamente iban a parar los tertulianos moderados exiliados de tertulias más encarnizadas; en cuanto a Onda Cero, la cadena de la ONCE que descansa sobre el prestigio de Luis del Olmo, ha dispuesto de las tertulias como serpientes multicolores y movedizas, oscilantes entre la radicalidad antigubernamental y el intento de establecer una cierta unidad entre contrarios en el seno de la propia tertulia. Simplificando, las tertulias de la COPE serían las más *heavy metal*; las de Luis del Olmo, eclécticas; y las de la SER, con una cierta tendencia a las actitudes pastoriles ironizantes. La línea argumental de la COPE contra la alianza Pujol-PSOE llegó a ser tan dura y tan incontroladas las connotaciones de *lo catalán*, sobre todo en lo referente a la batalla lingüística, que algunos obispos polacos se negaron a respaldar económicamente la cadena. Pablo Sebastián escribía en *El Mundo*: «Ya tenemos el triángulo de las Bermudas del felipismo: PRISA, PNV y CiU». ¿Qué quería decir exactamente? ¿Que por ese triángulo desaparecería el felipismo o que ya había desaparecido y sólo quedaban en primer plano sus náufragos: PRISA, PNV y CiU?

A medida que se fue agravando la crisis del felipismo y la intensidad del cerco, se acentuaron las batallas internas entre tertulias y los transfuguismos reveladores. Así, Alfonso Ussía dejó a Del Olmo porque le parecía demasiado pujolista, pero volvió a Onda Cero porque no quería pasar por *heavy* como los tertulianos de la COPE; o Pedro J. Ramírez dejó a Del Olmo para acogerse a la COPE porque consideró excesivo el marcaje de dos tertulianos, el uno empecinado defensor de la razón gubernamental, Ramón Cotarelo, y el otro, José M.ª Calleja, antirramirecista hasta la médula y con unas cualidades de defensa marcador que hubieran aburrido al mismísimo Romario. La crisis económica de *Diario 16* al borde de las elecciones de marzo de 1996 trajo como consecuencia el cese de su director, José Luis Gutiérrez, miembro de la AEPI, en el escenario de una tragedia de presiones y contrapresiones, de acusaciones cruzadas de comportamientos mafiosos que llevaron al borde de la crisis a los miembros de la AEPI. Los periodistas habían conseguido convertirse en espectáculo político, en una clara demostración más de los planteamientos de lo que Minc llama *la borrachera democrática* y yo interpretaría como la crisis de la democracia representativa y la aparición de un embrión de democracia corporativizada.

Mientras espero que el Rey me conceda audiencia, me meto en los dos cuarteles generales de las tribus mediáticas, más enfrentadas. Para empezar, en el de los *polanquistas*, secta en la que me cuenta Félix Santos, haciéndose eco de un estudio sociológico del episcopaliano Amando de Miguel (colaborador de la COPE, de la Conferencia Episcopal), por el simple hecho de que colaboro en *El País*, sin que, tras un severo examen de conciencia, yo me haya reconocido polanquista ni antipolanquista. Desde que empecé en este oficio, he tenido en cuenta que no hay otro patriotismo necesario que el de los lectores concretos que quieran establecer esa complicidad, porque son ellos los que otorgan credibilidad, y me parecen peligrosos los patriotismos de empresa o secta cuando está por medio la frágil mayonesa de la credibilidad, se llame la empresa como se llame, se trate de la secta del partido al que votas o del grupo profesional con el que te identificas o te identifican.

El cuartel general del *polanquismo* está en la Gran
Vía madrileña, en el edificio de la que fue Unión Radio, piedra sobre la que se construyó más tarde la iglesia de la SER.
Polanco me ha abierto inmediatamente vía hasta su despacho por el ascensor más reservado y me otorga una fran-
queza de trato que no proviene del mucho trato. Apenas si
nos hemos visto en algunas reuniones de confraternización
entre superestructuras y colaboradores en Barcelona, capital de Polonia y lugar donde resido. Durante un tiempo se
hicieron en Barcelona reuniones de sobremesa con cerebros polacos que así nos enterábamos de lo que pensaban
los cerebros céntricos, centristas, centrados centrales de la
empresa, habida cuenta de que *El País* ha contado entre sus
proveedores de estrategias filosóficas y mediáticas, bien sea
en el Consejo Editorial o en el Comité de Cultura, con gentes tan enriquecedoras como puedan ser José Luis Leal,
Emilio Ontiveros, José M. Martín Patino, Juan García Hortelano, Eduardo Haro Tecglen, José Miguel Ullán, Víctor
Pérez Díaz, Vicente Verdú, Rafael Conte, Manuel Azcárate,
Francisco Rubio Llorente, Miguel García Posada, Enrique
Fuentes Quintana, Cayetano López, Fernando Savater, Javier Pradera, Luis Ángel Rojo, Francisco Calvo Serraller, o
García Añoveros, cada cual en su estadio. Por cierto, recuerdo que a los encuentros en Polonia solía acudir el por
entonces hombre poderoso de PRISA, señor Galdón, hoy en
las filas de la COPE, con el que yo intercambiaba malas vibraciones: él me miraba como a un peligroso y arbitrario
poscomunista que debía digerir por el bien del sistema ecológico de *El País*, como si se tratara de un sapo, pero era evidente que se le cortaba la digestión. Yo creí detectar en él un
alma de integrista disfrazado de liberal, pero a veces las impresiones engañan. Dirigía las reuniones Juan Luis Cebrián

y Polanco escuchaba sin apenas intervenir, salvo en el momento de la despedida y cierre, sin que en su actitud o en su mirada hubieras detectado algo más que curiosidad.

Sobre Polanco existe alguna literatura, esencialmente adversa, y un silencio casi administrativo cultivado por los medios teóricamente bajo su batuta. Como toda persona con poder, ha tratado de evitar convertirse en un personaje y son mínimos los datos de una biografía casi imposible de separar de su irresistible ascensión como patrón de la industria de la cultura y de los medios de comunicación. A Fraga Iribarne se le atribuye la revelación de que Polanco llegó a vestir la sotana marrón de los jesuitas en la Universidad Pontificia de Comillas, cuando quería ser teólogo más que fraile. Pero tal historia fue una fabulación de Fraga, sin duda tras haber devorado varias cabezas de lubina, plato de su devoción, regadas con cazuelas de queimada. Licenciado en Derecho y Ciencias Políticas por la Universidad de Madrid, Polanco monta la editorial Santillana como quien dice con veinte duros y con el empuje y la osadía convencionalmente atribuidos a los que *se han hecho a sí mismos*. La suerte encuentra a los que la esperan, y a partir de 1968, con un nuevo ministro de Educación del general Franco, Villar Palasí, la editorial Santillana inicia un despegue espectacular editando libros y material escolar adecuados a la reforma de la enseñanza preconizada por el nuevo ministro. La suerte y los buenos colaboradores, como Francisco Pérez, *Pancho*, que ha seguido junto a Polanco desde los tiempos en que sólo se le conocía por su apellido hasta ahora que habitualmente se le menciona por el apodo *Jesús del Gran Poder*, atribuido a su amigo, el exjesuita duque de Alba. El hecho de haber conservado a su lado o en su órbita a quienes le ayudaron a triunfar, *Pancho*, Díez Hochleitner, Emiliano

Martínez, Jesús Aguirre —el duque de Alba—, Javier Baviano o Juan Luis Cebrián, da origen a una firme creencia instalada en los que le conocen: Polanco es fiel a sus amigos. Las rosas dedicadas a Polanco están llenas de espinas, como las que aparecen en *El dinero del poder*, libro de José Díaz Herrera y Ramón Tijeras en el que, a la par que la descripción de las virtudes empresariales de Polanco, aparece no tan virtuosamente sancionada su capacidad de utilizar las relaciones con el poder político para adquirir poder económico y a la larga sociopolítico. Ese reproche sería la base argumental del frente antipolanquista fraguado cuando *El País* se convirtió en la publicación hegemónica de la transición y en un emblema político y cultural, no sólo dentro de España, sino también en el extranjero, donde entró en la galaxia de los diarios referenciales. Yo mismo he incluido muchas veces a *El País* dentro del censo de garantías de la unidad del nuevo Estado español democrático, junto a la Guardia Civil, el PSOE, la Liga Nacional de Fútbol y quizá el gazpacho en verano. La coincidencia entre la definitiva consolidación de *El País* y del Grupo PRISA que preside Polanco y el ascenso y permanencia en el poder del PSOE, y más concretamente del felipismo, orientará mi encuentro con Polanco en las más bajas horas bajas del felipismo, en el marco de las más encarnizadas batallas entre PRISA y el frente antipolanquista activadas por el acuerdo conseguido entre Telefónica y PRISA para la explotación de la televisión por cable.

—Hay quien pone en duda si tú has sido felipista o Felipe González polanquista.

—Yo no creo que Felipe González sea polanquista para nada.

—En estos momentos es posible que no.

—Y yo felipista..., hombre, yo he tratado de ayudar a Felipe, sin duda. En el espectro político planteado en este país he estado mucho más con Adolfo Suárez que con Felipe, aunque coincide mucho más con mis planteamientos. Pero hay que aclarar qué es ser polanquista. Yo siempre comento que Polanco es una sigla en la que se trata de simplificar lo que es el grupo PRISA, y como aquí se ponen nombres, pues se pone el nombre de Polanco, pero el Polanco ese del que se habla tanto, no existe. Lo que sí existe es la suma que supone leer *El País*, escuchar la SER, ver Canal Plus. Eso quizá sea el polanquismo. Pero no porque haya una actividad política de Jesús de Polanco, ni un protagonismo personal en juego, sino una labor empresarial. Lo que pasa es que se ha simplificado, se ha utilizado mucho como ataque, y entonces dale con el polanquismo y el felipismo, y viene Jiménez Losantos y lo reconsagra. Él ha sido quien ha sublimado el polanquismo, por lo que me cuentan, porque en su pueblo, allá en Teruel, su padre fue alcalde y el ayuntamiento está en una plaza que se llama del obispo Polanco. Debe de ser una fijación.

—Un mártir, Polanco. Me refiero al obispo. Un mártir de la Cruzada glorificado por el franquismo, sin necesidad de la ayuda de Juan Pablo II. Se hizo una película sobre su vida protagonizada por un cura franquista que se llamaba Vicente Marco. Daba charlas de Orientación Religiosa a través de Radio Nacional.

—Y yo creo que Jiménez Losantos, desde niño, está obsesionado con el obispo Polanco.

Como Diógenes, voy buscando con una lámpara de aceite a los componentes de esa superoligarquía que según Pujol gobernaría realmente en España.

—Antes de que Pujol demostrara que podía condicionar fuertemente al Gobierno socialista, solía declarar que en España mandaban realmente algunos banqueros, algunos políticos, algunos propietarios de medios de comunicación. Eso evidentemente iba por ti.

—Sí. Hace poco, ahora, recién firmado el acuerdo de la televisión por cable con Telefónica, ha vuelto a sacar el tema de los que mandan.

—¿Tienes la sensación de que eres uno de los que mandan en España?

—No. Obviamente. Los que estamos en un juego empresarial somos muy conscientes de lo mediatizado que está todo. Desde el mundo empresarial sólo cabe establecer una serie de estrategias y casi todo está en función de conseguir beneficios para compensar a los accionistas. El que está arriba dirige todo eso, pero supeditado a datos objetivos sobre lo que es posible y lo que no es posible hacer. El que está arriba es muy difícil que tenga la sensación de que tiene el poder. El mundo de los negocios dispone de su propia dinámica y a veces sólo te das cuenta de que eres el responsable cuando recibes las tortas.

—Pero tú eres un factor determinante en un complejo mediático de notable importancia. Entonces la expresión precisa no sería «los diez que tienen más poder», sino «los diez que tienen más posibilidades de mover estrategias». Has conseguido conciliar poder político y poder económico. Por ejemplo, hay banqueros asociados a las empresas que tú has llevado adelante. Eso demuestra la capacidad de mover estrategias para conseguir un instrumento de poder como es un grupo multimedia.

—Te matizo rápido. Nosotros sólo hemos recurrido a banqueros en la televisión, porque el felipismo sacó una ley limitando nuestra actuación; primero dijeron sólo el 15%, «porque tenéis medios de comunicación», y luego pasaron al 25%, como cualquier ciudadano. Si te metes en una operación de televisión, con el dinero que se necesita, ya me dirás en España con quién te asocias. En España sólo tienen dinero de verdad los bancos.

—Pero es que tú has movido estrategias con sorprendente precisión. Por ejemplo, todavía en el tardofranquismo, cuando se está decidiendo qué nuevo diario va a aparecer que represente la nueva época, hay dos opciones, la de Juan Tomás de Salas, por entonces director de *Cambio 16*, que quiere sacar ya entonces *Diario 16*, y la vuestra, que sería *El País*. Os dan la concesión a vosotros.

—No es mérito mío. Paradójicamente, yo me incorporo a *El País* porque me lo pide Fraga, pero el promotor de la idea de *El País* era José Ortega Spottorno. Me piden que les ayude a hacer la gestión porque yo no tenía antecedentes ni negativos ni positivos con respecto al franquismo. Yo entraba de gentil. Me vinculo con un equipo profesional formidable, tenemos éxito y entonces los dueños fundamentales del periódico, que eran los que nos habían contratado, nos dicen que no hemos cumplido lo que ellos querían y nos quieren echar. Ahí empieza una guerra interna que tuve la suerte de poder aguantar, después ganar y eso me convierte en el protagonista de la empresa editora. Pero, ya te digo, cuando se crea *El País*, yo no fijo estrategias, me adhiero a unas ya preestablecidas.

—O sea que el nacimiento de *El País* no encaja en una teoría conspiratoria.

—Si hubo conspiración, no fue la mía. La idea dominante entonces, tú recordarás, era sacar nueva prensa para la nueva época que se avecinaba.

—A lo largo de la evolución de *El País* se ha querido ver una coincidencia entre la línea editorial y la línea del Gobierno, que se quiebra en los últimos años, pero que se ha percibido en los grandes pulsos: OTAN, guerra del Golfo, política laboral, reconversiones industriales. Al diario se le ha llamado «Boletín Oficial del PSOE», entre otras lindezas. La línea editorial ha sido calificada como progubernamental, independientemente de que además el diario reserve espacios para otras opiniones.

—En lo del Golfo, sí. En lo de la OTAN, no. Te diría, sin peligro de ser pretencioso porque no lo hacía yo, era más mérito de Juan Luis, entonces director del periódico, que cuando el PSOE está en la oposición toma su línea política de la de *El País*. El diario va diciendo una serie de cosas que el PSOE va haciendo suyas. Cuando el PSOE llega al poder, entonces empiezan los problemas, y entre el PSOE y *El País* ha habido serias diferencias, tensiones muy fuertes, y una fue a causa del famoso referéndum de la OTAN. Durante las elecciones posteriores, el Gobierno de Felipe se ha considerado muy molesto con *El País*. Durante la transición y hasta 1982, las relaciones fueron cordialísimas, y como referente te diré que *El País* criticó lo de los GAL a su tiempo y tuvo un serio enfrentamiento con Barrionuevo cuando era ministro, hasta el punto de que nos llevó a los tribunales. Y luego te salen con que *El País* es oficialista.

—Pero es verosímil que haya una cierta sintonía hasta que empieza la etapa de deterioro del felipismo. Se acusa al Gobierno de decantarse por Polanco, por ejemplo, en las batallas por la penetración mediática: en la concesión de los canales de televisión. Desde fuera, a través de los análisis críticos, se dice que *El País* presiona, se muestra distante, el Gobierno quiere castigarle pero llega un momento en que cede y os concede Canal Plus. La misma acusación se os hace cuando absorbéis la SER y cada logro permanece como un agravio dirigido a otras opciones empresariales. Se os ve como un grupo mediático horquilla con el poder político y en condiciones de influir sobre el sector social más determinante, el que otorga mayorías electorales.

—Hay mucha confusión al respecto. Precisamente estamos preparando una historia de *El País*, nuestra, y queremos encargar a un historiador que la haga, que cuente los sucedidos al margen de las leyendas. Desde que *El País* triunfa, en el año 77, nosotros hemos tenido claro que nos habíamos convertido en, si no un enemigo, sí en un incordio para todos los partidos políticos, PSOE incluido. La prueba es que determinadas personas de la dirección del PSOE respaldaron la aparición de *El Sol*, diario destinado a competir con el nuestro y que venía de la editorial Anaya, directamente competidora de Santillana. Nuestro desarrollo ha sido contra viento y marea, siempre contra los demás, incluido Felipe. Yo, personal, políticamente, tengo dos enemigos, ahora se ha incorporado un tercero, pero un tercero por temas más «pianísticos». Uno es Alfonso Guerra, porque considera que nosotros, pero sobre todo yo, somos los culpables de todo, y mientras Guerra fue vicepresidente del Gobierno trató de negarnos el pan y la sal. Si conseguimos en ese periodo la SER y Canal Plus, fue porque no podían oponerse. Nuestra oferta y nuestra estrategia fueron imbatibles. Nosotros conseguimos meternos en la SER utilizando un hueco legal y salió. En el tema de Canal Plus, por lo que yo conozco, no hubo grandes facilidades para conseguir un canal de televisión. Al final se encontraron con que lo que planteábamos era una opción que facilitaba las otras, y entonces nuestra propuesta era la más racional, pero no la mejor informada ni la más defendida. Mientras tuvo poder Guerra, no nos facilitaron nada. Ni Felipe, a la hora de la verdad. Ni Pujol en Cataluña, por descontado.

—La actitud de Pujol vino condicionada por la campaña de *El País* sobre Banca Catalana.

—Sí, pero fíjate, es curioso, la información sistemática sobre Banca Catalana la inician en *El País* dos periodistas que con el tiempo acabaron en nómina de la televisión autonómica catalana, y Pujol estaba convencido de que habían recibido consignas de Madrid.

—Pujol siempre ha pensado que estuvieron coordinados el Gobierno, los fiscales Mena y Villarejo y *El País*.

—Absolutamente falso. Aquello salió de Barcelona. Y a los periodistas acabó por contratarles Pujol.

—Malas lenguas decían que los había contratado para que no siguieran husmeando.

—El que paró aquella campaña en *El País* fui yo.

—CiU hizo todo lo posible para que *El País* no penetrara en Cataluña.

—Sigue haciéndolo. Ahora tenemos un tercer contrincante, Anguita, que nos considera los malos de la película y él nuestra víctima.

—Tal vez Anguita quisiera ser algo más estimado por las voces cantantes de *El País*. Pero a Anguita, por lo que parece, no debéis considerarle peligroso, aunque los seguidores de Izquierda Unida leen *El País*. De los lugartenientes de González, el más peligroso en su momento debió de ser Guerra.

—Absolutamente. Ahora no, porque ya no tiene poder.

—El otro día Maragall hizo unas declaraciones en círculo privado. Proclamó que los grandes enemigos del Gobierno socialista eran Garzón y *El País*.

—Tal vez tuvo un lapsus mental y se refería a *El Mundo*.

—No, porque *El Mundo* debe de parecerle un enemigo intrínsecamente perverso y en cambio *El País* debe de contemplarlo como un amigo que ha resultado desleal.

—Nos hemos limitado a criticar a los socialistas sin insultarlos ni atribuirles más escándalos de los reales.

—Tú has contemplado el intervencionismo del poder, en la etapa de UCD y en la del PSOE. ¿Cómo los medirías? ¿Cómo han intentado intervenir, condicionar, dirigir, filtrarse, romper?

—El PSOE ha sido muy poco intervencionista; y la UCD, menos.

—Pero ha habido evidentes tomas de posición gubernamental en los casos Antena 3, *El Independiente*, de la concesión de canales. ¿No crees que el PSOE ha jugado sus bazas, quizá a veces no directamente, pero sí a través de personajes instrumentalizados, como Mario Conde, que en un momento concreto le juegan la partida?

—No creo que el PSOE haya utilizado a Mario Conde y conozco el asunto bastante directamente. Cada caso es diferente. Por ejemplo, lo de *El Independiente* fue un fracaso económico disfrazado de bloqueo político, fracaso económico del que salió muy bien librado el director, este chico, Pablo Sebastián de día, Aurora Pavón de noche, que tenía el contrato blindado. El PSOE lo que hizo bastante mal fue intervenir en el asunto de la liquidación de los medios del Movimiento. A mí me disuadieron de que me metiera en ello y al PSOE le salió tan mal la operación que quedó escarmentado. Una prueba del antipolanquismo del Gobierno es que convence a Germán Sánchez Ruipérez para que saque un periódico que va a dar la guerra a *El País*: *El Sol*, y a cambio le prometen un canal de televisión. Eso fue cosa de Guerra.

—Era su trabajo como vicepresidente del Gobierno. Posteriormente este trabajo lo haría Serra.

—No sólo era su trabajo. También era su mentalidad. Felipe es otra historia.

—Pero durante muchos años se complementaban y los dos jugaban a eso. Felipe el Limpio y Alfonso el Sucio.

—Pero cuando quedó Felipe solo fue menos radical. Serra tenía otro estilo, más indirecto.

—Serra estuvo detrás del giro parasocialista de algunos diarios utilizando herramientas de fontanería que sólo están al alcance de un vicepresidente de Gobierno casi omnipotente.

—Eso pudo percibirse en *La Vanguardia*, quizá, cuando nombraron director a Juan Tapia como eslabón de una política más afín al Gobierno pero que tampoco irritara a Convergència. Tapia influyó mucho para que el canal de televisión se lo dieran a Godó.

—Tal vez Godó no era como os lo esperabais.

—Godó se complicó la vida metiéndose en televisión. Es un personaje contradictorio. No es nada débil, contra lo que la gente cree. Otra cosa es que sea caprichoso. Cuando va a la suya, lo hace con una fortaleza sorprendente. Es caprichoso y vacilante, pero empecinado cuando ve la salida clara. Lo han parido de una manera distinta a como nos han parido a ti o a mí. Considera como hechos normales cosas que a nosotros nos parecen anormales.

—Tu opinión personal se conoce poco, a no ser que esté entre los pliegues de la línea editorial de *El País*.

—Mi opinión personal es mi opinión personal, y la línea editorial de *El País* es la línea editorial de *El País*.

—Exhibe un poco tu opinión personal. Me gustaría saber qué piensas de esta situación de aparente caos, casi de catástrofe.

—Creo que estamos en el final auténtico del posfranquismo. Lo que viene va a ser otra cosa. Los del PP no son los hijos del franquismo, ni sus herederos. Lo que me preocupa de cuanto estamos viviendo es hasta qué punto va a salir perjudicado el sistema democrático. Pero en el fondo soy optimista. Igual que pienso que es el final del posfranquismo, creo que cuando el partido socialista llegó al poder lo hizo muy condicionado por el franquismo y ahora es otra cosa. Del franquismo ya no queda nada.

—¿Te refieres a las consecuencias del 23-F, a los aparatos del Estado llenos de franquistas, al pacto del capó?

—A todo eso, sin duda. El gran pecado de Felipe es no haber resuelto la gran asignatura pendiente, que ya no era el ejército sino las fuerzas de seguridad.

—Belloch lo piensa y lo dice, más o menos, en privado.

—En el momento de la llegada de Felipe al poder, ETA es especialmente activa. Se carga a dos personas importantísimas: al general jefe de la división acorazada Brunete y al hombre que hace abortar el 23-F, el general Quintana Lacaci. Este segundo asesinato fue el más grave. Está por hacer el balance de lo que sucedió entonces. El bumerán de los GAL ha sorprendido al propio Felipe González, que ha descubierto tarde el grado de implicación y chapuza de los aparatos del Estado vinculados con el montaje de los GAL. Aquella industria del antiterrorismo que se llevó por delante tantos fondos reservados. En mi opinión, Felipe no se entera hasta que no salta el tema Roldán. Y no olvidemos que el caso Roldán estalló como consecuencia de una *vendetta* de los sectores de seguridad lesionados por las acciones de Roldán contra las complicidades con el narcotráfico de algunos mandos de la Guardia Civil. Cuando Roldán se escapa es cuando llega Belloch y propone: «Vamos a meter mano a las fuerzas de seguridad».

—¿Cómo es posible, desde tu perspectiva y conociendo al personaje, que se le escaparan tantas evidencias a lo largo de cuatro, cinco o seis años?

—Naturalmente yo no creo que Felipe se enterara de lo de los GAL por los periódicos, pero lo que desconocía era el negocio del antiterrorismo. Tampoco creo que sea responsable de dar la orden de que se monten los GAL. No entra en la mentalidad de Felipe. Otra cosa es que no actuara lo suficiente para atajarlo, lo cual a mí no me sorprende porque yo estoy al frente de un grupo de empresas, que es un pigmeo al lado de lo que es el Estado, y, teniendo unos sistemas de auditoría y control y tal, hay momentos en los que te encuentras con mierda. Es mucho más fácil de lo que parece que en una institución como el Estado haya mierda y que no sea tan fácil detectarla. Aparte de que Felipe gobierna delegando y los ministros de Felipe tienen mucho poder. Al presidente lo que más daño le ha hecho es lo de Mariano Rubio. Mariano era un amigo y Felipe, de verdad, estaba convencido de que era absolutamente honrado. Yo tengo que decir que estuve igualmente convencido hasta un día antes. Le conozco hace muchos años y sigo pensando que Rubio nunca utilizó el cargo para enriquecerse. De hecho le han pillado una minucia.

—Ahora se está empezando a saber y montar el rompecabezas de lo que ha ocurrido. Lo curioso es que la persecución de los escándalos del Gobierno la han protagonizado medios de comunicación que no pertenecen a tu grupo y a veces se ha producido la impresión de abandono voluntario, de que con el instrumental considerable de que disponía PRISA, personas, medios, para haber sido un poco el dirigente de la operación catarsis, resulta que la catarsis la han protagonizado otros medios de comunicación.

—Eso es, perdona que te diga, una simplificación del tema. Ningún grupo de comunicación, ni español ni americano, tiene medios para entrar en el juego desvelador de la realidad financiera del país. Sólo se puede conseguir mediante denuncias o venganzas. Así saltó el caso Filesa. En cuestiones de terrorismo y contraterrorismo *El País* ha estado dando información constantemente, le gustara o no le gustara al ministro del Interior de turno. Nosotros como grupo jamás hemos tapado absolutamente nada, otra cosa es que tengas algo que tapar. Fíjate en lo de Filesa. Es la historia de un contable que pide un dinero a sus jefes del partido socialista, no se lo dan y ofrece informaciones graves a *El Periódico* de Barcelona. No prospera la oferta y entonces se lleva la información a *El Mundo*. ¿Por qué no nos la pasa a nosotros? Porque ha tenido éxito la campaña que *Abc* nos monta calificándonos de «Boletín Oficial del PSOE». Muchas gargantas profundas piensan desde entonces: «No voy a ir a *El País* porque es gubernamental». *El País* no dejó de publicar nada, absolutamente nada. Pero te diré más: lo que de verdad se carga a Mariano Rubio es el acta de la inspección de Ibercorp que publica *El País*, en la cual se demuestra que Mariano Rubio ha mentido al Parlamento. Eso lo hemos publicado nosotros. Lo que pasa es que no jugamos con los grandes titulares ni con el autobombo. Pero para la opinión pública sigue siendo más determinante lo que diga *El País* que lo que diga cualquier otro diario. Ahí radica nuestra responsabilidad.

—Eres consciente de que hay un intento de establecer un paralelismo entre la pérdida de credibilidad política del felipismo y la pérdida de credibilidad mediática del polanquismo.

—En efecto, esa operación existe, pero *El País* se vende como nunca. Otra cosa es que después de derribar al felipismo vengan a por el polanquismo. Cuando opinamos que el valor jurídico de la llamada «acta fundacional de los GAL» es relativo, se nos acusa de estar haciendo el juego al Gobierno, y nos hemos limitado a decir algo evidente. Garzón critica las filtraciones a los medios cuando esas filtraciones aparecen en *El País*, no cuando emergen en otros diarios.

—Es que en Madrid los medios de comunicación estáis saltando a la yugular constantemente. El reparto de las televisiones se ha terminado. ¿De qué pastel se trata ahora? ¿Del de la audiencia? ¿La televisión por cable? Parece como si no hubiera partidos políticos en España tan nítidos como el partido político de *El Mundo*, el de la COPE, el partido político *Abc*, el partido político PRISA. El auténtico Parlamento es de papel o de ondas hertzianas mediante las tertulias. ¿A qué atribuyes tanta visceralidad?

—Intereses profesionales, empresariales, personales, agravios aplazados. *El País* ha tenido demasiado éxito.

—Pero ¿por qué se implican tanto los profesionales? Antes se sabía que las empresas pueden tener una finalidad muy concreta sin exigir que sus profesionales vayan a esa romería de rodillas.

—Nosotros no jugamos a ponernos etiquetas: nos las ponen. Aquí lo que cuenta es el éxito de *El País* y los problemas consiguientes que viven los demás diarios. Todos juegan a quitarle a *El País* una parte de su espectro lector, por el procedimiento de defender lo contrario de lo que defendemos nosotros y de desacreditarnos con la etiqueta de progubernamentales. En el tema de la radio, nosotros conseguimos primero la SER y después se produce la crisis de Antena 3 y la aprovechamos, muy conscientes de que nuestra entrada en Antena 3 implicaba no contar ni con José María García ni con Antonio Herrero. No entraban en nuestro estilo. Somos muy conscientes de que García, que había estado en la SER, salió de ella y que se metió en Antena 3 y luego en la COPE, iba a aprovechar esa oportunidad. Ellos solitos luego perdieron la televisión en una operación combinada con *Abc* e incluso con *El Mundo*, Mario Conde en la retaguardia. Perdieron por sus errores y los disfrazaron de nuestras avideces. Desde esos agravios, la COPE, *El Mundo* y el *Abc* de vez en cuando montan la cruzada antipolanquista convergente con la cruzada antifelipista. Se agrava la cosa con la inesperada victoria de Felipe en las elecciones de junio de 1993. Irrita de tal manera la victoria a los que habían considerado que Felipe González estaba contra las cuerdas, que no han dejado de hostigarle.

—Hay tribus urbanas y hay tribus mediáticas. Ahora están muy alimentadas por la permanencia en el escándalo, por el tráfico del dossier. ¿Tú crees que, en el momento en que caiga el PSOE y suba el PP, ese tribalismo dejará de tener sentido?

—Poco a poco volverán las aguas a su cauce en cuanto a materiales informativos. Pero no confíes demasiado en el cauce de las cosas. Se han adquirido malos hábitos, además en un país donde la ética no es fundamentalmente la línea de comportamiento. Aquí va a seguir la visceralidad.

—Me dijo Garzón que hay casos GAL hasta más allá del 2000. El polanquismo parece tenerlo mejor que el felipismo. Vosotros no estáis mal situados ante esa anunciada II Transición: tenéis las manos llenas de medios competitivos y ahora habéis abierto un nuevo frente en la televisión por cable. La envergadura del grupo PRISA no le exige un estatuto de no hostilidad al Gobierno, sea del PSOE, sea del PP. ¿Va a significar esto un cambio de línea?

—No creo. El otro día me preguntaba un personaje del PP que qué iba a hacer el grupo PRISA, y le dije: «El grupo PRISA está donde está. Lo que no sé es lo que hará el PP». El grupo PRISA está condicionado por una audiencia mayoritaria de centro izquierda.

—Pero por su composición inicial no iba por ese camino. Si analizas la lista de accionistas iniciales, las fotografías de los primeros espadas del grupo, el diario parecía apuntar hacia el centro derecha.

—Yo creo que la verdad de la historia es que *El País* nunca fue condicionado por el Gobierno. Otra cosa es que en el desarrollo de estos últimos 10 años, unos han subido los descalificativos y nosotros no. Hay artículos de Pradera o tuyos demoledores contra el Gobierno y han tenido efecto sin el recurso a grandes titulares escandalosos.

—¿Qué va a hacer el PP?

—No lo sé. La cuestión es qué hará el PP, no lo que hará el grupo PRISA. Pero creo que el PP va a ser muy intervencionista. Tiene muchas ganas de poder, mucha ansiedad de poder. Pero tampoco creo que vaya a darnos una batalla frontal.

—La concentración de empresas mediáticas puede materializar la contradicción de que la libertad de mercado lleva al mensaje único. Se está pidiendo una ley contra la concentración de medios de comunicación y vosotros vais los primeros de la lista entre los impugnados.

—Hay mucha ingenuidad en este asunto. Hemos cumplido con todas las normas legales y no veo tanta concentración como la que se nos atribuye. Tenemos un periódico que se vende, y un modestísimo periódico de información económica. Nos hemos metido en la televisión de pago y tenemos un canal *premium*, una oferta que cuando podamos desarrollarla vía satélite, vía cable, podremos tener 20 o 30 canales de TV, pero canales de TV no al estilo de los generalistas, sino especializados.

Por aquellas fechas en la revista *Época* se publicaba anónimamente en un recuadro, pero dentro de la sección «El dinero y el poder» que firma Jesús Cacho: *El último gran negocio de Polanco*: «Entre las ruinas del felipismo, las panzerdivisionen de Jesús de Polanco, dueño del imperio PRISA, avanzan imparables cogiendo aquí y allá lo que de valioso encuentran a su paso entre los cascotes del sistema, y si antes fueron los créditos FAD de Focoex, después la venta de la cadena SER o la liquidación de Antena 3 Radio o la concesión del Canal Plus en contra de la propia ley de televisiones privadas, ahora le ha tocado el turno al negocio de la televisión por cable, una tarta que puede facturar en 10 años una cifra cercana a los 400.000 millones de pesetas». «A PRISA se le cruzan los cables» se titula un editorial de *El Mundo* en el que se ataca el acuerdo suscrito entre Telefónica y el grupo de Polanco: «Ni en EE UU ni en

Europa existen precedentes de un acuerdo similar. Hay leyes antimonopolio que impiden a las compañías telefónicas ejercer el doble e incompatible papel de transmisoras de la señal y explotadoras del servicio». Martín Ferrand, desde *Diario 16*, denuncia el secuestro programado de la televisión por cable: «No tener la televisión por cable a fines de los noventa es como carecer de luz eléctrica al concluir los cincuenta». «El intento de golpe de Estado de Jesús de Polanco», apunta *Tiempo*. «Del felipismo al polanquismo», ultima el discurso Jiménez Losantos. Desde las altas instancias de control de la Comunidad Europea se interesan, vigilantemente, por el acuerdo suscrito entre PRISA y Telefónica, y *El Mundo* va a seguir acusando a Polanco, al polanquismo, de vocación monopolista.

Un día llego desde Polonia al Palace en plena sobremesa y mientras controlo el equipaje veo que del hotel sale una comitiva de fuerzas vivísimas de la política y de la cultura. Suárez y Anguita, desde luego, pero también Aznar y otras cabezas del PP, y Fernández de la Mora, el incombustible monárquico-franquista, así como la plana mayor de la AEPI y Miguel Ángel Gozalo y Juancho Armas Marcelo. A lo lejos se me va Umbral con sus melenas de poeta dióptrico y por lo tanto oceánico, como si tuviera ojos de precisión de pez abisal. ¿Qué está pasando a pocos metros del Parlamento? ¿Otro 23-F? Algo más conmocionador. Se acaba de presentar el libro de Pedro J. Ramírez *David contra Goliat*, compendio de sus contribuciones críticas a la situación política a lo largo del periodo de especial acoso al felipismo. David, es decir, la prensa independiente, contra Goliat, el gigante del Estado que se ha reservado el monopolio de toda clase de violencias, así en el suelo como en el subsuelo.

La presentación del libro, luego lo descubriré, ha sido algo más que la presentación de un libro. Al día siguiente aparecerá en los medios de comunicación como el acto simbólico que abre la nueva era marcada por el debilitamiento del PSOE y el poder o el mayor protagonismo del PP y de IU. Precisamente han sido Aznar y Anguita, junto a Adolfo Suárez, los padrinos de Ramírez, aunque Anguita advierte: «¡Que se prepare Aznar cuando gobierne!», y el líder del PP reconozca que una vez en el poder tendrá el acoso crítico de *El Mundo* y de Ramírez. Ágata Ruiz de la Prada, modista de la *movida* y esposa de Ramírez, presenció el acto vestida con un elegante guardapolvo historiado y un *canotier* de novia solidaria, nostálgica y adolescente de Maurice Chevalier. Pedro J., como le llaman amigos y enemigos, tiene cartel de director de periódicos triunfador seguro. Lo ha demostrado en *Diario 16* y en *El Mundo* y hasta sus más duros contradictores le reconocen esa cualidad. Además escribe bien. Frente a la vehemencia retórica que a veces caracteriza la prosa del frente antigubernamental, Ramírez ha conseguido el lenguaje adecuado para la vehemencia razonada, pero no por ello menos apasionada. Se le acusa de cultivar la marrullería del titular desconectado de lo que luego aportan realmente las informaciones, pero Pedro J. saldrá de este periodo de espadas y bastos que lleva a la estación terminal del felipismo como el periodista que más sistemática y logísticamente le dio la batalla. Todas las líneas de denuncia de los errores de la razón de Estado han pasado por *El Mundo* en ese periodo, bajo la sospecha fomentada por los enemigos de Ramírez de que recibía información privilegiada del juez Garzón o de los archivos sin fondo de Mario Conde. Desde el caso GAL hasta los escándalos de presuntas corrupciones que más daño podían hacer a Felipe González, porque afectaban a su entorno privado, se refirieran a su cuñado Palomino o a su amigo el financiero Sarasola, David no ha dejado de manejar la honda contra Goliat.

Cuando llego a la redacción de *El Mundo* me sorprende que siga pareciéndose tanto a la redacción de un diario precibernético. Los redactores no permanecen ante el ordenador como las ocas en las granjas dedicadas a producir *foie-gras*, con las patas clavadas en el suelo. Se mueven. Se relacionan. Tienen espacio para escapar de la pantalla. Diríase que son redactores criados con granos de maíz y no con pienso compuesto. El despacho de Ramírez está vacío, pero ha quedado una chaqueta deshabitada colgada en un perchero de bar de pueblo, mientras en las paredes me reclaman mensajes en cierto sentido subliminales. Un recorte de *Tribuna* presenta a Ramírez como *La bestia negra de Felipe González*, cuelga un dibujo escolar firmado por Joaquín Garrigues hijo y nieto de Garrigues o una percepción de Shire Hite que ve a las mujeres como «agentes revolucionarios de cambio». ¡Por fin se ha conformado el nuevo sujeto histórico del cambio! Pero tal vez el estímulo dominante, hasta que llegue Ramírez, es la definición de los liberales que Alberto Corazón ha diseñado sobre un cartel de obligatoria lectura por sus dimensiones: «Dícese de todas aquellas personas libres y responsables que considerando a sus conciudadanos libres y responsables propagan una actuación solidaria basada en la cooperación voluntaria para construir un Estado de Derecho en el que se limite el poder de unos hombres sobre otros y el de la sociedad sobre el individuo. Los liberales creen en la capacidad creadora del individuo como el motor de la Historia».

Llega Ramírez, cara de niño de relato de Richmal Crompton, tonsura de cura, cuarentón apenas. Viste de paisano, si se esperaba que lo hubiera vestido su esposa, Ágata Ruiz de la Prada, modista de la *movida*, temida por las miradas convencionales ante las audacias de sus diseños o vegetales o siderales. Ramírez lleva tirantes. Polanco también.

—He leído el libro *David contra Goliat*, un seguimiento crítico del poder. ¿La función de un periodista es ese seguimiento crítico siempre o en este caso había razones especiales?

—Yo creo que la función de la prensa es efectivamente hacer un escrutinio permanente del comportamiento del poder en el sentido más amplio, abstracto y poliédrico del término, es decir, de los poderes; y ese seguimiento de los poderes naturalmente tiene que ser crítico. Lo que sucede es que no siempre la confrontación con la realidad merece el mismo veredicto. Afortunadamente, no todos los Gobiernos democráticos se dedican a poner en marcha tramas organizadas destinadas a cometer asesinatos y a malversar fondos públicos. Yo lo que creo es que en España se ha llegado a una situación en que la corrupción, por el hecho de ser habitual, en el sentido perverso sobre el que nos alertaba Brecht, se ha hecho normal, y nuestro periódico quizá ha tenido la singularidad de ser más inconformista, de aceptar de forma menos confortable esa normalidad siniestra, perversa.

—Es evidente que el Gobierno ha dado elementos para que el periodismo sea crítico.

—Pero en una cantidad y en una calidad absolutamente inusuales. Yo no digo que sea lógico y que deba terminar convirtiéndose en un tópico el que cada mañana los ciudadanos de un país democrático compren un periódico para ver si ya han pillado a éste o aquél. Estamos viviendo una etapa muy excepcional, y cuando termine, la prensa seguirá desempeñando la misma función, pero menos ayudada por la realidad.

—¿Será fácil resituar a la audiencia? Ahora está acostumbrada, desde hace dos o tres años, al lío más gordo cada día. ¿Tú crees que el público se puede resituar sin esperar ya la morbosidad del escándalo de todas las mañanas?

—Depende de que se consolide un sistema verdaderamente democrático, una experiencia de modernización muchísimo más consistente que la vivida durante estos años. La relación entre la prensa y sus lectores es un espejo bastante fiable y bastante genuino de lo que es la realidad de la sociedad.

—*El Mundo* es un diario que desde el primer día muestra un afán combativo. Desde fuera, *El Mundo* aparece como un desgajamiento del Grupo 16, desgajamiento agraviado del que se deriva una actitud negativa hacia el poder.

—No es tanto un agravio previo, como una sensación de asignatura pendiente, de que teníamos algo a medio hacer, y lo que pasó tuvo que ver con el origen de la situación perversa que ahora ha aflorado con toda su truculencia. El verdadero germen del nacimiento de *El Mundo* y el origen de la exacerbación a que han llegado las relaciones entre la sociedad, a través de los periódicos, y el poder hay que situarlo en el verano de 1987, cuando yo aún era el director de *Diario 16*. Si hubiera que buscar un hecho emblemático para, por ejemplo, hacer un reportaje de televisión sobre esta historia, yo pondría como primera imagen el momento en que Melchor Miralles y Ricardo Arqués, a partir de un soplo telefónico, descubren aquel zulo, aquel depósito en que encuentran una pistola y una serie de fichas. Sería un buen argumento para Carvalho. Encuentran también un zapato, no sé si de mujer, y con esas piezas del zulo hallado en aquel monte del sur de Francia empiezan a reconstruir la trama de los GAL. Es una novela en la que desde el principio ya sabemos quién es el asesino y todo consiste en saber si se le descubrirá o no, pero ya con las piezas que aparecen en el verano del 87 nosotros nos damos cuenta que ha sido el Gobierno el que ha montado los GAL. Hay una trama policial ejecutora, pero lógicamente esa trama lleva al poder. El 6 de diciembre de ese mismo año, Felipe González me aborda en el Parlamento y se produce la discusión que ya he relatado en algunas ocasiones a propósito de lo que está publicando Melchor Miralles. Me dice Felipe: «Lo que estáis sacando es terrible, si hace falta te lo diré por escrito». Nunca me lo dijo por escrito.

—¿Fue una conversación de tú a tú?

—Se produjo en los pasillos del Parlamento, el día de la fiesta de la Constitución. Él empezó bromeando: «Qué buen artículo has escrito este domingo pasado». El artículo irónicamente se titulaba «Un presidente que no nos merecemos». Tras el sarcasmo se puso serio y nos reprochó que estábamos haciéndole el juego a ETA y añadió algo que no olvidaré en mi vida: «Lo único que nosotros tenemos que negociar con ETA es que si deja de matarnos a nosotros, nosotros dejaremos de matarlos a ellos». Desde ese momento ya se produce una escalada de la tensión en *Diario 16* y sólo faltaba el episodio con Corcuera en el debate de TV: «Te sientes muy seguro porque eres director de un periódico, pero puedes dejar de serlo muy pronto», y obviamente acertó. Presionaron sobre la propiedad de *Diario 16* y me tendieron el puente de salida. No era mi intención ni seguir dirigiendo, ni lanzar un periódico, pero hubo bastantes personas del equipo que dijeron: «Esto no puede quedar así. Nosotros tenemos un trabajo que terminar y una manera de entender el periodismo que no está siendo desarrollada por ningún otro periódico. Algunos diarios tienen demasiados compromisos extraperiodísticos. Tenemos que intentar poner en marcha un diario en el que de una manera radical se aplique el criterio de que toda información relevante y veraz sea publicada, afecte a quien le afecte, y con las consecuencias que sean». Y ése es el germen de *El Mundo*: no como una iniciativa empresarial, sino como una iniciativa periodística, como una iniciativa profesional.

—¿Cuándo empieza a manifestarse esa prepotencia gubernamental capaz de amenazar: «Cuidado que puedes dejar de ser director»? ¿Quién o quiénes realizan ese trabajo sucio desde el Gobierno?

—Bueno, nosotros tuvimos ya en *Diario 16* encontronazos con el poder. Habíamos apoyado la conciencia social dominante que empujaba a González hacia el poder y Felipe había sido mi mejor fuente, yo tenía unas relaciones excelentes con él cuando estaba en la oposición. Algunas de las exclusivas que yo había publicado como periodista en el *Abc* me las había proporcionado González. Y recuerdo que una noche del 82, a la semana siguiente de la victoria del PSOE, yo salí en un programa de Mercedes Milá y dije que, tanto los que habían votado al PSOE como los que no, teníamos que apoyar y hacer lo posible para que el joven presidente, que prometía un proyecto abierto de modernización, tuviera el máximo apoyo social en su iniciativa. A la mañana siguiente me llamó González y me dijo: «No sabes lo que me alegra oírte decir eso, te prometo que no te defraudaré y que no traicionaremos el proyecto de cambio». Muy pocos meses después, empiezan ya a comportarse de una manera antitética. El primer incidente se produjo cuando nosotros divulgamos que existen sospechas de que Guerra está manejando escuchas telefónicas ilegales, canalizadas por Sanjuán y un sector de la policía, y entonces Sotillos sale en Radio Nacional diciendo que esa información es basura amarilla, fruto de una descomposición intestinal. Una de estas frases que se te quedan para toda la vida, y dices: ¡ostras, si Sotillos era de los nuestros, si era un periodista demócrata, si estábamos por la libertad de información, y ahora que es portavoz del Gobierno nos llama esto! Los hechos están demostrando no que el felipismo fuera corrompiéndose a medida que pasaba tiempo y tiempo en el poder, sino que desde el mismo comienzo de su llegada al poder aplicaron planteamientos morales perversos. Fue en el 83 cuando se montó el servicio de escuchas telefónicas sistematizado del Cesid y los GAL vinieron a continuación.

—Estos chicos del PSOE parecían escolares que de pronto tenían acceso a un juguete que se llamaba Estado, sin experiencia de poder, también sin el maleamiento del poder. ¿Cómo aprendieron tan rápido? O es que, simplemente, se limitaron a practicar el continuismo de una determinada cultura del poder.

—Claro, naturalmente, es que no tenían que aprenderlo en otro sitio que en las páginas de la historia de España. Yo creo que el máximo reproche que se les puede hacer es que en vez de aprovechar su apoyo social para transformar el Estado anquilosado y lleno de elementos de corrupción y de atavismos, lo que hacen es aprovecharse de su victoria para utilizar todos los resortes de poder que se han ido configurando, no sólo durante el franquismo, sino, como en capas freáticas, a lo largo de nuestra historia. Ponen a su servicio todos esos instrumentos que han servido para configurar una cultura política antidemocrática. Y ése es el gran reproche. Yo lo caricaturizo en la frase de Alfonso Guerra, ya de por sí caricaturesca: «No va a reconocer España ni la madre que la parió». Ojalá pudiéramos decir eso en cuestiones profundas. No. Ha cambiado el maquillaje, pero la vieja España de la escopeta nacional, del enchufismo, del amiguismo, del servilismo, de las relaciones de sometimiento de la infraestructura en la que están la mayoría de los ciudadanos frente a la superestructura que ocupa la clase política privilegiada, sigue siendo la misma. Yo creo que ése es el gran reproche que hay que hacerles.

—¿Por qué obran así? ¿Por inseguridad? ¿No se atrevieron a plantar cara al viejo aparato del Estado? ¿O es que pensaron que cualquier instrumento era válido para conservar el poder?

—Todo ocurrió de una manera muy natural. Esta gente gobernaba en un país sin tradición democrática. Tampoco contaban con la disciplina moral de la militancia clandestina de los duros años de oposición, como tenía la gente del PCE. Se produjo la convergencia entre su propia falta de tradición y su falta de principios. Los constituyentes en el 78 no hicieron la Constitución que necesitábamos, desde el punto de vista de la consolidación de un sistema democrático, sino la Constitución que entonces se podía hacer. Y las reglas del juego quedaron perfiladas de tal forma que los constituyentes no blindaron suficientemente las instituciones encargadas de realizar funciones de contrapeso, de equilibrio, de control, respecto al Ejecutivo. Porque la obsesión del año 78, todos lo recordamos bien, era la sopa de siglas de tantos y tantos partidos, era la gobernabilidad, era la estabilidad, era que quien gobernara tuviera los resortes de poder suficientes para garantizar mayorías en el parlamento y autoridad en la calle. Es decir, los constituyentes luchaban contra los fantasmas de la II República, fracasada al no conseguir ni lo uno ni lo otro. Entonces salió un poder ejecutivo con una capacidad expansionista alucinante. No se dieron cuenta de que, con esas reglas de juego y con un sistema de medios de comunicación públicos en el que la TV tenía una influencia tan determinante, un personaje carismático, con enorme capacidad de representación, como Felipe González, podía conseguir tres mayorías absolutas seguidas y casi una cuarta. Así las cosas, el desarrollo de la Constitución fue absolutamente antitético al espíritu de la Constitución. Incluso algunos especialistas hablan de la mutación constitucional producida por los hechos consumados.

—Hay una serie de explicaciones a toro pasado. Se encuentran una cultura del poder establecida y en lugar de transformarla es esa cultura la que los transforma a ellos. Pero también hay que tener en cuenta el *pacto del capó* tras el golpe de Estado de 1981. Se produjo una alianza interna y secreta para crear instrumentos especiales con que combatir las causas del golpe, la irritación de algunos militares. Así aparece la LOAPA para frenar el desarrollo autonómico y los GAL para abordar una guerra sucia contra ETA.

—Lo que es innegable es que todo el proceso de la transición tiene muchos ingredientes de despotismo ilustrado, de paternalismo respecto a una sociedad que según los pontífices no estaba en condiciones de desarrollar una experiencia democrática en plenitud y que por lo tanto debía ser tutelada por las instituciones o por los poderes que controlaran las instituciones. Que no hubiera habido un

referéndum previo sobre la forma de Estado es una muestra, o que se cerrara con una solución posibilista la crisis
del 23-F. Que en estos momentos esté en cuestión la existencia de los GAL demuestra que la sociedad española ha
alcanzado el suficiente grado de madurez como para no
aceptar ese paternalismo. Cuando se nos dio una fórmula
de transición organizada desde arriba no se produjo una
rebelión de la sociedad civil, tampoco cuando se cerró con
una verdad oficial el 23-F. ¿Por qué se está produciendo
ahora esa contestación, esa rebeldía frente a la decisión de
imponernos una verdad oficial que no casa con lo que
nos dice nuestro sentido común y nuestra razón? Todos
los elementos con los que podemos enjuiciar los 20 años
transcurridos desde la muerte de Franco han permitido
hacer camino al andar a la sociedad española, y el grado de
madurez y de conciencia democrática que hay es muy
superior al de hace 20 años.

—¿Esa conciencia crítica es la que ha dado base a
la tenaza catártica de los jueces y los medios de comunicación? ¿O es al revés? ¿Gracias a la acción de algunos jueces y de algunos medios de comunicación se ha producido
la conciencia crítica?

—Para hacer justicia de lo que ha sucedido, hay
que reconocer que así como en Italia la iniciativa del proceso de regeneración de la vida democrática ha partido de
la judicatura, en España ha sido de la prensa; es decir, absolutamente todos los procedimientos importantes relacionados con casos de corrupción se han iniciado después de
que hubieran existido revelaciones periodísticas que pro-
porcionaban evidencias materiales muy significativas.

—O sea, que González no miente cuando proclama que se ha enterado por los periódicos.

—Bueno, yo creo que sí miente porque es el único que no ha podido enterarse por el periódico de los GAL, porque es quien los ha puesto en marcha o quien ha consentido su puesta en marcha.

—¿Qué sentido tiene entonces que de pronto González, a partir de las últimas elecciones generales, empiece a buscar exorcistas catárticos, Garzón o Belloch, para que luchen contra la corrupción?

—El suyo es un caso de soberbia, de pérdida de conciencia de la realidad. En él se está generando un fenómeno de mesianismo que le lleva muchas veces más allá de la frontera de la razón y del sentido común. A veces te preguntas: «Pero ¿se creerá este hombre sus propias patrañas?». El otro día dijo que él se sentía como el griego Arístides. Yo tenía alguna vaga referencia, pero he consultado en las enciclopedias y Arístides era un señor que fue maltratado injustamente por la opinión pública ateniense y luego se le reclamó como salvador de la patria. ¿Realmente González se cree Arístides? A base de repetirlo muchas veces realmente cree que no tuvo nada que ver con lo que tuvo que ver.

—¿Todo vino de delegar funciones y dedicarse a entrevistarse con Mitterrand o Kohl y cultivar bonsáis? Luego se encuentra con el lío armado y tiene que asumirlo. A mí lo que me sorprende es que tire piedras sobre su tejado fichando a Garzón para que lo purgue. Cuando no le sirve el juguete, se va a por Belloch.

—González debe de ser un hombre muy atormentado al que muchas noches se le aparece el fantasma del padre de Hamlet. Está muy obsesionado por lo que la historia dirá de él y tiene la mala conciencia de haber traicionado casi todos los principios por los que dijo luchar. Por eso quiere ser al mismo tiempo bombero y pirómano, una situación no exenta de perversidad. Con Garzón le salió mal la jugada porque el juez se planteó con bastante ingenuidad cumplir la función para la cual se le había reclamado, pero la situación de González se vuelve imposible cuando se encuentra con un tipo como Belloch, que finge creerse lo que González le dice, y entonces Belloch dice que está investigando los GAL hasta el fondo para demostrar que González no tuvo nada que ver, cuando, como cualquier persona que conozca a fondo ese sumario, Belloch sabe que es imposible que aquello se pusiera en marcha sin que González tuviera que ver.

—Es impresionante la impasibilidad de Belloch cuando razona eso. No mueve ni un músculo.

—Yo creo que si Shakespeare estuviera vivo se instalaría entre el Ministerio de Interior y La Moncloa, porque verdaderamente ninguno de sus Ricardos daría tanto de sí.

—Como el caso del Intxaurrondo, en el mes de diciembre de 1995, en el Ministerio del Interior se pensaba que el coronel Galindo era un temible fascista.

—Todas las dificultades penales que va a tener Rodríguez Galindo van a ser consecuencia de la investigación de verdad que está realizando el Ministerio del Interior, concretamente Margarita Robles y el comisario Federico, informando puntualísimamente a Belloch. Nadie mejor que el mismo Belloch, que cuando se publique esto habrá impuesto el fajín de general a Galindo, sabe hasta qué punto el coronel es responsable de alguno de los hechos más siniestros que han tenido lugar en la lucha antiterrorista.

—Hemos asistido en los últimos años a un acoso mediático al Gobierno y como consecuencia fragua una serie de investigaciones judiciales. Ante el público aparece algo parecido a una tenaza formada por algunos jueces y por algunos medios de información. ¿Dónde acaba la necesidad de informar, caiga quien caiga, y empieza el acoso político a un Gobierno legitimado por las urnas, como si no se aceptara de buen grado su legitimación electoral?

—Hay que distinguir entre lo que sería una conspiración que recurriera a procedimientos ilegales o anticonstitucionales y lo que es el proceso de la opinión pública propio de cualquier país occidental. La opinión de los ciudadanos es fruto de su nivel de conocimiento y de información. Naturalmente, el que existan procedimientos judiciales abiertos y que en esos procedimientos judiciales se haya llegado a tales o cuales conclusiones, va a determinar la opinión de los ciudadanos a la hora de votar. Que los periódicos hayan hecho tal o cual revelación, y que se crea lo que dicen, depende de su nivel de credibilidad y de la credibilidad de los impugnados. Lo más significativo del fenómeno de nuestro periódico. *El Mundo* ha crecido tanto y tan de prisa porque una parte muy significativa de la sociedad española cree que lo que publica *El Mundo* es verdad. Si nuestros adversarios pudieran demostrar que en Filesa, que en Ibercorp, que con relación a los GAL, que con relación a los fondos reservados, algunas de nuestras tremendas revelaciones son falsas, el periódico quedaría destruido: no harían falta ni presiones sobre nuestros accionistas, ni discriminación publicitaria, ni coacciones personales, ni iniciativas judiciales. Cuando se habla de la conspiración, de que queremos quitarle por otros procedimientos lo que las urnas le han dado a González o al PSOE, se está construyendo una falacia. Nadie desde las páginas de nuestro periódico ha propuesto un sistema de sustitución de González inconstitucional o antidemocrático. La prueba es que González no ha tenido que hacer frente en sus trece años de Gobierno a ningún tipo de levantamiento popular, ni de coacción de ningún poder fáctico. Lo que le estamos diciendo es que con los datos de corrupción de todo tipo que hay sobre la mesa en el mundo democrático, usted, señor González, debería dimitir, y si no quiere dimitir, tenga la mínima decencia de someter su gestión con todos estos datos nuevos, antes ignorados, al veredicto de los ciudadanos. Lo único que se le pide es o la dimisión o la convocatoria de elecciones. Y si no hace ni lo uno ni lo otro, pues todo sigue igual. Este planteamiento desbarata por completo la tesis de que aquí hay una conspiración o de que se trata de intentar sustituir los medios democráticos por otros medios. Si González se va será por medios constitucionales.

—¿A qué atribuyes que ante la evidente sensación de catástrofe democrática González no reaccione, o que no reaccione críticamente una parte importante del PSOE?

—Ésa es la gran diferencia de la experiencia que yo viví hace veinte y pico años en Estados Unidos, en los tiempos del Watergate. Fue la pérdida de la confianza por parte del Partido Republicano lo que acabó con Nixon. Estamos de nuevo ante la mezcla de la falta de cultura democrática en España y unas reglas de juego que coadyuvan a que no aparezca esa nueva cultura democrática. En Estados Unidos o en Gran Bretaña, y en alguna menor medida en Alemania y en Francia, el margen que tiene el diputado desde el punto de vista de la iniciativa individual es muy alto. ¿Por qué? Porque depende realmente de la decisión de sus electores. En España el 85 o 90% de los congresistas y senadores quedan elegidos no por las urnas sino por los aparatos de sus partidos, y su capacidad de seguir en la vida pública no depende de sus electores, sino de los aparatos. La democracia en el partido no funciona desde abajo hacia arriba sino desde arriba hacia abajo. El mandato imperativo es absoluto. En ese terreno deberían darse reformas legislativas sustantivas para que después del felipismo no vivamos otra experiencia similar.

—Y que no continúe una lucrativa industria anti-terrorista, por ejemplo.

—Una de las cosas que más ha conmocionado a la opinión pública es darse cuenta de que, para mucha gente, la lucha contra el terrorismo ha terminado siendo un fantástico negocio y una vía para saquear las arcas del Estado. Coinciden en el tiempo el que Belloch corte el grifo de los fondos reservados a Amedo y Domínguez y la explosión del caso Roldán. Se pone entonces en evidencia que los jefes se estaban llevando la mayor parte del botín y a los Amedo y Domínguez y compañía sólo les daban las sobras. En definitiva Amedo y Domínguez se jugaron el pellejo, unas veces directa y otras no tan directamente, y cuando los pillaron aceptaron el papel de chivo expiatorio y se pasaron siete años en la cárcel. Para mí fue una gran satisfacción el que Amedo y Domínguez, decididos a contar lo que sabían, recurrieran precisamente a los periodistas que más les habíamos perseguido durante estos años y que más habíamos hecho por conseguir que se les condenara. Si nos utilizaron para clarificar lo de los GAL fue porque sabían, por propia experiencia, que éramos los únicos que perseguíamos la verdad en esta historia. A ellos, tal y como nos lo explicaron, les impactó mucho el caso Roldán, y yo tuve la intuición de que así iba a suceder el día en que en esta misma mesa me traen la entrevista con Roldán y veo que una de las cosas que dice, entre veintiocho mil, es «A mí no me van a engañar como a Amedo». Vi claramente que ese titular podría ser la llave de muchas cosas y lo pusimos a toda página. Y no sólo en el caso de Amedo, sino que ahora siguen apareciendo funcionarios que colaboran con la justicia teniendo como referencia ese comentario de Roldán y lo que se sabe sobre las fortunas acumuladas a costa de los fondos reservados. López Carrillo, el que nos ha contado que Rodríguez Galindo había ido a visitar encapuchado a Lasa y Zabala cuando estaban secuestrados por los GAL, utiliza el mismo argumento: «Me he dado cuenta de que yo creía que esta gente estaba en mi mismo bando; yo vivo con mi sueldo; yo pensaba que ellos, un poco mejor, también. Me he dado cuenta de que se lo estaban llevando crudo y que para ellos la lucha contra el terrorismo, que tanto dolor, tanta sangre, tanta situación terrible significaba para los policías, para ellos era un gran negocio».

—Un sector de la opinión pública especula sobre la idea de que estas gargantas profundas, se llamen Amedo, Domínguez, López Carrillo o Perote, manipulan un banco de dossiers financiado por personas agraviadas por la política socialista, se llamen Mario Conde, Ruiz -Mateos o Javier de la Rosa. A Conde se le vincula con *El Mundo* como accionista, si no cuantitativa, sí cualitativamente importante. De ahí se deduce que *El Mundo* es el diario más beneficiado por el mercado del dossier. No es que haya una conspiración de los medios, pero sí que los medios aprovechan ese material como mercancía, disfrazándola de periodismo de investigación.

—En ninguno de los asuntos importantes ha sucedido así. Ni fue así con Ibercorp, ni fue así con Filesa, ni ha sido así con los GAL, sino exactamente lo contrario. Por ejemplo, el caso Filesa es muy paradigmático, porque marca el mecanismo de lo que sucede en los otros asuntos. El

PSOE maltrata a un tío, el chileno Carlos Van Showen, por el que pasa la información básica del montaje. Resulta que le debían un dinerillo, una miseria, y sus jefes prepotentemente dicen pues a este tío no le pagamos lo que le debemos y si quiere hablar que se atenga a las consecuencias, le echamos de España, porque no tiene permiso de trabajo. Van Showen, en qué medida por resentimiento, en qué medida como consecuencia de sus convicciones democráticas, estuvo vinculado con la izquierda chilena, recorre varias redacciones y cuando ve que no le hacen caso busca en la guía telefónica la dirección de la sede de *El Mundo* en Barcelona y allí se encuentra con una chica en prácticas, Ana Aguirre. Ana alucina ante la información, nos llama, nos lo explica muy bien y mandamos a Barcelona a Casimiro y a Jesús Cacho. En el caso Ibercorp el 90% de las informaciones procedieron también de oficinistas, de la gente que trabajaba con De la Concha. En el de los GAL, Melchor Miralles me dice un día de octubre: «Oye, creo que voy a ver a Michel Domínguez, y que a lo mejor quiere que también le veas tú». Y es Michel Domínguez el que dice: «Estos tíos nos están engañando, nos han dejado tirados y vamos a ir para delante».

—Entonces ¿por qué este afán demostrado por Mario Conde más vagamente, pero sobre todo por De la Rosa o Ruiz-Mateos, de aparecer como invitados de honor en la conjura? ¿Por qué Ruiz-Mateos se deja ver junto a Amedo como si estuviera en su plantilla?

—Son personas que necesitan agigantarse porque tienen cuentas pendientes con la justicia y en dos casos estamos en presencia de peligrosos megalómanos. Necesitan proyectar una capacidad de coacción que casi siempre es un farol. Cuando esta gente alardea de tener un dossier

146

de gran envergadura, el mito se desinfla en cuanto abren la carpeta: queda en evidencia que ahí lo único que hay es humo. En alguna ocasión he sido yo el que ha ido a preguntar a alguno de estos personajes: «Oye, se dice que tú tienes tal información», y siempre me he encontrado con que todo ha sido pura filfa.

—El Gobierno debilitado, al borde del caos, en medio de una batalla mediática como nunca se había producido en este país. Se puede hablar de tribus urbanas y entre ellas las tribus mediáticas.

—Es verdad, pero es la manifestación de un fenómeno mucho más profundo y preocupante, el sindicato de intereses establecido entre el poder político, el poder económico y el poder informativo, con lazos muy, muy estrechos, no sólo en el ámbito estricto de los medios de comunicación sino con intereses económicos en muchos otros ámbitos. Yo entiendo que al final los profesionales terminemos atrapados por esa dinámica, pero yo no pienso que los periodistas de *El País* tengan un código de valores distinto a los periodistas de *El Mundo*. Lo que ocurre es que ellos están condicionados por una realidad empresarial que es indiscutible y que ha quedado reflejada objetivamente muchas veces. Yo creo que es absolutamente impropio que un empresario de medios de comunicación dependa de decisiones discrecionales sistemáticas del Gobierno, como ha ocurrido con todo el tema de créditos favorecedores y discriminatorios. Ya de por sí limita la independencia el tener intereses multimedia en ámbitos que están estrictamente regulados y controlados por el Gobierno, como son la radio y la televisión. Pero si encima esas empresas de comunicación tienen intereses multimillonarios en otros ámbitos, intereses sistemáticamente favorecidos por el Gobierno, eso condiciona inevitablemente el trabajo de los profesionales, aunque sólo fuera, en el mejor de los casos, de un modo inconsciente.

—Pero se ha creado un escenario estratégico viciado. Por una parte está *El Mundo*, la COPE, el grupo PRISA, *Abc*. Cada cual tiene una estrategia diferente en relación al poder. Es como si hubiera un partido polanquista, otro de *El Mundo*, el de la COPE, el de *Abc*. Tenéis más influencia social que los partidos reales, como si se hubiera producido la transferencia a una extraña democracia orgánico-mediática.

—Bajo Franco, en España había libertad para ser del Madrid o del Barcelona, porque en realidad comprarse el *Arriba*, el *Abc* de entonces, *Pueblo*, el *Ya* o el *Marca*, pues daba lo mismo, o casi lo mismo. En estos momentos una de las maneras más tangibles, concretas e inmediatas de ejercer la capacidad de elegir, que en definitiva es uno de los pilares del sistema democrático, son los medios de información. Los españoles saben que el prisma de interpretación de la realidad de *El Mundo*, de *El País* o de *Abc* es diferente. Cuando los políticos dicen: «Es que nosotros hemos sido refrendados por las urnas y estos periodistas autoelegidos no tienen ninguna legitimidad», yo digo: oiga, usted, yo me presento todos los días a las elecciones, en esas urnas que son los quioscos de prensa. Todos los días la gente está eligiéndome o rechazándome como guía de interpretación de la realidad. La cuestión es que entre los profesionales a menudo se genera un lógico patriotismo y una lógica y humana relación de identificación con el equipo, con el medio de comunicación a través del que escriben o al que pertenecen. También es verdad que hay muchos profesionales que escriben en medios diferentes y que preservan su independencia al margen de cuál sea la posición y la línea editorial del medio en el que colaboran. Yo creo que es esencial que se preserve, se estimule y se potencie el pluralismo.

—Respetar el pluralismo sería incluso una actitud inteligente de cara a la audiencia, porque cabe esperar que no toda la audiencia sea parroquiana.

—Yo creo que ese concepto del medio monolítico, dirigido a un segmento cerrado de la opinión pública que sólo busca la corroboración de sus ideas, corresponde a la prensa ideológica del siglo XIX y no a lo que a finales del siglo XX sería una concepción universalista de la libertad de información.

—La aparición de las tribus mediáticas ha estado condicionada por la especial crispación del momento vivido en los últimos tres o cuatro años. Luego, una vez desaparecido ese factor, cuando pierda el PSOE y llegue el PP al poder, ¿se va a resituar el discurso crítico?

—En parte sí, pero hay un fenómeno de carácter estructural que a mí me parece muy preocupante. Se trata de la tendencia a la concentración de la propiedad de los medios, de que se estén configurando imperios multimedia que dependen de una misma persona o de un mismo reducido grupo de personas. Ése es un fenómeno empobrecedor y que tiende a esclerotizar las estrategias de los grupos implicados. En algunos grupos de comunicación se lleva el patriotismo de empresa hasta planteamientos irracionales que hemos juzgado con una mezcla de sarcasmo y horror en las multinacionales japonesas.

—Si se trata de un problema estructural, los multimedia ya establecidos van a continuar ejerciendo como tales. Ya hay dos en marcha: el grupo de Asensio y el de Polanco.

—No despreciemos a un grupo regional de prensa polarizado por *El Correo Español del Pueblo Vasco* que está empezando y que tiene vocación de desarrollar sus intereses también en la radio y la televisión. Pero es que bastaría con que esos dos gigantes siguieran creciendo, siguieran teniendo las posiciones clave en prensa, radio y televisión, para que se produjera un empobrecimiento sistemático del pluralismo informativo. Es imprescindible una legislación que limite la concentración del poder de informar en pocas manos. Yo creo que la iniciativa de Izquierda Unida, acogida con bastante rechifla, era muy desafortunada en partes de su literalidad, pero su espíritu y su propósito tienen pleno vigor. Además, me parece que se va a plantear el problema a nivel comunitario. Grupos políticos de muy diverso signo se dan cuenta de que la concentración del poder de informar los convierte en rehenes de los nuevos barones de la prensa, es decir, lo que significan Polanco o Asensio, lo que significa Murdoch en Gran Bretaña o Berlusconi en Italia. Son *powermakers*, hacedores de reyes, que en un determinado momento pueden condicionar el proceso político y romper el equilibrio institucional.

—Hay una contradicción entre esa regulación y la filosofía del mercado como panacea.

—¡No señor, no señor! Hombre, yo me considero un liberal, pero el liberalismo contemporáneo es antidogmático y contempla las condiciones reales de la libertad. Yo creo que no puede haber libertad de mercado si la partida se desarrolla con las cartas marcadas por parte de los contendientes.

—Las cartas siempre están marcadas.

—Sobre todo si no existen mecanismos de protección al ejercicio de la libertad; es decir, si a través de la legislación y del funcionamiento democrático no se establecen las condiciones que puedan hacer efectiva la libertad teóricamente proclamada.

—Los que se presentan como alternativa sueñan con poder instrumentalizar esos superpoderes mediáticos y no se enfrentarán a ellos.

—Naturalmente. Ése es el riesgo que tenemos con Aznar, que en ese ámbito y en tantos ámbitos, el día que llegue al poder, si es que llega al poder, termine olvidándose de sus propósitos regeneracionistas e incurra en la misma indulgencia consigo mismo y con sus colaboradores en que incurrió González al llegar a La Moncloa en el 83. Supongo que no empezarán a asesinar tan pronto como hicieron los otros, pero pueden tener la tentación de vivir la misma experiencia de ocupación del poder y no de representación de la sociedad.

—Se sentirán examinados y observados pero en relación a la mayoría que consigan.

—Confío en que lo ocurrido con el felipismo tenga un efecto vacuna, y además yo creo que cuando gobierne la derecha vamos a tener la ventaja de que todavía pervive en el imaginario colectivo la idea de que a la derecha hay que vigilarla muy de cerca, no vaya a ser que termine reproduciendo algunas de sus formulaciones más siniestras. Los propios representantes políticos de la derecha democrática aceptan esa convención, aceptan ese pacto no escrito de que los mecanismos de exigencia y de control van a ser más rigurosos con la derecha de lo que han sido con la izquierda. Todos somos conscientes de que el día que Aznar organizara algo remotamente parecido a los GAL, toda la inteligencia española estaría en pie de guerra, cosa que no ha hecho en gran medida con los GAL, y que no habría la complacencia y el conformismo que ha existido con González en temas como la financiación ilegal del partido o el beneficio particular de los amigotes.

Pedro J. Ramírez juega al paddle tenis con Aznar, al parecer en unas pistas próximas a *El Mundo*. También se conocen sus cenas o almuerzos privados con Aznar o con Anguita, ocasión aprovechada por el periodista para educar a los aspirantes a príncipes. Anguita, Pedro J. Ramírez y un servidor compartimos un mitin al aire libre en Sevilla a propósito de cuestiones militares. Por entonces Anguita era alcalde de Córdoba y Pedro J. director o subdirector de *Diario 16*, adjetivado como brillante periodista oriundo de la Universidad de Navarra, universidad del Opus, muy norteamericanizado tras una estancia en Estados Unidos y liberal a ultranza, de la escuela de Joaquín Garrigues. Tratándose de militares, Anguita y yo nos expresamos con una gran prudencia crítica, pero no fue ésta la actitud de Ramírez, que pidió poco menos que la disolución de los ejércitos, ante el entusiasmo del público que desde entonces piensa que Anguita y yo somos dos asquerosos posibilistas. Anguita no daba crédito a lo que oía y me dijo por lo bajín: «Este cabrón nos ha rebasado por la izquierda». «Nos ha dejado en la más absoluta miseria táctica», le respondí. En una reciente ocasión, mientras almorzábamos en Varsovia, ¿o fue en Barcelona?, me permití sugerirle a Ramírez que aconsejara a Anguita buscar una cabeza complementaria de la suya para coordinar IU, sobre todo un rostro alegre y confiado, compensador de la orografía dramática y trascendente del rostro y el gesto de Julio. Ni Ramírez ni yo tuvimos éxito.

—Leguina dice que cuando gane el PP vendrán a por ti.

Se ríe. ¿Por qué se ríe? Me lo dice:

—Hasta ahora había oído que sería yo el que iría a por el PP, pero quizá ésa es una versión más inteligente y probablemente más verosímil. No sé, yo no me veo con la cabeza cortada.

—Te lo digo porque, según tu razonamiento, en ese cuadro estratégico que has descrito, un partido como el PP, si gana con una mayoría importante, puede ofrecer golosinas a los multimedia creados, los puede domesticar, pero puede sentirse amenazado por un periódico que no tenga ambiciones multimediáticas.

—Ni vocación de tenerlas. Yo a lo mejor soy un poco ingenuo, pero no descarto que se forme un gobierno del PP y Aznar empiece a cumplir algunas de las cosas que ha prometido en el terreno de la reforma política y que, por ejemplo, promueva una ley electoral en que las listas sean abiertas o por lo menos desbloqueadas, o una reforma del reglamento del Congreso en que no sea necesaria la mayoría para crear comisiones de investigación, o una reforma de la ley de financiación de partidos políticos en la que la constatación de la democracia interna sometida al control de los tribunales sea requisito para la recepción de fondos públicos por parte de ese partido. A lo mejor soy demasiado optimista, pero yo no descarto que pueda suceder eso y que por lo tanto sea este periódico el que más aplauda esos pasos positivos que dé Aznar como los aplaudiríamos en cualquiera. Nosotros vamos a mantener nuestra línea editorial; vamos a defender siempre el que se dote de contenido a los derechos de participación política de los ciudadanos y vamos a estar en contra de cualquier partido que refuerce los privilegios de la clase política y que secuestre los derechos de participación política de los ciudadanos.

—¿Eres consciente de que buena parte de ese crecimiento de *El Mundo* se ha visto favorecido por la situación de escándalo constante? En una situación de normalidad futura, ¿tienes un proyecto diferente de diario?

—Nuestro periódico ha nacido con la vocación de ser lo que los ingleses llaman un *quality paper*, un periódico de calidad, que por la manera de jerarquizar las noticias y de plantear la reflexión sobre los asuntos sea un diario de influencia, capaz de contribuir a la modernización de nuestro país, a la racionalización de la vida pública. Para conseguirlo necesitábamos medios materiales. Afortunadamente, el desarrollo del periódico está permitiendo disponer cada vez de más medios, de mejores profesionales. Nuestro periódico no sólo se ha distinguido por revelar grandes escándalos o por tener una línea editorial muy crítica con el Gobierno. También ha adquirido un gran prestigio en la comunidad periodística internacional como consecuencia de su cobertura de grandes asuntos internacionales. Hay que recordar que fue un redactor de *El Mundo*, Alfonso Rojo, el único periodista occidental que permaneció en Bagdad durante toda la guerra del Golfo. Hemos destacado mucho en otros ámbitos; por ejemplo, *El Mundo* por dos años consecutivos ha sido el periódico más premiado por la Society of Newspaper Design, que ahora se ha reunido precisamente en Barcelona. La verdad es que sorprende ver la lista de galardones y encontrar que es un periódico español, recién nacido prácticamente, el que aparece en primer lugar; en segundo lugar, *The New York Times*; en tercero, *The Washington Post*. No tengo la menor preocupación en cuanto al futuro de nuestro periódico, porque hemos conseguido acumular un gran talento profesional en torno a nuestro periódico. Algunos de los mejores periodistas de España, en casi cualquier campo, están ya en *El Mundo*; algunos de los mejores escritores españoles ya escriben regularmente en *El Mundo*; tenemos unos lazos muy fuertes con algunos de los mejores periódicos extranjeros, como es *The Guardian* o *Il Corriere della Sera*. Yo llevo 15 años dirigiendo periódicos y tengo que decir que en ninguno de esos quince años la difusión del periódico ha sido inferior un año que el anterior, sino que ha ocurrido más bien lo contrario. En cualquier circunstancia, el nuestro será un buen periódico que representará las inquietudes de un sector importante de la población.

—Parece como si viviéramos en una democracia orgánica en la que fueran más determinantes agentes políticos y sociales, como jueces, periodistas, financieros y algunos políticos individualmente, que el Parlamento. ¿Es una contingencia condicionada por la perversidad de la situación española o es un *impasse* que revela una deformación del sistema democrático?

—Tiene que ver con el hecho de que el Parlamento no dispone de los medios para ejercer su función constitucional, porque no es la representación de los ciudadanos, sino el instrumento formal de que disponen los partidos políticos para hacer valer sus posiciones de mayorías o minorías. Si el Parlamento no funcionara y sólo se reunieran los miembros de la junta de portavoces nos ahorraríamos mucho dinero y no cambiaría nada, porque son habas contadas: «Yo llego con ciento setenta y tantos escaños, no hace falta ni que se trasladen de sus provincias respectivas, y como usted viene aquí sólo con ciento cuarenta uno, pues nada que hablar». No ha habido en la historia de nuestra democracia ni un solo debate, que yo recuerde, en el que la intervención argumentada, brillante de un orador haya convencido a nadie de nada. En Estados Unidos o en

Gran Bretaña, hay un factor de incertidumbre parlamentaria porque los diputados votan en conciencia, ya que a quienes tienen que rendir cuentas es a sus electores.

—Y a algunos *lobbies*.

—Bueno, pero de quien depende un congresista por Iowa de ser elegido o no es de los electores. Es verdad que los fondos para la campaña se los puede proporcionar la industria láctea, pero tiene que pasar en definitiva por el filtro de los 225.000 ciudadanos de su distrito. Yo creo que habría que encontrar un sistema electoral mixto, porque entiendo que el sistema mayoritario puro lo minan las mayorías y deja subrepresentadas a corrientes muy significativas de la opinión pública. Por lo tanto, lo mejor sería un sistema mixto en el que se combinara los distritos pequeños con la lista nacional en la que se sumaran todos los restos y eso garantizaría que las minorías tuvieran una representación importante.

—El otro día leí que Antonio Herrero ha modificado las tertulias de la COPE y los nuevos tertulianos representan el arco parlamentario. Como si esa teatralidad absoluta del Parlamento tuviera que reproducirse en la radio.

—Sí, sí, es verdad. Y de hecho muchas veces hemos oído al Gobierno y sobre todo al PSOE quejarse de que el sistema de medios de comunicación está pervertido porque no se corresponde en su alineamiento editorial con el resultado de las elecciones, como si una y otra cosa tuvieran que ir coordinadas.

—*El Mundo* va a salir en edición catalana y el PP reajusta su estrategia en Cataluña, se cataliza un tanto. ¿Va a haber coincidencias entre ese regionalismo moderado del PP y la línea de *El Mundo* en Cataluña?

—En Cataluña ya hay algunos periódicos, alguno muy importante, que tradicionalmente han representado esa alternativa regionalista moderada al pujolismo. *La Vanguardia* siempre ha sido eso, el representante del catalanismo tibio, descafeinado y regionalista. Otra cosa es que *La Vanguardia* se pliegue al ritmo que marca el que está en el poder, cosa que también ha hecho toda la vida y bajo el franquismo se olvidara de esa significación catalanista.

—Tú conoces el riesgo. Cataluña es un pantano mediático en el que incluso se ha metido *El País*, porque topó con Convergència i Unió y no supo o no pudo sacarse de encima la etiqueta de diario «españolista».

—*El Mundo* es un periódico que defiende el federalismo como alternativa al sistema de organización del Estado, por entender que España fue un reino de reinos y que en lo que llamamos España confluyen fuentes de soberanía histórica muy diversas. Y nosotros estamos desarrollando el periódico con una organización coherente con esa visión federalista del Estado. Nosotros no hemos puesto en marcha una edición más de *El Mundo*, sino un nuevo periódico que se llama *El Mundo de Cataluña*, con su propia empresa editora, con su propia estructura de capital. Por lo tanto, en lo que se refiere a la política catalana, todas las decisiones se van a tomar en Cataluña, y va a ser la redacción de *El Mundo de Cataluña*, con su director, quienes definan la línea. No vamos a ser nosotros, no voy a ser yo desde Madrid, el que decida la línea a seguir en Cataluña. Es verdad que hay una coincidencia en el tiempo con la renovación del PP, renovación que parece haber hecho caso de las críticas que le hemos hecho desde *El Mundo* respecto a su absurda falta de sensibilidad hacia lo que es la realidad de Cataluña. Pero al margen de esta coincidencia, tanto por las personas que integran la redacción de *El Mundo de Cataluña* como por el talante general de nuestro periódico, yo no veo a *El Mundo* ni a *El Mundo de Cataluña* de compañeros de viaje del PP en casi nada.

—Entonces no se trata de ser un compañero de viaje sino de una coincidencia estratégica.

—Presiento que nuestro periódico le va a dar mucha caña al PP y con él se van a sentir más cómodas y mejor tratadas fuerzas minoritarias que ahora están siendo bastante maltratadas por la prensa que forma parte del *statu quo*, como puede ser el caso de Esquerra Republicana o el de Iniciativa per Catalunya. No nos sentiremos frustrados si no conseguimos los 100.000 ejemplares ni en el primero, ni el segundo, ni en el tercer año.

—Consultando tu intervención en el acto del Palace, y leyendo el libro *David contra Goliat* allí presentado, ¿hasta qué punto estás tú imbuido de que ha habido una lucha de David, Pedro J. Ramírez, contra Goliat, el poder?

—Yo siempre he dicho que ni *El Mundo* ni yo, sino la prensa, ha sido el David contra Goliat. Sería absolutamente vano por nuestra parte reclamar el protagonismo en exclusiva. *Diario 16* descubrió la corrupción de Luis Roldán prácticamente en solitario y luego otros periódicos nos sumamos a la indagación. Yo creo que la práctica totalidad de la prensa ha hecho contribuciones, incluso la prensa más adicta al Gobierno, dentro de su pluralismo interno y de su necesidad de comportarse como un medio de comunicación digno de tal nombre. David es la prensa en sentido genérico.

—En dos situaciones recientes de la historia de España, al final del franquismo y ahora, la prensa ha adquirido protagonismo como factor de cambio. ¿Es síntoma de la inmadurez política o de la falta de estabilidad orgánica de la democracia?

—Hay que reconocer que en la mayoría de los países democráticos los grandes asuntos que han hecho tambalear o han derribado Gobiernos también han sido descubiertos por la prensa: el *Washington Post*, el *New York Times*. El *New York Times* fue el que descubrió los papeles del Pentágono, los difundió; el *Washington Post* fue el que descubrió el Watergate; o *Le Monde* desveló la implicación de la armada francesa en el hundimiento del *Warrior*. También es verdad que en pocos casos hemos visto deteriorarse una situación, esclerotizarse, prolongarse tan artificialmente como en España. La forma patética con que González está aferrándose al poder tiene pocos precedentes.

—Ayer Polanco me dijo que de hecho el franquismo termina ahora, porque él tiene la tesis coincidente de que esta gente asumió el aparato del Estado franquista y que ahora, cuando se vayan, se normalizará la situación.

—Es maravilloso que diga lo de *esta gente*.

—Tal vez la expresión exacta sea mía. Pero habló de los socialistas con un cierto distanciamiento.

—Es un comentario equivalente al de Franco cuando decía: «A éste lo mataron los nacionales». Y lo digo con la mayor admiración y respeto personal hacia la figura de Polanco. Lo que pasa es que su papel, en términos objetivos, me parece negativo.

Ignoro qué quedó del proclamado respeto a Polanco, a la vista de que el enfrentamiento entre *El Mundo* y *El País* fue creciendo a medida que se acercaron las elecciones anticipadas de marzo de 1996. Pero estoy convencido de que polanquistas y sindicalistas del crimen interpretan un papel forzado por la dialéctica generada, de la que saldrán cuando esta dialéctica carezca de finalidad o de utilidad, que es lo mismo. De momento, los columnistas de *El Mundo* arremetían frecuentemente contra Polanco y Cebrián, incluso Martín Prieto, uno de los cocreadores de *El País* y hombre de una bonhomía a prueba de sus propios agravios. Cebrián, quien dicen que les bautizó como *sindicato del crimen*, recibió a cambio denuestos que afectaban no sólo a sus hábitos profesionales sino también a sus varias y sucesivas vidas privadas. Las líneas editoriales de uno y otro diario se retaban casi a diario al amanecer y sin padrinos en el duelo. Cuando no se trataba de la acusación a PRISA de tráfico de influencias por el acuerdo con Telefónica sobre la televisión sin cable, era la acusación de fraude en las subvencionadas exportaciones de material escolar de las empresas de Polanco, a lo que *El País* contestaba negándolo y acusando a Ramírez de haber sido tan partidario de los GAL en el pasado como interesado cuestionador ahora, sacando de contexto párrafos de antiguos artículos del entonces director de *Diario 16*, según argumentación defensiva de *El Mundo*. A la contra: «La concentración de Polanco es un peligro para la libertad de expresión», deduce el redactor de *El Mundo* de una sentencia judicial exculpatoria de *El Mundo* porque había acusado a Polanco de eso, de gran concentrador de medios de comunicación.

Una de las incógnitas que despejar tras las elecciones de marzo será el papel a conservar por las batallas tribales mediáticas, por *El Mundo* y por Ramírez, sin duda un personaje interesante que ha sabido más que utilizar dejarse utilizar. Rioyo describía el clima creado en el salón del Palace el día de la presentación de *David contra Goliat*: «El mismísimo duque, el intocado de la transición, el que crece con sus silencios, Adolfo Suárez en persona. Parecía el principio de un nuevo régimen. La entrada tuvo algo de teatralización y de suspense: se abrieron las puertas del hall del gran salón y empezó el camino, el ascenso, el recambio y el advenimiento de algo. A la pinza le faltaba esta cuerda. Iniciaron el ascenso triunfal Adolfo Suárez y Aznar, inmediatamente detrás Anguita y Pedro Jota, al fondo Ansón, muy al fondo. Suárez en primera fila al lado de Umbral; entre el público, González de la Mora y Trevijano, Terenci Moix y Vizcaíno Casas, Loyola de Palacio y Federico Trillo. Arriba, desde la tribuna, se nos advirtió que estábamos asistiendo al *umbral de una nueva época*. El felipismo no acudió a su entierro y no se enteró de que se había dado jaque mate al rey negro, que no se salvará moviendo las casillas, ni acudiendo a *la reina catalana*». Ramírez dijo en el transcurso de la presentación que había que regenerar España: «A mí me gustaría vivir en un país donde no existieran mafias que se apunten al corazón del poder financiero. Me gustaría vivir en un país en el que cada vez sean más personas las que tengan algo de poder. Quisiera una España en la que nunca la razón estuviera al servicio del poder y sí el poder al servicio de la razón. Pongamos que empezamos mañana. Pongamos que es España». Entre regeneracionistas estaba Pedro J. Ramírez, y Anguita le dejó esta vez visto para sentencia. Dijo de él que era un liberal a la manera como lo habían sido los de las Cortes de Cádiz y que había que estar junto a David, la prensa libre, antes de que la piedra dé en la frente a Aznar, Goliat del futuro. Ramírez, siempre según Anguita, es una persona inquietante, «ya que ha turbado el sosiego de la charca fétida de una sociedad que se aburre».

5. El desorden ético que nos invade

> El neopuritanismo no sólo debe entenderse, pues, como una nueva tiranía, sino como la senda más directa a la consolidación de la estulticia, empeñada en negar la diversidad, la pluralidad y, en fin, la realidad misma. Una realidad en la que hay personas que prefieren no ser lobos enfrentados a otros lobos.
>
> MARGARITA RIVIÈRE, *La década de la decencia*

Carmen Posadas no camina, avanza. Ignoro si es una característica de andares adquiridos por tanta persecución de periodistas y fotógrafos tras el escándalo fiscal que envolvió a su marido Mariano Rubio, ex gobernador del Banco de España. En mis tiempos de huésped del hotel Suecia, próximo al Palace, la había visto avanzar por las aceras en busca de su apartamento, cercano, y ahora la veo avanzar por el hall del Lúculo mientras converso con su propietario, el barón de Sert, aristócrata letrado, sobrino del pintor Sert y autor de una notable biografía de Missia Sert. El barón fue simpatizante de las izquierdas catalanas, concretamente del PSUC, en el periodo de entreguerras: me refiero a las guerras de Vietnam y de Irak. El barón se retira prudentemente y me quedo frente a una mujer que convierte su timidez en un factor magnético y te provoca una cierta tendencia a convertirte en *chevalier servant*.

—Yo hablo muy poco, tú me tienes que tirar de la lengua. Yo iba para muda.

—Soy de la misma raza y podemos llegar al más absoluto silencio. Al país del silencio. Uno de los más agradables.

—Últimamente aún hablo menos y opino aún menos de lo que hablo. Como soy sudaca, no me atrevo a meterme donde no me llaman.

He leído un dossier de prensa sobre la dama y cuatro de sus libros: dos relatos para niños, *Kiwi* e *Hipo canta*, y *Mi hermano Salvador y otras mentiras* y *Yuppies, Jet set, la movida y otras especies*. He aquí a una mujer muy leída y muy viajada, hija de diplomático uruguayo, ex casada para volverse a casar nada menos que con el entonces gobernador del Banco de España, Mariano Rubio. Conocí a Rubio hace más de diez años, cuando le entrevisté para el libro *Mis almuerzos con gente inquietante*, precisamente porque me inquietaba su retrato presentado de inspirador de la política económica pragmática y tan céntrica, centrista y centrada de los socialistas. Aunque Rubio nunca militó en el PSOE, la protección que dispensó desde el Banco de España a las carreras de Miguel Boyer, Carlos Solchaga o Raimundo Ortega permitió que el partido socialista dispusiera de un equipo de expertos en poder económico, insisto, en poder económico, muy difícil de reunir por un partido que ha vivido en la clandestinidad durante cuarenta años.

—He leído buena parte de las entrevistas que te han hecho. Citas a varios autores pero también a César Borgia. ¿Recuerdas el lema de César Borgia?

—¿Era el mismo de Maquiavelo: el fin justifica los medios?

—Estaban de acuerdo en eso. Pero César era arrogante y Maquiavelo no podía serlo. Sólo era un intelectual en tiempos de condotieros armados. El lema de César es: O César o nada. ¿Te gusta la prepotencia?

—Para nada. Pero me gusta el personaje. Cito a rachas. Ahora citaría a otros.

—¿A quién?

—Ahora citaría a Dickens. Yo había leído a Dickens de pequeña y de pronto lo redescubrí. Leí *Grandes esperanzas* y después un estudio de Anthony Burgess sobre literatura inglesa en el que nombraba y elogiaba una obra de Dickens, *Casa desolada*. Me la compré y me ha parecido un libro fantástico, genial.

—También citas mucho a Oscar Wilde. «Todo hombre mata lo que más ama», ¿la suscribes?

—Sí, en una novela que naufragó el año pasado, en estos avatares, situé esa afirmación de Wilde como centro. Se iba a llamar «El oro del Rin». El nombre de una cafetería de Montevideo.

—En Barcelona había un viejo, majestuoso café, que se llamaba así. Se lo cargaron para poner una sucursal bancaria. Hubo una época en mi ciudad en que derribaron los más hermosos cafés y los sustituyeron por sucursales bancarias. La novela ¿de qué iba?

—La novela es una historia de dos mujeres, una casada en España y la otra en Uruguay. La de Uruguay había dejado todo para seguir a un húngaro, un músico. Y la otra mujer está en la misma encrucijada, y es cómo, al hilo de la cita de Wilde, cómo todo el mundo mata aquello que más ama, y yo lo interpretaba así: el cobarde lo hace con un beso y el valiente con la espada. Pero ya te digo que es una novela naufragada.

—¿Por qué la explicaste en una entrevista y en cambio no la escribiste?

—Sí, bueno, tengo ciento y pico folios, casi doscientos, pero lo que pasa es que con todo lo que pasó el año anterior me cambió el tono, me cambió la voz narrativa, no podía seguir. Yo ya no era la misma persona que había escrito eso.

El encausamiento y detención de Mariano Rubio como presunto autor de delitos económicos cambió la pauta vital de una familia y el signo ascendente de la llamada *beautiful people*, equivalente aproximado madrileño, pero con poder político, de la *gauche divine* barcelonesa del tránsito de los sesenta a los setenta. Se trataba de un heterogéneo grupo que desde fuera parecía muy trabado, en el que podían figurar ricos parasocialistas como Sarasola o técnicos muy bien pagados e igualmente parasocialistas como Boyer, Solchaga o Mariano Rubio. Dos mujeres se constituían en referentes convencionales del invento: Isabel Preysler, ex señora de cantante y de aristócrata vitivinícola, que llegó a la vida de Miguel Boyer dentro de un bolso de Loewe, y Carmen Posadas. Así como Preysler quedaba ante la clientela como un referente tremendamente inexplicable y muy parecido al de la mujer objeto procelosa y porcelanosa, el imaginario de Carmen Posadas era el de la aventurera intelectual llevada por los impulsos de su curiosidad a una de las cumbres del poder económico, donde habría conseguido fundir las nieves casi perpetuas del frío Mariano Rubio. Cuando en 1984 me aprestaba a entrevistar a Rubio fui advertido: «Es más frío que el hielo», o bien: «Lleva en el rostro la presunción de que el resto del género humano es estúpido», o bien: «Es un cazador de bancos heridos de muerte». Cuando le expuse al señor gobernador del Banco de España tan tenebrosa retahíla, se limitó a contestarme: «Demasiado para una sola persona».

—¿Una experiencia como la que viviste ese año te hizo cambiar? ¿Te creó problemas de identidad?

—Yo nunca me he sentido muy identificada, si quieres que te diga la verdad, porque nunca me he sentido de ningún sitio. He tardado muchísimo en averiguar cómo soy yo, tiendo a confundirme con el paisaje.

—¿Eso es una habilidad o un defecto?

—Originalmente debió de ser una habilidad, lo que pasa es que ya me parece un defecto. Tiene una contrapartida bastante grave y es que, a pesar de que yo me adapto a todo, nadie me considera nunca de su club, ¿sabes?, el frívolo considera que soy demasiado seria, el serio que soy demasiado frívola, el europeo me considera sudamericana, el uruguayo considera que soy española.

—El que nadie te considere de su club, Groucho lo exhibía como una virtud. Dijo que jamás sería de un club que le admitiera como socio. De todas formas, tu exhibicionismo, o la necesidad de exhibicionismo de cada persona, lo resuelves escribiendo. Los exhibicionistas valientes son los que aparecen desnudos en los parques públicos. Los cobardes escribimos.

—Estoy de acuerdo.

—Pero aparentas encajar bien los desastres.

—No pertenezco a ese tipo de personas a las que se les pone el pelo blanco de un disgusto.

—Nunca me he fiado demasiado de ese fenómeno psicocapilar. Creo, simplemente, que es que dejan de teñirse. En algunos cuentos salen personajes traumáticamente encanecidos. Por cierto, en tu casa leéis en voz alta. Me he enterado.

—Sí. Y todo el mundo se ríe muchísimo. Ya no lo voy a decir más. Cada vez que lo digo tenemos un disgusto.

—Leer en voz alta condiciona la manera de escribir.

—Sí, yo creo que sí, eso y, por ejemplo, leer en inglés, lo hacemos mucho, en mi casa leemos mucho en inglés.

A mi padre le gusta mucho la literatura y yo he admirado siempre a la gente que aprende el ruso para leer a Dostoievski y cosas por el estilo. Siempre habría que leer en el idioma original. Nosotros leíamos mucho en inglés. El inglés es mucho más onomatopéyico. Entonces, de niños, nosotros leíamos cosas muy fáciles, leíamos en voz alta a Conan Doyle. Leer en voz alta es también crear un ámbito, alrededor del fuego, un ámbito que propicia contar cuentos.

—Hay muy buenos especialistas latinoamericanos en literatura oral, chilenos sobre todo, y escritores que se inspiran en la pauta de la literatura oral, como García Márquez.

—Sí, Jorge Amado también.

Estuvo entre el público durante la mesa redonda dedicada a Jorge Amado en la Casa de América. Yo estaba en la mesa junto al escritor brasileño y mientras esperaba intervenir descubrí la apenumbrada figura de Carmen Posadas sentada y atenta a la pública confesión de amor y vida compartida entre Jorge Amado y su mujer. Cuando acabó la sesión traté de localizarla en su asiento. Había avanzado más que andado para retirarse, desde tan poderoso impulso que consiguió superar la velocidad de mi mirada.

—Te voy a decir la verdad. Experimento de antiguo una ambigüedad rara con España, nunca he querido vivir aquí, siempre he intentado irme, he intentado veinte mil veces irme de todas partes. De niña ya sentía esa pulsión de huida, pero, no sé por qué, vuelvo.

—Y entre el rechazo y el regreso ¿no has alcanzado un cierto equilibrio?

—No, en eso está más o menos igual, porque yo llevo mucho tiempo viviendo en España. Yo llegué con doce años, después me fui al colegio, volví y me casé, me separé, y me volví a ir. Pero prácticamente vivo aquí desde los doce, aunque me he ido muchas veces. Toda mi vida aquí.

—Tómatelo con ironía. Aunque no sé si te gusta la ironía. Tú has dicho que en cuanto a la literatura, a la cultura, estamos instalados en la ironía y el humor negro, y que ahora asoma una nueva etapa en la que se impondrán valores más espirituales.

—Eso ha pasado no sólo en la literatura, incluso en la forma de ser de la gente. Por ejemplo, los años ochenta son sumamente frívolos, ¿no?

—¿Los ochenta? Hasta el 92.

—Sí, hasta el 92. Entonces, como nunca se llega al punto medio, siempre se van al otro extremo, pues ahora estamos en la histeria colectiva, ésa es la verdad. Vivimos una época iconoclasta en la que abundan los salvapatrias. A mí lo que me impresiona de España es de dónde saca tanto salvapatria. Todo el mundo intentando salvar y no hacen más que dinamitar.

—Nos gusta el regeneracionismo. Es una manía cultural española, una manía ética. Si hay tanto regeneracionismo es porque la cosa no va.

—No va bien.

—Ahora nos instalaremos en la reacción puritana. De hecho ya estamos en ella.

—Sí, yo creo que va a llegar una época puritana y muy religiosa. Me interesan las religiones, pero no desde el punto de vista ortodoxo.

—¿Te interesan las religiones con Dios incluido, o las religiones como conducta, como vivencia?

—Más como conducta, pero yo creo, claro, que cada uno es hijo de su historia, ¿no?, o sea, que de alguna manera yo nunca me he desprendido de la idea de Dios. Lo he intentado y ha sido una pelea a muerte. He pasado una época absolutamente descreída y atea, y de todo, pero después he visto un poco más claro o más oscuro. No sé.

—¿Admitirías un Dios con acento polaco?

—Pues precisamente por eso empecé a escribir, porque tenía miedo de que Dios tuviera acento polaco. Curioso, ¿no? Este Papa nos trata como a niños.

—Cuando le pregunté por el Papa al cardenal Tarancón, me dijo: «Es demasiado polaco». Pero, hablando de niños, he leído cuentos infantiles tuyos y cuando te han preguntado por qué escribes literatura infantil respondes siempre lo mismo.

—¿Sí? Pues no sé qué he dicho.

—Por la tranquilidad que te da escribir para un tipo de público que no está maleado.

—Hay más razones. La literatura infantil tiene una ventaja sobre todas las demás: es sumamente anónima.

—Llega el momento en que se conoce el cuento pero no se conoce al autor.

—Exacto, la creación implica una gran soberbia, ¿qué más se puede pedir que crear un personaje inmortal? El que vive es Pinocho y no su autor. A mí me ha pasado, por ejemplo, ir a casa de gente que tenía un libro mío de cuentos y nunca se había dado cuenta de que era mío. Pero en contra de lo que pueda parecer, a mí eso me encanta, me gusta mucho pensar que es más importante mi obra que yo, porque como mi imagen está tan manipulada...

—¿Te acompleja la manipulación de la imagen?

—Sí, me afecta mucho. Me afecta lo que yo no controlo.

—¿Tú crees que alguien controla su imagen?

—La imagen que tienes ante tus allegados, o la gente más próxima, sí la controlas más o menos. Otra cosa es que se creen un personaje que no tiene nada que ver conmigo. Cuando leo las cosas que se dicen de mí... Pero, bueno, ¿de dónde ha podido salir todo esto?

—Cuando escribimos, partimos de un personaje llamado autor que nunca es exactamente como nosotros mismos.

—Lo más impresionante de la escritura es cuando dices cosas que no sabes que sabes, como si fuera otra persona. Yo nunca he hecho psicoanálisis pero debe de ser muy parecido.

Siempre he pensado que un escritor que además va al psiquiatra es un desmesurado. Por eso me interesa la reacción de esta mujer ante una vivencia tan literaturizable como la irresistible caída de Mariano Rubio, su marido, contemplada desde la platea. Por entonces declaró a la prensa: «A mí, todo me parece mentira». ¿Era mentira lo que se decía o le parecía simplemente irreal, una excesiva pesadilla de ficción?

—Irreal, sí.

—Increíble o irreal no es lo mismo.

—Exacto, es irreal, es lo que le pasa a la gente corriente. Cuando le ocurren cosas verdaderamente serias en la vida, cree que no le están pasando, que no es posible, cómo me pudo pasar esto a mí.

—Ya tenemos los imaginarios educados por la cultura audiovisual y ante cualquier cosa que nos ocurra, sobre todo si es desagradable, recordamos que ya la hemos visto en la televisión y como consecuencia, no hay duda, lo malo le está pasando a otro.

—Alivia, ¿verdad?

—Cuando llegué por primera vez a Nueva York me pareció una ciudad familiar, y cuando me operaron el año pasado del corazón pensé que era como la retransmisión televisiva de una operación que le estaban haciendo a otro.

—Es un mecanismo de defensa. Es muy útil, si le está pasando a otro no lo vives tú. Eso me pasó cuando empezó todo lo de Mariano.

—Pero a veces es imposible esa huida. Cuando estalló el caso Rubio, un día regresaba yo al hotel Suecia y vi avanzar por la calle a una niña vestida con un uniforme escolar, me pareció de colegio religioso. Avanzaba muy tiesa, muy autocontenida, porque la cercaban por todas partes fotógrafos que le lanzaban docenas de instantáneas. Tuve la intuición de que era una hija tuya.

—No, no va a un colegio religioso, pero el uniforme es de colores muy austeros, sí, gris y azul. Sí, era mi hija. Puedo superar lo que me afecta a mí. Más difícil lo que lesiona a las personas que te rodean, sobre todo si no pueden defenderse. Pero en aquellos días me dio por el exhibicionismo torero. Pasaron cosas muy contradictorias por mi mente. Yo soy muy tímida en la vida normal, y todo me cuesta mucho esfuerzo y ser simpática me cuesta horrores, pero me dio por ponerle al mal tiempo buena cara, una buena cara casi ofensiva para los que esperaban que bajara la cabeza. Recuerdo cuando tuve que ir a declarar en la Comisión Rubio, en el Congreso. Nosotros vivimos al lado del Congreso y fue como avanzar por un pasillo de fotógrafos desde mi casa hasta la sala donde debía contestar a las preguntas de la comisión. Imagínate que me hubieran dado un Oscar y hubieran estado los mismos fotógrafos: pues me hubiera quedado más cohibida. Pero no estaban allí para aplaudirme, sino para censurarme, y entonces te colocan en una situación como si fueras Lagartijo, Gitanillo de Triana, quien sea. Asumí, pues, que la cosa tenía su gracia y, desde un cierto mecanismo de defensa, pasé de la sensación de irrealidad a divertirme mucho. Puede sonar a frivolidad. Pero yo aquellos días me divertí mucho. Sé que quedaré fatal, pero sí, me divertí. Me habían obligado a asumir el papel de esposa sospechosa de un señor sospechoso y acabé encontrándole gracia al papel. La situación era tan tremenda que me desaparecieron todos los conflictos personales y externos menores. Simplemente me puse la cara de estar alerta y a ver lo que pasaba.

—Adoptamos la personalidad que los demás nos piden y la máscara que la representa. A mí me impresionó mucho esa metáfora de Bergman en *El rostro*. No sé si te acuerdas de aquella película. Trata de un actor que en toda la película aparece muy hierático, el papel lo interpreta Max Von Sydow, y el espectador llega a pensar que detrás de aquella expresión hay un profundo misterio, una tormenta fascinante.

—Y no hay nada, sólo una máscara. Pero he dicho que me divertí y voy a quedar como una frívola.

—No veo por qué es más frívolo que posar con las sienes *moraítas* de martirio como las protagonistas de las coplas.

—Qué horror. Yo lo que busco, en mi vida normal también, es que la gente baje un poco la guardia. No sé si lo consigo, pero si no lo consigo me aburro mucho. Por eso, si los demás no la bajan, la bajo yo.

—Tal vez finges ser tímida para que bajen la guardia.

—La timidez se confunde mucho con la soberbia, y en mi caso pasa mucho, me ha pasado muchas veces.

Cuando alguien me conoce, es inevitable el comentario: «Ah, pero tú eres mucho más normal de lo que suponía».

—¿Eres consciente de que el caso Mariano Rubio significa el inicio real de la crisis del poder en España y del cambio de imagen pública del partido socialista? Lógicamente, si ha alterado la vida española, ha tenido que alterar tu vida personal.

—Sí, completamente. Siempre que me preguntan sobre esta cuestión digo que tengo una actitud un poco estoica. Creo que el tiempo lo pondrá todo en su sitio. El tema de Mariano se sacó de quicio completamente, y hay que considerar qué estaba pasando en aquel momento para ver por qué sucedió todo, ¿no? ¿Cuál es el problema de Mariano? Una transgresión fiscal: no hizo la declaración en el 88 como debía ser. Cuando uno comete un error, le creen capaz de los crímenes más horrendos, y de un defecto fiscal hemos pasado a ser traficantes de influencias o a que Mariano se había llevado dinero del Banco de España crudo, que tenía una fortuna en Suiza, etcétera, etcétera. Desde el punto de vista de un observador, por lo menos yo tengo mucha capacidad de observar los fenómenos, siempre me ha sorprendido lo peligrosa que es esta perspectiva: si ha hecho esto, también será capaz de hacer tal y cual y cual. Mariano dejó de ingresar en Hacienda cuatro millones de pesetas en el año 88, y además ni siquiera eran cuatro millones, lo que pasa es que para poder decir que era delito fiscal sumaron peras con manzanas, y, además, en ese momento había escapado Roldán, había que dar un golpe de efecto y a Mariano le metieron en la cárcel por una cosa que no llegaba a cuatro millones. Luego ha habido una circular de la fiscalía diciendo que no se persiguieran delitos por menos de quince millones. Pero Roldán se había fugado y algo había que hacer.

—Habéis pasado de ser *la gente guapa* a responsables de la cultura de la corrupción. Recuerdo aquel encuentro terrible entre tu marido y la comisión del Parlamento, sobre todo los ataques que le dirigió el portavoz socialista, Hernández Moltó, necesitado de culpabilizar al máximo a la persona Mariano Rubio, para desculpabilizar a la política de un partido y de un jefe de Gobierno, Felipe González.

—¿Lo ves? Fue todo terrible y yo he dicho antes que me divertí haciendo el paseíllo hasta el Congreso. Qué horror. He quedado muy mal.

—No, mujer, no. A mí una vez me acusaron de plagiar una traducción de Shakespeare y primero quedé muy traumatizado; desde la indignación pasé a la autocompasión, hasta que llegué a la conclusión de que ser o parecer malo de vez en cuando es muy depurativo. Pero vosotros, tú misma, debisteis notar que de la noche a la mañana se rompía la red de comunicaciones con los que no querían mezclarse con un triunfador social caído. Estáis más lejos que nunca del poder.

—¡Ah! ¡El poder! Te voy a contar una anécdota, esto lo tienes que poner pero sin nombres, ¿eh? Un importante banquero se casó con su secretaria, una señora que a mí me hace mucha gracia como personaje, me divierte mucho, porque es como una novela, de verdad, es como un cliché, secretaria casada con el jefe, y yo nunca me di cuenta de cómo era mi apreciación del poder, mi sensación del poder, hasta que viví esta anécdota. Un día me invitan a un almuerzo en honor de esta señora.

—¿Y por qué se merecía un almuerzo de honor?

—Eso me pregunto yo. Primero dije que no, que yo, francamente, esos almuerzos de señoras los detesto, no me gustan nada, los odio. Pero tiempo después me invitan a otro sarao por el estilo, también en torno a la dama bien casada, y allí me la encuentro rodeada de su corte, compuesta por señoras de consejeros del banco donde cumplía su marido y personal por el estilo. Todas se movían como una nube alrededor de la dama. Yo me dije: qué raro, porque yo nunca he tenido jamás a nadie que me baile el agua de esta manera. Ella estaba muy en su papel, o sea que, por ejemplo, a la mujer de uno de los consejeros, que, digamos, era de una familia bien, le dice: «¡Ay, fulana, deberías ir a la *esthéticienne* porque tienes muchos puntos negros en la nariz!». Y la otra se rió y dijo: «Ay, sí, sí, voy a tener que ir». Entonces pensé que si algún día aquella dama perdía el poder, ¿en qué quedaría? Yo en cambio ya estoy vacunada frente a esa sensación de poder por delegación. El poder siempre lo he visto como una espectadora.

—Pero tú eres consciente de que tu marido es un urdidor de la política económica de este país, desde hace muchísimos años.

—Sí.

—Tu marido ha hecho ministros y ha condicionado la política de esos ministros. Tú estabas conviviendo con un poder muy determinante en muchos aspectos.

—Sí, pero ocurre como con todas las cosas cuando las ves de cerca. Hay ese aforismo tan certero: «Nadie es un héroe para su mayordomo».

—Todos los maridos tenemos la sospecha de que nuestras mujeres nos miran como el mayordomo del aforismo.

—Yo pienso que Mariano es un gran hombre, que conste, pero no me interesan las coordenadas del hombre público, del hombre político. Y sobre todo no doy ningún valor a la parafernalia de poder que en algún momento ha podido rodearle. Por eso yo nunca he ejercido ese poder vicario como lo ejercía la señora de la anécdota.

—Desde la perspectiva de pareja, ¿cómo has vivido la crisis del presidente del Banco de España, Mariano Rubio?

—Solidariamente, porque me ha parecido víctima de un ataque injusto y desproporcionado. He estado a su lado.

—En situación de alerta máxima.

—¿Sabes qué pasa? Que yo lo he vivido de una manera bastante mejor que él. Yo no he pasado por las peripecias penosas del enjuiciamiento, la jauría crítica, la cárcel, el juicio social paralelo.

—De ti se ha dicho que eras la causante del repentino apetito económico del gobernador del Banco de España.

—Ah, sí, que todo lo ha hecho para poderme comprar brillantes y visones. No los tengo pero a mí me da igual quedar como la mala de la película. Lo que sí quería era estar ahí, al margen de que creía que tenía que estar ahí porque fuera mi deber, también era como una representación hacia la jauría. Yo estoy aquí.

—¿Cómo asumiste la evidencia de que el jefe del Gobierno había abandonado a Mariano Rubio? ¿Es un rasgo más del pinochismo del personaje? Con los años se ha acentuado el pinochismo de la nariz de González.

—Sí, tiene la nariz de Pinocho, es verdad. Yo tuve desde hace mucho tiempo, intuitivamente, no te puedo decir por qué, la impresión de que no era un tipo de fiar.

—Tal vez Felipe González pertenezca a esa raza de mistificadores que se creen sus mistificaciones.

—Son los peores.

—Pues casi todos los políticos importantes responden a esa tipología. Se creen sus mentiras y se olvidan de sus desaguisados. El resto de las gentes de poder que formaban parte de vuestro entorno ¿qué ha hecho? ¿Llaman, no llaman, se solidarizan, no se solidarizan, se solidarizan cobardemente?

—En general ha habido bastante solidaridad. Era muy fácil crucificar a Mariano porque no era militante del PSOE, no comprometía nada, era la víctima ideal. Ahora nos cargamos a éste que todo el mundo cree que es de los nuestros, pero que no es de los nuestros y nos importa un pito.

—Pero eso era más fácil hacerlo con un independiente, tipo Garzón, pero no con un independiente tipo Mariano Rubio. Todo el mundo sabía que Boyer o Solchaga se habían formado a la sombra del Banco de España y más concretamente de Rubio.

—Precisamente por eso, cargarse a Rubio no era como cargarse a Solchaga, ¿no? A Solchaga no se lo hubieran cargado, a Solchaga no le hubieran dejado de la mano, porque hay carnet, es diputado. El caso de Mariano es muy fácil. Era el inspirador de toda esa política, pero no era del partido. ¿Sabes lo que pasa? Que yo creo que Felipe González, al cual no tengo mucha simpatía por razones obvias, reaccionó como en aquella fábula rusa en la que varios viajan en trineo, hace mucho frío, vienen los lobos y hay que tirar a uno por la borda para salvar a los demás. Y al primero que tiran es a Mariano, porque siempre se mata al más lejano. No tiras a tu primo. Tiras al señor de bigote. Mariano era el señor de bigote.

—Sigo viéndolo como una reacción primaria y poco inteligente. Tirar al señor gobernador del Banco de España es como tirar una parte fundamental de los emblemas del poder, además en pleno escándalo Luis Roldán. Tal vez siempre espere demasiado del poder. Quisiera que, de ser perverso, al menos no fuera tonto. Ahora, por culpa de estos tiempos de pecado, vamos a vivir una década de puritanismo absoluto bajo el báculo del PP. Existe la necesidad, más o menos compartida, de sentirnos otra vez buenos y purificados.

—Ya lo tengo superado. Aunque fue larguísimo, ahora tengo la sensación de que todo aquello duró un cuarto de hora. Todo dura un cuarto de hora. Incluso la visión de que el mundo está mal hecho dura un cuarto de hora. ¿Cómo lo ves tú?

—Yo soy un pesimista, un pesimista histórico, y pienso que esto debería arreglarlo una revolución, una revolución por otra parte imposible hasta octubre del 2017.

—O sea, que tú crees que hay que hacerla.

—Sí, yo creo que hay que hacerla. No como la anterior, desde luego, pero hay que hacerla.

—O sea, que crees que tiene arreglo.

—Quizá se estropee tanto como se estropeó Octubre de 1917 pocos meses después, pero hay tanta injusticia, tanto sufrimiento y tanta prepotencia por parte de los señoritos del sistema, que algo habrá que hacer.

—Yo creo que no tiene arreglo.

—Me interesa tu percepción de esta crisis. Yo hago un análisis de militante de la izquierda irónica. Tú, que has llevado la piel de la *beautiful people* y ahora te la han quitado, ¿cómo lo ves?

—A ver si me sale bien la respuesta. He dormido poco y tengo la cabeza como un bombo. Yo creo que, partiendo de la base de que soy sudaca y no debería decir estas cosas, España es un país adolescente y de repente se desayuna con que hay cloacas y con que no existen los reyes magos. Hay malos. La gente no es honrada. Me sorprende que les sorprenda.

—Pero ¿crees que las cloacas son necesarias?

—Lo que digo es que las hay. Es un hecho.

—El papel histórico de la izquierda ha sido soñar que si alguna vez llegaba al poder, desaparecerían la corrupción y las cloacas. Si no es así, más vale dejarles el poder a los que han creado las cloacas.

—Mafalda tiene una frase genial sobre el idealismo. Están Mafalda y Miguelito sentados junto a una carretera y ella está hablando de que hay que cambiar el mundo. Pasa un coche enorme, precioso, y Mafalda dice: «¿Ves, Miguelito? Hay que darse mucha prisa en cambiar el mundo antes de que el mundo le cambie a uno». Qué horror. He vuelto a quedar fatal. Me vas a poner bien, ¿eh?, que yo soy sudaca y no puedo...

—Soy un caballero, tranquila.

—¿Sabes lo que pasa? Que yo tengo la horrible esquizofrenia de que digo lo que pienso y luego me arrepiento terriblemente.

—Has de admitir que, de hecho, nunca se dice lo que uno piensa.

—¿No? Tal vez aún siga siendo una adolescente.

—La adolescencia no sólo tiene un valor peyorativo.

—Cierto, suele ser idealista.

—Tal vez sea preferible el estado adolescente que conduce a reclamar que no se secuestre a la gente, que no se la torture y que no se la entierre en cal viva.

—La catarsis es general, no es sólo un problema español. En España se ha vivido de una manera mucho más virulenta y, de alguna manera, es la resaca de la transición, que fue inesperadamente tranquila, inesperadamente civilizada, inesperadamente madura. La misma purga afecta a Francia, o a Italia. Si cito a San Pablo te parecerá horrible, claro.

—Me parecerá muy bien. San Pablo era un cínico.

—Dice que el mundo está convulso con dolores de parto.

—¿Lo ves? Octubre del 2017. Utopías perversas aparte, algo va a pasar. De momento, ahora, en España va a haber un cambio de época o al menos de ritmo. Va a desaparecer la gestualidad socialista y va a llegar la gestualidad puritana del PP. El PSOE ha necesitado no sólo tranquilizar a los ricos, sino construir sus propios ricos.

—¿Identificas la gestualidad del PSOE con la *beautiful people*?

—Vamos a ver. Boyer, cuando quiere declararse a Isabel Preysler, le compra un bolso en Loewe.

—Pero es que eso es otra vez Orwell, *La granja de los animales*. Boyer seguramente haya denostado Loewe cada vez que un amigo le dijera que se iba a comprar un llavero y llegado el momento va y compra el bolso en Loewe. Ése es el fenómeno de *La granja de los animales*. Pedro J. Ramírez y sus secuaces, una vez que se han cargado a la *beautiful people*, a Mariano y no sé cuantos, ¿qué es lo que hacen? Van y aprenden a jugar al golf. *La granja de los animales*. Siempre la misma historia. Descabalgar al hombre para que el cerdo se ponga los pantalones. ¿Por qué me miras así? ¿Qué he dicho?

—Es una declaración de guerra de cara al futuro. ¿Qué harán estos animales de la granja del PP en el futuro?

—Intentarán ser hombres.

—Van a comprar bolsos de Loewe a sus amantes a partir de ahora.

—Yo creo que la nueva *beautiful people* va a llevar Loden, no te asustes. Es una joven derecha pero que se ha fraguado en contra de lo anterior, es decir, en contra del socialismo. La próxima remesa de jóvenes se hartará del PP y buscará lo antagónico, y así una y otra vez. No sé si es correcto que una sudaca opine así.

—Considérate una oriunda.

—Si se me considera una oriunda, me atrevo a decirte que los socialistas, que ahora todo el mundo pensamos que son un desastre, llegaron con la voluntad de cambiar el mundo, pero es que el mundo siempre le cambia a uno, como dice Mafalda.

—La cultura del poder, pero la cultura del poder la crea la derecha, en España, desde el pleistoceno, antes incluso, cuando los anfibios salen del agua y se convierten en animales terrestres, seguro que en España esos anfibios eran de derechas.

—Y llevaban Loden. Gestualmente no va a cambiar mucho. Los del PP van a seguir con la corbata de Hermés, porque ya la tienen puesta desde antes, o sea que no van a tener que cambiársela. En el fondo, si te fijas, el referente es siempre el mismo, siempre la corbata de Hermés y el Loden. Ni siquiera van a tener que cometer demasiadas agresiones económicas. La reforma derechizante en España la ha hecho González, al igual que en Argentina, donde Menem, un peronista, ha hecho la reforma neoliberal.

—Y la cirugía estética. Yo he conocido a un ministro del Interior argentino que se había operado el culo porque lo tenía caído. Le encontré en el ministerio mirando por la ventana a las parejas jóvenes tumbadas en el césped que rodea la Casa Rosada, y me iba ofreciendo alternativas, mira, ésos hacen esto, esto y lo otro, sin sordidez, como un niño juguetón, más que moverse bailaba, como Fred Astaire. La gestualidad del poder mestizo.

—A veces piensas que están ahí muy sesudos y lo que están haciendo es mirar por la ventana a las parejitas.

¡Ojalá algún ministro del PP tuviera el arrebato de hacerse operar el culo!, pienso, pero no lo digo, porque hay palabras reñidas con la sobremesa. Buena parte de la conversación había merodeado en torno de los desórdenes éticos. Carmen Posadas asumió su coche utilitario para acompañarme al hotel, próximo a su casa, donde yo esperaba reordenar mis prejuicios y mis posjuicios sobre el personaje, a la espera del encuentro de la tarde con monseñor Elías Yanes, presidente de la Conferencia Episcopal. Largo viaje entre la ética comprendida desde el escepticismo crítico posadiano y la obligación de un político de la Iglesia, como Elías Yanes, de elegir o sintetizar el dilema aristotélico que entendía las virtudes éticas como las normas de conducta que se desenvuelven en la práctica hacia un fin, mientras que las dianoéticas son virtudes propiamente intelectuales sin una necesaria finalidad práctica, actuante sobre la realidad. Me parece que en la historia de la filosofía católica se llegó a la síntesis entre lo ético y lo dianoético desde el momento en que el cristianismo consiguió ser un poder temporal. Me interesa saber qué piensa el presidente de la Conferencia Episcopal española del desorden ético que nos invade, precisamente ahora, al borde del segundo milenio de cristianismo, tan lejos de Aristóteles y tan cerca de monseñor Tagliaferri, el nuncio de Su Santidad polaca recientemente *ascendido* a los cielos de la nunciatura en París, largamente conspirador para la derechización de la Iglesia española.

El edificio de la Conferencia Episcopal española, aunque situado en una zona residencial madrileña y dotado del confort visual del ladrillo visto y las vegetaciones ornamentales, tiene algo de central sindical, mezclada de rectoría en una tarde de día laborable. Se ahorra luz y confort visual como en las centrales sindicales y el presidente, monseñor Yanes, tiene más aspecto de párroco amable pero parco en palabras que de alto dignatario de la Iglesia universal, en posición teórica de comunicarse con el Papa por métodos humanos o divinos. No hay vía crucis protocolario y casi sin transición se pasa de un muy receptivo seglar al ascensor y a monseñor que avanza por un pasillo en penumbra, dotado en cambio de luminosa corporeidad impuesta por el predominio del blanco de su piel, sus cejas, sus cabellos, hasta el punto de hacerle casi inexpresivo, o tal vez sea un efecto óptico reforzado por la necesidad de estar pendiente de la precisión de cuanto dice y cómo lo dice. En *El Quinto Poder*, Abel Hernández describe a un Elías Yanes que ha conseguido llegar desde las posiciones más progresistas posconciliares a la presidencia de la Conferencia Episcopal pasando por los filtros conservadores del Papa de Roma y su profeta en Madrid, el sospechosamente ascendido nuncio Tagliaferri. Los datos externos me enfrentan, pues, a un monseñor hábil en el no siempre justo término medio, el tipo humano opuesto a Tarancón, capaz de interrumpir una conversación ante la irrupción de una extraña música cenital y comentar: «No se preocupe. No es el Espíritu Santo. Es el Hilo Musical», o de decir: «Tengo miedo de los políticos de comunión diaria». Pero así como Tarancón era habitualmente terráqueo, de Yanes tampoco puede decirse que levite. Entre la tierra y el cielo ha encontrado este despacho desde el que concierta el aquelarre episcopal en tiempos de quiebras civiles propicias para los predicadores.

—¿Aceptaría la definición de que la situación del país es de desorden ético?

—Hay otros desórdenes, pero también hay desorden ético, sí.

—Cuando fue elegido presidente de la Conferencia Episcopal, usted llegó con cartel de obispo progresista y no como el candidato del Vaticano. Se produjo una cierta rebelión de los obispos nativos ante las consignas del Papa o de su nuncio.

—Las dos observaciones son un poco inexactas, la segunda más inexacta todavía porque ciertamente alguien, no sé quién, dio esa imagen de conflicto, que no existe o no ha existido. Mi progresismo se concretaría en ser un seguidor de la orientación del Concilio Vaticano II.

—Eso quiere decir que algunos obispos son todavía preconciliares.

—Honradamente, creo que ha habido una evolución en la composición del episcopado español desde el concilio. En los primeros años siguientes al concilio hubo un sector del episcopado elegido mucho antes, incluso marcado por el trauma de la guerra civil. Algunas de estas personas lo asimilaron disciplinadamente, pero no tenían una sensibilidad adecuada. Se reflejaba sobre todo cuando se planteaban problemas relacionados con la ética política, como el derecho a la huelga o la democracia. Pero en estos momentos yo creo que ya la casi totalidad del episcopado está integrado por obispos que ni siquiera fuimos protagonistas del concilio.

—Supongo que no esperaba encontrarse con esta situación de clima general de desorden ético.

—Sí, ciertamente, estos últimos dos o tres años de alguna manera se han acumulado demasiados problemas graves y simultáneamente.

—Es una buena situación para los predicadores.

—Cuando hay tantos desórdenes a la vez, algo hay que predicar. Pero es una situación que a mí me hace sufrir. Un país tiene derecho a gozar de buenos gobernantes.

—¿La Iglesia ha intervenido suficientemente? Da la impresión de que ha sido más predicador, por ejemplo, Anguita que usted.

—Pues no lo sé. Los obispos tenemos un cierto pudor a intervenir. Preferimos entrar en la temática de tipo social. Al opinar de ética política siempre se corre el peligro de ser interpretado como una fuerza que apoya a un partido, y queremos mantener una distancia frente a las distintas opciones políticas.

—Usted ha dicho varias veces que la democracia española es insuficiente. ¿Qué ha querido decir?

—Yo entiendo que una democracia no está madura si no respeta tres principios fundamentales. El primer principio es el de subsidiariedad, es decir, el Estado entiende su función, no haciendo todo lo que puede, sino todo lo que no puede hacer la sociedad, pero promueve y estimula la iniciativa social al máximo. Segundo principio, el de la solidaridad: promover los cauces, las normas, todo lo que configura la solidaridad entre las distintas regiones y entre distintos sectores de la sociedad. Y el tercero es el de la tolerancia, la disposición a escuchar al adversario, a respetar la diferencia. Luego hay aspectos más concretos que yo a veces he señalado a título personal que me parecen democráticamente elementales, por ejemplo: la división de poderes. La democracia no es auténtica si un poder importante no está controlado por otro poder, y me parece que en este aspecto la impresión que el ciudadano ha recibido durante un largo periodo es negativa. Otro aspecto fundamental es disponer de mecanismos democráticos para supervisar la acción de gobierno. Quizá la causa más importante de este déficit sea el sistema de elección de las personas que nos rigen, porque las normas legales son excesivamente genéricas. Ahí hay una tarea de profundización democrática por realizar que pide la aportación de juristas, sociólogos, políticos. A cualquier político se le debería poder exigir que se presentara ante la sociedad para rendir cuentas.

—Hoy, a la hora de crear una conciencia social, aparecen poderes más determinantes que el político: jueces, medios de comunicación, algunos financieros con teléfono portátil.

—Claro, eso es evidente. En el vacío de poder se producen esos fenómenos sustitutivos.

—¿Se debe a la situación crónica de escándalo ético o es que asistimos a la prefiguración de una democracia orgánica o corporativa?

—Bueno, yo diría, por ejemplo, que a veces la prensa, con sus exageraciones, ha ejercido una función crítica basándose sólo en sospechas. Pero yo creo que eso ha sido una función positiva para la sociedad española y para la democracia, porque en definitiva la crítica se ha ejercido desde unas leyes morales, aunque no se invoquen expresamente. Tampoco me parece democráticamente normal que el poder judicial deba ocupar tanto espacio y funciones. Lo que me parece deseable es que el máximo protagonismo corresponda a la sociedad como tal. La participación del individuo no debe limitarse al momento de depositar un voto. Necesitamos instituciones que, desde una total independencia, tengan más fuerza, más presencia, y que los poderes políticos les concedan protagonismo y lo reconozcan. Me parece que tanto la derecha como la izquierda en España tienen cierto recelo a confiar en la sociedad civil y en su capacidad de decisión. Pienso, por ejemplo, en un capítulo tan socorrido como es el de las subvenciones. Las subvenciones, en casi todos los casos, se convierten en «clientelismo» legalizado.

—Otra de las afirmaciones que se le atribuyen es que aquí falta cultura de la dimisión. ¿En quién estaba pensando?

—Lo he dicho bajo mi responsabilidad. No pensando en personas concretas, sino recordando mis estancias en el extranjero. En los países con democracias consolidadas es relativamente frecuente que se dimita cuando se ha quebrado la confianza que una autoridad pública necesita para gobernar con credibilidad, y más aún cuando se ha de facilitar la acción de la justicia. Los jueces no pueden actuar igual ante una autoridad que ante un ciudadano normal.

—Si analizamos la relación de la Iglesia y el Estado tal como ha quedado en la Constitución, y no solamente sobre el papel, tras la experiencia acumulada, aparece la cuestión de los límites del laicismo. En la relación Iglesia-Estado, gobernando el PSOE, ¿se ha aplicado o asimilado bien el laicismo?

—Ya desde los comienzos de la democracia, el mismo Parlamento que aprobó la Constitución española ratificó los acuerdos Iglesia-Estado. Puede haber otros ámbitos de colaboración o de diálogo, pero los fundamentales están recogidos en estos textos políticos, que para su aplicación reclamaban un desarrollo complementario. Con el Gobierno de UCD se avanzó bastante, pero también hay que comprender que a UCD le correspondió construir la democracia y organizar el Estado y no pudo resolver todos los problemas que continuaban pendientes. Después se inició el diálogo con el partido socialista. Por parte de los obispos creo que siempre hubo la mejor disposición para el diálogo y me parece que también inicialmente por parte de los dirigentes socialistas, pero de hecho este desarrollo de normas legales no ha avanzado suficientemente, por ejemplo en campos tan importantes como el de la enseñanza. No se puede decir que no haya habido diálogo, pero no el suficiente, y a nuestro juicio muchas veces la posición del partido gobernante ha bordeado la ilegalidad. Luego ha habido otra serie de problemas preocupantes. Por ejemplo, la política del partido socialista hacia la institución familiar ha sido muy débil. También ha sido preocupante la política religiosa de los grandes medios de comunicación dependientes directamente del Gobierno. En el caso de la televisión pública ha habido periodos en que se ha manifestado una clara hostilidad hacia la Iglesia.

—Juan M.ª Laboa, en *La década socialista*, publica un balance de la relación entre los socialistas y la Iglesia. Establece una serie de agravios. Según él, el PSOE jugaba al principio a desestabilizar la Iglesia, a maximizar los problemas internos, las divisiones, las tendencias, a crear el imaginario de una Iglesia dividida. Otros agravios: el laicismo oficial, el agnosticismo cultural y la permisividad moral. ¿Suscribe este tríptico?

—Sí, yo creo que, en cierto grado, sí. Quizá lo de la explotación de las divisiones internas no me parece tan relevante. La tentación de todos los Gobiernos es explotar estas divisiones, no es una gran novedad. Posiblemente ha habido también en zonas de poder del PSOE personas procedentes del mundo eclesiástico cuya visión de la Iglesia no era coincidente con la de la jerarquía católica y aprovechaban su poder para imponer su visión. Tampoco es novedad.

—¿Se refiere usted a grupos como *Cristianos para el socialismo*?

—Pues sí, a ese tipo de grupos o de personas...

—Si personalizamos, ¿piensa usted, por ejemplo, en Puente Ojea?

—Bueno, el caso de Puente Ojea es un caso aparte, pero vamos, sí, me refiero a gente proveniente incluso de antiguos movimientos de Acción Católica, a personas que nos consta que su posición ante la autoridad eclesiástica es más bien de discrepancia clara.

—Y en una situación de separación de Iglesia y Estado, ¿cómo se mide el límite del laicismo oficial? ¿No está obligado el Estado a ser laico?

—En España la palabra «laico» no la emplea la Constitución. Me pareció advertir en los diálogos con y en las expresiones públicas de muchos dirigentes socialistas, el dar por evidente el laicismo del Estado en la acepción que esta expresión tenía en el siglo XIX, que aparece en algunos diccionarios en el sentido de «hostilidad». En la Constitución se evitó este término precisamente por eso. Y por otra parte, el dar por supuesto que, si el Estado es laicista, lo es también la sociedad, o sea, no hay una distinción clara entre Estado y sociedad. Y evidentemente el Estado español no es un estado confesional, pero el artículo 16 de la Constitución, y el 17 y otros que no voy a citar, dan por supuesto que hay una realidad social en la que está presente la Iglesia católica. El Estado, por razones estrictamente democráticas, debe ser sensible a esa presencia social de la Iglesia católica, sin merma de su no confesionalidad.

—¿Acaso no se confirma el choque entre dos lógicas: la de una izquierda, moderada evidentemente, pero que quería liberarse de esa omnipresencia asfixiante de la Iglesia en el régimen anterior, y la de ustedes, alarmados porque han visto recortado su territorio?

—Posiblemente. Cuando hablo de socialistas, no quisiera abarcar a todos, porque yo me he encontrado con personas muy diversas en las ocasiones en que he tenido que dialogar. Yo guardo muy buen recuerdo de las relaciones personales, por ejemplo, con Guerra. No quisiera ser injusto, porque también hay corrientes y tendencias que no se puede decir que sean posiciones uniformes. La impresión que yo he sacado es que me he encontrado con demasiados dirigentes socialistas que, a pesar de ser hombres jóvenes, tenían de la Iglesia una visión propia del anticlericalismo del siglo pasado. Es decir, no tenían la visión ni la vivencia de lo que ha significado para la Iglesia, y especialmente para España, el Concilio Vaticano II. No se han creído que la Iglesia quiere y debe ser profundamente respetuosa con la libertad religiosa, que acepta plenamente la democracia.

—¿Acaso la injerencia del Vaticano en lo más hiriente de la memoria colectiva, la guerra civil, a través de las beatificaciones de mártires de la Cruzada franquista, ha podido significar un factor añadido para generar esa suspicacia ante el intervencionismo histórico de la Iglesia?

—Pienso que en este caso algunos dirigentes políticos no han tenido una actitud constructiva, porque de alguna manera el sentirse ofendidos por esas beatificaciones podría dar la falsa impresión de que se sienten solidarios con los que cometieron aquellos crímenes. A mi juicio deberían haber adoptado la postura de decir: «Nosotros no compartimos de ninguna manera aquella manera de proceder», y se hubiera desdramatizado lo que usted llama injerencia del Vaticano.

—Pero, bajo este prisma, ¿las beatificaciones no son una apología indirecta del franquismo y sus matanzas bajo palio?

—No, no, en absoluto. Las beatificaciones son siempre casos muy claros de creyentes asesinados por defender su fe. En eso se actúa con rigor.

—Laicismo oficial, agnosticismo cultural y permisividad moral. Se puede prever que va a ganar el PP, o que puede ganar el PP. Es público que usted ha tenido contactos tanto con el PSOE como con el PP. ¿Se va a corregir ese tríptico de agravios si gana el PP?

—No lo sé.

—¿Qué estrategia eclesiástica tiene el PP?

—No, no hemos hablado de eso. Es que incluso, en lo que yo creo saber, tampoco el PP ha reflexionado a fondo, como no lo hizo el PSOE. En cambio el partido socialista alemán trabajó muy seriamente la estrategia de su relación con la Iglesia. Aquí todavía dependemos de actitudes y sensibilidades personalizadas.

—Dice usted que el PP es una incógnita, pero cuando se reúne con González piensa, supongo: «estoy delante de un no-creyente»; y cuando lo hace con Aznar, piensa: «estoy delante de un creyente». Eso ya predispone a un diálogo diferente.

—No. Yo no oculto nunca mi condición de creyente en interés de la Iglesia, y en segundo lugar procuro situar siempre los temas en un ámbito de derechos humanos y de sociedad democrática, y yo creo que ése es un lenguaje que pueden entender tanto González como Aznar.

—El PP aparentemente es un partido confesional, pertenece a una internacional que, más o menos, aglutina a las fuerzas democristianas.

—No, no. No propiamente, porque incluso los partidos de las democracias cristianas europeas hace ya mucho tiempo que han renunciado a cualquier dependencia de la jerarquía eclesiástica. Lo que estos partidos propugnan es más bien la defensa de valores que entran dentro de la cultura cristiana. Eso no excluye que dentro del partido haya mucha gente no creyente, incluso agnóstica. La experiencia me ha enseñado a ser un poco precavido. Hay que esperar a la situación concreta cuando se dé.

—Ustedes publicaron un documento, *Cristianos en la vida pública*, como una toma de posición ante el papel civil de los cristianos. Vuelven a escucharse voces de obispos reclamando una conciencia católica de los ciudadanos a la hora de intervenir políticamente.

—Una de las preocupaciones que tenemos es que en nuestra Iglesia muchos cristianos son buenos católicos, dan testimonio de su ética familiar o profesional o social, y en cambio no son demasiados los dispuestos a comprometerse en la vida pública. Entiendo por vida pública no solamente la vida política, también caben otro tipo de instituciones y todo lo que incluye un diseño de sociedad.

—Quizá se hayan superado aquellos tiempos en los que el cardenal Ottaviani recomendaba votar a un partido que fuera demócrata y cristiano, pero sí hay un sector de la Iglesia que basa su línea de acción en la conquista del poder, sea económico, sea político o sociocultural. Me refiero al Opus Dei, y hay síntomas de un cierto retorno y de tomas de posición dentro del aparato del PP, dentro de aparatos culturales y no digamos ya dentro de la Iglesia.

—Nosotros somos respetuosos con las estrategias públicas de los diferentes colectivos católicos y el Opus es uno más. Ignoro la presencia del Opus en el PP y en cualquier caso es responsabilidad de ellos, no de la Iglesia en su conjunto. Lo que sí nos parece es que esta presencia de cristianos en el ámbito político puede y debe ser plural. En nombre de la fe no se puede decir: «la única fórmula cristiana de realizar una acción política es la que hace este grupo».

—¿Usted no percibe desde su elevada plataforma ese retorno del Opus por otras vías, no tan ostentosamente como en la etapa de los López?

—Pues no, no lo percibo. Confieso en esto mi ignorancia.

—A usted se le ha preguntado una vez sobre la influencia del Opus en el actual Papa y usted contestó: «Influencia no, convergencia».

—Otra cosa distinta es la presencia que pueda tener esta institución en los órganos de la Santa Sede, y ciertamente hay una presencia, como la hay de los jesuitas o de otras congregaciones.

—Y esa «convergencia» ¿no ha repercutido en una cierta estrategia neointegrista, anticonciliar, con respecto a nombramientos y jerarquías, políticas nacionales eclesiásticas?

—Yo no puedo opinar con carácter general de situaciones muy concretas porque no las conozco. Yo creo que el Papa, a través de una lectura asidua de sus documentos, creo que es muy difícil de clasificar. Comienza por ser un hombre con una sólida formación filosófica, no solamente escolástica, sino también de filosofía moderna.

—Tiene una tesis doctoral sobre Max Scheler.

—Exacto. Yo me acuerdo de que, cuando le eligieron Papa, me fui a buscar en el diccionario filosófico de Ferrater Mora y allí consta Wojtila como uno de los principales expertos en Scheler.

Consulto la referencia bibliográfica de la voz Scheler, Max (Ferdinand) en el diccionario de Ferrater Mora. Dice exactamente: *Ocena mozliwos zbudowania etyki chrzescijanskiej przy zalozeniach Maksa Schelera*, Karol Wojtila. («¿Puede construirse una ética cristiana a partir de los principios de Max Scheler?»). En mi juventud se relacionaba a Scheler con la corriente ético-religiosa que puso en marcha el personalismo y el catolicismo abierto y comprometido de *Esprit*. Yanes ve otras virtudes en el Papa.

—Luego, es un hombre que ha viajado mucho antes de ser Papa.

—Y sobre todo después.

—Y después mucho más, claro, pero quiero decir que tenía un conocimiento muy directo del mundo occidental y del oriental.

—Una vez le pregunté a Tarancón qué opinaba del Papa, y me dijo: «Es demasiado polaco».

—Bueno, todos los polacos son muy polacos. Hay que comprender que Polonia es un país que durante largo tiempo ha desaparecido del mapa, entre prusianos y rusos. Eso le ha dado una conciencia de país acosado. Es lógico que el Papa parta de esa sensibilidad, pero yo creo que lo que le caracteriza es su pasión en la defensa de la dignidad humana. Sobre esto tiene textos preciosos. Además lo ha proclamado con énfasis ante los auditorios más diversos. Incluso cuando ha ido a países bajo regímenes totalitarios. En otros aspectos, como la moral sexual o la familia, responde a la moral tradicional de la Iglesia.

—Demasiado tradicional, ¿no?

—Puede que sea demasiado tradicional, pero en los textos directos es fiel al magisterio anterior.

—Pero entra en conflicto con una moral de hecho de amplios sectores de la Iglesia católica, y no precisamente avanzados, como la norteamericana.

—La moral de hecho rara vez coincide con la moral de los principios, esto forma parte de la historia de la Iglesia.

—Parte del discurso moral del Papa se basa en un optimismo biológico opuesto al pesimismo científico sobre la bomba demográfica.

—Bueno, la ciencia rechaza el dogmatismo del que a veces ha hecho gala. A medida que la ciencia avanza, se ha hecho más prudente.

—¿Y el Papa también?

—Salvo en cuestiones de dogma, supongo que sí.

—¿La Iglesia española y el Vaticano tienen una estrategia ante ese desorden ético al que nos hemos referido al comienzo?

—Nos preocupa a los obispos españoles. No solamente desde el punto de vista ético, porque claro, el cristianismo no se reduce a la ética, es también fe cristiana, ¿verdad? Nos interesa, vamos, en parte la ética, pero en parte también la expresión de la misma fe, y nos preocupa esta moral materialista imperante.

—Yo le hablaba de la «estrategia» no sólo de la Conferencia Episcopal española, sino también del Vaticano, a partir de hechos: por ejemplo, el choque de Tagliaferri con Pujol, que parece una advertencia sobre la autonomía de la Iglesia catalana; el caso Blázquez, más de lo mismo; la actitud de la COPE en su adhesión a una campaña de desacreditar la alianza Pujol-PSOE creando un conflicto dentro del obispado catalán. La penetración del PP en los santuarios electorales del nacionalismo vasco y catalán. ¿Extrañas coincidencias? ¿Estrategia?

—No, no. No hay que ver en esto estrategias o contubernio. Cada uno de estos casos merecería un comentario aparte. La expresión de Tagliaferri que molestó en Cataluña, estuve yo presente allí, era simplemente una cita del texto en que el Papa condena el nacionalismo exacerbado. Es una preocupación del Papa, sobre todo tras el conflicto de los Balcanes. En general en Europa la palabra nacionalismo tiene un sentido peyorativo, en cambio en España no es así, por lo menos en algunas regiones. Lo que el Papa quiere señalar es que hay que rechazar que la afirmación de la identidad nacional tenga un carácter excluyente.

—Blázquez.

—Bueno, yo no sé exactamente porque no conozco en concreto los pasos que se han dado entre la nunciatura y la Santa Sede. Por parte de la Santa Sede la intencionalidad es estrictamente pastoral. En esta decisión intervienen personas muy diversas aparte de la nunciatura. Es un proceso bastante largo con muchas consultas.

—Es curioso que, desde la llegada de la democracia, el Vaticano, salvo el caso de De Carles en Barcelona, que al ser valenciano puede ser asimilado por los nacionalistas como obispo catalán, ha respetado la homogeneidad étnica de los obispos catalanes y vascos, y ahora no. ¿Por qué precisamente ahora no?

—Yo no sé cuáles son las normas concretas en este caso, pero no creo que sea para la Iglesia buen camino citar como norma que el obispo tenga que ser nativo.

—Pero ¿en situaciones especiales como en el caso vasco? ¿A usted no le han dado explicaciones de por qué?

—No, y yo tampoco las he pedido.

—¿Y es normal que la Conferencia Episcopal española no pida explicaciones?

—Sí, es normal. A muchos obispos se nos pide un parecer pero a título individual. Luego, la decisión escapa a nuestro alcance.

—Dicen que el Papa está muy alarmado por lo que han significado los nacionalismos exacerbados, pero hay una relación muy íntima entre nacionalismo político e Iglesia nacional.

—Pues seguramente eso se debe a que los ministros de la religión son las personas más cercanas al pueblo y eso les lleva a comulgar con sus aspiraciones nacionales o étnicas.

—Pero esa ligazón entre la Iglesia y los nacionalismos puede arrancar de esa filosofía fundamentalista religiosa basada en lo más arraigado: la familia y su territorio, a la sombra del campanario.

—Bueno, eso es un elemento, pero claro, cuando esos elementos se convierten en excluyentes, algo falla.

—El nacionalismo español es una creación eclesiástica en buena medida.

—La cultura española tiene estas raíces. Simplificando mucho, pues hay que aducir muchas pruebas históricas, indudablemente la identidad española se ha forjado en gran medida en la lucha contra los moros, en el restablecimiento de la cristiandad visigótica, luego la contrarreforma y la expansión misionera...

—Y la lucha contra la Ilustración, contra todo tipo de progresismo...

—Todas esas luchas y exclusiones han forjado nuestro carácter y contra eso hemos de oponer la cultura del diálogo. Creo sinceramente que, con todos nuestros pecados y defectos, el Concilio Vaticano II en España ha contribuido enormemente a abrir un camino de entendimiento, aunque cueste trabajo practicarlo. Pero el hecho de que sea una categoría moral nueva que hoy acepta la inmensa mayoría de los ciudadanos, me parece que esto supone un giro histórico cultural importantísimo, y ciertamente, si la Iglesia ha tenido su culpa en la etapa de las intransigencias, creo que también hay que reconocer nuestra aportación a una nueva cultura democrática.

—En el caso vasco, que es el más dramático porque implica violencia, usted ha dicho que lo que hemos sabido con respecto a los GAL ha dado la razón a Setién.

—Es que Setién fue de los primeros que hizo una denuncia pública que puso en cuestión el modo de actuar de las fuerzas del Estado. Y cuando él lo denunció, fue muy mal recibido por ciertos sectores de la prensa de Madrid, distorsionando su imagen.

—Esa expresión suya, «la prensa de Madrid», ¿qué quiere decir?

—Bueno, pues quiere decir que son sobre todo periódicos y medios de Madrid los que han sido más incordiantes, ¿verdad? De modo que han creado en el resto de España una imagen de Setién que no es justa. Basta hacer un examen hemerográfico de lo que Setién ha dicho o escrito para comprobar que siempre ha condenado el terrorismo. Podrás estar o no de acuerdo con todas sus posiciones, pero a la hora de reflexionar sobre el futuro del País Vasco hay que tener en cuenta la experiencia social y pastoral de Setién.

—El inmediato futuro nos sitúa ante el siguiente panorama: por una parte, un aumento de la disgregación social con la ampliación cuantitativa y cualitativa de la marginalidad social. En segundo lugar, hay una enorme quiebra de la cultura del trabajo, porque la idea del trabajo que se tenía no puede sostenerse. Está en cuestión la función del Estado: si no es asistencial, ¿para qué sirve? Los problemas de los nacionalismos. Ante décadas procelosas, el intelectual orgánico colectivo de la Iglesia católica española, sublimado en la Conferencia Episcopal, ¿qué va a predicar?

—Hay doctrina suficientemente sólida para hacer frente a estos problemas. No tenemos un recetario, porque a la hora de buscar soluciones concretas hace falta también contar con recursos que ya no entran dentro del campo de la doctrina, ¿verdad? Pero el pensamiento social cristiano puede eliminar esta problemática, que es generalmente concreta y que ciertamente va a exigir unos esfuerzos superiores a los que hasta ahora se tenían que aplicar.

—Me da la impresión de que usted es de los pocos obispos que sigue insistiendo en ese referente del Concilio Vaticano II, porque al Concilio Vaticano II le ha pasado casi lo mismo que al eurocomunismo, que ya nadie se acuerda de que existió aquella oferta de racionalidad. ¿El discurso del Concilio fue un discurso interrumpido?

—Necesita ser completado. De hecho, después del Concilio, en la Iglesia hay un conjunto de instituciones que permiten participar. Y esto sirve, por una parte, para un acercamiento a los problemas reales.

—Lo que percibe una persona que, como yo, no pertenece a la Iglesia es que ustedes se nutren de la gran capacidad de convocatoria para el espectáculo que genera el Papa, que actúa como un héroe del rock; y, por otra parte, dan impresión de debilidad de actuación sobre la sociedad realmente existente y protagonista.

—Yo creo que, resumiendo mucho y mal, en la etapa del posconcilio hay que señalar el desarrollo de la presencia y la actuación de la Iglesia en el campo social, en todos los países, y una presencia más activa del laicado en la vida de la Iglesia: se han multiplicado las instituciones que facilitan la participación y un serio debate intelectual para madurar las propuestas del Concilio. Donde ha habido una gran crisis y sigue habiéndola es en el campo moral. No me refiero tanto a la conducta, porque pecadores los ha habido, los hay y los habrá siempre, sino que me refiero sobre todo al pensamiento moral, y eso lo reconocen las encíclicas del actual Papa.

—Hubo una o dos décadas, en los cincuenta y sesenta fundamentalmente, en las que se produjeron encuentros de diferentes orientaciones filosóficas con católicos, la relación entre católicos y marxistas, por ejemplo, bajo la batuta del sector personalista de la Iglesia que venía de Mounier o Peguy. Eso parece como detenido.

—Bueno, es que en España, desgraciadamente, no hay mucha comunicación entre los intelectuales católicos, sobre todo los teólogos, y el pensamiento de los filósofos no católicos. Quizá sea consecuencia de un problema histórico: en la España del siglo pasado desaparecieron las facultades de teología de las universidades civiles, en cambio en Alemania se mantienen, y en otros países, en Francia también, de alguna manera. Pero en España no ha entrado la teología científica en la universidad civil, y eso ha sido malo para la teología y para el pensamiento laico.

—El Concilio Vaticano liberó una gran energía social por parte de la Iglesia. De ahí se derivaron intervenciones en el llamado Tercer Mundo, la aparición de la Teología de la Liberación. Pero ahora parece como si al Vaticano le dieran miedo esos elementos desestabilizadores, y en América Latina se ha tratado de aislar al clero defensor de los pobres en beneficio del neointegrismo del Opus.

—Para quien haya conocido la miseria en América Latina, eso es fácil de comprender. Pero dar un respuesta avanzada a los problemas sociales no debe desenganchar al católico de principios teológicos básicos. Por parte de la Santa Sede, sobre todo del propio Papa, hay un «sí» a la Teología de la Liberación y hay un «no» a lo que significa incorporar sistemas de análisis de una antropología atea, ajena al pensamiento teológico. Lo que preocupa en América Latina no es el pulso entre la Teología de la Liberación y el Opus Dei, sino el avance de las sectas.

—Un conocido banquero, vinculado al Opus Dei, me decía que, con todos los respetos dogmáticos, le gustaba más el Dios del Antiguo Testamento que el del Nuevo Testamento, porque tenía más poder, y a él le gusta que Dios intervenga en la historia y en la vida. ¿Hasta qué punto no se ha producido una pérdida de influencia del Dios conciliar de los Evangelios en beneficio del Dios poderoso del Antiguo Testamento, más entronizado por el Opus Dei y su apuesta por la élite del poder?

—Mucha gente está obsesionada con el Opus Dei. Es un fenómeno que no es representativo de la Iglesia en su conjunto. Más bien, lo que yo observo en todas partes es una cercanía mayor al pueblo sencillo, a los sectores marginados, una actitud más dialogante. Bueno, hay discrepancias, pero yo creo que lo que claramente marca el Concilio Vaticano II no va en la dirección del poder. No queremos someter a nadie, simplemente queremos explicar la palabra de Cristo. No sé si le resulta útil cuanto le he dicho.

No creo que haya contribuido a salvar mi alma, pero añade el Concilio Vaticano II a mi colección completa de revoluciones pendientes. Salí de tan cauta, por las dos partes, entrevista empujado por la consigna: «Entérate de si es cierto que el Opus se acerca por un túnel de silencio». El Opus ha sido la fuerza orgánico-espiritual que ha respaldado el integrismo centrista y moderado de Juan Pablo II, tratando de impedir buena parte de los cambios impulsados por el Concilio, especialmente aquellos que conducían a una teología de la igualación social. La filosofía del Opus parece hecha a la medida de la reconsagración del neoliberalismo más agresivo y ofrece además la coartada de todo crecimiento mesiánico y sectario según los consejos del fundador: «Eres, entre los tuyos —alma de apóstol—, la piedra caída en el lago. Produce, con tu ejemplo y tu palabra, un primer círculo... y éste, otro... y otro, y otro... Cada vez más ancho. ¿Comprendes ahora la grandeza de tu misión?». Los del Opus se sienten profetas y agentes de la posmodernidad religiosa, y en cierta ocasión uno de sus adeptos, subdirector de un diario barcelonés por más señas, departía en la sobremesa de un restaurante barcelonés en compañía de un posalthuseriano. Los dos cómplices de tanta posmodernidad dedicaron una parte de su charla a desacreditar mi empecinada y obsoleta militancia en la izquierda. Es decir, decretaba mi obsolescencia, sin duda con fundamento, un miembro del Opus Dei que sin duda se emociona todavía hoy cuando recupera *Camino* y puede leer: «¡Caudillo!... Viriliza tu voluntad para que Dios te haga caudillo... ¿No ves cómo proceden las malditas sociedades secretas? Nunca han ganado a las masas. En sus antros forman unos cuantos hombres-demonios que se agitan y revuelven a las muchedumbres, alocándolas, para hacerlas ir tras ellos, al precipicio de todos los desórdenes y al infierno. Ellos llevan una simiente maldecida. Si tú quieres..., llevarás la palabra de Dios, bendita mil y mil veces, que no puede faltar. Si eres generoso..., si correspondes con tu santificación personal, obtendrás lo de los demás: el reinado de Cristo: que *omnes cum Petro ad Jesum per Mariam*».

Nada más y nada menos.

Martínez Reverte me hace llegar su inédito informe titulado: *El Opus milita en el Partido Popular*. Empieza bien: «Más de una docena de listas del Partido Popular al Congreso de los Diputados que se elegirá el próximo 6 de junio (se refiere a las elecciones de 1993) están encabezadas por miembros del Opus Dei». El retorno del Opus, según Martínez Reverte, está preparado desde que en 1989 el cardenal Suquía, cabeza de la Conferencia Episcopal, procuró la reunificación de la derecha española y los miembros del Opus utilizaron como cauce la participación política del PP. Martínez Reverte, alias *Gálvez*, da nombres y apellidos. Cuando el Opus no aparece en el número uno de las listas, figura en el dos, como en Asturias, inmediatamente detrás de Álvarez Cascos, y cuando el político del PP no es estrictamente del Opus, puede ser simpatizante y estar casado con una supernumeraria, como Gabriel Cañellas, por entonces presidente de la Comunidad Autónoma de Baleares. Algunas veces, los clanes del Opus situados en el PP tienen orígenes exóticos: «El número uno por Tarragona, Juan Manuel Fabra Vallés, es considerado muy próximo por su amistad con Federico Trillo, con el que compartió un viaje a Taiwan del que nació una singular e informal asociación». E Isabel Tocino, *ne touche pas la femme blanche...*, del Opus y una de las mujeres de la plana mayor del PP que no enseña las piernas sino las botas, o Juan José Lucas, presidente de la autonomía castellano-leonesa y pariente de Álvaro Portillo, el sucesor de Escrivá de Balaguer en la presidencia del Opus, y ahí están, ahí están Loyola de Palacio o Miguel Ángel Cortés, tan influyente en Aznar. También cercanos al Opus, Augusto Joaquín César Lendoiro, Rafael Arias Salgado, Cristóbal Montoro, Alejandro Muñoz Alonso, Jaime Ignacio de Burgos, señalados por Martínez Reverte como miembros o simpatizantes de la llamada Santa Mafia, impulsada por aquella «santa desvergüenza» que el fundador reclamaba para acceder a fines superiores. ¿Qué fin superior al de recristianizar España bajo la modernizadora batuta del neoliberalismo económico corregida por un sano integrismo puritano moderado? Jorge Martínez Reverte dibuja una cierta conjura urdida entre Suquía y el nuncio del Papa polaco, Tagliaferri, para reunificar la derecha política, económica y espiritual, frente a la filosofía taranconiana de no intervención, y sitúa dentro de esa conjura la retirada de Fraga y el acceso a la jefatura del PP de Aznar, un elemento más manejable por parte del poder de la Iglesia en general y del Opus en particular: «Aznar —advierte Martínez Reverte— ha negado en repetidas ocasiones su pertenencia al Opus Dei. La íntima amistad de su abuelo Manuel Aznar con Escrivá de Balaguer, la cercanía familiar al Opus de su mujer, sobrina de José Botella, uno de los más reconocidos miembros de la Obra durante el franquismo, y el hecho de que sus hijos vayan a un colegio del Opus Dei, son circunstancias que se presentan como anecdóticas desde el PP».

De ser ciertas las estrategias investigadas por Martínez Reverte, ¿qué papel cumple o cumplirá Yanes, militante de la revolución pendiente del Concilio Vaticano II, ante la reordenación ética que sin duda permanece en la recámara de la voluntad de intervención histórica del Opus Dei?

6. El príncipe y la corista

Cuidado con los vasos, que los paga el pueblo español.

(Juan Carlos I, en el momento de retirar un vaso lleno de whisky, situado sobre la cabeza de Maruja Torres)

«Madrid tiene seis letras», cantaba y proclamaba Pepe Blanco, y Madrid tiene ocho noches a la semana, o las tenía cuando era una ciudad no ya alegre y confiada, sino consciente de que su imaginario dependía de vivir la noche. Vivo algunas noches sonsacando a buenos conocedores de las tinieblas y encontrándome en lugares obligatorios como Cock a Jesús Quintero, *El loco de la colina*, tan cuerdo como siempre, pero también, como siempre, con la colina puesta. Son horas de poscena, de posindagaciones, y sólo queda tiempo y verbo para la divagación y el sarcasmo mejor o peor intencionado. Un frecuente informador nocturno es Javier Rioyo, que en el restaurante Viridiana me proporciona la inestimable aportación de Leticia Gil de Biedma, colaboradora de «Tentaciones» de *El País* y experta en tribus madrileñas. Rioyo fue un joven personaje principal de la radio democrática contemporánea de la *movida*, entre la espada del *underground* y la pared de la paralizada sorpresa del poder. Fue el guionista que estuvo detrás de los programas más audaces de Manolo Ferreras y ahora nada hay en Madrid que le sea ajeno. El dueño de Viridiana me da a probar un Ribera del Duero que no ha llegado todavía a Polonia: Dehesa de los Canónigos, mientras Leticia y Javier me confirman que la gente sale poco de casa o quizá sale de casa *otra gente* que aún no tiene nombres y apellidos, pero los tendrán. Por si acaso me informan: Aznar recibe en su casa a los amigos y apenas se deja ver por restaurantes y saraos anocturnados, pero es cierto que el restaurante Lucio y su cogote de merluza sigue siendo el centro de convocatoria más plural e indiscutido.

¿Quienes serán los mentores del nuevo príncipe? Se dice que Pedro J. Ramírez, pero a Pedro J. no le interesará ser mentor de este príncipe si llega al poder porque un diario no resiste complicidades demasiado obvias con los príncipes. Se habla de que Aznar se deja llevar bastante por Arriola, sociólogo y esposo de Celia Villalobos, la Angela Davis del PP. También tienen poder algunos miembros de la Fundación Ortega y Gasset, convertida en apuntador del cada vez más consolidado jefe del PP. ¿Cómo se gestan los mentores de príncipes? Circula el tópico de que Javier Pradera ha sido consejero áulico de Felipe González en sus años de aprendizaje de jefe de Gobierno, y Pradera ha tenido que apechugar con el sambenito porque Dios o la Naturaleza le han dado aspecto de consejero áulico de príncipes e incluso aspecto de príncipe. A mí me parecía un príncipe en sus tiempos de militante comunista, y sus escritos para *El País* tienen altura de lenguaje y aristocracia de pensamiento. Para entendernos, *El País* es la distancia más corta entre dos puntos: el estilo principesco, aunque sea cáustico, de Pradera y el estilo de corista genial que suele marcar la vida y la obra de Maruja Torres. Pradera siempre ha parecido el jefe oculto de algo: cuando era uno de los intelectuales orgánicos del PCE o cuando aparecía como el referente unificador de las idas y venidas de Claudín y Semprún tras romper con y ser algo rotos por el carrillismo. ¡Consejero áulico de Felipe González, el señor de los bonsáis vegetales, ideológicos, políticos! Será más justo resumir la historia de Pradera como la de un ex joven ex comunista que trató de ser valedor de la modernización del PCE en el tránsito de los años cincuenta a los sesenta y murió en el empeño, más o menos al lado de Claudín y Semprún. Inspirador de la política editorial de Alianza Editorial y Siglo XXI, Pradera forma parte del *trust* de los cerebros de *El País* desde su formación, hasta convertirse en el editorialista que marca la línea de la casa hasta el referéndum de la OTAN. Entonces apuesta decididamente por la entrada de España y se provoca una división hasta hoy no superada en el intelectualado de izquierdas. El compromiso de la OTAN significó un periodo de ostracismo para Pradera en el diario, desde la presunción empresarial de que una actitud personal había marcado la imagen del periódico. Tiempo después, Pradera volvería a su lugar en el olimpo de la línea de pensamiento que coincide con el *skyline* del diario madrileño, aunque tal vez sin la fuerza estratégica que el comentarista pudo tener en la primera década. Pradera remata una poderosa anatomía, últimamente maltratada en exceso por los bisturíes, con una cabeza muy grande en todos los sentidos de la expresión. En ese archivo neuronal conserva todas las batallas perdidas por la racionalización democrática y me parece que la última fue su intento sofista de influir sobre el Felipe de La Moncloa. Más de una vez zaherí por escrito a ese cuerpo de mentores técnicos y teóricos del *señor de los bonsáis* por no haberle puesto las peras al cuarto cuando se salía de madre democrática y caía en la autocomplacencia del estadista indiscutible. Ex jóvenes sociólogos, ex jóvenes filósofos, intelectuales ex jóvenes a secas contribuyeron a instalarle la estatua, sin meársela nunca, sin mostrarle la sombra que el

poder casi absoluto proyectaba sobre la credibilidad democrática. Pradera encajó estas críticas con una peligrosa indignación de metro noventa de estatura y me espetaba que
él jamás había tenido la influencia presumida y en mi caso le
molestaba especialmente mi autocomplacencia por una pureza izquierdista que, desde mi supuesto punto de vista, mis
atacados habían perdido.

¿Era mi problema o era el suyo?

Tal vez el de los dos, pero, lo tengo observado: nada hay que indigne tanto a un viajero por las galaxias de las
ideologías que aquellos que al no secundarle en el viaje
puedan dejarle en la evidencia de que ha saltado al vacío.
Un encuentro con Pradera, a tumba abierta sobre el pasado y el futuro, vale una misa, cómo no, en el restaurante La
Ancha de Príncipe de Vergara, el lugar donde Javier combate todas sus convalecencias físicas y espirituales con los
esfínteres abiertos por la tentación golosa, y era golosina
por aquellos días la cola de arrepentidos de la lucha antiterrorista que pasaban ante el juez Garzón para confesar sus
vinculaciones con la guerra sucia.

—Bueno, si Felipe tuviera un circo, le crecerían los
enanos, y se lo tiene merecido por esa tendencia perversa a enanizar arbolitos e izquierdas. ¿Por qué de pronto
aparecen todos queriendo ser arrepentidos? ¿Una simple
estrategia de querer acogerse a la posibilidad de indulto?

—Yo creo que lo que hay es una reacción, por una
parte, vengativa, vengativa y despechada, por la libertad de
Vera y los doscientos millones del PSOE, de la fianza, y también el hecho de que al comisario Planchuelo le han suspen-
dido de empleo y sueldo y le han quitado el piso. Hay un
ajuste de cuentas. Y en segundo lugar, cuanto más altas sean
las responsabilidades, menos responsabilidad tienen ellos,

aunque esto no te lo pueda sostener teóricamente un penalista. Todos los autores son autores, ¿no? Pero los de abajo del entramado GAL piensan que Barrionuevo y Vera ya se espabilarán, y así saldrán todos juntos del atolladero.

—¿Qué línea defensiva le queda a Felipe? Está encerrado en un discurso inverosímil: insiste en que se ha enterado de la corrupción y de lo de los GAL por los periódicos, insiste en que ha actuado según su recta conciencia, y eso ya son mínimos defensivos, como si se hubiera quedado sin estrategia.

—Para mí es incomprensible. Felipe González dijo hace dos o tres años: «A mí no me van a echar los jueces y los periodistas». Pues mire usted, pues sí, eso parece.

—Y sobre todo, cuando se ha creado una situación de predemocracia orgánica. Fíjate. La influencia sobre la sociedad civil la ejercen los movimientos sociales, los jueces, medios de comunicación, banqueros... y los políticos parecen relegados a un plano secundario.

—Te recomiendo un libro de Alain Minc, *La borrachera democrática*, que ha salido hace unos meses, en el que todo eso está teorizado: la democracia representativa ha quedado recluida y el Estado de derecho está sometido a la ley del mercado, fuertemente influida por los medios de comunicación. Esa crisis de las democracias representativas es común en casi toda Europa.

—Lo de Italia ha sido como un ensayo general.

—Ahora bien, ¿por qué los socialistas no han tenido en cuenta este estado real de la situación? Para mí eso es un misterio.

—Si es un misterio para ti, imagínate para los demás. Pero alguien hablará con González aparte del jardinero que le ayuda a conseguir bonsáis.

—No lo sé, no lo sé. Pero alguna vez le he visto con otra gente y, vamos, yo creo que está endemoniado y endemoniado en carne viva, ¿no? Yo creo que no es ni tan astuto ni tan malo como sus enemigos piensan.

—Si fuera malo, al menos que fuera listo.

—Las gentes siempre lo han considerado una persona astutísima.

—La causa original del desastre fue la relación perversa entre mayoría absoluta y confianza absoluta. «Nadie me va a pedir cuentas», pensó el interfecto. Y así no se dio cuenta de que el edificio hacía aguas y las grietas ahora se abren por todas partes. No estaba preparado para esta nueva situación.

—Pues, fíjate, para mí es tan misterioso como para ti. Tendrías toda la razón si estuviésemos hablando de la anterior legislatura, ¿no?, en la que le organizan el follón aquél en la Universidad Autónoma, cuando los estudiantes le abroncaron. Pero es que estamos hablando de la legislatura en la que el presidente del Gobierno, después de perder la mayoría absoluta y de haber hecho un *strip-tease* delante del electorado, después de haber dicho que entiende que lo que ha pasado...

—«He entendido el mensaje», dice textualmente.

—Es decir, que es consciente de los errores que comporta el aislamiento, gana las elecciones y sigue exactamente lo mismo que si hubiera ganado por mayoría absoluta. Es que yo no lo entiendo.

—Pues si no lo entiendes tú, que pasaste por ser uno de sus consejeros áulicos...

—Esta gente, en el caso de que tenga consejeros, nunca son áulicos.

—¿No crees que se ha visto sorprendido por la envergadura del acoso? El acoso institucional lo tenía cu-

211

bierto por el apoyo de Convergència i Unió, pero no se esperaba ni la envergadura del acoso mediático ni que algunos jueces se echaran al monte.

—Tiene una situación muy mala, en el plano estrictamente político-institucional, y luego hay que añadir el acoso de todo eso que tú llamas la democracia preorgánica. El cruce de los dos acosos ha hecho explosiva la situación. Porque en el primer aspecto, en el puramente político, lo que tiene enfrente es una coalición negativa de cojones. Una coalición negativa del PP e IU de acuerdo, de forma ya explícita, para acabar con Felipe González. Este tipo de coaliciones negativas no se dan mucho. En Grecia hace unos años, se dieron en Alemania en la República de Weimar, es decir, no es un fenómeno inédito, pero sí lo es en este periodo democrático español. Las elecciones municipales y autonómicas del 28 de mayo han sido un palo para el PSOE y sólo faltaba que fuera imposible el pacto municipal con Izquierda Unida. A esa coalición negativa devastadora, se une la ofensiva mediática y judicial.

—¿No crees que es más importante la mediática que la judicial?

—Sí, pero el problema es global. Felipe debe de tener un enorme dolor de cabeza con tanta coalición negativa.

—Raramente un Gobierno comete tantos errores y deja tantos cabos sueltos. Una cosa es la oposición radical y otra la acción de jueces y medios que se nutre de los errores y transgresiones del Gobierno.

—Felipe lo mete todo en un mismo saco y por eso patenta lo de la conspiración, lo de la conjura. No registra realidad.

Convenimos en que el jefe de Gobierno se ha quedado sin línea defensiva, más allá de negar las evidencias o de insistir en que jamás se encontrarán las pruebas que le impliquen. Mientras, ha ido desprendiéndose de caídos en desgracia por si las fieras se contentaban. Para Pradera habría que tratar de detectar los valores conceptuales con los que opera Felipe desde una cierta paranoia. Por ejemplo, esa distinción que formula entre opinión pública y opinión publicada indica que no sabe qué es opinión pública, o que se cree que la opinión pública la forman sus adictos y votantes y la publicada los enemigos.

—Es un error conceptual grave.

—Y ahora va a ganar el PP.

—Eso parece.

—¿Registran más realidad que Felipe?

—Habrá que verlo.

—En *El sistema*, el libro de Mario Conde...

—Es una tontería el libro, ¿no?

—Es un libro autojustificatorio, lleno de hipótesis endebles, pero interesante. Conde sostiene que ha habido un intelectual orgánico colectivo de la transición, formado por políticos, financieros, intelectuales de la economía, Mariano Rubio y su equipo, y tal y cual, y que él, cuando se interesó por eso, trató de potenciar un equipo equivalente, un club de cerebros, pero que no pudo ser. ¿Tú crees que Aznar tiene un intelectual orgánico colectivo que le ayudará a metabolizar la realidad? ¿Quién asesora a Aznar? Se habla de la FAES (Fundación para el Análisis y los Estudios Sociales). De la misma manera que era evidente que Boyer le daba anocturnadas clases particulares de economía a Felipe González, o que Mariano Rubio, a través de la gente que había potenciado en el Banco de España, genera unos técnicos que pueden defender una política económica determinada. ¿Quiénes son las gentes de Aznar?

Como si el futuro Cesid del PP hubiera colocado micrófonos en nuestra mesa, pasan ante nosotros dos ex comensales que saludan con mucho interés a Pradera y acogen mi presencia añadida con una cierta satisfacción. Uno de los ex comensales es el economista Feito, a quien Estefanía me ha señalado como uno de los cerebros más o menos ocultos de Aznar y uno de los mejores economistas del país: miembro del Comité de Expertos en Coyuntura Económica, un septeto de economistas solventes, de diferentes ideologías, que asesoran al actual ministro de Economía, Pedro Solbes. Se le considera un volteriano, menos mal, pero los volterianos, como los anarquistas, han dado para barridos y fregados y no hay familia que se precie que no tenga su volteriano.

—Ya están en todas partes —le comento a Pradera, cuando ya se han marchado los bárbaros aznaritas. Entonces, Javier me demuestra que es, definitivamente, para siempre, irrecuperable, un liberal.

—Los restaurantes son para todos. Pero prosigamos con la tipificación de Aznar. Es un discípulo que se forma en la política familiar marcada por su abuelo.

—¿Conseguirá ser tan galápago, tan cínico como su abuelo?

—De momento parece un chico serio, pulcro y puritano. Del PP sé poco. Creo que hay un grupo liberal en el sentido duro, malo del término, vinculado con aquel que tuvo que salir por el asunto Naseiro, que se llamaba Moreno, uno de Valladolid, un liberal thatcheriano.

—Portillistas, se llaman. Ahora son partidarios de Michel Portillo.

—Sí, además aparece mucho Miguel Ángel Cortés, por ejemplo, ¿no?, y con mucho poder. Guillermo Gortázar, primo lejano mío, otro que tal. Cortés, Michavilla y Gortázar serían los proveedores de ideología.

—¡Estas familias patriciales! Tenéis de todo. Los del PP presumen mucho de Gortázar porque viene de la izquierda. De Bandera Roja, creo. Es el caso de Jiménez Losantos, que estuvo tres meses en el PSUC.

—El PP también tiene su fracción más o menos socialdemócrata. Luego están los «azules», los ex falangistas democratizados, Martín Villa, Ortí Bordás. También los viejos fraguistas, y luego el círculo último de Aznar, Rodrigo Rato, que es amigo personal, Arriola, que es su asesor demoscópico. Pero todavía hay mucho misterio.

—Dos bancos ya se han pronunciado por Aznar: el Santander y BBV.

—Sí, bueno, pero eso es normal, ¿no?

—Hasta ahora habían callado. Eso quiere decir que se resitúan ante el inmediato futuro.

—Eso está dentro del sistema democrático.

—A no ser que se tomen posiciones tácticas a la espera de prebendas. Después de la victoria de Ruiz Gallardón, esta ciudad huele a interregno entre dos poderes, y los ojos se dirigen hacia las puertas de Madrid a la espera de la llegada de los bárbaros.

—Los poderes mediáticos aún no tenemos la perspectiva de la nueva situación. Sabemos qué ha querido decir autonomía, dependencia o independencia mediática bajo el PSOE, pero no qué querrán decir bajo el PP.

—Hay como una expectativa general de que el cambio o es necesario o es inevitable.

—Claro.

—¿Y eso no implica una cierta complicidad con los bárbaros?

—No se puede ser cómplice con la situación residual creada por eso que se llama impropiamente *felipismo*.

—Felipe González es un personaje singular. Por una parte, es el responsable político de una situación caótica, y por otra, ha dado signos de querer exorcizarla mediante personajes como Garzón o Belloch.

—No, yo creo que ha intentado hacer una nueva regla del juego, es decir, repartir de nuevo las cartas. Un poco tarde y mediante una respuesta muy frágil frente a tanta coalición negativa.

—¿Quiénes encarnarían esa coalición negativa, más allá de los partidos de la oposición?

—Trevijano, Mario Conde, Ruiz-Mateos, De la Rosa, Pedro J., por ejemplo. Pero cuidado, no estoy hablando de conspiración o de conjura. Estoy hablando de coalición.

—En el acoso al Gobierno hay toda clase de móviles: buenos, malos, regulares. Pero es que el Gobierno o, mejor dicho, los Gobiernos de Felipe González han dado sobrados motivos iniciales para esa instrumentalización antagónica.

—Eso está claro. Queda fuera de cualquier discusión. Pero es evidente que Conde, por ejemplo, quiere un sistema nuevo que le permita recuperar su lugar, porque en este sistema quedó liquidado. Trevijano..., no sé si has leído el libro de Trevijano...

—Sí, sí.

—A Trevijano se le nota en su libro que quiere ser presidente de la República.

—Quizá sea la oferta más singular de toda la gama. Pero Trevijano insiste varias veces en el libro que sólo le ha movido un ejercicio de pensamiento y no una propuesta de acción, un plan para movilizar la iniciativa popular que ha de conducir al referéndum constituyente de la reforma democrática de la Monarquía o a la implantación de la República presidencialista. ¿Acaso todas esas coaliciones se han formado para conseguir que García Trevijano sea presidente de la III República? Ese imaginario de la conjura quiere impedir que se pueda hacer un análisis a fondo de las responsabilidades políticas negativas del felipismo.

—Algo parecido al chantaje es plantear: o me arreglan lo mío o soy capaz de cualquier cosa.

—Eso hubiera sido un pulso de poder, un jaque fallido al poder. Pero ahí están la cantidad de autolesiones que se ha producido el Gobierno: GAL, Filesa, los fondos reservados y la para algunos lucrativa industria antiterrorista, el oscuro papel del Cesid, perversa o descuidadamente dirigido por Serra.

—El problema es que los socialistas están supernerviosos y han querido bipolarizar el planteamiento: o nosotros o vuelve la derecha. Bueno, pues que cada palo aguante su vela. Respaldarles para que no venga la derecha ya no tiene sentido, eso no se puede hacer a cualquier precio.

—A su tiempo se dijo: «Esta gente está pagando un precio durísimo por no haber depurado mínimamente los aparatos del Estado». Pero es que ahora se comprueba que esa complicidad ha sido un excelente negocio para algunos de ellos. Ahora todo revienta y sale lo que había en la cloaca. Demasiada mierda.

—Ése es el drama que está viviendo en estos momentos Felipe González. Nos hemos podido equivocar o no respaldando sus opciones más radicales: OTAN, Guerra del Golfo, Reforma Laboral... Pero no se puede estar a su lado ante casos como Lasa y Zabala. Dígame usted, señor presidente, por qué hemos de tragarnos el enriquecimiento de la cúpula de la lucha contra el terrorismo, algo que desconocíamos.

—¿Lo desconocía Felipe González?

—Probablemente. Él ha sido muy cesarista, pero también ha dejado hacer, sobre todo en aquellos capítulos que le eran incómodos.

—Si conocía lo que estaba pasando, tendríamos ante nosotros el imaginario de la maldad. Y si lo desconocía, igual la culpa es de los periódicos porque no le informaron lo suficiente, también sometidos a la hipnosis de la mayoría absoluta y a una interesada supeditación al poder. ¿Y ahora qué? En los tiempos que se avecinan se sospecha qué hará *Abc*, lo de siempre. Se concibe que *El Mundo* trate de dar un salto hacia el modelo de periódico de cejas altas y crítico con el Gobierno del PP. ¿Y *El País*? ¿Cómo acogerá *El País* la llegada de los bárbaros? ¿Cómo se resituará la estrategia multimediática del grupo PRISA?

—Mira, esto es estrictamente particular, es decir, te expreso mi opinión personal. Yo creo que *El País* y PRISA no deben hacer frente al Gobierno del PP lo que el *Abc* ha hecho al Gobierno de González, porque *El País* tiene que seguir manteniendo sus señas de identidad. Ni antigubernamental por sistema, ni paragubernamental por interés. Repito: es mi criterio.

—Un diario que forma parte de un multimedia ambicioso se hace sospechoso de supeditación al poder, porque ese poder está en condiciones de favorecer o asfixiar las ambiciones multimediáticas.

—Si eso fuera así, se vería replicado por el sujeto lector, porque también ha sido ese sujeto lector el que nos ha dado unas determinadas pautas de conducta informativa que no nos permiten rozar el libelismo que se ha impuesto en buena parte del periodismo que se hace en Madrid. Pese a que los ataques a *El País* han sido tan encarnizados como los ataques a González y su Gobierno, no sólo hemos resistido, sino que hemos crecido. Pero si en una nueva situación *El País* fuera un libelo contra el PP, ésa sería nuestra derrota.

—Yo creo que *El País* ha desertado demasiado. Hubiera podido encabezar una catarsis sin malos modos pero implacable.

—Sí, pero mira, yo creo que el periodismo de investigación es un invento malayo y las campañas contra *El País* de sus rivales mediáticos han repercutido en que al buzón de *El País* no llegaran tantas informaciones o dossiers como a otros buzones. No tenemos medios, nadie los tiene, para una información activa a la altura de lo que estaba pasando, y si no los tenemos nosotros, ¿cómo los tienen los otros? Hemos recogido algún esfuerzo individual de información activa, como los excelentes trabajos de Ekaizer.

—Pero *El País* se debía haber mostrado más editorialmente enérgico en la denuncia del terrorismo de Estado, por ejemplo. Y luego, ¿por qué el hostigamiento a Garzón desde la línea de opinión dominante en *El País*?

—Es una mala consecuencia de la guerra mediática. Ante Garzón hay reticencias porque se piensa que es una pieza ocupada por *El Mundo*.

—Quizá es una pieza ocupada por *El Mundo* porque *El País* no le hizo caso a su tiempo. *Abc* trata a Garzón como un sospechoso de desestabilizar la política de Estado, sobre todo la política represiva del Estado, que tanto le ha gustado siempre a *Abc*. Pero lo de *El País* no lo entiendo.

—Los colaboradores de *El País*, mayoritariamente, habéis tomado partido por Garzón.

—Quizá sea inteligente que la lógica interna de la línea editorial dominante y la de los colaboradores no coincida.

—No se trata de una lógica interna. Influye ese juego de enfrentamiento mediático del que te he hablado. Garzón se identifica con la línea de *El Mundo*, y en cambio *Abc*, que también es antigubernamental, hostiga a Garzón con saña.

—Se ha llegado a esa división tribal en la prensa de Madrid que alcanza incluso a los profesionales, como si fueran la guardia pretoriana de las empresas. A los de *El País* se nos llama *polanquistas*.

—Esos antagonismos tribales son muestras interesadas de una lucha de fondo por el mercado. Desacreditar a *El País* y condenar a sus profesionales a la sospecha o al ningunismo forma parte de la batalla por el mercado.

Pradera sostiene que el lector del diario no toleraría una súbita decantación de la línea editorial hacia Aznar y que esa disposición está por encima de la evidencia de transfuguismos culturales y mediáticos, transfuguismos que el PP necesita para demostrar que no sólo le respaldan el equipo crítico de *Abc* y la COPE y algunas folklóricas.

—Todo Gobierno está en condiciones de proporcionar muchos bolos a los intelectuales.

—¿A ti te han ofrecido bolos bajo el PSOE?

—Los indispensables. Pero admito que el PSOE no ha desarrollado una política cultural claramente hostigante o ninguneadora de sus críticos. Por otra parte, yo dependo del mercado y eso me hace libre.

—¡Por fin! ¡Manolo Vázquez Montalbán es partidario de la economía de mercado!

—Soy partidario de la libertad de opción del intelectual y yo la he conseguido gracias al mercado. Pero no es el caso de otros intelectuales libres poco o nada aceptados por el mercado, que han conservado su libertad por procedimientos más esforzados que el mío. Estamos en el terreno de la producción más individual de todas, la escritura. Yo sólo necesito quinientos folios y lectores. Sabes bien que un profesional del cine o del teatro o incluso de las artes plásticas necesita o bien subvenciones o bien clientes en las entidades públicas.

—Creo que el PP no va a hacer disparates. No van a actuar demasiado sectariamente, y la gente con talento seguirá siendo indispensable porque se verá respaldada por el cliente, por el consumidor de ese talento. Incluso las estrellas mediáticas.

—Peor lo van a tener los políticos socialistas. Esta etapa final de degüello y tierra calcinada amenaza con no dejar ningún valor indiscutible para que levanten bandera al día siguiente del desastre.

—Resulta difícil, muy difícil, pensar, creer que la gente es sincera en sus motivaciones. Yo creo, por ejemplo, que Felipe González piensa en su fuero interno que es la muralla, la última muralla de protección del sistema de gobierno.

—¿Se ha creído el defensor de la democracia por la Gracia de Dios?

—De ahí lo de la conspiración.

—Y los que habéis sido sus mentores...

—Leches, que esta gente no tiene mentores y además ha llovido mucho desde entonces.

—Pero Solana es amigo tuyo y es el hombre de confianza de Felipe. ¿Se ha creído Solana lo de la conjura?

—Hay que educar a los príncipes. Pero es que me he vuelto muy escéptico con respecto a esos príncipes.

—Leyendo el libro de Pilar Cernuda sobre Felipe, deduces que es un animal político muy especial. Sus compromisos personales, emocionales, con la gente, son relativos o así lo parece. Él puede ir avanzando sobre cadáveres de relaciones personales sin demasiada congoja. Es también el estilo de don Santiago Carrillo. Todo político es un gran instrumentalizador. He podido observar que los socialistas de esta ciudad están cansados, incluso, fíjate, en el fondo del fondo, cansados de adorar a González. Parten de la autocompasión del que teme que la Historia no esté a la altura de sus merecimientos. Se sienten vencidos y éticamente desarmados.

—Eso también le pasa a González. Entre sus seguidores hay de todo. Las últimas apariciones de Felipe ante los medios han sido merodeantes y patéticas.

—El día que le entrevistó Campo Vidal llegó un momento en que los dos casi se dormían de aburrimiento o de escepticismo sobre lo que estaban haciendo. Hasta algunos guerristas dicen que hay que acabar con González, pero también con Guerra. Son dos tapones.

—Yo creo que Felipe no se presenta.

—¿Van a presentar a Solana?

—Tienen muy difícil lo del candidato alternativo.

—¿Belloch? ¿Tú consideras limpio el juego de Belloch?

—Como candidato, descártalo. No entra en los cálculos del partido como colectivo.

—Tal vez sea consecuencia de su biministerio. Actúa por una parte de ministro de Justicia y por otra del Interior. Es una especie de esquizofrenia.

—Es difícil ese juego de brindar bazas para que otros hagan la catarsis del felipismo con el permiso de Felipe.

—Si el caso Belloch es inexplicable, aún más el de Garzón. Aunque espero que él me lo explique. Hemos de cenar, aquí, aquí, también en La Ancha. Esta noche. González lo ficha para que luche contra la corrupción y cuando ya lo ha sacado de la judicatura y lo ha metido en el berenjenal político, lo aísla hasta que se crispa y se va. Tampoco me explico reacciones como la de Leguina yendo a un cuerpo a cuerpo contra Garzón en un espíritu de defensa corporativo. Tú conoces bastante a Leguina, ¿no? Estuve con él y me dijo cosas sensatísimas, y luego, cuando habla de los GAL, supedita cualquier consideración ética a la defensa de Barrionuevo.

—Nosotros, los comunistas, cuando éramos pequeños, teorizábamos sobre las manos sucias, y precisamente por eso ahora tenemos una especial intolerancia. Recuerda *Les mains sales* de Sartre. Bueno, quizá te estoy metiendo en un saco que no es el tuyo, pero quiero que admitas que hay personas que aún creen que es preciso ensuciarse las manos para defender la democracia.

—En el *desiderátum* comunista se daba un finalismo que podía pasar por procedimientos siniestros, sobre todo si el partido único se hacía con el control del Estado. Pero nuestra promoción ya se hizo comunista pensando que habían acabado los tiempos del terrorismo de Estado, tal vez porque estábamos luchando contra el Estado terrorista de Franco. Sobre lo de las manos sucias, leíamos a Sartre, pero también a Camus o a Koestler o a Deutcher. Creo que uno de los déficit de la cúpula dirigente del PSOE es lo poquito, lo muy poquito que lucharon contra Franco y su escaso conocimiento personal de qué quiere decir el terrorismo de Estado en tus propias carnes.

—El PCE había colaborado en el asesinato de Nin.

—¿Tú te metiste en el PCE porque habían asesinado a Nin en 1937? ¿Acaso lo mataste tú? Yo me metí en el PSUC porque estaba luchando precisamente por un orden en el que no tuviera sentido el terrorismo de Estado. Hay que asumir las culpas reales, no las heredadas.

—Manolo, tú, cuando te pones desagradable en la polémica, es que... Éramos muy poco demócratas, admítelo. En general las izquierdas, y no hablo sólo de los comunistas, no teníamos asimilado el ideario democrático. Lo utilizábamos como una estrategia para abatir el franquismo y luego hacer la revolución. ¡Asume el pasado!

—Asumo aquel del que soy responsable. De la misma manera que un escritor no tiene sobre la mesa la teoría literaria de la que se vale, entramos en el partido sin tener al lado la historia del partido. Leímos a Koestler y estábamos por su denuncia del terror, no por el terror. Y además Leguina ni siquiera fue comunista. No entiendo su apología indirecta del terrorismo de Estado.

—Así están. Es que si en un momento determinado concedes: «Mira, he llegado a la conclusión de que aquello estuvo justificado», pues te dicen: «Bueno, ya era hora, ya era hora, vaya coñazo durante años, ¿no?, ya era hora». Esa cosa, ¿comprendes?, de sacarse de dentro el sapo.

—Es la cultura del poder, la de siempre. ¿La izquierda no puede modificarla? Es el pringue ese asqueroso de la razón de Estado que ahora defienden indirectamente todos los cómplices. Basta estar atento a las disquisiciones de Pujol, por ejemplo, que acusa de inmadurez a los que se ponen demasiado pesados con lo de los GAL.

—También es que han resultado mucho más mediocres de lo que nos esperábamos. Y además se han empobrecido. Con todos sus defectos, Boyer tenía talla.

—La maldición del enanismo persigue al señor de los bonsáis. Pero ahora dispone de Belloch, que tiene talla, o de Borrell.

—Yo creo que Felipe González está con la idea autocompasiva de que todos le han abandonado, por motivos diversos pero todos espurios. Y además piensa que no nos lo merecemos. Que después de todo lo que ha hecho por nosotros, fíjate qué pago le estamos dando. Y a mí eso me cabrea. Su caso es como el de Suárez: dos chavales de provincias con estudios universitarios regulares, sin ninguna habilidad especial, y se convierten en estadistas y manejan el cotarro durante más de una década. Deberían estar muy agradecidos a la suerte que han tenido. Cuando los socialistas ganaron en 1982 tenían que haber hecho unos títulos de crédito como los de aquellas películas antiguas: «Agradecemos a éstos y aquéllos, a esto y a lo demás allá su contribución al resultado».

—Felipe tiene veinte líneas aseguradas en cualquier Diccionario Enciclopédico.

—Pues fíjate, ¿qué más puede pedir? Pues, aun así, se sienten acreedores, no deudores.

—¿Y ahora qué? La derecha puede instalarse durante años, ante la imposibilidad de una reacción.

—Bueno, pues puede complicarse con el PSOE en la oposición si el odio que existe entre el PSOE e IU se consolida.

—Pero mientras haya el sueño estratégico del *sorpasso* por parte del PCE y el PSOE esté bajo control felipista, el encuentro de las izquierdas, aunque sea táctico, va a ser imposible. Además, el discurso socialdemócrata dominante, en toda Europa, es recuperar el centro.

—Si no se tiene el centro, no se tiene la mayoría.

—Quizá el problema de la izquierda no sea el de tener la mayoría o no tenerla, sino el de haberse quedado deshabitada de significación. Ahí está por ejemplo el déficit cultural de una izquierda que sólo piensa y debate en función de objetivos electorales.

—Lo que tiene sentido es el miedo que tú tienes, o que tengo yo, a que se instale la derecha en este país durante veinte años. Ése es el sentido que tiene el tratar de salir de la paliza lo menos malparado posible.

—Si no hay un cambio de rumbo, la alternativa socialista en la oposición se irá laminando.

—Quizá bastaría con que dijeran la verdad. Si estuviera aquí Felipe González, yo le diría: «Bueno, pues ahora tienes que salir y contar toda la verdad, es decir, qué factores, vergonzosos o no, han condicionado lo malo y lo bueno de una política».

—Es que para hacer lo que han hecho y lo que no han hecho, cómo lo han hecho y cómo no lo han hecho, para eso, era preferible que hubieran gobernado las derechas.

De La Ancha a La Ancha. En este juego de la oca gastronómica ceno ahora en La Ancha de Marqués de Cubas con Maruja Torres y la inquieta sombra de Juan Cruz, que me tiene al día de los obstáculos o los allanamientos de murallas que median entre mi persona y Felipe González o el Rey. Sigue siendo más difícil llegar hasta González que hasta el Rey, a pesar de que Miguel Gil, el arcángel guardián de los tiempos perdidos de Felipe González y ex locutor de Radio Tirana en sus tiempos de pluscuamperfecto exiliado ultramarxista, le diga que no hay nada específico contra mi persona, sin que llegue a decir lo mismo sobre mis escritos. En el Palace he tenido tiempo de adentrarme en el libro de

Minc recomendado por Pradera y me he detenido en un párrafo aplicado a la fenomenología de los nuevos poderes fácticos democráticos: «Al final, la adición de esos microuniversos —económicos, intelectuales, mediáticos, administrativos y políticos— que se superponen estrechamente, desemboca en la configuración de la clase dirigente, quizá la más restringida y la menos homogénea del mundo». También aquí esos microcosmos han compuesto una clase dirigente restringida, pero homogénea, al menos desde el punto de vista de la finalidad: en el fondo todos esos microcosmos apuestan por un mismo Cosmos, por una misma finalidad histórica: que algo cambie para que nada cambie a partir del establecimiento de un decantado final feliz de la Historia, de una foto fija que consagra la eternidad de la condición de vencedores y vencidos. La parte menos humillada de esa fotografía la ocuparía el muchacho que me vende *Macadam Periódico* por la calle, una de las publicaciones, como *La Farola* o *El Fanal* en Barcelona, que tratan de convertir la mendicidad de los parados en oferta de prensa alternativa: «*Macadam Periódico* es una publicación mensual que busca reinsertar en la sociedad activa a las personas que se encuentran en situación social y económica precaria... Para conseguir mejorar la situación socioeconómica de las personas que venden el periódico, se requiere de la colaboración de todo aquel al que le interese el futuro de nuestra sociedad y el suyo propio. Anímate a prestar tu apoyo, podría ser tu padre, tu hijo, de hecho es tu hermano. Mil gracias».

Ya en La Ancha, Maruja, Juan Cruz y yo. Juan nos deja hablar siempre entre dos llamadas telefónicas o sale del comedor para retener el paso de José Luis Sampedro, puro afecto que reparte entre nosotros. Maruja y yo crecimos en el mismo barrio, el Chino barcelonés, colaboramos en la misma empresa loca de sacar adelante *Por Favor* y ahora vamos por la vida y por la Historia de columnistas de *El País*, donde Maruja demuestra que para tener el lenguaje más sugerente, creativo, rico de la prensa española hay que disponer previamente de la mirada más lúdica. La mirada de una corista. Esta mujer capaz de convertirse a sí misma en el sujeto anarquista de su percepción anárquica de la verdad ha podido soliviantar a muchos lectores y lectoras cuando ha presumido de que su estado de excitación sexual podía provocar que la siguiera por la calle un rollo de papel higiénico utilizado en una de sus puntas y atraído por la desmesura del centro bulbar de los deseos del personaje. Cuando estábamos en *Por Favor* yo presumía que la tarde podía pasar a la Historia si Maruja entraba en la redacción, cual mujer watusi escocesa, con un vaso de whisky en la cabeza. Ahora convalecen sus rodillas y mi corazón, las copas están más semillenas que semivacías sobre el mantel y hablamos de trapos.

—Hace un año más o menos hubo unos cambios de estructura interna de poder en *El País* que fueron interpretados como un intento de comienzo de derechización. Luego se dijo que no. Que era un simple reajuste en el ecosistema de funciones. Desde fuera se vio como el inicio de una operación de resituación de la línea de cara al cambio político.

—Me libraré mucho de desmentir la versión oficial.

—En Madrid se ha desatado una especie de patriotismo de empresa que es un poco cómico. Militantes de *Abc*, de *El País*, de *El Mundo*.

—Me molesta mucho que esta profesión se haya dividido en bandos y que de repente yo tenga que odiar a la gente de otro periódico y querer sólo a los que están en el mío. Yo siempre he trabajado como una profesional y ha habido veces incluso que me han llamado *Jesucristo*, porque tenía una columna entre dos ladrones.

—¿Quiénes eran los ladrones?

—No te lo pienso decir. ¡Adivínalo tú! No fue en *El País.*

Me lo dice y me lo callo.

—Me parece estúpida esa militancia porque a estas alturas yo tengo 30 años de profesión y sé lo que hay detrás de cada cara y de cada firma, y hay cada tío o tía que se autoatribuye el monopolio de la verdad que se pisa los ovarios.

—Tú ahora vives, ves y oyes en Madrid.

—Sí, pero cada vez me siento más tentada a dejar de ver y a dejar de oír. Realmente mi vieja frase «Cuanta más gente conozco, mejor me caen los Corleone», cada vez la puedo aplicar mejor. Entonces, cada vez veo más a mis amigos, estoy con mis amigos; luego, como profesional, leo, escucho tertulias e intento enterarme de cómo va todo, pero cada vez me molesta más cómo va todo y entonces no me gusta ni el tono ni el contenido ni nada.

—Pero tú piensas que es un problema episódico, que pasará.

—Tengo mucho miedo de que sea una regresión y que, como nos pasa en España normalmente, nos dure 40 años.

—Este clima está condicionado por el derribo del Gobierno socialista. Una vez derribado, desaparece el oscuro objeto del deseo. ¿Qué va a ocurrir entonces?

—Es que no sé si lo primero fue el síntoma o la enfermedad.

—¿Qué fue primero, la histeria antisocialista o los motivos que dieron los socialistas?

229

—Yo me temo que se ha formado como un club de resentimientos que se han ido acumulando desde la transición para acá. Resentimientos de todo tipo: profesionales, incluso amorosos u homosexuales más o menos larvados. Yo qué sé. De repente han tomado forma y se han aplicado a derribar al Gobierno, y de paso quitarle a *El País* la hegemonía de la audiencia, porque es el diario que más cerquita está del Gobierno. Lo que me temo es que el mal estilo empleado se haya convertido para siempre en una forma de vida y en un estilo profesional. Yo no estoy nada segura de que no se haya vuelto a instalar entre nosotros esa cosa tan vieja de «o blanco o negro», «o aquí o allá», «o estás conmigo o contra mí».

—Es la tentación del fundamentalismo y el refugio en el sectarismo. Ahora del fundamentalismo y del sectarismo mediático. Con veinte duros montas una religión.

—Siempre encuentras alguien que subvenciona los fundamentalismos.

—Pero ¿cómo se puede militar en una batalla mediática? Es lo que no acabo de entender, cómo se puede convertir eso en una cruzada, cuando todo el mundo sabe que cuando le pasa por los cojones a una empresa cambia de línea.

—Yo creo que hay mucho contrato blindado también, que es un invento reciente, que en nuestra época no teníamos, y el contrato blindado hace que muchos columnistas y muchos colaboradores se sientan empresarios.

—Tal vez todo lo mueva la élite del contrato blindado. Cuando caiga el PSOE, ¿el frontón será el PP?

—Veremos maravillas.

—*El Mundo* puede seguir zahiriendo al Gobierno cuando lo tenga el PP. Pero tanto *Abc* como la COPE no van a desorientar hasta tal punto a su clientela ideológica fundamental.

—Los de *Abc* son de los de *Lo que nunca muere*. Cuando hay que defender a la Guardia Civil, pues se pegan al lado del Gobierno en lo del cuartel de Intxaurrondo.

—Defienden el cliché de la Guardia Civil como guardia privada de los cortijos de los lectores de *Abc* antes de la guerra de los bóers. Ya veremos. Pero hay que salir de esta sensación de atonía. Los socialistas están cansados. No se aguantan ni a sí mismos, por más que Ciprià Ciscar ponga caritas optimistas. ¿Te has fijado en que Ciscar parece un caballito de mar?

—Hay mucho socialista que sólo teme por su puesto de trabajo. El PSOE ha sido una auténtica oficina conseguidora de trabajos.

—Los oportunistas están y estarán a la que salta, pero luego hay un sector de socialistas que han jugado sinceramente y están desmoralizados. Es que de pronto deben asumir que Gobiernos socialistas han tolerado Intxaurrondo o han montado checas de los GAL o han provocado «desaparecidos».

—Sí, sí, claro. Y además, si hablas con ellos en *petit comité*, se les nota muchísimo porque casi te piden consejo. No han salido de su asombro; yo creo que hubo un momento en que creían que se iban a quedar muchísimo tiempo en el poder y que además lo habían hecho muy bien y que la gente los iba a aplaudir. Y de repente este tremendo hostión.

—Últimamente he recibido algunas cartas de socialistas que me increpan a partir de la siguiente reflexión: si usted dice que Felipe González y Serra sabían lo de los GAL y nosotros creemos que Felipe González y Serra son de los nuestros y son buenas personas, usted en definitiva nos está acusando a nosotros de cómplices de lo de los GAL.

—El militante, y el simpatizante en general, está metido también en una especie de esquina del *ring* a la espera de las hostias definitivas. Hay un programa que yo escucho con pasión que es la entrega de boniatos de los fines de semana, el programa de Marta Robles, que se llama «A vivir, que son dos días», absolutamente copado por militantes de base socialistas que llaman utilizando un lenguaje absolutamente de..., no te puedo decir de franquistas porque los pobres no se lo merecen, pero «boniato que se lo metan en el culo a José María Aznar y a Pedro J.». Bueno, cosas de ese tipo, y me imagino que en la COPE es a la inversa. Se sienten estafados, pero estafados por nosotros, no estafados por Felipe ni por los GAL ni por nada de eso. Se sienten estafados por los que ponemos en evidencia lo de los GAL.

—Es el odio al mensajero.

—Al que destapa la basura, pero es que es perfectamente coherente con el discurso que yo les he oído a Felipe y a Guerra en diferentes sitios: «Hemos llegado desde Coria aquí en 20 minutos... ¿Cuándo llegábamos desde Coria en 20 minutos aquí? Y ¿quiénes hemos hecho las carreteras? Los socialistas. Vuestros hijos antes tenían que mendigar y no iban al colegio». Y así una detrás de otra. Desde esta complacencia clientelar, vete a decirles que son corresponsables de violaciones de derechos humanos a través de los GAL o de las más diversas corrupciones. Además, la histeria utilizada en el acoso por algunos medios y personajes contribuye a poner a la defensiva a las bases, a encerrarlas en la fe del carbonero. Felipe y sus muchachos estaban borrachos de prepotencia. El otro día Juan Cruz me preguntó:

«¿En qué momento crees tú que se jodió este país?». Yo creo que fue cuando Felipe recibió a Julio Iglesias y lo soportó ¡dos horas! Desde entonces Felipe no ha hecho nada bueno. Y el día que provocó la primera crisis gubernamental, dijo: «No hay crisis, pero si la hubiera, los periodistas serían los últimos en enterarse». Toma chulería. Este chico enfermó de chulería. Yo les veía actuar, sobre todo en áreas culturales, y estaban borrachos de prepotencia, y a su izquierda, dijeron, sólo quedaban problemas para la Guardia Civil, y después de ellos, el diluvio.

—La izquierda en España sólo tuvo el poder durante la guerra civil y fue un poder sitiado. Cuando ganan, estos tíos no saben qué es el Estado y tienen que recurrir a la gente que algo sabe de eso. Podían haber pedido el respaldo de la complicidad social manifestada en las urnas y sincerarse: no controlamos esto, no controlamos lo otro, nos meten esto o lo otro por el culo. Hubiera sido un comportamiento innovador, hubiera marcado una ruptura con la cultura tradicional del poder. Pero lo que hacen es adquirir todos los hábitos del poder tradicional, se refugian en el ocultismo y asumen una parte importantísima de los aparatos represivos del franquismo.

—Han cedido en demasiadas cosas porque creo que tenían el síndrome del nuevo rico, del que está contento porque le dejan un sitio en la fiesta, pero ellos no dan la fiesta.

—Se les ha notado siempre incómodos dentro de las cazadoras de la izquierda y al final sólo se las han puesto durante las campañas electorales.

—Además yo creo que gracias a ciertas personas, concretamente a Barrionuevo, lo que les entró fue un síndrome de Estocolmo brutal con la derecha, con los militares y con los que hacían las tareas sucias. Y a Corcuera le pasó lo mismo.

—Rafael Conte me contó que cada dos o tres años acudía a una cena de ex compañeros de colegio mayor y se encontraba con Barrionuevo, Rosón, Martín Villa y Cuevas, el jefe de la Patronal. Desde la transición sólo hemos tenido ministros de Interior *seuistas* y procedentes de la misma camada de un colegio mayor concreto de Madrid. Algo quiere decir. El otro día leí en el periódico una nota muy reveladora. En Canarias, me parece, una empresa de seguridad sólo contrata como guardas a personas de ideología violenta y tendencias agresivas.

—Yo siempre he tenido la sospecha de que a Roldán le sirvió para el currículo aquella famosa foto que salió en *Diario 16*, con 17 o 18 años, cantando el *Cara al sol*, camisa azul y brazo en alto, en una romería de Covadonga.

—Pensaron: un clavo saca a otro clavo. Este mecanismo funcionó en una primera etapa, hasta que acabaron secuestrados por la industria y la inercia del contraterrorismo.

—No sé si ya te he contado que en el 86 o así yo estaba en La Coruña haciendo un reportaje, precisamente en el aniversario del nacimiento de Franco o algo por el estilo. Por cierto, que los fachas casi me hostian. Yo estaba comiendo en el Parador y en la mesa de al lado estaba Sáenz de Heredia, y como era ya muy viejo y estaba sordo, gritaba: «Fíjate éstos, tanto presumir y ahora han tenido que venir a pedirnos ayuda a nosotros contra los terroristas». No hay definición de los GAL más exacta y más concreta, y dicha por Sáenz de Heredia. Por cierto, el proceso de influencia del viejo régimen en el actual se nota en la programación de TVE. Nunca se habían visto tantas películas de Ozores juntas.

—Bueno, este verano te lo has pasado entre la *beautiful people* y las películas de los Ozores.

—Entre la resaca y el olvido. ¡La *beautiful*! ¡Llamarle la *beautiful* a aquello!

—Tus alegres compañeros de verano ¿huelen el cambio del tiempo?

—¡Sí, hombre, claro! Si gana el PP se sentirán más protegidos.

—Estabas en el territorio de Jesús Gil y Gil, *La Cosa*, como tú le llamas.

—La Cosa y La Vicecosa, su príncipe heredero. Cada vez se sienten más seguros y poderosos en Marbella y sus alrededores. Acabarán fundando un reino de Taifas basado en la especulación inmobiliaria.

—La Costa del Sol ya nació bajo la especulación franquista. Era el reducto de Girón.

—Ahora esa gente de la Costa del Sol espera que llegue el PP como quien espera el 7.º de Caballería.

—En el año 82 voté y luego me marché a Bangkok para acabar *Los pájaros de Bangkok*. Al volver de Tailandia había bebido mucho y me fui a adelgazar a la Buchinger, a finales de noviembre. Había un salón de televisión único copado por la clientela más reaccionaria, y una noche, cuando apareció Alfonso Guerra en la pantalla, una clienta empezó a gritar, histérica: «¡Afganistán! ¡Afganistán!». Era una tía horrible, de esas morenas teñidas de verde luna, no de verde natural, y el marido venía a verla los fines de semana con pinta de mafioso del régimen anterior, rodeado de empresarios de Zaragoza que presumían de los obreros que habían echado a la calle.

—Es sorprendente que supieran dónde está Afganistán. Estos que yo he conocido este verano, no sé si te fusilarían o no. Pero dentro de nada les va a molestar que no lleves el Rolex con las pulseritas de oro al lado. Que no tengas ese *look* que ellos tienen.

—Parece como si salieran de una larga clandestinidad.

—Sí. Pasaron a la clandestinidad en el 82. Este tipo de clientes del PP va a desbordar al propio PP. Yo hago un ejercicio cada vez que voy a un mitin del PP. Me pongo de espaldas al escenario y miro al público. ¡Y eso sí que deprime, chico! Es exactamente lo contrario de lo que te pasa en un mitin del PSOE. En un mitin del PSOE es al revés. Tú miras al escenario donde están los figurones y te deprimes, pero ves a los militantes y simpatizantes y dices: «¡joder, qué gente más maja!». El público del PP acepta que la dirección haga el numerito centrista y liberal, como lo hace Ruiz Gallardón, pero cuando tengan el poder exigirán que se gobierne como a ellos les gusta. Antiabortismo a manta y puritanismo hipócrita en el campo de la cultura.

—Me han dicho que los rojos volveremos a promocionar a Bertolt Brecht.

—Me deprime también que vuelva Bertolt Brecht. Deberíamos evolucionar un poco. Crear nuestros Bertolt Brecht de ahora. Estas derechas van a tener una influencia nefasta en el terreno de la vida cotidiana y de las costumbres.

—Pero quizá sea un motivo para que haya una reacción, una reacción crítica, una reacción cultural.

—¿Con qué instrumentos? Esta gente controlará los medios públicos y ya tiene los privados.

—¿Con quién te ves en Madrid? ¿Cómo asume esa gente el cambio posible?

—Amigos de toda la vida, amigos que no son del gremio, también los cuatro amigos que tengo en el periódico.

—¿Cómo van a reaccionar los medios? Por ejemplo, los semanarios de información en crisis económica. ¿Pactarán con el nuevo poder?

—Creo que sí. Cuando la situación es desesperada, lo que quieres es aguantar. Hay toda una generación de periodistas jóvenes para los cuales lo único importante en este momento es conservar el empleo.

—Lo cual es lógico tal como se está poniendo la contratación laboral.

—Claro, pero son gente que incluso ha protestado cuando intentabas hacer una asamblea para que les pongan fijos, «porque eso, hombre, es que me señala... y en cambio si me dedico yo solo por mi cuenta a lamer culos, igual lo consigo». Han tenido todos los elementos para instalarse en esa miseria moral, incluida esa visión fantasiosa de la profesión que les han vendido. También los profesionales de éxito hemos alimentado el individualismo, pero yo no me reconozco responsable. Llevo 30 años de duro curre. Les han vendido nuestra imagen y piensan que tienen que llegar lo antes posible, y entonces, si se tienen que callar, pues a callar. Ni callan. Es que ni siquiera toman posición ante las cosas.

—Pero es que cada noche puede cambiar el propietario real de un medio. Depende del banco que lo avale.

—Tampoco hemos sabido transmitirles la memoria. Cuánta gente está viendo ahora *La transición*, el programa de Victoria Prego, y se queda asombrada. Cuánta gente joven lo tiene que ver en televisión para creérselo.

—La realidad es mucho más importante que la memoria, y para estos chavales y para la gente nueva su memoria crítica será la inseguridad laboral.

Maruja Torres ha publicado una serie genial durante el verano, en el seguimiento de la sociedad de campo y playa marbellí, en otro tiempo llamada *jet society*. A base de talento ha quedado el retrato de esa sociedad pija que en todo el mundo se distingue por relajar las vocales, como si estuvieran cansadas por el peso de las consonantes. Personajes singulares de esta serie han sido los nuevos referentes de la nueva derecha, como Gil y Gil, presidente del Atlético de Madrid, y su entorno marbellí.

—Creo que la señora de Sean Connery, ex *James Bond*, te está buscando porque dijiste más o menos que es una «connerie» (entre «coñazo» y «gilipollez»).

—En general las crónicas cayeron muy bien, no sé si ha habido cartas en contra. Lo que yo sé es que se quejaron los turcos, porque hice una broma a propósito de toda esa mitificación de las europeas que van a Estambul a follar con turcos. Dije que cuando Turquía entrara en la Comunidad Europea iba a aumentar el tamaño medio del pene europeo.

—¿Y los turcos se lo han tomado a mal?

—Los turcos están quejándose muchísimo, porque sólo se habla de los turcos como folladores de turistas hambrientas. Llueve sobre mojado, claro. Quieren que hablemos sobre su fascinante relación con los kurdos, por ejemplo, y no de su sexo, y a mí lo que más me interesa de los turcos es su sexo. Dicen que está Turquía llena de españolas que han leído *La pasión turca* de Gala o han visto la película. Pero también iban antes, y yo no creo que sea tan fácil echar un polvo en Turquía.

—¿Lo dices por tu propia experiencia?

—Ya me pilló mayor Turquía. El mundo árabe ofrece posibilidades sexuales, pero tiene un problema grave y es que luego puedes encontrarte a toda la familia del individuo haciendo cola en tu puerta. A toda la familia masculina. Se corre la voz, «hay una cristiana que folla en el hotel tal», y puedes tener verdaderos problemas. Eso me pasó a mí en Líbano, la primera vez que estuve. Estaba tan entusiasmada que me tiré al chófer y entonces todos los chóferes llamaban a la puerta y tuve que buscarme un chófer enorme para que me defendiera.

—¿Eran colas gremiales?

—Claro, están muy organizados.

—Igual habían leído la novela de Carmen Llera.

—No, todavía no. Carmen todavía no se había pasado por la piedra al druso.

—Tú, que eres una seguidora del Kempis, que es el autor de *La imitación de Cristo*, ya sabes que hemos venido a este mundo a sufrir.

—Yo creía que esa frase la había aprendido de ti.

—Quizá tú y yo la aprendimos de Conchita Piquer y luego descubrimos que venía de Kempis. La vida es dolor, decía el tío. También el Eclesiastés va por ahí.

—Hemos venido a este mundo a sufrirles.

—Eso es sartriano, Maruja. El infierno son los otros. O quizá una síntesis de Sartre y Conchita Piquer.

—La verdad es que yo creo que cualquier tiempo pasado fue peor. Hay un tango que está muy bien, no sé si es de María Elena Walsh, que dice: «quien no fue mujer ni trabajador dice que el de ayer fue un mundo mejor». Y yo más o menos lo suscribo.

—¿De dónde has sacado ese tango?

—Lo canta Susana Rinaldi, querido. La síntesis de Concha Piquer y Sartre vuelve, pero con el drama añadido de que hay toda una generación que no sabe quién era Concha Piquer ni Sartre.

—No podemos transmitirles una herencia tan condicionadora. Nuestra memoria morirá con nosotros. Como las malas mujeres de los tangos, la memoria siempre se va con otro. Yo, cada vez que veo una película de la guerra civil, que yo no he vivido, me pongo a llorar o me emocionan cosas que no me pertenecen pero que me conmueven por herencia genética. Tú no puedes pedir que eso se transmita, pero cada generación tiene la obligación de descubrir por su cuenta la mierda, el desorden. Yo espero la llegada del PP para ver cómo reacciona esta gente. Para los que ahora tienen 22 años el poder ha sido el PSOE.

—Claro, y el señor mayor es Felipe y el jovenzuelo Josemari.

—Hemos de aliarnos con nuestros nietos. Hay que esperarles para hacer la revolución.

—Te veo muy optimista. Yo, como estoy esterilizada... Además me he convertido a la única religión en la que creo, que es la de la Ley de Murphy: que todo lo que es susceptible de empeorar, empeora y de la peor de las maneras posibles.

—Sospecho que no crees en España como proyecto.

—Sospecho que no. Tal vez ni España ni el mundo puedan ser mejores. A lo mejor un mundo mejor es un mundo anestesiado.

—Bueno, ya que hemos llegado a una conclusión completamente catastrofística, y asumiendo que nuestra droga histórica es el vino tinto, tenemos que desconectar, beber tinto y admitir que hagan lo que les pase por los huevos.

Bebemos vino, brindamos por la caída del régimen, por el fin de la ideología de *lo políticamente correcto*, y hablamos de amigos y enemigos comunes. No suele ser reconfortante el encuentro con otros escritores, hasta el punto de que yo he sostenido que las constituciones deberían prohibir la reunión de más de cinco. A Maruja le ocurre otro tanto.

—Me divierte cenar con Juan (no hay que olvidar que Juan Cruz está presente) y con dos o tres autores; me divierten Millás, Javier Marías... Sí, sí, Javier Marías también me divierte.

—¿Y cómo lo has conseguido?

—Pues porque es amigo de la actual mujer de mi primer marido, amigo de toda la vida, y entonces el Javier Marías que yo conozco es muchísimo más de estar por casa. Yo he descubierto que sigo teniendo más amigos en Barcelona.

—¿Y te pones todavía un vaso de whisky en la cabeza?

—Cada vez me lo pongo menos, y esto es un signo de decadencia. Hubo un tiempo en que yo podía ligarme con un hombre para dos años simplemente porque en vez de huir cuando me había visto con el vaso en la cabeza, que era lo que hacían todos regularmente, me lo llenaba. Y yo decía: «¡Oh, un hombre, al fin, distinto!». Y no era distinto, simplemente conocía el truco.

—Cuando saliste de los circuitos de la prensa crítica, tras pasar por el paro, aterrizaste en la prensa convencional de la transición y no todos entendieron tu sarcasmo, tu desgarro, tu capacidad de provocación.

—Si te pones a pensar seriamente en nuestra historia, en de dónde venimos, tal vez ahí esté la explicación. Vemos las cosas de diferente manera y aquí todo y todo Dios se está institucionalizando. Recuerdo que hice un reportaje sobre la Politécnica de Valencia, porque un alumno se acababa de quemar a lo bonzo. Le habían ido mal los exámenes o algo así. Fui a hacerle el reportaje y me di cuenta enseguida de por qué se había suicidado. Claro, evidentemente, tenía desequilibrios personales, pero el director del centro me dijo: «Sí, sí, se estaba quemando ahí precisamente, en el patio delante de mi ventana, y yo estaba tomándole el examen a un alumno». Le pregunté: «¿Y qué hizo usted?». «Bueno, llamé a los bomberos y seguí con el examen porque, claro, aquel pobre alumno había tenido que estudiar mucho». Allí todos los alumnos estudiaban mucho porque sólo aprobaban a un 10%. Unos se mataban a estudiar y otros se mataban literalmente, y todo para acabar de veterinarios en una granja de fertilizantes.

—He estado leyendo últimamente a algunos economistas de la nueva ola y la sensación que me dan es que saben que todo está muy mal, pero no saben cómo salir de ese fatalismo, del fatalismo del mundo organizado hacia la productividad por la productividad. La gente más lúcida se da cuenta de la trampa, pero, a diferencia de hace 30 o 40 años, no se inventan nuevas trampas para salir de la gran trampa.

—Sí, hay una falta de imaginación bastante notable.

—Falta de imaginación o un exceso de lucidez. Ya no te puedes autoengañar.

Tras un discreto golpe en la puerta, que por su discreción no podría ser de otra persona que Sampedro, entra el economista novelista o el novelista economista y vuelve a darnos la bendición de su simpatía y a consolar a Juan Cruz por su hasta ahora ignorado padecimiento: se le ha vaciado el ordenador y se ha quedado sin lo último que estaba escribiendo. Lo tenía muy callado Juan, y Maruja y yo sumamos nuestras consolaciones a las de Sampedro, que va más allá y aporta una fábula sobre los mensajes de ida y vuelta:

—Recuerdo haber leído que durante la I Guerra Mundial faltaban municiones en Francia y se dijo que lo que tenían que utilizar los soldados eran bumeranes para recuperar la munición. Pero alguien opinó: «Como los soldados franceses no están acostumbrados al uso del bumerán, pueden no saber hacerlos volver, con lo cual deben hacerse unos bumeranes que no vuelvan». Bueno, os dejo, no he hecho la siesta y me voy a acostar.

Nos abrazamos José Luis y yo desde la complicidad cardiopática y considero que tal vez sea el momento de la retirada para todos. Pero antes me urgen algunas conclusiones. Por ejemplo:

—Maruja, a la conclusión que yo he llegado después de esta larga entrevista es que estamos rodeados.

—Nunca dejamos de estarlo. Ni siquiera nosotros que tenemos un *status*.

—Pero conservamos una cierta fragilidad. Los instalados anteriores a nosotros tenían la creencia de que su testimonio era válido y que lo podían transmitir y que podían cargarte con su herencia. Nosotros quizá hemos sido la primera promoción que ha pensado que eso era estúpido. Hemos tenido un excesivo sentido del ridículo. Yo jamás me he atrevido a transmitir mi experiencia ni a mi hijo ni a nadie. Siempre me he sentido tan inseguro a la hora de decir lo que había que hacer, como seguro ante lo que no había que hacer.

—Después de ver la llamada caída de Pinochet o la llamada paz de Oriente Medio, llego a la conclusión de que hay más mierda que ayer pero menos que mañana. Han borrado los tiempos de la esperanza. En Chile han buscado otro Frei para hacer ver que no ha pasado nada entre Frei y Frei. Y luego restablecen la democracia los mismos gringos que ayudaron a quitarla.

—Gracias a la Walt Disney podremos reproducir la Revolución de Octubre en Orlando. De la revolución de diseño, a la esperanza de diseño. Construye una esperanza de diseño y podrás ser inmensamente feliz.

—Si no puedo ejercer el periodismo tal como yo lo entiendo, ¡me haré crítica de videojuegos!

Nos vamos a arrastrar la noche en Cock y por el camino le pregunto que qué tal le sienta la estancia en la corte del Rey Juan Carlos. Interpreta mi pregunta al pie de la letra.

—No trato. Ellos me siguen invitando el Día del Libro, como a tantos escritores y periodistas. Yo iba al principio porque me hacía ilusión.

—Me contaron que le habías hecho el numerito del vaso al Rey.

—Sí. Alguien me quitó el vaso de la cabeza por detrás. Yo me revolví y exclamé: «¿Quién coño me ha quitado el vaso? Hostia, el Rey». Entonces él se metió el vaso en el bolsillo de la chaqueta y comentó irónico: «Cuidado con los vasos, que los paga el pueblo español». Y yo ahí estuve de un discreto brutal, porque el whisky era escaso y estuve a punto de decirle que el whisky también debía de pagarlo el pueblo español porque era malísimo. Pero me callé porque no estaba muy segura de que la Monarquía ya fuera democrática.

7. Entre los bárbaros

Los bárbaros no nos asombran más de lo que nosotros les asombramos a ellos, ni con más motivo: cosa que todos admitirían si supieran fijarse en los propios y compararlos sinceramente.

MICHEL DE MONTAIGNE, *De las costumbres y de cómo se cambia fácilmente una ley recibida*

No sé lo que pensaría Felipe González cuando se embarcó en el *Azor*, el yate de Franco, pero yo aún cambio de acera en la Vía Layetana de Barcelona para no pasar por delante de la puerta de la Jefatura de Policía, la checa franquista. Unas semanas antes del encuentro con Ruiz Gallardón en la antigua Dirección General de Seguridad, hoy sede del Gobierno de la Comunidad Autónoma de Madrid, tuve equivalente conversación con su antecesor, Joaquín Leguina, en este mismo salón, sentados a la misma mesa. Fue cuando Leguina me describió un *desiderátum* de socialismo real y progresivo que algún día tratará de resucitar de entre los muertos. También sospecho que me une con el Leguina novelista la comunión en la duda razonable sobre si vale la pena cambiar el irrealismo literario por el irrealismo político. Pero este hombre treintañero que se llama Alberto Ruiz Gallardón parece muy seguro de sí mismo, no ha comido nuestro pan ni bebido nuestro vino, gravemente más joven al natural que en las imágenes, sorprendentemente listo como el hambre no habiendo pasado nunca hambre, con un sentido del humor liberal que complementa el hieratismo conservador de las fotografías, consciente de su condición de avanzadilla del PP en su irresistible ascensión desde el posfranquismo al infinito democrático. Ya en la recepción de esta antigua Dirección General de Seguridad me aguardaba otra prueba del *new look* PP, Marisa, la jefa de Prensa, una muchacha en el sentido estricto del imaginario de muchacha suelta y desenvuelta, precaria descripción forzada por los escasos nueve segundos de contemplación del otro sexo que últimamente me permito según las pautas culturales norteamericanas. Marisa representa la futura ola femenina del PP, cuando cumpla sus objetivos la cuota acuarentada y minifaldera que ahora respalda a José María Aznar en los mítines como una guardia de corps de señoras en estado de dieta. Celia Villalobos *dixit*. Marisa está muy preocupada por el aspecto tétrico de esta ex Dirección General de Seguridad y alienta una operación de cirugía estética que le quite el tufillo a checa franquista y el ruido de las cadenas de las víctimas que fantasmalmente sube desde las celdas del sótano. Dos plantas más abajo de donde departo con Ruiz Gallardón, estuvo detenido su padre, uno de los caídos en la revuelta intelectual y estudiantil de 1956, caído singular porque el joven abogado era hijo de un cronista de la guerra de África, Tebib Arrumi, amigo personal de Franco hasta que Franco dejó de tener amigos ante Dios y ante la Historia.

—Tengo un sentido histórico que trasciende el franquismo, época importante, sin duda, pero que no deja de ser un periodo limitado de la historia de España. Esto fue Casa de Correos, y aquí se ha reunido el Consejo de Ministros del Gobierno de la nación, y ha habido acontecimientos muy importantes en relación con la Segunda República. Don Manuel Azaña ha reinado en esta casa. El franquismo no deja de ser parte de un todo, parte del alma del edificio.

—¿Es ésa una actitud generacional?

—Yo creo que sí.

—A mí el edificio me inspira un rechazo que no supero imaginándolo simple pedestal de las campanadas de fin de año.

—Quizá tu generación ha asimilado una representación negativa de lo que podía significar este edificio. Nosotros hemos despertado a la vida pública ya en democracia.

—Tú pasas por el prototipo de la derecha civilizada. ¿Dónde está la derecha por civilizar? ¿Dónde se ha metido? Porque no hay que presumir que haya desaparecido.

—¿Por qué no hay que presumirlo?

—Porque de vez en cuando me la encuentro por ahí, donde gobierna el PP. Lápidas a los caídos por Dios y por España y el callejero exclusivamente dedicado a los vencedores.

—No hay que confundir las inercias con las iniciativas. No creo que hoy exista una derecha no democrática que considerar. No es voluntarismo. Lo digo sinceramente.

—¿Qué querían decir entonces los gritos que se oyeron el día de la victoria del PP en las elecciones municipales y autonómicas ante la sede de la calle de Génova: «Rojos al paredón». «Pujol, enano, habla castellano»?

—El grito aplastantemente mayoritario no era ése. En todas las manifestaciones del Primero de Mayo aparecen banderas republicanas y gritos extramuros del sistema. ¿Significa eso que Comisiones Obreras y UGT plantean alternativas al modelo político de la Constitución del 78? Obviamente, no. Los que estábamos en la primera planta de Génova 13 veíamos y oíamos otras cosas, y es más, pedimos que la alegría no tuviese contenidos negativos.

Carrillo contaba que cuando decretó la desaparición del axioma de la dictadura del proletariado, antiguos camaradas le cogían por la manga de la chaqueta y le decían: «Bueno, eso está bien de cara a la galería, pero la dictadura del proletariado llegará, ¿verdad, Santiago?». ¿A Ruiz Gallardón también le tira de la manga de la chaqueta la derecha por civilizar?

—No es el caso del PP y se equivocarían de manga. Me consta que es un partido identificado con el ideario que presenta a las elecciones. Es cierto que la renovación moderada de la derecha se ha hecho de arriba abajo, primero en el liderazgo, después en los cuadros, en los militantes y finalmente en los electores. El proceso ha sido pedagógico, como lo ha sido, también de arriba abajo, en el PCE o en el PSOE.

—Pero primero ha cambiado la sociedad. Una nueva mesocracia parademocrática que hace la transición y condiciona la hegemonía del centro izquierda o derecha.

—Estoy de acuerdo. Las estructuras socioeconómicas de la España de 1975 permitían, no digo que invitasen a, pero permitían la transición política. Pero no hay que devaluar la voluntad misma de esa transición.

—Tú has dicho: «España ya no es socialista». Eso recuerda aquella afirmación deformadamente atribuida a don Manuel Azaña: «España ha dejado de ser católica».

—Quizá por el precedente histórico se hizo una interpretación extensiva de esa frase; lo que yo quise decir y dije es que España a partir de 1982 había respaldado mayoritariamente al PSOE. Ha llegado un momento en que la gran mayoría del electorado abandona ese proyecto y decide no sólo desilusionarse y quedarse en casa, sino apoyar al PP.

—Si gana el PP, ¿hará una apuesta por el neoliberalismo duro, por la libre iniciativa individual, por la dicta-

dura del mercado, por el final de los referentes socialdemócratas?

—Si me permites una protesta intelectual contra la
pregunta, ¿cómo se puede calificar de socialdemócrata intervenir en la economía cuando son precisamente los partidos populares los que apuestan por una economía que,
sin suplantar la iniciativa privada, corrija los desequilibrios que produce? ¿Es socialdemócrata la defensa no ya
del Estado del Bienestar, sino de la sociedad del bienestar?
¿Socialdemócrata la defensa de valores ecológicos o de
derechos humanos? El problema que hemos tenido en el
centro derecha es que banderas nuestras nos las hemos
dejado arrebatar por la izquierda.

—Aquí estamos acostumbrados a derechas capaces
de armar una guerra civil para que no les quiten las tierras.

—Para entender esa derecha habría que analizar
qué izquierda teníamos entonces.

—Para entender aquella izquierda sería necesario
analizar el talante del reaccionarismo español durante siglos.

—Afortunadamente, ni la derecha ni la izquierda de
1995 tienen nada que ver con las de los años 30. La derecha
que nosotros representamos no ha gobernado nunca en
España, y cuando digo nunca, me refiero a los escasos periodos democráticos que hemos tenido, ni por supuesto, bajo
ninguno de los regímenes no democráticos de este siglo, ni
tampoco durante la transición democrática.

Si no se declaran herederos de la derecha de la Restauración, ni del gilroblismo, ni del franquismo, ni de la
Democracia Cristiana colaboracionista con Franco, ni de
la posfranquista, ¿de dónde diablos ha salido esta gente?

—De las grandes corrientes populares europeas.
Nosotros pretendemos introducir en España los movi-

mientos políticos, culturales y sociales que se han identificado con la oferta democristiana en Alemania, con el neogaullismo y las teorías giscardianas en Francia, la gran derecha republicana francesa, con los conservadores en Inglaterra, es decir, una derecha avanzada, que no se avergüenza de serlo, identificada con los valores democráticos y enfrentada al totalitarismo.

—La derecha conservadora inglesa ha arrasado y disgregado la cultura popular, las expectativas de los sectores populares. Hasta algunos representantes de la derecha económica consideran que el modelo thatcheriano en España sería una catástrofe.

—Ése es un juicio de pronóstico. Lo cierto es que, analizando la situación económica del Reino Unido, hoy es mucho mejor que la de otros países europeos: en cuanto a la generación de empleo, a la estabilidad de su divisa, a la inflación y a la reducción del déficit público. Que ha tenido efectos perversos yo soy el primero en reconocerlo. Nuestro modelo no es el liberal absoluto aplicado durante algunos años en el Reino Unido y ahora paliado por Major.

Desde la heterodoxia o desde ese espíritu fundacional de derechas de nuevo diseño, Ruiz Gallardón ha dicho que merece la pena asumir valores de la izquierda. ¿Cuáles? ¿Planea el PP un juego parecido al del PSOE cuando absorbió valores de la derecha e inutilizó esa alternativa durante un buen tiempo? Vuelve a protestar, intelectualmente, contra la intención que le supongo de inutilizar a la izquierda. Quiere al PSOE en la oposición, pero útil. Una de las causas menos analizadas de los errores cometidos por el PSOE es que en 1982 no tenía una alternativa viable inmediata y eso permitió arrogancias y despropósitos impunes. Valores asumibles por el PP atribuidos a la izquierda: igualdad de la

mujer, defensa de los necesitados, salvaguarda ecológica, solidaridad, mantenimiento de la sociedad del bienestar más
que del Estado del Bienestar.

—Esos valores, por poner cinco ejemplos nada más,
deberían ser asumidos por los partidos de centro derecha.

Ante mi controlado pasmo, me tranquiliza:

—No, no, no es que la izquierda haya robado el
progresismo a las derechas como Prometeo le robó el fuego a los dioses. Es que la derecha, al menos la española, no
se ha dado cuenta hasta ahora de que esas reivindicaciones
pertenecían al reino de la obviedad, que en sí mismas no
son ni socialdemócratas ni del PP.

—¿Qué te separa entonces de una posición socialdemócrata?

—Que a los socialistas, y a las izquierdas en general, les caracteriza su desconfianza hacia el individuo y la
persona y su apuesta por el papel intervencionista del
Estado. El Estado sólo debe intervenir para corregir los
desequilibrios producidos por la sociedad. El socialismo,
incluso el democrático, desconfía del individuo.

—¿No se favorece así la ley del más fuerte y el
aumento de los sectores perdedores, sumergidos de la
sociedad? El papel equilibrador de la derecha, eso sí me
suena a utopía.

—En Alemania gobiernan las derechas y no les va
mal. La democracia cristiana ha sabido demostrar, en un
proceso durísimo de integración de una sociedad desarti-
culada y desarraigada que provenía de Alemania del Este,
que es capaz de aplicar esos valores y de ponerlos en funcionamiento.

Alemania ha sido un caso aparte de frontera necesariamente ejemplar del capitalismo frente al potencial avance

comunista. Pero en el mundo unificado por el capitalismo ¿dónde termina el derecho del individuo rico y fuerte o de los pueblos ricos y fuertes? Ahí es necesario el intervencionismo equilibrador de la nueva derecha que aún no hemos gozado, de la que tanto cuesta construir un imaginario celtibérico. Incluso los imaginarios construidos a costa del PP son muy desiguales. Aznar, Cascos, Rato, no pueden competir con Ruiz Gallardón, lo más parecido al Joven Demócrata 10: intelectual, paracaidista civil retirado responsablemente al tener hijos, atlético pero frágil por la miopía, progresista pero dentro de un orden.

—¿Eres consciente de tan privilegiado retrato, mientras al pobre Aznar le recuerdan todos los días lo del bigotillo, lo de Chaplin?

—Pido perdón porque es la tercera vez que protesto. Tú me consideras un producto de mercado. Yo creo que una de las dificultades más importantes que tengo para desarrollar mi labor como presidente de la Comunidad Autónoma es esa presión constante de intentar situarme en un lugar distinto y en un tiempo distinto al que estoy. Solicito humildemente que se me deje estar cuatro años al frente de esta Comunidad Autónoma intentando demostrar si solamente son imágenes o si soy capaz de demostrar con hechos y con realidades cuál es mi proyecto.

No percibe que se le tengan celos dentro del partido. Nunca ha ocultado sus ambiciones. Un político que las oculta es poco de fiar, pero cualquier cálculo de futuro pasa por que gobierne bien esta Comunidad Autónoma. Le planteo que su futuro también pasa por que no le abandonen los medios de comunicación que le han ayudado a ser el «joven demócrata 10» y por esa aura positiva que le puede crear el intelectualado si bajo su reinado florecen las artes y las letras. Hay un terror generalizado a que cuando gane el PP estaremos a racionamiento de zarzuela, Norma Duval, Julio Iglesias y el pensamiento de *Abc*. El nombramiento de Villapalos como responsable de Educación y Cultura ¿es una señal?, ¿en qué dirección?

—Es la apuesta por la excelencia y la calidad, buscar a los mejores para hacer lo que beneficia a la sociedad. Las acciones políticas no pueden ir divorciadas de aspectos culturales. La credibilidad del proyecto nacional va a depender mucho de las realizaciones que nosotros hagamos, y creo que es precisamente en el mundo de la cultura donde tenemos que demostrarlo.

—Podemos asistir a un trasvase de complicidades intelectuales. Hay sectores de la cultura que entregados a la ley del mercado no sobrevivirían. Teatro o cine podrían ser más competitivos de lo que son, pero necesitan protección. ¿Ese intervencionismo va a crear tránsfugas, otra «casa común»?

—Sería una mezquindad por nuestra parte.

—No conozco ningún poder que prescinda del recurso a la mezquindad.

—No, no, rotundamente no. Ése es un concepto absolutamente pesimista de la vida.

—De la vida, no del todo; pero del poder, sí.

—El poder es la vida, no existe una vida sin relaciones de poder. ¿Por qué se pretende aplicar a la vida pública una cosa distinta que a la vida privada? En la vida privada se dan relaciones de poder, de jerarquía, yo he sido hijo de mis padres y soy padre de mis hijos, y siempre he sabido que esa relación suponía un respeto, sin interés ni mezquindad.

Le hablo del libro de Margarita Rivière *La década de la decencia* y le planteo si percibe esa reacción puritana de la sociedad al final del milenio y que a los del PP se les ve puritanos y plastas. Atribuye ese prejuicio a que no se les conoce, porque de entrada distinguen los mundos privados de los públicos. No, no son moralistas, bueno, añade que habla por él mismo, sin pretensión de fijar normas de conducta. La generación de sus padres padeció el autoritarismo y les ha inculcado el respeto a lo diferente.

—Los padrinos mediáticos del PP vigilan los pasos del Gobierno Ruiz Gallardón, discuten tus nombramientos, exigen que privatices lo privatizable, sobre todo Telemadrid. Una vez privatizada, irá a parar a un sector del capital proclive a la derecha, cultural y políticamente.

—¿El juicio se hace a partir de las televisiones privadas que hay?

—Casi siempre defienden jerarquías de valores que, salvo en el apartado «desnudos», son de talante conservador.

—No creo que se identifiquen ideológicamente con el PP.

—Es que la derecha es algo más que el Partido Popular. Si privatizas Telemadrid, le das una televisión más a la derecha.

—Si se me acusa de que, dándole la televisión a la sociedad, no hay un sector social de izquierda capaz de sostener un modelo propio de TV, el problema es de la izquierda.

—La derecha compra porque ha acumulado con qué hacerlo. La izquierda no está en condiciones de invertir en medios de producción cultural de esta envergadura.

—No estoy de acuerdo. Los agentes económicos que más acumulación de capital han conseguido en los últimos años han estado en torno a los sindicatos. Lo que ocurre es que no han acreditado una capacidad de gestión, y si hubieran evitado fracasos, como por ejemplo el de la

PSV, habrían podido introducirse en los medios de comunicación, como en Europa.

¿No le están ya pasando factura por los favores mediáticos, por esos apoyos corporativos a los que se refería Belloch? No acepta presiones. Su proyecto político ha de ser apoyado por sus electores y no piensa fundamentarlo en elementos vindicativos. La sensación que se le ha acentuado es la de la soledad que conlleva la responsabilidad de gobierno. Es una sensación perversa, el adjetivo perverso le seduce, porque le podría atrofiar la comunicación con la sociedad, pero evita el riesgo consultando, rodeándose de personas mejores que él.

—Ése es un consejo jesuítico.

Sí, es verdad, lo aprendió en los jesuitas. Decían que si te rodeas de gente mejor que tú, acabas siendo tan bueno como ellos. Hay que buscar más la calidad que la lealtad o el beneplácito. Me acompaña hasta la calle, tantas veces ensoñada por los que aquí padecieron encierro, tortura, muerte. Me recuerda que su abuela, la esposa de Tebib Arrumi, fue a protestar ante Franco por las condiciones de encierro de su hijo en la DGS y en Carabanchel: «Excelencia, ni siquiera puede jugar al ajedrez». Franco le hizo llegar un juego de ajedrez. Le advierto que todavía constan las siglas DGS, a manera de tres víboras enlazadas, sobre el dintel de la puerta que comunica recepción con el reino de Marisa. Le acompaño para que lo compruebe. «Probablemente», aduce, «ni Leguina se había dado cuenta». Al día siguiente *Abc* titulaba la primera página de Espectáculos: «Socialistas, comunistas y leguinistas copan casi al completo el festival de Otoño». Los socialistas, comunistas y leguinistas aludidos son Bertolt Brecht, José Carlos Plaza, Oscar Wilde, Richard Strauss, Víctor Ullate, García Lorca, Eurípides,

Unamuno, García Márquez. Añadía el editorialista que, al asumir el programa heredado de Leguina, Villapalos y Ruiz Gallardón demostraban su excesiva buena fe.

Ya que me he metido entre los bárbaros hasta el punto de pisar la ex Dirección General de Seguridad ocupada por la joven esperanza albiglauca de la joven derecha, por el «hombre 10» de la nueva derecha, ¿por qué no ir a más y adentrarme por ejemplo en los territorios donde más se utiliza despreciativamente la expresión *polaco*? ¿Por qué no ir por el Real Madrid, ese club que fue calificado como Los Tercios de Flandes del franquismo cuando se comprobó que era imposible llegar por el Imperio hacia Dios? El PP se acerca a la mayoría absoluta y el Real Madrid gana la Liga 1994-1995. Pienso: regresa el orden natural de las cosas y se acentúa mi interés por conversar con Valdano —«La pelota se hizo verbo», según opinión de Juan José Millás—. Me encuentro con Valdano en una cafetería de la modernidad madrileña, entre un entrenamiento y un concierto de Pablo Milanés. ¿Qué hace un entrenador del Real Madrid en un concierto de Pablo Milanés? Le digo a Valdano que estoy escribiendo un libro que se titulará *Un polaco en la corte del Rey Juan Carlos*, título significativo para una afición madridista que celebra sus victorias sobre el Barcelona al grito: *¡Al bote, al bote, polaco el que no bote!* Añado que trato de reflejar la etapa de la II Transición, en donde las derechas van a ganar otra vez, como siempre ocurre en España desde que se impuso la primera horda prehistórica. Y no me sorprende conversar de esta guisa con un entrenador de fútbol que fue un excelente delantero, ni que mi interlocutor asuma que su equipo, el Real Madrid, ha tenido una importante vinculación simbólica con el Estado. El general Franco, Franco, Franco soñaba posibles alineaciones del Real Madrid y tenía sus teorías sobre Kopa, Puskas o los córneres.

—El Madrid sigue teniendo algo de «equipo de Estado». Eso se nota si juega en Barcelona o en Bilbao. Cuando en algunos campos derriban a Redondo, en realidad derriban el Estado español. Por cierto, me encanta Redondo. Necesita tiempo y espacio.

—Es el jugador más discutido ahora en el Real Madrid.

—Es discutido como era discutido en el Barcelona el jugador que jugaba sin parecer un legionario.

—El Barcelona ha sido generoso con ese tipo de jugadores. Con Marcial y con Reixach.

—No creas. Yo me he partido el pecho por Reixach o por Suárez. Al público del Barça también le gustaban los jugadores con las sienes *moraítas* de martirio, los que sudaban la camiseta, y apreciaba escasamente a los que se divierten jugando.

—Desconocía que hubiera discutido a Suárez.

—Una vez regresó con el Inter al Camp Nou. Se fue hacia el sector de público que siempre le había sido hostil: le hizo un corte de mangas.

—A mí me contaron eso con relación a algunos jugadores vascos. Yo creo que funcionaba lo racial, la furia española.

—A los jugadores vascos más inteligentes los han machacado las lesiones, a Panizo, al propio Clemente.

—Sobre Clemente hay leyenda como la de Gardel. Jugó poco.

—Después de la guerra civil se impuso el fútbol racial hasta que un equipo argentino, el San Lorenzo de

Almagro, empezó a pegar palizas a diestro y siniestro. Luego llegaron extranjeros que tenían otro sentido del fútbol, Kubala, Di Stéfano, Wilkes, o salió un Suárez.

—Es curioso, pero esa leyenda del San Lorenzo seguía viva treinta años después, cuando yo llegué a España.

—En el San Lorenzo jugaba un español exiliado, Zubieta. Los que veníamos de una familia roja lo sabíamos, era uno de los nuestros. La carne congelada, el trigo, Evita Perón, el San Lorenzo de Almagro, los cuatro mitos argentinos de la posguerra.

—La carne y el fútbol es lo único nuestro.

—Y el tango. Estuvo muy introducido en Barcelona, porque Gardel era compañero de farras de Samitier.

—Curioso. El otro día recibí una revista cultural argentina muy buena y reproducía una entrevista a Gardel sobre una gira por España. Era un presuntuoso insoportable. Decía que lo de Barcelona había sido apoteósico. Que la gente se ponía de pie aclamándole, y es cierto, hablaba de Samitier.

—Barcelona fue la tercera patria del tango bailable: Buenos Aires, París, Barcelona, pero la segunda como cantable. Una argentina catalanizada, Patricia Gabancho, ha publicado un libro en el que lo demuestra. Yo soy un devoto de las canciones que cuentan historias. La tonadilla española, el tango, el corrido, el bolero. Mi último descubrimiento tanguista es Adriana Valera. Le escribí unos tangos para una posible serie «Carvalho en Buenos Aires».

—Muy amiga de Goyeneche, un patriarca del tango. «Me rompiste los esquemas», le dijo él la primera vez que la vio. «Nunca me gustaron las nenas cantando tangos, pero vos me rompiste los esquemas». La he oído, pero no la he visto. Dice muy bien el tango.

—¿Vas a ir al concierto de Milanés?

—Sí.

—Serás el único entrenador de fútbol en España que vaya a conciertos de Milanés, y es que, permíteme que te lo diga, eres un poco raro. Los entrenadores en uso suelen recurrir a un vocabulario precario: «hay que echarle huevos al asunto», «maricón el último», «corred como cabrones». Contigo llega el lenguaje autocontrolado, la palabra exacta para sensaciones y emociones futbolísticas descodificadas. ¿Cómo lo has conseguido?

—Desordenadamente, como buen autodidacta. Yo terminé bachiller en una escuela nocturna de Rosario. Cursé el primer año de Derecho más para vivir la vida universitaria que para ser abogado. Mi hermano estudiaba Derecho. Y luego me vine a España, a jugar en el Alavés, en Vitoria, una ciudad sin universidad.

—¿Cómo se te ocurrió ir a jugar con el Alavés?

—Me quería ir, y por tanto aceptar la primera oferta que me llegara. Yo tenía sólo a mi hermano como referente. Mi padre faltó desde muy chico. Y tuve un entrenador, una personalidad fuertísima, Jorge Griffa, y luego llegó Zárraga, y entre los dos me envolvieron. Griffa fue derivando hacia una filosofía futbolística mucho más abierta, más clásica, más sudamericanizada. En aquel momento era un fajador. Zárraga valoraba mucho la picardía. De la primera sesión de entrenamiento siempre recuerdo una anécdota adolescente. Yo era mucho más delgado que ahora, y muy alto, y llevaba unos pantalones acampanados. Una vez él me dio una patada en el tobillo, y luego contó que lo había hecho para comprobar si yo tenía tacos o si lo quería engañar. Entre los dos me dijeron que era la mejor lección para entrar en el fútbol europeo. Me di cuenta de que no sería tan fácil como en Argentina, donde había sido campeón, no como titular asiduo, con el Newels Old Boys, y campeón mundial juvenil, con la posibilidad de debutar con la selección *senior* junto a una gran generación de futbolistas. Pesaba sobre mí un elogio demoledor. Era un jugador muy europeo, de larga zancada.

—También acusaban a Borges de ser muy europeo.

—A él por fino, a mí por bruto. Yo soy un producto de Rosario. Allí está prohibido tirarse al suelo y todas esas tonterías. No tenía más remedio que utilizar el físico para jugar. Al final me vine a Europa.

—Llegas a un país en el que en el mundo del fútbol se pensaba poco y se hablaba peor. Los filólogos dicen que en las periferias lingüísticas se habla mejor que en los centros. Llegas y te encuentras con un mundillo futbolístico con media docena de tacos por todo vocabulario.

—En general, sí. En Vitoria el fútbol era de corte británico. Empantanaban el campo. Aguanté físicamente. Me daban en el peroné. Me cascaban la musculatura. Yo venía de un país en que la amenaza de lluvia ya era motivo para cancelar el partido.

—Ante las reacciones contra Redondo, ¿piensas en ti mismo? ¿Como el objetivo a destruir?

—Hay una persecución ideológica con él. Hay algo de argentinidad en su aspecto un tanto soberbio, en su abuso de la técnica. Por todo eso que es esencial, que uno idealiza como el fútbol arte, se le tiene manía. Redondo es como una postal.

—¿Crees que Redondo podrá ser un emblema en el Real Madrid, como lo fueron Pirri o Velázquez?

—Pirri sí lo fue; Velázquez, no. A Velázquez lo admiran ahora. Cuando llegué a Vitoria, la primera frase me espantó. Fue en vísperas de una final de la copa del Rey y la dijo Lizeranzu: «Ojalá llueva». Aberrante. Yo pensaba que el fútbol era una fiesta.

—¿Hay un fútbol de derechas y un fútbol de izquierdas?

—Eso lo dijo Menotti en uno de sus libros. Hay un fútbol mezquino, represivo, oportunista, que apunta a la eficacia y que prescinde de los sueños y de la memoria, y hay otro fútbol acusado de romántico. Que el romanticismo gane a la fuerza siempre será difícil.

—Pasolini dijo que él no había descubierto la mentira del fascismo leyendo a Togliatti o a Gramsci, sino a Rimbaud, ya que un poeta de verdad le había transmitido la evidencia de que la retórica poética del fascismo era falsa. ¿Se puede trasladar eso al fútbol?

—Sí, es verdad. La condición de sudamericano me ayuda a verbalizar algo que forma parte de un sentimiento, de una cultura: el fútbol. Pasolini dijo que el fútbol en Sudamérica era poesía.

—Cuando convives con entrenadores, ¿te sientes contemplado como un bicho raro?

—Yo convivo básicamente con futbolistas. Con entrenadores no. Los entrenadores viven bajo presión, con gran ansiedad, lo que les hace decir cosas con las que no se identificarían en normalidad. Cuando un entrenador grita como un energúmeno o es que es un energúmeno o es que está bajo presión o es que pertenece a una cultura futbolística de derechas que aquí se identificó con lo testicular, con la furia española.

—La furia más española la he visto en los equipos turcos.

—El talento es sospechoso en el fútbol. El músculo es inocente.

—En el pasado Mundial primó el músculo.

—Hubo excepciones decisivas: Baggio, Maradona, Romario, que no coge un balón que esté a más de treinta centímetros, Stoichkov, o el mismo Hagi. Eso es el talento.

—Como filósofo del fútbol tu modelo es Menotti.

—Sí. Me tomó con 17 años. Todos me hablaban un poco como los *ultras*, «hay que meter cojones», etcétera, y de repente viene un tipo que me autoriza a jugar el fútbol que yo había soñado de niño: «Anímate a soñar, sal, atrévete, haz lo que sientes». El factor motivante que yo encontraba en ese discurso me pareció extraordinariamente atractivo porque me involucraba como persona. Entendí que esa autorización para ser libre en el campo era fundamental para cualquier juego y para el mundo del fútbol.

—Sabías que Menotti era de izquierdas.

—Lo supe después de estar en España. De todas maneras era evidente su progresismo. Futbolísticamente. Él comenzó a manifestar su personalidad de izquierdas cuando la dictadura argentina empezaba a estar acorralada, necesitada de puntos de apoyo, de personajes populares, y los medios de comunicación ya ejercían una influencia crítica importante. Una revista sacó dos números. Una decía: «Menotti debe hablar», y la otra: «Menotti no debe hablar». Se consideró un plebiscito. Menotti habló y reclamó la vuelta de artistas populares exiliados y dijo que era un hurto cultural por parte de la dictadura.

—La mayoría cree que los deportistas no deben tener opiniones políticas. Incluso el público lo reclama así.

—Yo creo que en general no tienen ideología. Casi todos los futbolistas son de origen popular y lo pierden de vista cuando se convierten en figuras. Otros no. Digamos que hay gente con intuición de izquierdas. El mismo Maradona mete los dedos dentro de un enchufe dando su apoyo a Fidel.

—Pero el sistema y el propio Menem lo putean.

—Porque es uno de esos personajes que tiene el verdadero poder, el poder sentimental sobre la gente.

—La izquierda europea ha sostenido que el fútbol es un instrumento del poder para instrumentalizar a la gente, pero Togliatti era un forofo de la Juventus.

—Lo primero que me hizo pensar sobre esto fue un artículo tuyo en la revista *Triunfo*.

—Entonces se pensaba que «pan y toros» y «fútbol y pan» era lo mismo, salvo los que veníamos de sectores muy populares, que habíamos mamado la derrota político-social de la guerra civil y sólo nos faltaba que nos quitaran las victorias del Barça. Pero es cierto que el fútbol le ha hecho un gran favor al Estado represivo. Estás en un equipo que fue un emblema de Estado en una época dura. Yo conozco al público del Real Madrid y es un público plural, hay públicos de España más de derechas que el público del Real Madrid. En la tribuna del Barça puede haber tantos reaccionarios como en la del Madrid. Pero cuando vuelves al club como entrenador te llenan las paredes de «sudaca», y de Rincón ya no hablemos, tiene un vicepresidente ligado en el pasado a Fuerza Nueva y conectado con Ultrasur. El otro día alguien me metió por debajo de la puerta de un hotel prestigioso de Madrid una revista rojísima con un artículo de Cappa, muy bueno, sobre las relaciones norte-sur.

—El artículo de un militante exiliado. Un superviviente.

—Tú y Cappa en el banquillo. Junto al pánico escénico habría que empezar a hablar de la esquizofrenia del banquillo.

—No sé connotar en abstracto esa esquizofrenia real. Tres casos puntuales. Lo de Menotti y la dictadura. Con el tiempo uno ha leído poemas de torturados que oían desde las mazmorras los gritos entusiasmados de la gente cuando fuimos campeones del mundo. Es algo demoledor. En defensa de Menotti he de decir que escuché la charla técnica que dio a los jugadores antes de la final, y me pareció un discurso muy inteligente, muy apropiado. Vino a decir: «Nosotros somos el pueblo, pertenecemos a las clases más desfavorecidas del país, somos las víctimas, y representamos lo único auténtico de este país, que es el fútbol. No jugamos para el palco lleno de milicos, jugamos para la gente. No defendemos la dictadura, defendemos la libertad». Menotti se ha tenido que comer acusaciones en forma de libro. Un libro terrible que se llamaba *Menotti y la dictadura*. Otro tipo de esquizofrenia fue la que tuve que vivir yo años después. Un menotista en la corte de Bilardo. Yo jugando en la selección argentina en favor de una idea del fútbol reaccionaria fortalecida porque Argentina fue campeona del mundo.

—¿Recuerdas aquel partido en el que hubo el lío entre Bilardo y el jugador del Sevilla que le dio agua a un contrario?

—El discurso quedaba reducido a una palabra: «pisarlo». Al contrario, pisarlo. Los colorados son los nuestros, los otros son enemigos. En realidad eso lo hace con frecuencia la derecha. Fabricar un enemigo. Bilardo lo hace como nadie. Es capaz de quemar la bandera de Argentina en vísperas de un partido para lograr un sentimiento de ofensa patria entre los jugadores y arrancar motivaciones extras. Pero en mi caso se trataba de jugar o no jugar en la selección argentina. Jugué ofreciendo a Menotti el triunfo después de la final y manteniendo mi discurso durante. En el Real Madrid es más complicado. Hay una estética que yo aborrezco, y que a veces llega al banquillo en forma de los cantos fascistoides de una minoría.

—Lo del entrenador holandés del Valencia pidiendo que retiraran los símbolos nazis fue cojonudo.

—Cojonudo.

—Cuanto más pedagogo social es un entrenador, más peligro corre de que le cesen.

—No sé si tengo derecho a serlo. Soy un profesional, y el lugar donde debo defender mi ideología es en el fútbol. Lo demás forma parte de una política institucional.

—Si no obtienes buenos resultados, te van a machacar más que a cualquier otro entrenador.

—De eso estoy convencido. En el Real Madrid sólo me hace inocente la victoria. Yo tengo muchos amigos del Real Madrid, de la misma posición ideológica que yo. En el Bernabéu, en pequeña escala ocurre lo que en España entera. Los Ultrasur son un grupo homogéneo. Gente de derecha, cabeza rapada y monos que imitan a los que más gritan. El perfil de todos los grupos *ultras* del mundo: machos peleones, con dificultad para trabajar, una formación mínima y que no tienen ninguna duda. No les gustan los negros, ni los catalanes, ni los vascos. No les gustan los sudamericanos, sólo les gusta ganar. Si ganas, se suben al tren; y si pierdes, se bajan y te apedrean. Al Bernabéu van en el mejor de los casos 100.000 personas y esos impresentables son 3.000, pero son los que dictan la pauta ideológica. Los demás están perplejos, no saben si es malo o es bueno que haya un grupo que anime; no saben si han de gritar o callar ante los excesos; y mientras piensan, los otros están emitiendo un mensaje que representa falsamente al Real Madrid. En la calle pasa lo mismo. Los que no dudan ganan los medios de comunicación, ganan la calle. Los que dudamos estamos perdiendo terreno.

—La derecha nunca duda.

—Exactamente. Estamos haciendo esfuerzos para rearmarnos. Lo que pasa es que hay pocas referencias. Salimos a la caza de algunas certezas que nos representen, que nos hagan sentir cómodos y que nos ayuden a defendernos cuando nos tratan de ingenuos. También en lo futbolístico hay dos escuelas. Nosotros nos pasamos el día fabricando argumentos, ideas, explicando un proyecto, y los otros se limitan a destruir ese discurso.

—Te hago una pregunta que quizá no te convenga contestar. Viendo la transmisión de la asamblea de los presidentes de fútbol realmente existentes, ¿no sentiste vergüenza ajena?

—Fue un espectáculo denigrante. A uno sólo le resta ruborizarse y seguir defendiendo sus ideales. Pero no quedaron mejor los políticos cuando la gente se echó a la calle.

—Nadie entiende cómo se tomó la decisión de enviar a segunda división a una parte importante del pueblo de Sevilla y Vigo.

—No descarto nunca la idiotez como hipótesis de trabajo. A veces analizamos al contrario con una complejidad inmerecida. En general las cosas son mucho más primarias. Salieron cuatro ciudades a la calle, y ningún político es capaz de decidir en contra de un elector. El fútbol está imantado, atrae a personajes tipo Ruiz-Mateos, Jesús Gil, porque la popularidad es un poder en sí mismo, con independencia de cómo la consigan.

—A ti te adoran o te detestan.

—Algunos de los que dicen quererme me odian. Incluso hay periodistas que parecen querer elogiarme y me están hundiendo.

—Es el odio a lo diferente.

—Se ironiza sobre mi manera de hablar. Parece que el fútbol no puede admitir un lenguaje que supere la cultura selvática de la cancha. Con los que me llevo mejor es con los jugadores.

—Porque tú has sido jugador y presupones en ellos la inocencia lúdica. ¿El miedo escénico del entrenador es el mismo que el del jugador?

—Es menos manejable el del jugador, porque se hace músculo y juega mal. En el entrenador se hace idea, entonces puede caer en toda clase de trampas.

—Viendo el Compostela-Coruña, Toshack parecía paralizado.

—Hay semanas perdedoras. La gran cuestión es el miedo de antes del partido. Eso es lo que hace miserable al juego. Cuando uno tiene miedo antes del partido le da la pelota al contrario. Hay que permanecer fiel, incluso en los momentos peores, a la propia filosofía del fútbol. Yo reconozco como grandes talentos del fútbol mundial a Di Stéfano, Pelé, Cruyff y Maradona. Seguramente cometo una injusticia, porque alguno más tiene el derecho de estar allí, pero el único que tenía una calculadora en la cabeza era Cruyff. Los demás eran más apasionados.

—Y olía bien. Según cuentas en *Sueños de fútbol*, Santos Ovejero, que era un jugador temible, dentro de aquella defensa de cortadores de troncos del Atlético de Madrid, se maravillaba de lo bien que olía Cruyff cuando lo marcaba.

—Me acuerdo de la frase. Estaba con Ovejero en una pizzería y decía: «Cruyff, la puta, te cambiaba de ritmo, te dejaba en ridículo». Luego mordió la pizza y añadió: «Pero olía de bien».

—Te has encontrado más de una vez con Cruyff. ¿Sigue oliendo bien?

—Huele mejor cuando pasa que cuando está. La sensibilidad de Ovejero no se corresponde con la imagen que teníamos de él como futbolista.

Sostuvimos la entrevista en el intermedio entre la derrota del Madrid en Amsterdam frente al Ajax y el concierto de Pablo Milanés. Ni que decir tiene que desde entonces ha habido suficientes motivos para que tanto él como yo consiguiéramos ser más esquizofrénicos que ayer, pero menos que mañana. Valdano y Cappa fueron cesados tras una derrota del Real Madrid a pies del Rayo Vallecano y un entrenador de la casa blanca sancionó lo ocurrido con la expresiva afirmación: «Se han acabao las milongas». Tampoco parecían estar para milongas los consejeros de José María Aznar que me daban toda clase de facilidades para no concederme la entrevista con su líder. ¿A quién atribuirle el filibusterismo o el veto? ¿A Miguel Ángel Rodríguez, su valido en las relaciones con los medios de comunicación? ¿A Miguel Ángel Cortés, el inspirador de su política cultural? He leído los informes que Mauro Armiño ha ido publicando en *El Siglo* bajo el título «La incultura que viene», primero una serie de cuatro entregas y luego las sucesivas posdatas motivadas por la evolución de los acontecimientos hasta las vísperas de las elecciones de marzo

de 1993. Según Armiño, los programadores de la política
cultural del PP se mueven entre la afición por la zarzuela y
el género chico del alcalde de Madrid, Álvarez del Manzano, y el eclecticismo del ex rector Villapalos, proveedor de
cultura de Ruiz Gallardón. Entre ambos estarían los gustos
y proyectos de Aznar, vigilados de cerca por Miguel Ángel
Cortés y nutridos por un discurso patrimonializador de las
Artes y las Letras por encima de las ideologías y una exaltación de la cultura nacional española. Cortés encabeza la
FAES (Fundación para el Análisis y los Estudios Sociales)
y ha merecido calificativos varios: «joven y atildado liberal
de buena familia», opinan Antonio Casado y Jesús Rivasés
(Detrás de Aznar), quienes también lo consideran suficientemente popperiano como para haber inducido a Aznar a
leer a Popper, supongo que en busca de la llave de la meto-
dología de la ciencia y de la epistemología en ella implícita.
Mauro Armiño no se para en Popper y bajo su responsabilidad realiza un retrato de Cortés que no le gustó nada al
retratado: «No aporta mucho Cortés a la receta de Aznar,
salvo los matices que durante las cuatro horas de entrevista, en dos sesiones, se le escapan cuando se objetan sus
planteamientos o se matizan unos conceptos tan genéricos
que pueden valer para la cultura o para la energía hidráuli-
ca. Ante las objeciones a su forma de ver las subvenciones
en el antiguo régimen, afloran los nervios y pronto surge el
vacío de un hombre que no parece haber tenido contacto
directo con la cultura ni con sus productos: tal cual ópera,
tal cual obra que quiere ser estreno de teatro —ahora que
el PP ha puesto algunas sucursales— en el Teatro Español
o en la Muralla Árabe; nerviosismo e incredulidad cuando
se niega, por ejemplo, esa idiosincrasia española y ese patriotismo en Goya: no es Goya desde luego el ejemplo más

afortunado que Cortés podía elegir; su obra, por más española que parezca y sea en sus figuraciones externas —toros, majas, súcubos y fusilamientos—, pertenece a un espíritu afrancesado nacido de la Revolución Francesa, contra la que aquí pusieron los políticos del momento, incluso los más liberales incluidos, un férreo cordón sanitario en la frontera. Le cuesta a Cortés comprender la ironía y la sutileza, acostumbrado como debe de estar al lenguaje de esparto usado en el Parlamento». Verdaderamente no se muestra Armiño demasiado tolerante con los deslices conceptuales del hombre estratégicamente más culto del PP, por ejemplo, le reprocha que no sepa matizar las diferencias entre Lutero y Calvino, y es lógico que captara en Cortés rasgos de nerviosismo algo autoritario ante la más leve objeción. Armiño llega a la conclusión de que entre la nueva derecha española y la vieja derecha europea culturalizada aún hay Pirineos: «Entre la derecha francesa y la española hay algo más que unos Pirineos o un Canal de la Mancha si se deciden por el barco».

Si al parecer Mauro Armiño figura a la cabeza de la lista negra de intelectuales censada por el PP, el autoritarismo ante la más leve objeción también se puso de manifiesto como connotación de la conducta de los jóvenes leones del PP a raíz de la publicación del suplemento dominical de *El País* de fecha 18 de febrero de 1996. La mano derecha de Aznar recibió honores de portada del dominical y en el interior Francisco G. Basterra loaba «el ascenso de un hombre corriente», amparado por una cita nada menos que de Abraham Lincoln: «Dios prefiere a la gente común, por eso creó tantos».

Basterra describe a los aznaritas como miembros de los JASP (Jóvenes aunque sobradamente preparados) y no desliza malicias en su texto, pero sí algunas verdades objetivas que suelen ser las más comprometedoras. Fue leyendo *No soy Stiller* de Max Frisch cuando me di cuenta de ello hace más de treinta años, expresamente cuando el protagonista se prueba unas viejas botas militares y comenta: «Me van pequeñas». El oficial del ejército suizo que está a su lado le dedica su peor mirada: «Me miró como si yo fuera marxista porque había dicho una verdad objetiva». La doctora Ochoa ha diagnosticado que Aznar no se implica emocionalmente: «Es friático», y no sé si sabe exactamente lo que ha dicho la doctora, porque «friático» quiere decir «friolero», sí, pero también «soso, necio y sin gracia». Sin duda «friático» se queda en lo de «friolero emocional», porque Ana Botella, la esposa de Aznar, ha comentado que de vez en cuando a su marido se le pone «cara de cubito de hielo». Basterra se limita a hacer un retrato objetivo y normalmente *par lui même* del personaje, pero otros colaboradores del suplemento realizan aportaciones valorativas personales. Rosa Montero: «¿Qué clase de primera dama será Ana Botella, esta Ana compacta y desenvuelta, esta mujer activa y pizpireta con tantísimos dientes en la sonrisa?». Juan José Millás analiza la foto de las manos de Aznar: «Decididamente, lo que más llama la atención de estas manos es la actitud de los pulgares. Fíjense en el de la derecha de la foto; parece que tuviera tres falanges en lugar de dos, que es lo habitual, lo que en un líder de centro podría ser inconveniente». Vicente Verdú: «Todo parece pequeñito y durito en Aznar, al punto de que cuando se ríe es como si se hubiera partido una avellana o destornillara un perno». Ángel S. Harguindey: «Rutina y austeridad. Dicho así parece un elogio, pero también es un canto al aburrimiento». Juan G. Ibáñez: «Paseaba por el Pirineo. Dos guardias civiles iban unos metros por delante y otros dos por detrás. Parecía, el líder del centro derecha, un maquis detenido».

Más aséptica es la selección de frases de Aznar o de sucedidos de su vida incluidos en el suplemento, por ejemplo, que quisiera ser jefe de Gobierno desde la más tierna infancia o que pretenda haber sido un joven muy solicitado por las chicas o que fuera falangista republicano a los 16 años o que tenga gustos literarios de mayoría absoluta (Delibes, Goytisolo, Benet y Cela) o que presuma que lo importante no es tener carisma, sino tener razón, o que reconozca que entre la gente y él hay un muro de incomunicación que en ocasiones le cueste superar o que amenazara con morder a los que han inventado la calumnia de que su bigote esconde un labio leporino.

Pequeñas malicias, sin duda, que en otras ocasiones y en muy diversos y complementarios medios de comunicación ha recibido Felipe González a cientos, a miles, sin que se hubiera producido una reacción negativa fulminante como la que emitió Aznar o su entorno: negarse a conceder una entrevista a *El País* en los días finales de la campaña electoral. ¿Tanto les cuesta aceptar que el mérito de la victoria de Aznar se basará precisamente en la falta de atributos del personaje, en su condición de político inodoro, incoloro, insípido, accidentes legítimos de la sustancia centro? Leyendo la biografía de Aznar de Raimundo Castro, *El sucesor*, aunque está hecha a favor del personaje, el autor no quiere falsificar el código de señales que emite el candidato a jefe de Gobierno y aporta su principal cualidad: creer en sí mismo. Los versos de *If* de Kipling forman el poema de cabecera de Aznar desde que se lo pasara en perfecto castellano el cantautor Joaquín Díaz, pero carezco de esa peculiar traducción y recurro a la de Luis Cremades publicada en Visor:

Si puedes mantener la cabeza cuando todo a tu alrededor
pierde la suya y por ello te culpan;
si puedes confiar en ti cuando de ti todos dudan,
pero admites también sus dudas;
si puedes esperar sin cansarte en la espera,
o ser mentido, no pagues con mentiras,
o ser odiado, no des lugar al odio,
y aun no parezcas demasiado bueno, ni demasiado sabio.

Aznar ha confesado, en un raro momento de venci-
miento emocional que para llegar a donde ha llegado ha
tenido que pasar por encima de la tendencia a ningunearle
que muchas veces ha percibido a su alrededor. Incluso Fraga Iribarne, su padrino, no lo fue lo suficiente como para
respaldar desde el comienzo su candidatura al delfinato.
Fraga prefería a Isabel Tocino: «Tiene mejores piernas que
Aznar», y en el imaginario de Aznar quedaron las piernas de
la señora Tocino para siempre, unas piernas que ya no figu-
ran ni figurarán en la primera fila de las alegres acuarenta-
das del PP. Aznar ha jugado su turno y que cada cual interprete estos versos de *If* a su leal entender:

Si puedes arrinconar todas tus victorias
y arriesgarlas por un golpe de suerte,
y perder, y empezar de nuevo desde el principio
y nunca decir nada de lo que has perdido;
si puedes forzar tu corazón y nervios y tendones
para jugar tu turno tiempo después de que se hayan gastado.
Y así resistir cuando no te quede nada
excepto la Voluntad que les dice: «Resistid».

¿Por qué será que estas recomendaciones de Kipling para forjar el carácter me recuerdan demasiados versículos de *Camino* de Escrivá de Balaguer? Si el personaje es tan blindado, ¿qué temían los señores Rodríguez o Cortés de mi encuentro con Aznar? Suelo encariñarme con la gente que conozco y revelaré que he suavizado algunas de mis apreciaciones previas sobre la cultura del bonsái después de haber pasado revista a los cultivados por Felipe González acompañado por el mismísimo jefe de Gobierno, apenas una semana antes de las elecciones. El Rey no tuvo inconveniente en concederme audiencia a mí, proclamado republicano, dentro de lo que cabe, pero tal vez Aznar no soporte ni siquiera la idea de departir con alguien con fama de *gourmet*, conocida su adhesión a la discutible filosofía de que hay que comer para vivir y no vivir para comer, hasta el extremo de brindar con agua en la noche de bodas, rechazando la copa de *champagne* que le tendía Ana Botella.

> *Si puedes hablar con multitudes y mantener tu virtud*
> *o pasear con reyes y no perder el sentido común,*
> *si los enemigos y los amigos no pueden herirte,*
> *si todos cuentan contigo, pero ninguno demasiado;*
> *si puedes llenar el minuto inolvidable*
> *con los sesenta segundos que lo recorren.*
> *Tuya es la Tierra y todo lo que en ella habita,*
> *y —lo que es más— serás Hombre, hijo.*

8. Pisar sobre cadáveres

No se puede pisar sobre cadáveres para beneficio del Estado.

(Isaiah Berlin, citado por Baltasar Garzón en su Prólogo para juristas *de la obra de Joaquín Navarro* Manos Sucias: el poder contra la Justicia*)*

El presidente de la Audiencia Nacional forma parte del paisaje moral de mi juventud, cuando los justos nos reconocíamos en las catacumbas, dentro de la comunión en la ética de la resistencia contra el franquismo. No encuentro una explicación más clara, ni menos enjundiosa, para justificarme por qué al reencontrarme con Clemente Auger al cabo de unos veinte años de desencuentro, podemos entrar en situación y en diálogo como si nos hubiéramos visto ayer por la tarde. El excelentísimo señor presidente de la Audiencia Nacional formaba parte de un pequeño Bloomsbury madrileño en el que era posible reunir a Pradera, Jorge Semprún, Juan Benet, Jesús Aguirre o el duque de Alba, monta tanto, tanto monta porque son la misma persona. Clemente Auger me recibe en su piso, pocas horas antes de salir de viaje con su mujer, y le comento que tengo cita con Garzón.

—Recuerdo que hace unos meses me sorprendió en una revista un reportaje sobre siete jueces españoles que eran, si no me equivoco, Bueren, Rebollo, Barbero, Moreiras, Manuela Carmena, Márquez y Garzón, hace más de un año y pico, y les llamaban «los siete magníficos». Un despliegue estelar, un *star system* de la judicatura nuevo en España. Emergió un juez cuando el asunto aquél de la fuga de dinero a Suiza, el caso Palazón y García Enterría. Todo el mundo habló mucho entonces del juez Lerga. Era la excepción que no confirmaba ninguna regla. ¿Hoy podemos hablar de un poder judicial emergente?

El excelentísimo señor presidente de la Audiencia hace buena la máxima atribuida a Victor Hugo: «lo que bien se concibe bien se expresa, con palabras que acuden con presteza». Frío en el razonamiento, pero vehemente en la forma, los años han acentuado el parecido entre Auger y Jorge Semprún hasta conseguirles un excelente aspecto de directores de Filarmónica, de Chicago por ejemplo.

—Bueno, ahí hay dos aspectos que considerar: la emergencia de un poder y el fenómeno extraño, ¡vamos!, no previsto, de un *star system* de jueces. Para entenderlo bien tienes que tener muy en cuenta que no es un fenómeno español, que es también italiano, belga y francés. Dejando aparte el italiano, que tiene características especiales por la crudeza del problema, en Italia en este momento hay 3.000 personas del *establishment* sometidas a procedimiento judicial, en Bélgica, Francia y España hay escándalos político-financieros muy notables. Consecuencia: miembros de la carrera judicial, y el poder judicial en general, adquieren un vedetismo parecido al tradicional vedetismo del poder ejecutivo o del legislativo. Esto es un fenómeno nuevo. El poder judicial ha sido siempre secundario en relación con los otros poderes, un poder pobre, no un poder fuerte, y aparentemente las cosas han cambiado. Este fenómeno, como todos los fenómenos, tiene un aspecto de realidad y otro de percepciones que, como casi todas las percepciones, son profundamente equivocadas. Vamos a la primera parte, la realidad del ascenso del poder judicial. ¿Es completamente falsa la percepción? No. En las democracias representativas europeas, una vez que se produce el cuasi-acercamiento al partido único, donde la sociedad está bastante satisfecha, sus representantes políticos son pura gestión; al lado de eso se produce un aumento de la ilegalidad generalizada en las instituciones públicas. Un hecho cuantitativamente sin precedentes. Por otro lado, los poderes que gestionan esas ilegalidades están muy estratificados, muy asentados en lo que yo considero regímenes de casi partido único, a la norteamericana. Eso explicaría la aparición de otros poderes emergentes al lado del legislativo y el ejecutivo. También porque en las democracias representativas, después de la II Guerra Mundial y de la desaparición de la violencia como programa, hay una exigencia social de legalidad y el poder llamado a satisfacerla es el judicial. También hay que considerar el factor de que la carrera judicial permite que personas muy jóvenes lleguen a tener notoriedad con cierta rapidez. Igual ocurre en el poder mediático. Todo eso nos da las razones de un vedetismo circunstancial que no se corresponde con un poder real.

—Asistimos al anquilosamiento de la democracia representativa.

—O a su consumación. No creo que simplemente haya anquilosamiento. Hay una transformación. Asistimos al paso de un régimen de partidos al partido único, o al menos a la coincidencia de casi todos los programas bajo la ley del posibilismo. No se trata de nada que tenga que ver con autoritarismo ni con totalitarismos.

—Una cultura de mercado, sea político o informativo, puede condicionar como paradoja la concentración y el monolitismo. Aquí hay una contradicción.

—Y, al mismo tiempo que se produce eso, el aumento en las élites de comportamientos ilegales es espectacular, desde mi punto de vista, precisamente porque los enfrentamientos son puramente enfrentamientos de mercado. El control del Parlamento sobre esa situación es muy escaso. Hay interferencias por todas partes. Centros de poder extraparlamentarios que son capaces de predeterminar medidas legislativas y ejecutivas que el Parlamento se limitará a ratificar.

—Se necesitan muchas complicidades para que esto sea así.

—En ese reparto de poder descentralizador también hay que incluir las regionalizaciones, las autonomías. Aumentan las ilegalidades después de la II Guerra Mundial, precisamente cuando la legalidad se ha convertido en un mito. Nos instalamos en la doble verdad y la doble moral. Pero después de la caída del muro, de la desaparición de la guerra fría, llega un momento en que esas dobles verdades no son resistibles, no se pueden aguantar. No es que el desvelamiento vaya a llevarse por delante el sistema, pero de momento ha significado un cierto protagonismo del poder judicial que empieza a penetrar en territorios hasta ahora concertados exclusivamente por las élites políticas y económicas. Los jueces pueden investigar las ilegalidades y los medios divulgarlas, y los mandatarios políticos quedan en entredicho porque ya no pueden lavar esos trapos sucios en la colada corporativa. De ahí pasan a denunciar «el protagonismo de los jueces». Ese aumento de poder real no significa una sustitución de poderes, es decir, nada más lejos y más estúpido que pensar que los jueces van a gobernar. Los jueces no gobiernan porque representan un poder difuso, que no responde a un centro de planificación. No tienen ninguna posibilidad de estrategia generalizada. Al lado de eso, se produce una atención en los medios informativos, y especialmente en los audiovisuales, sobre los procesos, sin precedente. Cuestiones que antes hubieran ido en las páginas de tribunales ahora pasan a las primeras páginas.

—Os habéis convertido en mercancía informativa de primera clase.

—Así es. Además, cada planteamiento penal pide la personalización de ese planteamiento, a lo que contribuyen los medios de comunicación con la complicidad o no de los ciudadanos protagonistas, sean los encausados o acusados, sean los jueces de instrucción. El fenómeno de jueces protagonistas mediáticos de la vida pública se ha producido en Francia exactamente igual que en Italia o España. ¿Es una excrecencia inevitable? Inevitable por la falta de cultura, no sólo jurídica, sino también democrática de los ciudadanos, unido a que los medios necesitan visualizar, es decir, personalizar los hechos materia de escándalo. ¿Cuándo lo hacen? Al comienzo. ¿Quién es el sujeto principal del comienzo de un proceso legal? El juez de instrucción. Por eso ese *star system* al que te referías está ocupado por jueces de instrucción.

—De todo el procedimiento judicial, ese momento inicial es el que reclama mejor un protagonista. En España es el juez de instrucción y en Italia el fiscal.

—De ahí que en España el protagonismo lo tengan jueces como Garzón, lo quiera o no lo quiera, y en Italia un fiscal como Di Pietro. ¿Quién sabe después los nombres de los otros responsables de nuevos órdenes de procedimientos? Nadie. Ese protagonista inicial además va a tomar decisiones muy importantes, primarias, como son: libertad-no libertad. Entonces intervienen los medios de comunicación teatralizando el proceso. Los medios, frente al protagonismo de la persona a la que hay que empapelar, necesitan la antítesis, el juez instructor o el fiscal, mientras ellos se convierten en los árbitros de esa pelea.

—En España, una vez sale la causa de las manos del juez instructor, pasa a sujetos colectivos casi no personalizables. Por ejemplo, el Tribunal Supremo. ¿Cómo se audiovisualiza un Tribunal Supremo?

—Entonces el protagonismo pasa al abogado, pero a veces el juicio paralelo mediático ya es irreversible. Al abogado se le ve como un cómplice de su cliente y hay una desconfianza social ante el abogado del presunto delincuente que tiene poder económico. La visualización mediática de todo eso es muy reciente en nuestra cultura. Lo que pasa es que en los inicios del proceso, en la medida en que tienen cierto carácter inquisitivo, un cierto carácter predemocrático, los protagonistas son el propio acusado y el juez de instrucción. El abogado defensor, cuando aparece, es para hacer legítima publicidad de su cliente o de sí mismo, pero los elementos que tiene a su disposición, de defensa técnica, son muy inferiores a los que tendrá más adelante.

—Aparte del moderno papel teatralizador de los medios de comunicación, corrupción y terrorismo de Estado ha habido siempre. ¿Por qué ahora esa divulgación? En Italia se había tapado durante años que Andreotti estaba conectado con la Mafia, por poner un ejemplo cupular, y cuando se termina el montaje de la guerra fría ya no hay que proteger a los antiguos corruptos y se les deja caer. Pero ¿y en España? En Europa el sistema estaba amenazado por el comunismo y había que protegerlo con la doble verdad, la doble moral y la doble contabilidad. ¿Y en España? Además, fíjate que los escándalos afectan fundamentalmente a socialistas, tanto en Italia, como en Francia o España o Bélgica.

—Vamos, yo creo que tiene una explicación. El aumento de las ilegalidades es espectacular en los años 80 y es en esos años cuando los socialistas ocupan amplios espacios de poder y han de hacer frente a aparatos de instalación y perpetuación que necesitan mucho dinero.

—Paulatinamente ha desaparecido la militancia activa y generosa y se profesionalizan los aparatos, al tiempo que las campañas propagandísticas cuestan cantidades astronómicas.

—Así es. Pero esa situación afecta a los que mandan. No porque sean socialistas.

—Evidente. Yo no hablo de la culpabilidad intrínseca de los socialistas. Pero necesitan instalarse socialmente y no han dispuesto de las complicidades históricas del poder económico para hacerlo. Además todo poder genera una nueva clase y enriquece a sus adeptos más imprescindibles, sobre todo a los que le sirven de intermediarios con la oligarquía heredada. Un diputado italiano, socialista, con las manos limpias, comentó lúcida o cínicamente: «Escoge tú: la democracia es cara».

—Es un comentario a la vez cínico y lúcido. Pero hay que asumir esa nueva situación y buscar las causas para atajarla, sin ninguna nostalgia por la pureza de aquellos tiempos de la clandestinidad en la que todos éramos justos y honrados. Yo creo que se ha ido a la corrupción, no porque los poderes fueran fuertes, sino porque se han dispersado en muchos centros de poder que se libran de una fiscalización democrática. Se adquieren poderes inéditos en sedes inéditas. Por ejemplo, lo que un concejal de Urbanismo puede vender, desde permitir que se hagan unas torres en un sitio donde no se pueden hacer hasta darle una plaza de sereno al hijo de una amiga. ¿Cómo se fiscaliza eso? ¿Quién?

¿Los jueces? Los jueces sólo intervienen cuando se produce una evidente quiebra jurídica y no son responsables de una legislación que ha hecho posible el desaguisado. Los Parlamentos crean reglas que se incumplen al día siguiente, y basta ver con qué complicidades; por ejemplo, cómo han jugado algunos bancos a proteger el fraude fiscal en los límites de la legalidad. Como tampoco es trigo limpio esa coartada de que muchos políticos no han robado para sí mismos, sino para el partido. Pues mire usted, desde un punto de vista democrático, es peor robar para un partido que para un particular. Si se rompe la regla de juego de la financiación legal de los partidos, se rompen todas las demás. Todo está permitido.

—Eso implica algo así como una corrupción fundamental de lo que son los ingredientes del juego democrático. Y por ese camino se legitima que la lucha contra el terrorismo genere una lucrativa industria a base de fondos reservados. Los niveles de corrupción conocidos son altos y plurales. El papel del poder judicial es aplicar la legalidad vigente, pero a veces se les ha visto como los grandes reformadores potenciales. En Italia llegaron a hablar de «la vía judicial hacia el socialismo».

—Pues vaya chorrada, porque luego Di Pietro, por ejemplo, no ha salido de izquierdas que digamos.

—En España se da una división política de la judicatura, es bastante obvio, por razones de sustrato, es decir, hay un pasado cultural diferente en determinados segmentos de la judicatura, los que vienen de Jueces para la Democracia, los que vienen de...

—Claro, pero es que eso yo creo que se ha terminado. El mundo de la judicatura se ha alterado por la irrupción de los jóvenes que venían de otras guerras o por la llegada masiva de mujeres que aportaban otra percepción cultural. Las antiguas divisiones están superadas generacionalmente. Las dos terceras partes de la carrera la forman gentes muy jóvenes, de estratos sociales completamente distintos. Se están produciendo fenómenos de endogamia dentro de la carrera pero no por ascensos, sino por matrimonios entre juezas y jueces. Los jueces no están afectados por el factor k del partido comunista, no están afectados por ningún tipo de guerra fría, no están afectados, precisamente por eso, por ningún residuo del franquismo, porque ha pasado mucho tiempo y porque, además, todos los protagonistas de la vida judicial española casi eran niños cuando muere Franco. ¿Qué pasa? Es lo que te decía yo al principio, que como factor de movilidad social y de adquisición de protagonismo la judicatura es un lugar inédito. Ése sí es un fenómeno nuevo a tratar no desde la perspectiva izquierda y derecha, sino como un poder emergente y con ganas de serlo. Que lo constate no quiere decir que me guste. Ante el desencadenamiento de tantas ilegalidades, hay jueces que los asumen muy activamente y otros más pasivamente. Eso es casi todo.

—Tú lo has dicho: casi todo.

—Los jueces no van a cambiar de ninguna manera el sistema, de ninguna manera. Así como en Italia los fiscales de aquí o de allá pueden ponerse de acuerdo, aquí los jueces no.

—Pero en España hay quien habla de la vía judicial hacia el PP.

—Eso es peligroso, eso no se debe decir. Igual que lo de la broma de la vía judicial al socialismo me parece que, como broma, está bien, lo de la vía judicial al PP es un chiste peligroso. Si se produjera el triunfo electoral del PP, estaría dentro de las coordenadas de alternancias propias del sistema del cuasi partido único. Pero no tendría nada que ver con la acción judicial sobre las corrupciones del Gobierno o Gobiernos anteriores.

—Ese papel de los jueces ha sido denunciado desde las filas socialistas: «¡Estáis abriendo camino a la llegada del PP!».

—Como todos los reproches ideológicos, no son nada más que falsedades y falacias. Yo creo, fíjate lo que te digo, que la democracia en España está más consolidada que en Italia.

—Es que allí han dispuesto de cuarenta y cinco años para cansarse de la democracia y aquí sólo de diecisiete.

—No, no es sólo eso. Yo creo que Italia es un país más desvertebrado que España, entre el norte y el sur, infinitamente más desvertebrado. La unidad de Italia es quebradiza, mucho más que la unidad española.

—¿De qué se ha muerto entonces la oferta socialista? ¿De éxito, como dijo Felipe González?

—De prepotencia. Pero, con todo el lío que hay, lo único que va a ocurrir es una alternancia de poder. Es decir, algo muy lógico democráticamente. Eso no es ninguna tragedia.

—Es una tragedia el descubrimiento de que vivimos en un Estado terrorista.

—Ha habido excrecencias en el comportamiento de un Estado, ¿no?, pero entre un Estado terrorista y los comportamientos ilegales de aparatos de poder hay una diferencia fundamental.

—Sí, evidentemente, no estamos ante el poder absoluto. No es un Estado totalitario. Pero el poder legislativo y el ejecutivo se han comportado como un rodillo mientras hubo mayoría absoluta.

—En esta cuestión estoy de acuerdo con Pradera. Todos los escándalos de ilegalidades que afectan a los Gobiernos socialistas no se pueden justificar en nombre del pragmatismo y la razón de Estado. Pero tampoco se puede decir que estamos en un Estado terrorista. Un Estado terrorista es otra cosa. Aquí lo que ha habido es una muy grave desviación de la legalidad.

—Avalada por las más altas instancias.

—Y todo agravado porque esas altas instancias no quieren asumir su responsabilidad política, como la gitana detenida en Galerías Preciados por robar una cartera niega haberlo hecho.

—Aquí se ha producido un intento de bloqueo de la investigación que ha implicado a las más altas instancias.

—Pero sin éxito.

—Por ejemplo, la campaña contra Garzón ha sido bochornosa.

—Yo lo leo en positivo. A pesar de todo ese obstruccionismo, la democracia española ha demostrado que es capaz de tirar adelante los procedimientos. La democracia está triunfando.

—Pero la izquierda en el poder ha demostrado que es capaz de tolerar y aun fomentar terrorismo de Estado.

—¿Izquierda? ¿Derecha? Forma parte de una determinada cultura del poder que incluye las ilegalidades si pueden quedar secretas. ¿Tú crees sinceramente que las izquierdas en España han sido democráticas, han tenido cultura democrática? Nos hemos ido imbuyendo de principios democráticos poco a poco, pero durante muchos años pensamos que las libertades eran «formales». Lo que tenga de demócrata Sartre lo tiene Jünger, exactamente igual. Por lo tanto, la asociación de izquierda y democracia la veo muchas veces gratuita.

—Una cosa es el confusionismo sobre la finalidad y el papel de la democracia con un objetivo transformador. Pero es que aquí, como gobernaba la izquierda, nos hemos desarmado éticamente y se ha ayudado a desarmar a la conciencia civil para que asumiera que bajo este Estado democrático, bajo las garantías democráticas, se podía seguir torturando, se podían dar tiros en la nuca a cargo de los fondos reservados, que forman parte del Presupuesto General del Estado. Recientemente supe que se sigue utilizando la bolsa de plástico para torturar a los presuntos terroristas, y cuando se lo relatan a los jueces, sus señorías ni se inmutan.

—Algún día dispondremos de jueces y policías inteligentes. No creo que haya que convivir siempre con el desastre.

—Con tal de que no pasemos del desastre a la catástrofe.

—Ha habido una perversión de las reglas del juego y un aviso de que eso no se puede hacer. También dudo que en el futuro cualquier Gobierno español tenga tantos corifeos como tuvo el PSOE, corifeos que no le ayudaron a controlar esas ilegalidades.

—¿Por qué el Gobierno os puso el veto a dos juristas de tradición democrática como tú y Martín Pallín?

—Creo que hicieron bien, ¿no? No éramos estrictamente de los suyos. No éramos de la familia.

—Ha podido más la «cosa nostra» que la pedagogía democrática. ¿No es obligación de la izquierda hacer pedagogía?

—Ningún poder hace pedagogía. Confías demasiado en la izquierda, Manolo. Yo estoy con Flores d'Arcais.

Me basta con que se usen bien las instituciones democráticas, y es lo que como ciudadano pediré al nuevo poder. La expectativa del cambio de conducta y de talante la creamos los intelectuales que aupábamos al PSOE, pero dudo que la sociedad en general se las tomara en serio. Más aún. Yo creo que votaron tanto al PSOE porque les pareció que no iba a cambiar casi nada.

—No sólo no han cambiado casi nada, sino que han introducido lo peor de la modernidad, la nueva segmentación social.

—Sí, eso es cierto. Pero es que las expectativas de cambio fueron excesivas. Hicimos más caso de lo que proclamaban los cantautores, que de la lógica de la realidad. Se puede vivir como un drama la fractura social, pero la crítica al PSOE de que no respondió a las expectativas es absurda. Respondió a la expectativa de que no hiciera cambios profundos y que se limitara a ciertas labores de redistribución. No sé si me explico, las críticas excesivas al PSOE se deben a necias actitudes de adhesiones excesivas. Esa fractura social es tremenda y alcanza cada vez más a los hijos de la burguesía. Los del crimen del *rol* son de estos barrios, y en los barrios donde habita una supuesta aristocracia obrera que vivió un cierto despegue económico, sus hijos ya son simplemente unos parados. A cualquier familia hoy le puede caer que una parte de sus hijos no trabaje y la chica, por ejemplo, tenga que irse de puta a Madagascar.

—O de camello a Bangkok. ¿Qué errores fundamentales ha cometido el PSOE en el tratamiento de la Justicia?

—A ningún poder le gusta la existencia de un contrapoder, pero en un sistema democrático no hay que llegar a la tentación de demonizar al contrapoder, y en cierto sentido el PSOE lo ha hecho con la Justicia. Tampoco han invertido bien en el sector para agilizarlo o modernizarlo, por utilizar la palabra fetiche. Durante unos años ha sido muy fácil el acceso al poder judicial y no se ha respetado la verdad suprema para cualquier oficio: saber o no saber. No sé si he sido muy caótico. Es que los madrileños, ya lo sabes tú, somos muy caóticos.

Garzón es el hombre del año y del día. Me aplazó la primera cita porque estallaron en su oficina las declaraciones autoinculpatorias de Sancristóbal, ex director general de Seguridad. A los arrepentidos Amedo y Domínguez se sumaban nuevos arrepentimientos: nada menos que Planchuelo, Francisco Álvarez, García Damborenea y Julián Sancristóbal, que se autorreconocen miembros de los GAL y responsables, de momento, de un caso incruento: el secuestro del falso etarra y ciudadano francés Segundo Marey. Queda en pie una cena, pero coincidió el día señalado con el escogido por García Damborenea para hacer las acusaciones que despejarán algunas incógnitas del caso GAL. El ex secretario general del Partido Socialista de Euskadi acusa al ex ministro del Interior José Barrionuevo, al vicepresidente Serra y al presidente Felipe González de corresponsabilidad en la guerra sucia contra ETA. Temo que Garzón no acuda a la cena y me comprometo a ir a un programa de televisión para opinar sobre Almudena Grandes, entrevistada por Julia Otero. Pero Garzón ratifica el encuentro, en La Ancha, no faltaría más, la de Príncipe de Vergara, donde la *maîtresse* ya me acoge con una mirada de complicidad porque por mi mesa pasan los protagonistas de la Historia como si formáramos parte de una mafia aglutinada por la tortilla de patatas con almejas. Cené con Garzón la noche del mismo día en que la cantata de Damborenea se incorporaba a la cronología del desmoronamiento del felipismo.

Garzón llega de manga corta y escolta discreta. Camina con ganas de no escuchar ni contestar, es decir, tal como sale en la tele, a través de un pasillo de expectación.

—¿Qué te dicen cuando pasas veloz a través de un pasillo de curiosos y periodistas?

—Unos me preguntan, otros me aplauden, algunos me increpan. Es como un paisaje en marcha del que ya no me doy ni cuenta.

Pero aquí no hay fotógrafos, ni público, y sí medidas de discreción que nos llevan a un comedor-zulo instalado junto a la cocina, a salvo de la curiosidad pública. Conocí al juez en un encuentro a propósito de Blas de Otero en la Universidad de Verano de El Escorial. Yo estaba desarrollando un curso más o menos relacionado con mi *Panfleto desde el planeta de los simios*, pero una noche, Sabina, la viuda de Blas, me pidió que presentara a los *artistas* que iban a recitar poemas. Todos eran blasoteristas convencidos, no rapsodas de oficio, pero Garzón dio un curso de perfecta memoria poética y entonación. Mi dossier me decía que Garzón conseguía cuanto se proponía, y si yo le vi recitar a Blas de Otero muy bien, Luis del Olmo presenciaría su interpretación de *O sole mio!*, romanza napolitana llena de dos de pecho como piedras. Garzón fue el segundo apellido de juez memorizado por las masas en la democracia: había perseguido a los capos gallegos de la Mafia en la Operación Nécora, instruido el sumario por el asesinato del líder de Herri Batasuna Josu Muguruza y llevado ante los tribunales a los comisarios de policía Amedo y Domínguez, primer hilo del ovillo de los GAL. Saco el magnetófono. Apilo los estuches de cintas grabadoras. Le ofrezco mi mejor oído, el derecho. Pero esta noche Garzón no quiere que conste grabación de lo que me dice, ni acepta que lo hablado aparezca en diario alguno.

—Comprende que me están acusando todos los días de juez *vedette* y que aún hay la tira de sumarios en curso.

Pide un menú frugal acompañado de una bebida que omito para no dar carnaza a sus detractores *gourmets*. «Juez del año en 1990» elegido por el European Law Students debido a su cartel como perseguidor de narcotraficantes e investigador del caso GAL, le retengo frases que en su día me parecieron esperanzadoras: «La razón de Estado no puede primar sobre la averiguación de la verdad en una causa criminal». «Quizá no sea Felipe González el cirujano que necesita la corrupción». «Estoy más a la izquierda que el PSOE». «Filesa es una de las mayores quiebras del Estado de Derecho». «Los artículos 20 y 21 de la Ley Corcuera exceden a lo que la Constitución permite». Era el juez mimado por los medios de comunicación, y de pronto, cuando se acercaban las elecciones generales de 1993, José Bono, el presidente de la Comunidad Autónoma de Castilla-La Mancha, le invita a una montería y a ella acude Garzón con un compañero de judicatura e intenciones democráticas, Ventura Pérez Mariño. Allí también estaba Felipe González para decirle entregadamente:

—No sabes las ganas que tenía de conocerte.

—Lo mismo digo.

Lo hablado en ese encuentro campero lleva a Garzón a las listas electorales del PSOE y nada menos que al puesto número 2 por Madrid, inmediatamente detrás de Felipe González y por delante de Javier Solana. A partir de este momento, Garzón será un héroe purificador para los seguidores del PSOE, la coartada de las intenciones catárticas de Felipe González y un paniaguado para la oposición, hasta el punto de que *Abc* le acusa de aprovecharse de la debilidad del PSOE para auparse, y yo, yo mismo, con estas manos que se comerá la tierra, escribí, cual sibila Casandra, que el PSOE lo iba a utilizar y tirar como si fuera un preservativo. El juez avisó al personal: «No aceptaré la disciplina de voto si quiebra mi conciencia». Garzón recuerda con precisión los días y las horas de su amor y desamor con Felipe González, como si hubiera repasado lo acontecido una y mil veces a la hora de hacerse reproches por un exceso de ingenuidad. Todo empezó precisamente porque en una entrevista periodística sobre los GAL había declarado que el responsable supremo del posible terrorismo de Estado era el señor X. ¿Quién podía ser el responsable de grupos clandestinos que habían utilizado a policías como Amedo y Domínguez? La lógica de los hechos señalaba a lo más alto del poder político.

—Yo no había formulado la hipótesis del señor X con intención política. Me limitaba a formular una ecuación judicial y policial. Había que despejar la incógnita: el señor X. En el PSOE se lo tomaron muy a mal y empezaron las agresiones verbales. Precisamente a causa de una de ellas me llamó el presidente de Castilla-La Mancha, Bono, y me invitó a una montería en una finca, con la presencia de Felipe González y la de mi compañero el juez Ventura Pérez Mariño. González tenía ganas de conversar, bueno, de que yo hablara, de que hablara sin tapujos, y así lo hice. Fui bastante duro con respecto a la corrupción y el lenguaje podía sorprender al presidente porque me di cuenta de que estaba rodeado de aduladores. Todo terminó con un «A ver si nos vemos». No le di mayor importancia.

Pero se vieron. Un 27 de abril de 1993, a las nueve de la mañana, en La Moncloa. González le necesita. Quiere empezar la batalla contra la corrupción. Le dice: «Baltasar, si no lo intento, no me quedo tranquilo. Quiero gente como tú, que vaya en esa dirección».

—Y tú te lo creíste.

—Totalmente.

—¿Y ahora? ¿Hablaba entonces seriamente el presidente?

—No. Estoy convencido de que era puro ardid electoral.

En 1993 el PSOE pasea ante el electorado tres fichajes emblemáticos, un verdadero *dream team*. Dos jueces indudablemente democráticos y prestigiados, Garzón y Ventura Pérez Mariño, y una senadora catalana, Victoria Camps, catedrática de Ética. La Ética y la Justicia aparecían como el detergente en una situación color cachumbo, todavía sólo manchada por escándalos que aparecerían menores cuando estallaran los que aguardaban en el fondo del sombrero de copa. Con el tiempo, Ventura Pérez Mariño dimitiría de su escaño y Victoria Camps se sumaría a las firmas de dirigentes socialistas, encabezadas por el ex ministro Fernando Morán, que solicitaban la dimisión del presidente del Gobierno. Felipe González le había advertido a Garzón: «A partir de ahora te van a caer muchos palos encima. Prepárate porque lo que te han dado hasta ahora no es nada». El juez hace la campaña con la tenacidad que le caracteriza. «Es el último *boy scout*», le define Sol Alameda.

—Se dijo que yo había pactado un ministerio con González. No es verdad. No exigí ninguna garantía, porque me pareció suficiente que el mismo día en que me propuso ir en las listas del PSOE me diera el número 2 por Madrid, pasando por delante de los compromisos electorales que sin duda tenía. Por delante incluso del mismísimo Javier Solana. Durante la campaña de1993 comprobé que entre los cuadros dirigentes del partido cada cual iba a su aire, aunque nadie discrepaba del mensaje fundamental del líder.

Una vez ganadas las elecciones por mayoría relativa, Felipe pacta con Convèrgencia i Unió lo que en opinión de Garzón representó un freno para cualquier plan avanzado. No se podían tomar decisiones sin consultar con el socio y Pujol no estaba por la labor catártica. El ex juez se tomó a pecho la finalidad para la que había sido convocado y no cesaba de presentarle a González líneas de actuación y una estrategia global de la lucha contra el narcotráfico que nunca recibía respuestas concretas.

—González es un indeciso. Deja las cosas colgadas en el aire y de pronto las recupera según su propio ritmo. En ocasión de un encuentro con el canciller Kohl proclamó que me tenía reservado un elevado cometido: «Le he escogido para dirigir la lucha contra el narcotráfico organizado». Poco a poco fue más difícil hablar con él, hasta que llegó a ser imposible. También poco a poco me fui dando cuenta de que me había utilizado. Se votaban leyes, como las de asilo, con las que yo no estaba de acuerdo, que me parecían reaccionarias. Se frenaban comisiones de investigación y además estallaban casos de escándalo por todas partes, como si la corrupción hubiera sido la materia prima de la política de varios Gobiernos. Me cargué de razones y lancé los avisos pertinentes. Finalmente la situación se me hizo éticamente insostenible y exterioricé mi posición no aplaudiendo las intervenciones de González en el Pleno o votando propuestas de la oposición para crear comisiones de investigación. Por el camino yo había enviado una carta a González presentándole mi dimisión, y en primera instancia el que trató de disuadirme no fue González sino Belloch, aunque luego Belloch hizo declaraciones ambiguas para que no quedara claro si yo había dimitido o si me habían empujado ellos a hacerlo. En un momento determinado del ambiguo juego de Belloch, le dije: «Si tienes huevos, césame». Felipe me llamó cuando ya todo estaba decidido. Me dijo: «No me lo esperaba». Era puro formulismo. Creo que le daba lo mismo. Había fichado a Belloch y eso le cubría el expediente de coleccionar jueces de prestigio democrático. Además Belloch es un político. Sabe movilizar gente incondicional que le hace el trabajo mientras él hace política.

El propio PSOE había modificado las leyes para que los jueces llamados a la política pudieran volver a la judicatura una vez terminado su paso por el poder legislativo o ejecutivo. Se acogió Garzón a la norma y recuperó su juzgado en la Audiencia Nacional, sin que nadie se lo reprochara, hasta que un día recibió la llamada del abogado de Amedo y Domínguez, los policías condenados en el caso GAL. Le dijo: «Quieren hablar». Y hablaron. Asumieron su participación en un caso incruento, la chapuza del secuestro en territorio francés del falso etarra Segundo Marey, que estuvo a punto de pasar a mejor vida para no dejar testigos de un error. Amedo y Domínguez implicaban ahora a sus inmediatos superiores, entre los que destacaban José Barrionuevo, ex ministro del Interior, Julián Sancristóbal, ex director general de Seguridad, y Rafael Vera, hombre fuerte de la Seguridad del Estado durante los ministerios de Barrionuevo y Corcuera. También a jefes de policía adscritos a la lucha antiterrorista en la trinchera de Euskadi, y a García Damborenea, secretario general de los socialistas vascos durante el funcionamiento de los GAL. Si se implicaba al ex ministro del Interior José Barrionuevo, a poco que trabajara la imaginación, se llegaba a más altura, al propio jefe de Gobierno Felipe González. Es la más elemental lógica de la situación. A partir de este momento Garzón apareció como el inductor de la cantata y fuga de los policías, como un villano resentido que trataba de vengarse de la frustración de sus ambiciones políticas, como un megalómano que quisiera derribar el Gobierno socialista a base de leguleyismos y con la ayuda de un diario, *El Mundo*, que se anticipa publicando datos relacionados con la instrucción de los sumarios, en buena parte obtenidos a partir de las revelaciones de Amedo y Domínguez y del patrimonio investigador de algunos de sus colaboradores, seguidores del caso GAL desde antiguo: Melchor Miralles y el tándem Antonio Rubio y Manuel Cerdán, autores del inquietante informe *El caso Interior: Gal, Roldán y fondos reservados. El triángulo negro de un ministerio*. A medida que progresa la investigación se revela que la lucha contra el terrorismo era un lucrativo negocio para algunos mandos y para un colectivo que recibía sueldos extras de los fondos reservados. El estallido del caso Roldán había demostrado que hasta el director general de la Guardia Civil se había enriquecido a costa de esos fondos y además conseguirá huir al extranjero y dejar en ridículo al Ministerio del Interior español durante meses y meses.

—Pero aquí hay algo incongruente. Si Amedo y Domínguez, ya condenados, empiezan a hablar es, se dice, porque Belloch les ha retirado los sueldos que recibían de los fondos reservados. ¿No calculó Belloch que eso podía provocar que hablaran e implicaran a altos cargos?

—Me parece que la decisión de retirar esos sueldos fue de Margarita Robles e hizo de esa retirada condición *sine qua non* para continuar colaborando con Belloch. De hecho Belloch quería indultarles, pero tampoco se atrevió. Belloch es un político que había sabido venderle a González que estaría en condiciones de controlar la purificación del pasado sin poner en peligro el estatuto de poder del futuro. Pertenece a la clase de políticos hábiles. No es como García Vargas, que cuando se enteró de que iban a cesarle de ministro se puso a llorar ante Felipe González y éste le dio el Ministerio de Defensa para contentarle, también porque era muy fiel a Serra, el amo y señor de la información, de la fontanería más subterránea del Estado. Serra es el hombre que manejó el Cesid, y el Cesid se cruza una y otra vez en la investigación de los GAL. Por eso me impiden el acceso a los documentos que lo relacionan, aunque tengo recurrida esa prohibición.

Le recuerdo las veces que Felipe González había insinuado la necesidad de legitimar la guerra sucia contra el terrorismo. No sólo sus famosas metáforas sobre gatos y ratones: «Lo importante no es que el gato sea blanco o negro, sino que cace ratones». O bien: «A la democracia hay que defenderla hasta en las cloacas». También aquella parábola que les explicó a los periodistas: «Un hombre me pega y mis amigos me sujetan los brazos para que no me meta en el lío. ¡Hombre! ¡Dejadme al menos un brazo libre para que pueda defenderme!».

—Es la cultura del secreto de Estado —le digo.

Garzón sanciona:

—El secreto de Estado es perverso.

—Felipe dijo: «No hay pruebas sobre la implicación del Gobierno en el caso GAL ni las habrá».

—Tras la declaración de García Damborenea de hoy, al menos hay testimonios que se implican a sí mismos y le implican.

—¿Y los casos más monstruosos? ¿El asesinato de ese vasco prófugo que no era de ETA? ¿Las voladuras en lugares públicos a cuenta del Presupuesto General del Estado? ¿El secuestro de Lasa y Zabala durante dos meses y la aparición de sus cuerpos torturados y enterrados en cal viva? ¿Cómo es posible que gentes de izquierda democrática prestaran su apoyo a checas? Según parece, Lasa y Zabala fueron obligados a cavar su propia tumba antes de ser asesinados.

—Pero ¿por qué hablas de ellos como si fueran de izquierdas? ¿Tú crees que González y los que le rodean son de izquierdas? Ésos no son de izquierdas desde Suresnes. Es un grupo de gente coaligada para llegar al poder y conservarlo todo el tiempo posible. Lo suyo es el poder. Hay caso GAL hasta el año 2015, a juzgar por el ritmo de las instrucciones de más de veinte sumarios posibles. Durante ese periodo van a salir más cosas. Damborenea ha abierto la caja de Pandora.

—¿Puede ir a la cárcel Barrionuevo?

—La semana que viene traspaso el expediente al Supremo. La naturaleza de presuntos implicados como Felipe González y Barrionuevo conduce la instrucción al Supremo. Que conste que he trabajado, estoy trabajando y trabajaré sin ninguna pasión especial, contra lo que se diga. Pero el caso GAL ha venido a mi juzgado y no tengo razones serias para sacármelo de encima.

Sigue sorprendiéndome que no cuidaran de Amedo y Domínguez, que no les taparan la boca indultándoles, que no les matara un incontrolado con la suficiente imaginación como para ver lo que iba a venir. ¿Por qué no, si el juez Garzón está recibiendo amenazas continuamente? Incluso se descubrió la existencia de una «conexión turca» urdida por narcotraficantes para matar a Garzón, el hombre que había encarcelado a Al Kassar, un vendedor de armas de confusos ligámenes con los servicios secretos españoles, tan confusos como los de Paesa, el traficante de influencias de albañal que aparece y desaparece en todos los trabajos sucios del Estado. Garzón ha recibido avisos en su propia casa. Alguien le dejó una piel de plátano sobre la cama. Alguien entró en la casa y dejó encerrada a la perra dentro. Alguien dejó huellas ostensibles en el jardín. De la misma manera, se han urdido campañas para desacreditarle, como atribuirle un intento de extorsión a Al Kassar o la supuesta utilización de fondos públicos para pagarse unas vacaciones en Puerto Plata (República Dominicana) en compañía de su esposa y su cuñada.

—Afortunadamente, ya estaba con la mosca en la oreja y conservé todos los recibos, todas las facturas. El montaje salió en *Abc*, porque *Abc* considera que la Guardia Civil es la garantía del orden universal y yo había puesto en solfa a altos mandos y mis investigaciones apuntaban indirectamente al cuartel de Intxaurrondo y su famoso coronel, Rodríguez Galindo. Por otra parte, Vera siempre ha movido muy bien los resortes de los medios de comunicación y entre él y el abogado Argote, el que aparece como asesor de funcionarios del Estado implicados en casos oscuros, han procurado barrer bajo las alfombras todo lo inconfesable. Predica con el ejemplo. Vera ha asumido el papel de no hablar, pero ya hay demasiados testigos contra él y Barrionuevo. Todo lo demás es proceso inductivo.

—¿Damborenea no ha implicado a Guerra?

—Al contrario. Lo ha exculpado explícitamente y en cambio sí ha metido en el lote a Txiki Benegas y a Jáuregui. No revelo ningún secreto del sumario. El propio Damborenea lo ha declarado explícitamente en la rueda de prensa posterior.

Cantaban ya todos los implicados intermedios, hasta Sancristóbal, que en el pasado había aprovechado desde la cárcel una emisión televisada para proclamarse víctima de una conspiración montada por Garzón y ahora asumía su corresponsabilidad en el montaje del terrorismo de Estado.

—Sancristóbal está dispuesto a admitir que percibió una importante cantidad de fondos reservados. Pero quiere salvar casi novecientos millones que ha ganado en ese negocio que le regaló el PSOE a precio de saldo.

—La industria del antiterrorismo. Lo de los GAL arranca de aquel pacto del capó con el que se cerró el intento del golpe de Estado de 1981. De una u otra manera, las peticiones de los golpistas se cumplieron, tanto en la homologación autonómica de la LOAPA, como en la lucha eficaz, según su criterio, contra el terrorismo. ¿Cuál crees que fue el papel exacto de Felipe González?

—Dejar hacer, dejar pasar.

Ha sonreído poco, pero es evidente que tiene pocos motivos para sonreír, salvo cuando se viste de portero de fútbol para partidos benéficos contra la droga o canta *O, sole mio!* o recita a Blas.

> *Otros vendrán*
> *verán lo que no vimos*
> *Yo ya ni sé con sombra hasta los codos*

por qué nacemos
para qué vivimos

Él se va con sus guardaespaldas no demasiado visibles y yo con mi taxista a Televisión, a cumplir con Almudena Grandes y Julia Otero, damas de mi predilección, y por el camino una emisora de radio perpleja se repite a sí misma, como si no acabara de creérselas, las declaraciones de Damborenea que implican a Txiki Benegas, Ramón Jáuregui, Barrionuevo, Serra, Felipe González. Los socialistas hablan de *conspiración* contra el Gobierno urdida por financieros en la cárcel o a las puertas de la cárcel o que han estado en la cárcel, Mario Conde, Javier de la Rosa, Ruiz-Mateos, más algunos medios de comunicación como la COPE o personalizados en Pedro J. Ramírez (*El Mundo*) y Luis María Ansón (*Abc*), más la plana mayor de los *tertulianos*. Los socialistas denuncian el tratamiento del caso GAL como una apología indirecta del terrorismo y políticos de centro como Pujol o Durán i Lleida les dan la razón, aduciendo que en las democracias maduras no se airean tanto los casos de terrorismo de Estado que responden al sentido del Estado, a la razón de Estado. Como si quisiera avalar el argumento, ETA se muestra cualitativamente activa durante el desarrollo del caso GAL, secuestra al empresario Aldaya y asesina selectivamente al responsable del PP en Guipúzcoa, Gregorio Ordóñez, o a un jurista de democrático consenso como Francisco Tomás y Valiente o a un político importante de la trastienda del PSOE vasco, Fernando Múgica, hermano de un ex ministro de Justicia. ¿La catarsis de los GAL debilita a las instituciones democráticas?

Cumplo el requisito de ir a ver a Esperanza, utilizo la llave, pero ella está en casa con sus trabajos de encargo para una cooperativa relacionada con el PSOE y me enseña unas declaraciones de Fraga Iribarne entusiasmada. Para que Fraga entusiasme a Esperanza debe de haber dicho algo genial, y lo que ha dicho es que por encima de todo debe primar la razón de Estado, practicando un evidente tercio de quites a los socialistas, incluso en contra de la estrategia de su partido de utilizar el caso GAL como ariete contra el uso de los derechos humanos por parte del PSOE.

—Es curioso que algunos viejos franquistas tengan más sentido de Estado que estos niñatos del PP y sus cómplices.

—¿Insinúas que el sentido de Estado ha de ser el mismo bajo Franco que bajo la democracia? ¿Demostraba sentido de Estado Fraga en 1963 cuando se hacía corresponsable del fusilamiento de Grimau veinticuatro años después de acabar la guerra civil?

Esperanza se crispa y me levanta la voz:

—¡No me hagas decir lo que no he dicho!

Pretexto una entrevista urgente para evitar un choque dialéctico.

—¿Has procurado hablar con alguien que no sea visceralmente antisocialista?

—Me voy a ver a Belloch. No sé qué te parecerá.

Hay piezas que no encajan en un puzzle en el que el cuadro del horror se vale de elementos que pueden ser a la vez contradictorios o complementarios. ¿O Garzón o Belloch? ¿Tal vez Belloch y Garzón, juntos y sumados, complementarios, como se teme en algunos sectores socialistas donde odian al juez y desconfían del biministro? Siempre que le he visto aparecer biministro, biflequillo, bipálido, biojeroso y bibarbado, por los salones del palacete de la calle de San Bernardo destinado a Ministerio de Justicia e Interior, me he sobresaltado. Belloch tiene pinta de anarquista italiano infiltrado en el ministerio para ponerle una bomba Orsini al señor biministro. ¿Acaso ser ministro de Justicia e Interior no implica la esquizofrenia de asumir la Justicia y el Orden y sus sombras: la Injusticia y el Desorden? Pero los que le conocen aseguran que es «un político» y que cada cual interprete tan sustantivo adjetivo como le plazca. Entre los que le tienen manía ha circulado el comentario de que parece el cochero de Drácula, opinión no compartida generalmente por las señoras, que lo consideran un hombre atractivo. Yo me limito a proponerle que juguemos a las hemerotecas: «Tú has dicho», y a continuación preguntarle: «¿Qué dirías ahora?». Por ejemplo: «Tengo ganas de explicar cómo y en qué se usan los fondos reservados. ¿Sigues teniendo ganas?».

—Sí, y he podido satisfacerlas. Tuve la suerte de inaugurar la Comisión de fondos reservados, cuyo proyecto de ley yo presenté, y por primera vez un ministro tuvo la oportunidad de explicar a los parlamentarios la verdad sobre los fondos reservados correspondientes a mi mandato.

—Sabes cómo se gastan, pero no cómo se gastaban.

—No. No existía constatación documental alguna y la nueva ley tampoco la exige. Sólo respondo de mi periodo.

—Una de las grandes ventajas de ser Papa en Roma es saber si Dios existe.

—¿Te refieres a un dios metafórico?

—En tu caso, sí; en el del Papa de Roma, él lo sabrá. Tú estás en el aparato de Estado más quintaesenciado, Justicia e Interior. Sabes o intuyes cómo se utilizaban los fondos reservados. ¿En algún momento has sentido horror?

—Bueno, sé algunas cosas, sí, y otras muchas ni las sé yo ni probablemente se sepan nunca. Sé lo que cuesta una operación antiterrorista concreta y ahora puedo hacer especulaciones bastante razonables de lo que se ha podido emplear en ese apartado. Los fondos reservados provocan mucho morbo, pero he sentido mucho más horror ante otras cosas.

—¿Por ejemplo?

—Sin duda, ante el terrorismo en todas sus variantes.

—¿Incluido el terrorismo de Estado?

—El terrorismo de Estado me repugna, como el otro. No acepto categorías ni la sutileza macabra de distinguir menos humanidad en el uno o en el otro.

—¿El terrorismo de Estado es una especulación?

—Desafortunadamente no ha lugar para especular. Hay hechos concretos reconocidos por los que han participado: el secuestro de Segundo Marey, por ejemplo. Para mí, todas las acciones atribuidas a los GAL son terrorismo de Estado. Y estoy en contra. Ya lo decía en el año 82. Yo opiné de Damborenea lo mismo en el 82 en Bilbao que hoy en el 95 en Madrid. Desde el punto de vista estrictamente antiterrorista.

—¿Sospechabas que Damborenea era terrorista en el 84?

—Yo dije el otro día, y así lo creo, que su rueda de prensa tiene muchos aspectos escandalosos, sobre todo esa sensación final de «¡encantado de habernos conocido!», ¿no? En el 84, 83, 82, cuando yo era juez en el País Vasco me peleaba con él porque se empeñaba en que los jueces no hiciéramos nuestro trabajo, por ejemplo investigar los malos tratos a los supuestos detenidos de ETA.

—Entonces pensabas que Damborenea estaba solo, que iba por libre.

—En el campo judicial, en el que yo me movía, había un planteamiento oficial absolutamente equivocado sobre el papel de los jueces allí. Se nos quería ver como simples legitimadores de una acción represiva y no como garantes de la constitucionalidad de esa acción represiva. Nadie tenía clara la separación de poderes, y si investigábamos a ETA éramos cómplices del Estado español, y si investigábamos las torturas sufridas por los detenidos éramos cómplices de ETA.

—Tuviste tiempo de sospechar o saber qué ocurría dentro del cuartel de Intxaurrondo. Me consta que por entonces no tenías demasiada buena opinión sobre ese cuartel.

—Yo sostuve en mis textos de entonces la necesidad de investigar cualquier sospecha de abuso represivo, sin excepciones ni excusas. Hasta tal punto nos comprometimos en ello los jueces en el País Vasco que en muchos sectores que se autoatribuían «sentido de Estado» se escribía que sólo nos preocupábamos de los excesos de la policía y no de los terroristas, lo cual era falso y demagógico. Ahora todo el mundo se rasga las vestiduras ante el descubrimiento de los GAL, pero yo he recuperado parte de mi archivo sobre quiénes y cómo opinaron cuando aparecieron los GAL, y me encuentro por ejemplo con que tú, Ramón Cotarelo y un servidor, por poner tres casos complementarios, somos de los pocos que hicimos un seguimiento crítico en su momento.

—Ante lo que se cree o se intuye sobre el coronel Rodríguez Galindo, responsable de Intxaurrondo, ¿se merece el ascenso a general que propones?

—La verdad es que durante muchos años han aparecido denuncias sobre lo que ocurría en Intxaurrondo y hasta este momento ningún juez ha considerado oportuno ni siquiera llamar a Rodríguez Galindo a declarar. Eso es un hecho. Otro es que ha sido el centro más importante de toda la Guardia Civil en la lucha antiterrorista con la evidencia de los resultados obtenidos. Hay un juicio social mayoritario contra el coronel. Pero yo planteo mi propio dilema moral. Le corresponde este ascenso. No hay ninguna comprobación de lo que se le atribuye. ¿Por qué no le asciendo? ¿Por la presión social? ¿Es ético?

—Lugares como Intxaurrondo son como son para que resulte difícil encontrar pruebas de lo que pasa allí dentro.

—No digo que sea fácil, pero ha habido siete años seguidos para encontrarlas y nada se ha acreditado.

—Ese ascenso valora la eficacia de la lucha contra el terrorismo, independientemente de los medios empleados.

—No, no, eso jamás lo aceptaría. El planteamiento debería ser el contrario: Una persona que sí ha podido demostrar que ha tenido éxitos antiterroristas impresionantes, y frente a acusaciones sin pruebas, ¿merece o no el ascenso?

Me temo que Belloch haya sido víctima de eso que llaman «sentido de Estado». Le pido entonces que, al margen de la razón de Estado, se plantee el caso Rodríguez Galindo desde la lógica de un luchador por la democracia que a los quince años, en Barcelona, se afilió al PSUC. ¿A qué conclusiones llegaría? Me contesta que a la misma. Que la coherencia legal es una coherencia democrática y el ascenso de Rodríguez Galindo es legalmente coherente.

—¿Por qué suponer que ha cambiado la cultura de la represión cuando todavía detenidos a los que se les aplica la Ley Antiterrorista denuncian malos tratos y el más liviano es la aplicación sistemática de la bolsa de plástico en la cabeza para provocar asfixia? ¿Cómo ha podido cambiar la cultura de la represión si ni la UCD ni el PSOE depuraron, al contrario, conservaron, a conocidos profesionales de malos tratos? ¿Te imaginas lo que puede suceder dentro de un cuartel beneficiado por la Ley Antiterrorista?

—No podemos quedarnos en el territorio de la imaginación. Desde que nosotros entramos en el Ministerio del Interior las denuncias por malos tratos prácticamente no existen. La única que pasó a trámite la provocó precisamente Intxaurrondo y la archivó el juez Garzón.

Le refiero al menos dos casos recientes de detenidos acusados de colaboración con banda armada, luego puestos en libertad sin cargos tras serles aplicada tortura tan contundente como volátil: la bolsa de plástico en la cabeza. No le consta. Ningún juez dio curso a ese testimonio de varios torturados. Belloch está imbuido de la necesidad de respetar las leyes como referente ético, y su capacidad de creer o no creer en las personas también la fundamenta en los hechos. Por ejemplo, afirmó en el mes de mayo que quedaba Felipe González para rato y me lo reafirma cuando está al caer la inculpación de Garzón contra el presidente del Gobierno. Sigue pensando que Felipe González es un gran profesional de la política, a gran distancia de cualquier otro.

—Además yo he trabajado para Felipe González, haciendo todo lo que yo consideraba que podía y debía hacer. Me ha apoyado con hechos, no con palabras. Ha sido el principal impulsor de todo el proceso de clarificación que hoy se vuelve contra él. Y lo ha sido a sabiendas del efecto bumerán.

Durante la transición Felipe González jugaba de portero en los partidos de fútbol entre políticos y periodistas. Si ha permanecido ignorante de todo lo que se sabe y se sabrá, ¿cómo le han podido meter tantos goles? Para Belloch, se está haciendo un uso espurio de los errores del pasado, incluso del error de apreciación de la importancia que tenía lo de los GAL, e insiste en el poco seguimiento que hicieron los más gritones de hoy. ¿Cuánta gente se está comportando con honestidad intelectual en este proceso? Todo está en manos de opinadores, rodeados por el silencio de los que saben. Incluso muchos periodistas se sienten apresados en la lógica del hostigamiento contra Felipe González.

—Pero es que, en el mejor de los casos, el que no se dio cuenta de lo que pasaba era ¡el jefe del Gobierno!

—Él ha dicho en alguna ocasión que le daba mucha más importancia a ETA que a los GAL. Fue un error muy compartido.

¿Cómo es posible que se enterara por los periódicos de una acción de guerra sucia en territorio francés? ¿Ni una llamada telefónica de Mitterrand en demanda de explicaciones? Para Belloch, González impulsa ahora la catarsis, y en el peor de los climas: «Hagas lo que hagas, no lo haces bien. Si no detienes a Roldán, eres o un corrupto o un inepto; y si lo detienes, también», y Belloch atribuye a Felipe González el encarecimiento especial de que se persiguiera a Roldán y se le detuviera, tirara o no de la manta. También en el caso Lasa y Zabala un grupo de policías y de guardias civiles están trabajando para desvelar lo que pasó, caiga lo que caiga y caiga quien caiga. González, González, González, *Sanctus, Sanctus, Sanctus*, insiste Belloch, es el más interesado en que se sepa la verdad a pesar del precio político. Puede pagar incluso destrozos causados por Belloch, del que se ha dicho que había entrado como un elefante en una cacharrería, y eso le ha molestado tanto como que Antonio Elorza le llamara fascista desde las páginas de *El País*. «¿Cómo puede llamarme fascista Antonio Elorza, precisamente Elorza, a mí, precisamente a mí? ¿Qué hago ante esta agresión?» No transcribo el primer impulso que experimentó Belloch al ser llamado fascista, pero al señor biministro tanto lo de «elefante en cacharrería» como lo de «fascista» le ha «jodido» (sic) porque le parece un juicio moralmente impresentable. Hay que hacer una limpieza razonable de todo, todo lo que sucedió en el pasado, para acceder a una nueva credibilidad democrática. Al parecer, como el joven Buda, una mañana Felipe González descubrió que más allá del jardín de los bonsáis de La Moncloa existían la miseria, la corrupción y la muerte, y encargó a un exorcista, Garzón, que expulsara tan malignos espíritus. No hubo buena química entre ellos y el joven Gautama utilizó a otro exorcista prestigioso, Belloch. El señor biministro atiende mi cuento con sonriente benevolencia. Otros peores le han contado y se los ha creído.

—Te noto algo escéptico. Felipe, simplemente, me encarga el combate real contra cualquier forma de corrupción.

—También se lo pidió a Garzón. ¿Por qué cambió de exorcista?

No le gusta hacer comentarios a propósito de Garzón, pero tal vez lo suyo no era el trabajo parlamentario, hecho para personas a las que les guste participar, debatir, discutir leyes, hacer control político genérico, mientras que a Garzón le van más las labores de tipo ejecutivo. La epopeya del desencuentro Garzón-González-Belloch cambia según el poeta. El mismo día en que García Damborenea cantaba *Desde Santurce a Bilbao*, Garzón en persona me daba una versión de los hechos que llevaba a la conclusión: «Mejor no poner tu crédito ético en manos de algunos políticos». Belloch opone: «Yo tenía mis propias ideas y un equipo en el que Garzón no encajaba». La consecuencia del desencuentro entre dos exorcistas y un jefe de Gobierno es que Garzón convoca a los demonios desde la judicatura y Belloch y su equipo desde el biministerio, y cuando aparecen los demonios, vengan de una u otra vía, se dedican a repatear al pobre jefe de Gobierno.

—Felipe González es lo suficientemente inteligente para saber el precio político que puede pagar por eso que tú llamas exorcismos. Lo hemos hablado en multitud de ocasiones.

—Me sacas de mi angustia. Yo pensaba que el poder puede ser malvado, pero al menos es deseable que sea inteligente, y a la vista de lo ocurrido con el Cesid, tenía serias dudas.

—Cuando me enteré de que podía haber desaparecido material del Cesid durante siete años, me quedé estupefacto. Eso sí que es un agujero.

—Pero Serra no podía quedarse estupefacto, ya lo sabía desde el año 88. Manglano también lo sabía.

—Por lo que yo conozco, Manglano confiaba en el honor militar de los que habían tenido en su poder esos documentos.

—Ese guadiana que forma el asunto GAL y ese agujero negro del Cesid ¿no ponen en evidencia la prepotencia con la que gobernaba el PSOE en tiempos de mayorías absolutas y rodillos parlamentarios? ¿Por qué no se hizo una depuración de involucionistas y ademócratas en los aparatos del Estado?

—Yo creo que se podían haber hecho cambios orgánicos sustanciales antes, y esa línea hemos seguido mi equipo y yo.

Le confieso mi perplejidad, socialmente compartida, ante el desconcertante enfrentamiento entre algunos jueces, Garzón en el mascarón de proa y el biministerio bellochiano. Se dice que los apuros que pasa González y su Gobierno no habrían existido si en la etapa Belloch no se hubieran retirado los pagos reservados a Domínguez y Amedo. Desde las filas socialistas no faltan los que acusan a Garzón y Belloch de formar objetivamente una tenaza que favorece a la oposición y debilita al PSOE. Le recuerdo que algunos prohombres de la política, Pujol entre ellos, han opinado que en democracias «más maduras» nadie se escandaliza tanto ni tanto tiempo como en España. Belloch se niega a revelar qué ocurrió exactamente en el asunto de los fondos reservados y Amedo y Domínguez, pero reacciona con indignación biministerial y biflequillera ante la teoría de la tenaza y de las «democracias maduras». Él se limita a aplicar la legalidad vigente desde la coherencia democrática, y la judicatura que haga su trabajo. Un biministerio como el suyo tiene obligaciones casi pedagógicas sobre la conducta del Estado de Derecho. Y es entonces cuando Kant aparece en nuestra charla como referencia antes de que lo haga como manifiesto prologado y editado por Belloch: *Por la paz perpetua*. La moral debe ser el freno del pragmatismo de la «política de la astucia».

—Pero a veces este biministerio ha tomado partido no por la coherencia democrática, sino por la política de la astucia gubernamental: la aparición de Sancristóbal en TVE para denunciar a Garzón, autorizada por la Dirección General de Instituciones Penitenciarias.

Belloch ya ha confesado ese error de su departamento, un abuso de su coherencia legalista y el único punto negro de una directora general, Fernández Felgueroso, que puede hacer un balance ejemplar de su ejecutoria. Error además que, según Justicia e Interior, contó con el silencioso dejar hacer, dejar pasar de Garzón, el juez instructor consultado sobre la posibilidad de la entrevista. ¿El silencio de Garzón apostaba por la catástrofe? Belloch se limita a narrar la lógica de los hechos y su sorpresa ante las acusaciones de Sancristóbal. Instrumentalización. Todo se instrumentaliza y también la operación desexorcizadora debilita la oferta socialista y potencia la alternativa: el PP.

—El PP es la inseguridad. Acepta demasiadas hipotecas. Están condicionados por las corporaciones que ahora les aúpan pero que les pasarán factura. Por eso les comparé con el corporativismo peronista. Gobernar no significa coordinar corporaciones, sino hacerlo en nombre del interés general.

—Acabo de hablar con Ruiz Gallardón y tiene un ideario sorprendentemente progresista.

—No quiero hablar bien de Alberto porque le perjudicaría. Un día hablé bien de él en el Senado y tuvo muchos problemas. Podría decirse que es la excepción que confirma la regla. Esta gente, cuando considera que hay que hacer electoralismo, lo hace, sea a costa de crear un problema con las nacionalidades, sea de poner en peligro el Pacto de Ajurianea o sea insinuando que hay que pasar página ante la cuestión de los GAL.

Belloch ha cambiado la categoría de delfín del presidente por la de caballero paladín mientras dure su señor. Ha diseñado el futuro cuando deje el Gobierno: dos años lejos de la judicatura. ¿Una indirecta? No, me corrige, una directa. El exorcista es un incondicional del jardinero de tantos bonsáis y se liga a su suerte política.

—¿Qué harás cuando lleguen los bárbaros y se apoderen de Roma? ¿Huirás de la ciudad?

—No descarto meterme en política.

—Con tu tendencia a la acumulación, serás a la vez presidente y vicepresidente del Gobierno.

—Sí. Y ministro del Interior.

Cuando me acompaña hacia la puerta, presiento la sombra del coronel Rodríguez Galindo cerniéndose por los salones. Temo por el aparato digestivo de este bidelgado biministro.

—¿Con qué salsa vas a tragarte el sapo Galindo?

Bisonriente ante la metáfora caníbal, me contesta: «¿En qué situación moral dejaría la lucha antiterrorista si no se le asciende por un estado de opinión?». Ya en la calle, me comentan: «Esta gente tiene una lógica que no es la nuestra». Días después, Rodríguez Galindo era ascendido. Del manifiesto de Kant que me regaló Belloch, retengo esta cita: «(La política impone)... una componenda intermedia como sería el híbrido de un Derecho pragmáticamente condicionado, a medio camino entre lo justo y lo provechoso».

La instrucción del caso GAL en lo referente a implicados aforados, como Barrionuevo, fue continuada por el Supremo, para alivio inicial del Gobierno, que al parecer confiaba en el sentido de Estado de los jueces del Supremo. Pero el juez Móner acabaría dando la razón a Garzón y, a pesar de los homenajes públicos de sus camaradas y de sus públicas declaraciones de inocencia, Barrionuevo fue inculpado. No obstante, fue incluido en las listas socialistas a las elecciones de marzo para salvarle en el futuro el estatuto de aforado. Como a Serra, otro posible implicado en el caso GAL que fue cabeza de lista del

PSOE en Cataluña. Estuvo pendiente varias semanas el recurso de Garzón solicitando permiso para acceder a los papeles secretos del Cesid, atesorados por Serra y el general Manglano y al parecer tan fácilmente repartidos por el coronel Perote. Estaba a punto de dictar sentencia el Tribunal de Competencias, presidido por Pascual Sala, un jurisconsulto oficialista, y en éstas recibí la invitación de Jueces para la Democracia de asistir a un encuentro en El Escorial donde debatirían el proceloso asunto del secreto de Estado. No podía decir que no al aproximadamente 30% progresista de un poder judicial marcado por el *profesionalismo* o el más declarado *conservadurismo*, tampoco tengo un no para el juez Perfecto Andrés Conde, mi proveedor de guindas al orujo, y al *Eurofórum* de El Escorial me fui a ver nevar y a oír hablar sobre el secreto de Estado, mientras los jueces demócratas esperaban a su paisana ideológica Margarita Robles y a su ex compañero de fatigas Mohedano, ahora en las filas del PSOE y corresponsable de aquella Ley Corcuera que permitía el allanamiento de morada con la bota policial por delante. Con Margarita Robles tenía pendiente un encuentro a raíz de una columna que publiqué en *El País* en la que elogiaba su gesto de no estar presente en la imposición del fajín de general a Rodríguez Galindo. Finalmente llegaron Margarita y Mohedano, éste apenas a tiempo de que nos diéramos la mano, porque yo acabaría mi intervención y volvería a Barcelona, asustado por un posible asedio de la nieve. Estuve en El Escorial el suficiente tiempo como para sentir el síndrome de hotel en una habitación austera, sin televisor, donde escribí algunos versos que incorporar a mi poema unitario *Ciudad*:

Océanos azules abismos
se despeñan los días
hacia el voraz gigante
y ni siquiera el pasmo
protege la caída
                    aguardan
los muertos que no te olvidan

la nieve finge su blancura
será océano tenebroso
mar sin orillas nunca
                    volverás a casa
la nieve finge su hermosura
pero es de acero
su corazón helado nunca
                    volverás a casa
la nieve tiene tu mirada
como una mortaja
de paisajes muertos nunca
volverás a casa

dime qué destino escapa
al peor camino
oh ciudad
de la que no se quiere regresar
nieva piedras siempre nieva
                    sobre tus deseos

la nieve finge ser palabra
de la memoria oscura
del peor camino nunca
                    volverás a casa

y si volvieras
fugitivo de la memoria
sólo encontrarás restos
del banquete caníbal

se te habrían borrado para siempre
las sombras y las sendas
de la huida y el regreso

Y antes de conseguir el regreso mediante el recurso de la huida, tuve que intervenir desde la sospecha de mi barbarie jurista sometida a la benevolencia de un sanedrín de juezas y jueces justos:

«Me sorprendió ser invitado a un encuentro entre juristas democráticos, no por democráticos, sino por juristas. Normalmente se me presenta como poeta, ensayista, novelista, periodista y *gourmet*, sin que ser *gourmet* guarde alguna equivalencia con los otros adjetivos, pero me temo que a partir de ahora pueda añadirse el calificativo de jurista. Recuerdo un poema de Carlos Barral en el que glosaba los años de adolescencia pasados en una playa catalana, Calafell, especialmente mágicos cuando los pescadores le invitaban a subir a su barca para el faenar de la pesca nocturna, la *encesa*: "Me regalaban el quehacer de un hombre", dice el verso, y permitidme una paráfrasis motivada por este encuentro. Me habéis regalado el quehacer de un jurista.

»Pero inmediatamente os vais a dar cuenta de que no lo soy y de que la lógica que aplico a la gran cuestión de los secretos de Estado no es la que vosotros habéis aplicado y aplicaréis a partir de las leyes escritas y la jurisprudencia creada. No encuentro motivos para liberar al Estado de toda sospecha, y para mí el Estado sigue apareciendo como sospechoso de ser un instrumento de clases emergentes que tratan de ratificar su hegemonía sublimando superestructuras a la medida de sus intereses. Tienen razón los que acusan a ciertas izquierdas de pasar de un antiestatalismo revolucionario a un estatalismo a la defensiva de los derechos colectivos frente a la primacía de lo individual. No es tan simple la condena del Estado como sublimación de los intereses de la clase dominante como se pretendió en la etapa en que estuvo demasiado clara la dialéctica de la lucha de clases, pero sigue siendo evidente que se elaboran las leyes y se aplican decantadamente, y que siguen siendo muy diferentes las oportunidades de que gozan Agamenón y su porquero.

»La supervivencia del derecho del Estado a tener secretos que enmascaren su condición delincuente es una prueba de que no hemos profundizado la democracia suficientemente, pero sí hemos conseguido niveles de participación democrática que son considerados peligrosos por el Estado liberal. El profesor Carlos de Cabo se refería ayer a la derrota estratégica de la izquierda y su influencia en las pautas de la conducta del poder, pero constatar la evidencia de esa derrota no impide tener en cuenta que ha sido la lucha histórica de la izquierda la que ha logrado Constituciones integradoras, como mal menor aceptado por los sectores dominantes. Constituciones avanzadas y embarazosas, tan embarazosas que una de las tendencias del poder es buscar contraindicaciones constitucionales, es decir, cómo defenderse del papel fiscalizador de las propias Constituciones. Por eso algunos políticos de izquierda, un tanto desarmados de ofertas diferenciales, exigen Constitución, Constitución, Constitución, como si rezaran *Sanctus, Sanctus, Sanctus*, porque se cumple la contradicción de que las Constituciones consensuadas pueden llegar a ser subversivas.

»En la era de suprainformación, cuando se plantean autopistas de datos que se mueven a la vez por la Tierra de nadie y por la Tierra de todos, que sobreviva la cultura del secreto de Estado es una prueba de que el Estado no se fía de la ciudadanía. Normalmente los secretos de Estado esconden fechorías que han beneficiado una interpretación reaccionaria de las reglas de convivencia, y es lógico que esa finalidad negativa sea enmascarada de virtud y se exalte la cultura del secreto de Estado como una muestra de la madurez democrática de un pueblo o del sentido de Estado de sus políticos y como *prueba de los nueves* de que un político es algo más que un político: es un estadista. Una garantía de madurez es que en nombre del sentido de Estado la policía paralela asesine a ecologistas y ese crimen no afecte a la conciencia social de una sociedad madura e incluso sea premiado con una condecoración por el presidente de la República, que así demuestra su condición de estadista. Otra prueba de madurez es que en nombre del sentido de Estado se deje secuestrar a enemigos del Estado, torturarlos, asesinarlos, enterrarlos en cal viva, buscando una silenciosa complicidad social madura desde la percepción ética de que el padrino de la operación es un estadista. Nos moveríamos en los niveles más abyectos de lo *políticamente correcto*, identificado con lo democráticamente necesario, y sin embargo las leyes sobre estas cuestiones permiten una libertad de movimientos casi absoluta para el Estado delincuente, como acaba de demostrar la conclusión a que ha llegado el Tribunal de Conflictos sobre la solicitud del juez Garzón de tener acceso a los papeles del Cesid. Se interpreta la legislación realmente existente para obstaculizar la clarificación de posibles delitos de Estado y se deja al Gobierno la capacidad de favorecer o impedir informaciones sobre hechos que afectan a su propia condición de culpable o inocente. ¿Estamos en el terreno de la correcta aplicación de las leyes realmente existentes o del filibusterismo parlamentario combinado con un leguleyismo impune y cínico? Si el poder judicial no es el llamado a fiscalizar las acciones del poder político, ¿quién va a hacerlo? ¿El mediático? ¿Los héroes de papel? ¿Los héroes hertzianos? ¿Quiénes son los propietarios de medios de información y en qué medida su finalidad histórica y ética puede ser diferente de la del Estado sospechoso de servir un orden que enmascara el desorden real?

»Sin duda los jueces, como todo tipo de trabajador intelectual, asumen dos actitudes fundamentales: los que se dedican a reproducir y perpetuar la escala de valores establecidos y los que forcejean con esa escala para adecuarla a las necesidades objetivas de emancipación social. El juez es un sabio que domina la teoría, la técnica y el lenguaje de una actividad fundamental para la convivencia; su saber se vale normalmente de una lógica interna ensimismada y de unos códigos que se expresan mediante jergas bastante impenetrables. Mientras exista la división del trabajo, o el jurista, en todos los niveles, toma partido por prestar ese saber a los que carecen de él y tienen que soportar una justicia hecha a la medida de los sectores dominantes, o se convierte en un instrumento aséptico del conservacionismo de la peor especie, el conservacionismo aplicado a conseguir la foto fija de la desigualdad de oportunidades. Hay que escoger entre la actitud reproductora y legitimadora del desorden establecido que puede llevar incluso a que existan abogados y médicos que prestan su saber a enmascarar la tortura y la actitud de prestar el saber específico del jurista a reclamar un Estado transparente, asistencial y decente, sobre todo decente, reivindicación posibilista que se ha convertido en tan subversiva como puede ser reivindicar la Constitución. En encuentros de este tipo nos movemos dentro de los encomiables cauces de un reformismo posibilista que trata de sacar partido de las leyes vigentes con una finalidad virtuosa y no perversa. Pero ya hemos visto que incluso el posibilismo es muy difícil de aplicar, y nos lo acaba de ratificar una decisión jurídica, la del Tribunal de Competencias, que puede llegar a inspirar repugnancia. Si bien es cierto que ya sería tremendamente positivo que todos los jueces democráticos aplicaran su saber a un reformismo posibilista, no por ello hay que prescindir de los referentes culturales absolutos, aun a sabiendas de que son hoy por hoy inalcanzables. Hay que estar CONTRA EL SECRETO DE ESTADO como hubo que estar CONTRA LA ESCLAVITUD o CONTRA LA PENA DE MUERTE cuando estas posiciones eran consideradas utópicas, *imposibles*. No hay que mantener esa exigencia ABSOLUTA como un derecho al pataleo utópico, sino como un referente disuasorio de la tendencia delictiva del poder. El secreto de Estado destinado a proteger el Estado delincuente se sitúa en la prehistoria de la democracia participativa, y no lanzo el desesperado grito de *¡estamos rodeados!* porque me parece que entre los aquí presentes, todos juristas menos yo, son aplastante mayoría los que no quieren ser cómplices del Estado delincuente, del terrorismo de Estado.»

Por más que incluso algunos adscritos a Jueces para la Democracia consideren demasiado estelar la tarea de jueces como Garzón o Bueren, lo cierto es que les respaldaban y recordaban que uno y otro juez fueron creados genéticamente por Rafael Vera cuando quería tener jueces estrellas, a la italiana, empeñados en la lucha contra el narcotráfico. Bueren y Garzón tienen famas de jueces a presión, que utilizan la prisión preventiva y el acoso del interrogatorio como factores desarmantes de la resistencia psicológica del detenido. Así consiguió Garzón la rendición de Sancristóbal, y sin embargo no pudo conseguir la de Vera. No obstante, la operación de acoso y derribo contra Garzón y los demás jueces en candelero surtió un cierto efecto. Provocó si no pánico escénico, sí cansancio escénico.

La noticia de que el juez Bueren abandonaba la judicatura y se pasaba a la iniciativa privada por unas ganancias anuales de cuarenta millones de pesetas, abrió cauce para la sospecha de otras deserciones. «Las críticas, las presiones, la falta de apoyo institucional, la ausencia de expectativas ante el debate abierto sobre el futuro del propio tribunal y el riesgo que soportan a diario estos magistrados ha llevado a algunos de ellos a plantearse una salida profesional similar a la del todavía titular, por unos días, del Juzgado Central número 1». La información aportada por la revista *Tiempo* añadía la oferta a Garzón de varias universidades inglesas y norteamericanas para desarrollar cursos sobre terrorismo y narcotráfico o bien la del Centro de Prevención de la Droga en Viena para ocupar allí un cargo importante. También García Castellón, el flagelo de Mario Conde, puede irse de profesor a la Universidad Europea de Madrid o de miembro del Consejo del Poder Judicial.

Los jueces estrellas están estrellados y algo cansados de tanto pisar sobre cadáveres.

9. *La princesa de Samarkanda*

Samarkanda en el siglo XV se convirtió en el centro cultural musulmán del Asia Central. En 1500 fue ocupada por los uzbekos de Bujara y decayó considerablemente.

(De la *Nueva Enciclopedia Larousse*)

¿Será porque estoy emplazado con Boyero, Rioyo y Patricia Gil de Biedma en un local llamado y llamable *Samarkanda* que cuando se me pone a vista la ministra Alborch me viene a la cabeza una posible imagen de la princesa de Samarkanda? No es que la ministra se parezca a Ann Blyt, la actriz que interpretó una princesa de Samarkanda cinematográfica inocente y portátil, pero Carmen Alborch, aun estando en los antípodas de la actriz norteamericana, podría ser una convincente princesa de Samarkanda, no en balde se la ha llamado *lujo asiático* del Gobierno socialista. Su aspecto asiático, de princesa de horda atrapada en territorio cristiano, dota de un perfumado contrapunto a su misión de ministra nada menos que de Cultura, en unos tiempos en que se espera la llegada de los bárbaros uzbekos dispuestos a cambiar el signo cultural de Samarkanda.

—Malos tiempos para ser ministra de Cultura.

—Ser ministra, como experiencia, es impresionante, aunque tenga la contrapartida de momentos tan complicados. El otro día Felipe dijo: «Bueno, es que hay veces que hay que gobernar con dificultad», y yo le digo: «Presidente, algunos no conocemos otros». Fíjate cuando entró Javier Solana de ministro de Cultura, que, bueno, tenía el apoyo de todo el mundo, la ilusión de todo el mundo. Tuvo tantísimas cosas por hacer y tan pocos conflictos... Le envidio. Con independencia de que gobernar siempre es difícil porque siempre tienes que tomar decisiones.

—Tampoco lo tuvo fácil Semprún. Le estalló en la cara el «conflicto del Golfo».

—Claro, pero también porque él tuvo, digamos, un cierto afán de protagonismo.

—Se implicó mucho, fue el ministro que más se implicó. Pero ése es el clásico síndrome de los ex comunistas, que han de demostrar que asumen nuevos compromisos sin ninguna clase de traición ni de usura. Fue el ministro que más se quemó. Más que el de Defensa. De la misma manera que otro ex comunista ministro de Cultura, Solé Tura, ha sido uno de los máximos defensores públicos de la política del PSOE.

—Sí, sí, sí. Yo me acuerdo de haber visto a Semprún en debates en televisión con motivo de la guerra del Golfo, creo que contigo. Él estuvo muy vehemente.

—Tuvimos un choque en ese debate y tú no viste la trastienda. Salió enfurecido contra la presentadora Mercè Remolí, acusándola de habernos favorecido a Gala y a mí.

—Semprún es una persona que tiene mucho amor propio. Pero a pesar de todos los problemas que tuvo, frente a los que hay ahora, vivió tiempos de bonanza. Es que a veces, ahora, cuando te asaltan algunos problemas, pienso: «¿Y esto cómo no lo arreglaron cuando tenían mayoría absoluta?». Desde la cuestión de los archivos de Salamanca, hasta otras muchas cosas. Como autonomista que soy, me preocupa mucho esa coordinación del Estado, y no acabas de ver el camino correcto. Eso del agravio comparativo entre comunidades es tremendo.

—Y se ha acentuado mucho con motivo de vuestra alianza con Pujol. Se vende una supuesta conspiración de los catalanes con el PSOE para quitar todo lo que puedan a los demás pueblos de España. Pero sobre lo que dices de por qué no lo arreglaron cuando tenían la mayoría absoluta, es que entonces no tenían necesidad de arreglar nada. Todo lo tenían en las manos y podían hacer lo que querían.

—Ahora también se pueden tomar decisiones por la brava, pero deseas establecer unos criterios, o solucionar conflictos que están ahí, por ejemplo, el tema este del Archivo de Salamanca. Eso se planteó al principio de los 80 y era un tema ya recurrente: había que devolver al Gobierno autonómico de Cataluña los documentos expoliados por el franquismo tras la ocupación de Cataluña. Y ahora fíjate el lío.

—Desde fuera del poder y sus aledaños, nos da la sensación de que el Gobierno es un todo, de que tenéis un nivel equivalente de participación y de conocimiento. ¿No es así? ¿Hay ministros de primera y ministros de segunda?

—Bueno, por decirlo de alguna manera.

—Tú tienes poder.

—Claro. Pero hay temas muy delicados que tienen que conocer un número muy reducido de personas.

—Pero luego la decisión la toma el Gobierno en pleno.

—Hay decisiones que no son de pleno de Gobierno. Tienes la corresponsabilidad, más que la decisión. No sé cómo decirte, pues por ejemplo, todo el tema de los GAL o todo el tema de la corrupción, la decisión del Gobierno es que salga eso a la luz, que se clarifiquen los temas, que se detecten las responsabilidades y que se actúe en consecuencia y que los tribunales funcionen. En esa línea es en la que estamos todo el mundo de acuerdo. Ahora bien, yo desconozco los mecanismos que hicieron posible aquello. Tampoco me interesa conocerlos.

—¿No crees que eso lo debería saber todo el mundo? Porque ahí está el quid de la cuestión: a partir de los secretos de Estado, al alcance sólo de unos cuantos, es cuando se pueden cometer barbaridades.

—Todos debemos tener la seguridad de que estamos actuando en un Estado de Derecho. Y debemos tener una idea clara de cómo se destinan los fondos reservados.

—Este capítulo no quisiera tratarlo contigo. Prefiero pelearme con otros.

—Peléate con otros, que además saben más que yo de esas cosas.

—Nos llevaría a la cuestión del porqué y el para qué de los secretos de Estado. El caso GAL es una burla de la teoría de los secretos de Estado. Un grupo de poder convierte la lucha antiterrorista en un negocio lucrativo.

—Eso ha sido una barbaridad. Pero ¿puede haber un Estado sin secretos?

—Lo que me parece lamentable es que un Gobierno de izquierdas dé a estos temas el mismo tratamiento que un Gobierno de derechas.

—Yo creo que el poder siempre debería poder explicar lo que hace: «Pues mire, yo tomé esta decisión por esto, por esto, y por esto», y además, poderlo explicar sin sonrojo.

—Todo empieza por no limpiar los aparatos represivos del Estado.

—El otro día lo decía de broma: «Nosotros hemos sido los que hemos ido con las pancartas de *disolución de los cuerpos represivos* y *aborto libre y gratuito*». Ha habido gente que en el Ministerio del Interior se ha encontrado por los pasillos a los mismos que bajo el franquismo les habían detenido y aplicado un hábil interrogatorio. Por ejemplo el caso del comisario Ballesteros. En Valencia conocíamos muy bien sus procedimientos cuando estaba en la Brigada Político Social.

—Vamos a llamarle por su nombre...

Encontramos el sustantivo adjetivador o el adjetivo sustantivo que le correspondería al comisario Ballesteros y a tantos otros técnicos de la represión repescados por la democracia.

—Sería la palabra más adecuada, sí. Pero el Ministerio del Interior en las circunstancias de la transición española planteaba muchas dificultades. Tal vez en ese ministerio no se había hecho todavía la transición democrática.

—Y aún no se ha terminado. Vais a ascender a Rodríguez Galindo, el jefe de Intxaurrondo. ¿Dejamos el asunto de los secretos de Estado?

—Encantada.

—Cuando llegaste al ministerio dijiste: «Reanimaré la cultura de los años noventa». Ahora ¿qué me dices?, ¿cómo se ha reanimado la cultura en estos cinco años?

—A ningún cargo habría que tomarle al pie de la letra lo que declara durante los primeros días. Te llama el presidente, te hace la propuesta y por la tarde ya tienes toda una nube de periodistas que te están preguntando sobre lo que quieres hacer. Y, en realidad eso, para ser sensatos, es imposible contestarlo. Tú puedes tener alguna información general y algunas opiniones de las cosas que se deberían hacer, pero no has nacido para ser ministra de Cultura, tampoco te has preparado para serlo, ni has estado mentalizándote, ni tienes un conocimiento infuso de los problemas, cuáles son los proyectos, cuáles las soluciones. Lo que tenía claro es que la cultura no ha de ser un espectáculo sino un hábito, una pauta de vida, lo que exige una visión dinámica y participativa.

—¿Y qué puede hacer un ministro de Cultura para conseguir eso?

—Algunas cosas puede hacer. Unas se ven y otras no. Por ejemplo, un ministro de Cultura debe corregir la actitud que los políticos suelen tener ante las gentes de cultura, admirativa pero también un poco despectiva, sin conocer la tensión de la creación, ni tampoco las debilidades de los creadores. Es fundamental que el propio ministro y su equipo se crean que la cultura es muy importante para la sociedad.

—La gestualidad del poder hacia la cultura ¿se limita a la subvención?

—Muy preferentemente a contribuir a acercar al ciudadano a la cultura, socializarla: haciendo posible que haya bibliotecas y auditorios, que haya infraestructuras culturales. Infraestructuras culturales, una expresión que sorprende mucho a la gente.

—Les suena a marxista o algo así. Pero resulta chocante que, en aras de esa socialización de la cultura, la televisión pública no dependa del Ministerio de Cultura.

—Entre las cosas que no se ven, desde este ministerio hemos tratado de conectar con Televisión Española como instrumento educativo y cultural. Las estructuras administrativas son muy difíciles de cambiar y hemos establecido convenios con el Ministerio de Educación y con TVE, desde la perspectiva de nuestra política de socialización cultural. Hemos trabajado mucho para crear un nuevo público que acuda a los conciertos, a los teatros, a los museos. Todo es muy lento. Tú firmas un convenio con TVE sobre contenidos culturales y para que se ponga en práctica... Por ejemplo, un convenio en el que todo lo que producen o representan nuestras unidades de producción se pueda empaquetar y transmitir a través de la televisión: Orquesta Nacional de España, Compañía de Teatro Clásico, Compañía de Danza, producciones del María Guerrero, producciones desde la Zarzuela y, en su día, del Teatro Real, o programas en concreto sobre amor a la lectura, o sobre los cien años de cine, o sobre lo que sea. Pues todo eso llega un día que García Candau y yo lo convenimos, lo firmamos y tal. Bueno, pues para poner en práctica, por ejemplo, que lo que presentamos en el María Guerrero o en el Teatro de la Zarzuela se pueda enlatar y transmitir, ha de pasar por toda clase de obstáculos, a veces pequeñísimos, burocráticos, pero que actúan como palos entre las ruedas.

—Todo es muy difícil, por lo que veo.

—Cualquier cosa se complica. Algo tan simple como el tema del 98. Todo el mundo va a tener proyectos tal y cual, pues vamos a ver, en lugar de estar haciendo nosotros propuestas, que se cree una Comisión Interministerial para recoger las iniciativas que hay en la sociedad y, más o menos, canalizarlas, apoyarlas, darles soportes, va a ir cada cosa por su lado. Poner en marcha algo que afecte a tres ministerios, Educación, Cultura y Exteriores, es como afrontar una hazaña burocrática.

—Me temo que sobre el espíritu del centenario del nihilista 1898 va a gravitar el nihilismo de 1998. La sensación de que no han salido las cuentas y aún estamos hablando de regeneracionismo. Aquí ha habido un momento en que nos hemos creído que éramos un país superprogresista, moderno, incluso rico, y ya ves. Ahora existe la sensación de que hemos llegado desde la nada a la más absoluta pobreza.

—Todos hemos sido responsables de esa creencia.

—Para empezar, el propio Gobierno, que hasta 1992 nos ofreció el espejo trucado de la modernidad lograda. Esto era Manhattan y, de repente, no sé que ocurrió en octubre o noviembre que quisieron enfriar la economía y, de pronto, la gente temió que esto fuera Somalia. Pasamos de Manhattan a Somalia, de la noche a la mañana.

—Lo peor ha sido la resaca. La instalación en el pesimismo.

—Nos hemos instalado en la semidecadencia. No se puede hacer nada, esto no hay quien lo arregle... Observo un cansancio generalizado, no sólo en el poder, sino en todos los círculos concéntricos que parten del poder.

—Tampoco hay una alternativa estimulante. Vendrán las derechas. Pero nadie puede ofrecer una alternativa de izquierda. La falta de entendimiento entre el PSOE e Izquierda Unida es grave.

—El acuerdo es imposible hoy por hoy, independientemente del fenómeno Anguita, o de las antipatías Anguita-González. La política económica de Felipe González concierta con la de Pujol, no con la de IU. Pujol ha sido el hombre de la derecha económica y ha derechizado la política económica y social del Gobierno.

—No es que entienda mucho de economía. Pero a partir de lo que veo y oigo en los Consejos de Ministros, los ministros especializados me llevan a la conclusión de que no había otra salida, tanto en las medidas económicas como en las laborales.

—Me cuesta creer que no haya otra solución que los contratos basura que están siendo utilizados por buena par-

te de los empresarios para romper el espinazo a las reivindicaciones y conquistas del movimiento obrero. Unos contratos que están convirtiendo a los chavales en mano de obra
barata, precaria, sin posibilidad de rechistar. Volvamos a la
cultura, aunque de hecho nada crea unas pautas culturales
como un sistema de trabajo y por ese lado la cultura la veo
en horas bajas. Convencionalmente, puesto que eres ministra de Cultura, ¿te has visto muy desbordada este año por
todo lo que no es tu ministerio, por esa sensación de zaran-
deo político constante que te viene de la crisis general?

—Sí, pero te acostumbras y todo eso sólo ocupa la
mitad de tu cabeza. La otra la puedes seguir empleando en
cumplir los compromisos del ministerio o los compromisos políticos. Por ejemplo, la participación en campañas
electorales.

—¿Te gusta dar mítines?

—Al principio me lo pasaba horrible.

—¿Sentías eso que Valdano llama el miedo escénico?

—Totalmente. De todas maneras, el mayor miedo
escénico lo he tenido en el Congreso de los Diputados. Los
conflictos generales tienes que asumirlos como corresponsable del Gobierno, pero he procurado que no me impidie-
ran actuar en la parcela que me corresponde. No me han
paralizado. No tiene razón la oposición cuando me dice que
me han dado una beca y no he sabido qué hacer con ella.

—A ti se te ha calificado como una Relaciones Públicas de lujo.

—Bueno, sí, pero eso ya viene de lejos.

—Debe de ser porque eres mujer y porque les parece que vas vestida de una manera sorprendente, tienes
un sentido del color no habitual en un ministro. A veces
pareces la princesa de Samarkanda.

—Nada, no, no, un sentido del color que no se entiende en Madrid. Eso es mediterráneo, eso es nuestro.

—Muy levantino, muy valenciano, mediterráneo. Tu modisto a veces es Montesinos, creo que también trabaja para Almodóvar, que es manchego. ¿Tú crees que fatalmente un ministro de Cultura cumple un papel de Relaciones Públicas? Tienes que salir en la foto al lado de la Reina inaugurando esto y aquello. A tus antepasados les pasó algo parecido. A Solana casi no se le notó. A Semprún mucho porque es brillante, pero también egocéntrico y ególatra. Solé Tura estaba en este ministerio como se dice están los pulpos en los garajes. Solé Tura estaba aquí como hubiera estado en el Ministerio de Justicia o en el Ministerio de Puentes y Caminos. Pasaba por aquí y...

—Solé Tura hubiera disfrutado más en Justicia.

—Sin duda.

—Por eso yo te decía que es importante que un ministro de Cultura ame la cultura.

—Solé la ama como sólo puede amarla un panadero autodidacta que se hizo bachiller a los veinte años. Pero es más un político que un supermonitor cultural, tu verdadera función. Bueno, al llegar aquí te has encontrado con una Administración ya creada, una gente que tenía memoria de otros ministros de Cultura. Tú, por otra parte, has declarado que desde pequeña has deseado que te quisieran.

—Reconozco que era una aspiración descabellada en un político.

—Es que lo tuyo es mala suerte. Llegas al borde del gran lío armado y además solivantas porque eres una mujer y vas vestida a lo Mediterráneo o a lo Samarkanda. Demasiado. Hay un código de señales para todas las per-

sonas y tus señales no son convencionalmente ministeria-
les. ¿Vale la pena el envite?

—Vale la pena, desde luego. La verdad es que yo
no soy una persona que me mire mucho el ombligo. Soy
bastante resolutiva. Hay días que te levantas diciendo: «Madre mía, lo que tengo encima... y hoy tengo que hacer esto,
y esto, y esto... y estos conflictos, y a ver lo otro cómo sale...».
Te levantas apabullada. Me dura diez minutos. Mientras
desayuno.

—¿Es cierto que te gustaría reunirte con las otras
ministras para cotillear y «hacer risas», la expresión es
tuya, a costa de vuestros compañeros de gabinete?

—Deberíamos hacerlo más a menudo.

—¿Nunca has tenido la oportunidad de sentarte
con las otras ministras y empezar a decir: «Pues Belloch
cómo va vestido... Pues fíjate éste qué cara pone...».

—Algo hacemos. Entre las mujeres se establece
una complicidad casi inmediata.

—¿La utilizáis para los proyectos de ley o para des-
codificar a vuestros colegas masculinos?

—Para las dos cosas. Hombre, tenemos muy claro
que los hombres son mucho más competitivos que nosotras.

Me aporta un ejemplo de la competitividad masculina pero me ruega que no lo ponga en su boca y así hago.

—Los machos siempre están empeñados en mar-
car su territorio. Nosotras la cuestión del poder la lleva-
mos de otra manera, por lo menos nosotras tres. Tenemos
la ambición limitada. Viene de nuestra educación como
mujeres. A los hombres os han educado para que seáis alguien, a nosotras no. Entonces, todo lo que se va consi-
guiendo es como, no un regalo, porque no te regala nada
nadie, pero algo parecido a un milagro. Yo lo digo poquito

y en voz baja, pero creo que las mujeres todavía no hemos logrado el respeto de los demás. Hay siempre una sospecha, una duda, siempre tienes que demostrar algo más que los hombres. Tienes que demostrar siempre que los centímetros de tu falda no tienen nada que ver con tu capacidad de trabajo. Pero hay una diferencia importante: somos más sensibles y sufrimos más ante determinados problemas y resoluciones.

—¿Por ejemplo?

—Sobre todo cuando afectan a personas. Lo ocurrido con Serra y García Vargas. A nosotras nos afectó más que a vosotros el varapalo que le dieron a Serra en el Congreso.

—Durante aquella bronca del PP contra Serra, independientemente de que estés de acuerdo o no estés de acuerdo con lo que ha hecho o no ha hecho Serra, ¿tú sufrías más que un ministro masculino?

—Yo creo que sí, bueno, de hecho, yo te digo una cosa, yo ese día estaba en Bruselas porque tenía una reunión del Consejo de Ministros, y era una reunión formal a la que no podía dejar de ir porque además era la última bajo la presidencia francesa y entonces era cuando te dan el testigo y tenías que estar ahí. Estaba inquietísima de no estar aquí y llegué a última hora y todavía tuve ocasión de presenciar algo de ese espectáculo. Se me saltaban las lágrimas, y a la ministra de Sanidad también.

—Pero Carmen Rigalt ha escrito que estás: «frenéticamente colgada de una sonrisa».

—Sonrío todo lo que puedo.

—Sonríes muchísimo, quizá el ministro de toda la historia de España que ha sonreído más. Incluso te pillé sonriendo el día en que te reprochaban que eres demasiado comprensiva con la cultura catalana y que te movilizas más por el Liceo que por la catedral de Burgos.

—¿Y qué iba a hacer ante tamaña sandez? Una cosa es el Liceo y otra la catedral de Burgos y otra que sea sensible ante la cultura catalana. Yo he asumido la influencia de Fuster, que era un valencianista catalanista; y además, en mis años de formación, mientras Madrid era una ciudad secuestrada por el franquismo, en Barcelona había otro clima cultural, otra atmósfera social. ¿Recuerdas aquella canción de Pi de la Serra? *Un día gris a Madrís...*

—Una afortunada rima forzada.

—Era casi obligatorio ir a Barcelona para respirar culturalmente. Y a Francia a través de Barcelona. Yo no he creído nunca en los Paisos Catalans, ¿eh?

—Un gran historiador catalán, Josep Fontana, nada sospechoso de españolista, dice que eso de los países catalanes le suena a montaje metafísico, como lo de la Hispanidad.

—Josep Fontana dio clases en Valencia. A mí me parecía un error hablar de Países Catalanes cuando en Valencia ni siquiera existía conciencia de País Valenciano. Pero, desde luego, la gente de mi generación ha tenido una mayor proximidad con Barcelona que con Madrid y todo eso hace que tengas mayores conexiones a niveles personales y a niveles culturales. Y, luego, lo que hay siempre es mucha demagogia y mucha tergiversación, porque Semprún sí que hizo un convenio muy importante con Cataluña. Yo no he hecho ningún convenio nuevo, pero, claro, se incendia el Liceo y ten en cuenta que el Ministerio de Cultura tiene una participación importante en el Liceo, el treinta y no sé cuántos por ciento, junto con las otras administraciones. El Liceo era el emblema de la cultura operística de toda España. Su vehículo más constante. No es en absoluto incompatible preocuparte por el Liceo y hacerlo también por la catedral de Burgos, por la de Salamanca, por la de León...

—A mí personalmente me conmueve mucho más la catedral de Burgos que el Liceo, lo que pasa es que no dejas de tener en cuenta que el Liceo es un referente cultural ligado al desarrollo de una ciudad y además un instrumento de comunicación cultural. Creo que sobre aquel ataque de celos histéricos pesó la sombra del pacto Pujol-González, como pesó en la tragicómica historia de los archivos de Salamanca.

—Organizamos un concierto en la catedral de Burgos a cargo de la orquesta del Liceo, Pujol estuvo presente. Pero cuando se quiere envenenar la convivencia, se consigue, y luego cuesta mucho encontrar un antídoto.

—Se ha desarrollado un victimismo español en relación con Cataluña, equivalente al victimismo que en alguna época se atribuía a los catalanes.

—Van llegando las subvenciones de la Unión Europea para las catedrales. Presentamos un proyecto de intervenciones que incluía todas las catedrales afectadas de la Comunidad de Castilla-León. El comisario que decidió el reparto de las subvenciones fue Marcelino Oreja, del PP, y fue él quien decidió no incluir la catedral de Burgos. Luego la campaña de agravios contra el ministerio la dirige el PP y al frente el presidente de la Comunidad Autónoma de Castilla-León. ¿Por qué no se queja a Marcelino Oreja? Y encima Lucas dice que se va a ir a Bruselas porque el Gobierno español no defiende los intereses de Castilla y León. Eso es de una demagogia que... Los políticos del PP, normalmente, te ponen buena cara, pero cuando te dan la espalda, ya empieza la demagogia.

—El acoso y derribo es válido en política, ¿no?

—Quizá sea todavía una ingenua y no me canso de proclamar: «El Ministerio de Cultura ha invertido en la catedral de Burgos 285 millones, mientras que la Junta de Castilla y León sólo ha invertido 17».

—Es posible que en el futuro el PP gobierne apoyado por Pujol y entonces la restauración del Liceo les parecerá maravillosa. Resultará que la catedral de Burgos y el Liceo son compatibles, que la lengua castellana y el catalán son compatibles, porque ha cambiado la política de alianzas. Aznar y Pujol se pondrán las chirucas y la barretina e irán de excursión al santuario de la Mare de Deu de Montserrat. Pero cuando el PSOE estaba en la oposición también hacía su demagogia con respecto a UCD.

—¿Tanto?

—Quizá no lo recuerdes.

—Hay gente que me dice: «Es que tú estabas en Valencia», y yo les contesto: «Hombre, pero Valencia no es el Extremo Oriente, ¿no?».

—Hay quien tiene una idea muy rara de las periferias, pero tú recuerda a Alfonso Guerra cuando opinaba sobre el «tahúr del Misisipí» que era Suárez y aquella definición tan salvaje de la pobre Soledad Becerril: «Es como Carlos II disfrazado de Mariquita Pérez».

—A mí también me las han dicho gordas, ¿eh?, y estamos en los 90.

—¿Qué te han dicho?

—Umbral me dice que soy la mula Francis, más sexy que la mula Francis.

—Umbral en el fondo es un cariñoso. Quiero hablarte de derrotas. Yo en Madrid huelo a derrota del PSOE y el olor no me viene sólo del PP, sino del propio PSOE. Primero se perdió la alcaldía, ahora el gobierno autonómico. Las gentes de la cultura hablan de derrota.

—Los pesos pesados de la cultura, no.

—¿Quiénes son los pesos pesados de la cultura?

—La gente que todavía cuenta no se ha pasado al PP.

—Pero ha tomado todas las distancias posibles con respecto al PSOE.

—Yo creo que el mundo de la cultura está fundamentalmente con Izquierda Unida y con el PSOE, por lo menos está en sintonía, aunque en las circunstancias actuales sea casi imposible apoyar públicamente al Gobierno.

—Es que desde el Gobierno se han violado muy seriamente los derechos humanos. Yo, por ejemplo, no me he metido demasiado con el asunto de la corrupción económica, pero a un Gobierno de izquierdas debes exigirle que al menos respete los derechos humanos y que no se cubra con la coartada de que la democracia se defiende en las cloacas.

—Yo me resisto a que un Estado deba tener esas cloacas, pero desde luego los mundos oscuros y tenebrosos existen. La verdad es que no entiendo demasiado de cloacas.

—Tú prefieres arreglar la catedral de Burgos. ¿No crees que parte del poder que ha llegado a tener el PSOE hasta el 93, no se ha implicado en una batalla cultural auténticamente progresista, no ha favorecido la transmisión de valores progresistas a la sociedad? Los ministerios de Cultura apenas han podido hacer nada ante las pautas culturales promovidas por los ministerios económicos, por ejemplo: «Lo importante es enriquecerse cuanto antes».

—Aquí sólo se habla de cultura aplicada a algo negativo: la cultura del pelotazo, la cultura de la corrupción. Sí creo que hay una cierta sensación de oportunidad perdida en la línea que tú dices.

—¿Habéis hablado alguna vez de estrategia cultural? ¿Con tus compañeros de Gobierno, con la Fundación Pablo Iglesias, con esos intelectuales de peso que os respaldan?

—De estrategia cultural propiamente no. Tal vez porque hemos temido ser acusados de dirigistas.

—Pero si los señores Boyer y Solchaga no han hecho otra cosa que dirigismo cultural. ¿Te constan las líneas programáticas del PP en cuestiones culturales?

—Protección del español, protección del patrimonio y mercado, mercado, mercado.

—Carmen, habría que arreglar la catedral de Burgos.

—Ya están allí los andamios.

—Esas piedras de color verde de tu colgante componen el indalo de Mojácar.

—Y otras piedras que no se ven.

—Hace juego con el anillo.

—Me lo compré en México, en un mercadito. Me costó unas mil pelas.

—Es muy bonito.

—Lo vi, me gustó y me lo puse.

—¿Y el colgante?

—El colgante es una esmeralda bruta que me compré en Colombia, también es muy barata.

—No, no me importa el precio. No quiero excitar a las masas con el valor de las joyas de la ministra.

—Es muy bonita, ¿verdad?

—Sales mucho de noche. Se dice. En Valencia salías mucho.

—Procuro enterarme de lo que pasa por la calle. De noche y de día. También me gusta ir al supermercado a comprar.

—¿Cocinas tú?

—Sí, claro. Te convidaré un día. Te escribiré y te daré mis especialidades. Tú me dices lo que más te apetece.

—Me dejo sorprender.

—Es lo único que me gusta de la casa, cocinar. Y comprar en los supermercados y hablar con la gente. Me dicen: «Aznar no puede ser presidente del Gobierno».

—¿Nunca te han dicho que sí puede serlo?

—No, no, claro, eso supongo que se lo reservan.

—Para otras clientas, para Ana Botella. Si pasa Ana Botella con su carrito. A ti deben de asociarte con la samba.

—¿Por qué la samba?

—Por los colores y por la manera de moverte.

—Es que hay cosas de Madrid que no puedo entender. ¿Por qué van todas las señoras de beige?

De no ser ministra, a Carmen Alborch le habría gustado ser embajadora. En Cuba, por ejemplo, país de su predilección. Me la imagino construyendo catedrales de Burgos en el malecón de La Habana, entre un mojito y un daiquiri, bailando al son, al son entero. Pero le será difícil acceder al puesto de embajadora en Cuba bajo un Gobierno del PP, y si lo consigue no tendrá tantas posibilidades como Fraga Iribarne para aconsejar políticamente a Fidel Castro. Yo no lo conseguí. La última y brevísima conversación que tuve con Castro fue sobre el pulpo gallego. Yo quería hablar de otros guisos, pero Fidel me salió más o menos carvalhiano y semipaisano, por lo que se dedicó a la glosa del pulpo gallego y la queimada.

—Por cierto —me dijo Castro—. Como punto final de la queimada que me estaba haciendo Fraga Iribarne, echó un lacón en el mejunje. ¿Es ortodoxo?

—Me temo que era un atentado simbólico —opiné, para inquietud de quienes me rodeaban, partidarios de

lo *políticamente correcto*, aunque dispuestos a asumir inco-
rrecciones en boca de un novelista. Es la pretextualidad.
La maldita pretextualidad. La misma que persigue a Carmen Alborch desde que era estudiante:

—Como soy morena y además me gusta ir a la playa, los catedráticos siempre pensaban que no estudiaba.

Voy a ponerme moreno de verde luna en Samarkanda, el restaurante bar emplazado en la antigua estación
de Atocha, a manera de invernadero gigantesco lleno de
humedades vegetales y carente de aceitunas rellenas o por
rellenar. Que nadie pida aceitunas rellenas en Samarkanda, porque yo lo hice primero para adornar una manzani-
lla, luego porque me lo pedía el cuerpo y finalmente desde
la angustia de polaco maltratado por una España interior
que no ha elevado la aceituna a la condición de referente
simbólico imprescindible de su mismidad.

—Aquí sólo servimos patatas fritas —me advirtió
un sufrido camarero.

¿Habrá caído ya Samarkanda en manos de los uzbekos? Tengo la tertulia montada por Leticia Gil de Biedma, que aporta a Carlos Boyero y a Javier Rioyo, es decir, el
salfumán y la lejía de la colada madrileña, dos observado-
res de lo que pasa, dos preciosistas del bisturí, con anestesia Rioyo, sin anestesia Boyero. Invito a Esperanza a que se
sume a la tertulia, no tanto para forzarla como para sacarla
de su ensimismamiento paranoico. Pero llega tensa, como
si temiera una encerrona, economizando sonrisas, palabras, economizando incluso silencios porque nos deja la
cara en la mesa y evade el alma como un vapor más entre
las humedades de este inmenso jardín bajo la bóveda car-
gada de memorias de huidas hacia adelante de la vieja estación. Al comentarles mi encuentro con Alborch se inicia la

conversación sobre el mercado de los transfuguismos culturales. Se especula sobre los fichajes del PP y de ellos hablan las páginas de *El Siglo*, mediante varios artículos de Mario Armiño, o de *El País*, donde Inmaculada de la Fuente titula: «El pesebre que viene» para avisarnos de que los futuros rectores culturales serán Jiménez Losantos, Luis Alberto de Cuenca, Fernando Sánchez Dragó, Juan Manuel Bonet, Luis Racionero, Gustavo Villapalos, más o menos coordinados por Miguel Ángel Cortés, el álter ego cerebral de José María Aznar. Los cantantes temen que las instituciones, esas mecenas, dejen de contratar a Sabina, Aute, Milanés o Víctor Manuel, para dedicarse a Bertín Osborne, Norma Duval o El Fari. Un poeta como Luis Alberto de Cuenca, presunto *magister elegantiae* del poder uzbeko, ha declarado: «A mí el PSOE me ha tratado tan bien que no sé si el PP podrá hacerlo mejor». Le asusta la atomización que puede reportar la cultura de la boina uzbeka y manifiesta su desinterés por la canción popular: «Me aburren por igual Manolo Escobar o Sabina». Prefiere a Frank Sinatra.

Rioyo está en Samarkanda de cuerpo presente y vivo, pero retengo su consigna *Se buscan modernos* de un artículo en el que informa sobre el empeño del PP de encontrar «modernos» que deshagan la sospecha de su apuesta por una cultura carrinclona: «Hay que cambiar a Nati Mistral por Rossy de Palma» y presiente la posibilidad de que el PP cambie a Luis Racionero por Bernard Henry Levy o que se vayan a por las chicas del Club de las 25 que codirige mi amiga Karmele Marchante: «Y volviendo a los buscadores de eslóganes, a los del cursillo municipal de acelerada modernización, hay que decir que el alcalde del PP, Álvarez del Manzano —aconsejado por su concejal de cultura, el muy modernizador Gómez Angulo— está dispuesto a ser espectador de minicines, a cambiar de modisto, de peluquero, de zarzuelas y de lecturas. Cualquier día le vamos a ver en plan de poeta *grunge* asistiendo con Van Halen a un recital de Luis Alberto de Cuenca. De momento y para que rabien todos los ninguneadores de nuestros premios Nobel de Literatura, ya están arreglando la casa de Vicente Aleixandre. Quieren hacer de Wellingtonia un centro de modernidades y otros poemas en prosa. Sí, señor, así se moderniza, con espadas como labios». Si Rioyo es un cazador de gestualidades, Boyero es como un detector de la gilipollez ambiente y sus crónicas en *El Mundo* parecen escritas desde una santa indignación ante la evidencia marujatorresina de que «Estamos rodeados».

En el Samarkanda, Rioyo y Boyero intercambian informaciones de tanteo:

—Me dijo Colom que Garci posiblemente colaboraría con el PP. Garci era del PC, ¿no?

—También se habla de Antonio López.

—También entra dentro del diseño.

—Creo que Gallardón ha presentado a Antonio López para jefe de no sé qué historia cultural y creo que también a Jorge Berlanga.

—También a José Luis Gómez.

Boyero reacciona con una frase de retraso:

—¿A Berlanga van a coger? ¿A ese supermoderno van a coger? Pero ¿para qué?

Leticia defiende a sus amigos:

—¿Por qué «supermoderno»?

—Perdón, yo hablo así, ya sé que eres muy amiga de Jorgito Berlanga.

José Luis Gómez ha dicho que, bueno, que ellos al fin y al cabo son cómicos de la legua y tienen que sobrevivir a los poderes. Se extienden Boyero y Rioyo en consideraciones sobre el hacer de Gómez y yo les informo sobre el estado de ánimo de la señora ministra, habitual del Samarkanda, me dicen, tanto que quizá acuda a la ex estación de Atocha por si quedan trenes con los que volver a Valencia o marcharse a La Habana. Es posible que esta noche llegue a los postres o al café o a la copa, ya en la terraza. Les digo que la Alborch en la primera parte de la entrevista parecía imbuida de su papel ministerial, autocontenida y diciendo lo esperable. Luego empezó a hablar como una izquierdista valenciana contenida y en el exilio.

—Lo ha pasado mal en Madrid. Cuando a una mujer pelirroja la nombran ministra y se presenta con los labios granates, vestida con esos colores rosas, malvas, verdes, que más parecen de Portela, la escuela de samba de Río de Janeiro, hay una tendencia a encasillarla como frívola.

Rioyo y Boyero juegan al ping-pong verbal.

—Yo la conozco muy bien, vamos, la conozco un poco... Aquí la llaman «Ríe-siempre».

—Oye, Fernando Savater siempre está sonriendo y no le llaman «Ríe-siempre».

Es Leticia la que ha terciado antimachista, pero Boyero no cede.

—Ya, bueno, Fernando Savater, Carmen Alborch, la guerra del Golfo...

—No, no, no, no digas la guerra del Golfo.

—Es que ahí acabé con Savater, con toda mi admiración y mi amor.

Leticia al quite:

—A los hombres se les permite todo, a Fernando Savater más.

—¿Por qué dices a los hombres? ¿Y a las mujeres?

Boyero opina que a la Alborch le gustan los hombres de pelo en pecho, porque un ministro de cultura siempre está rodeado de mariquitas.

—Le gusta relajarse y me ha dicho su jefa de Prensa que va a venir luego a tomarse una copa.

—¿Quién es su jefa de Prensa?

—La hermana de Jiménez Losantos.

—Ya no.

—Antes estaba en Valencia esa chica.

—La Alborch se trajo de Valencia a sus mujeres de confianza, que eran Encarna Jiménez Losantos y Toni Picazo, que era una chica que trabajaba en Barcelona con Montserrat Roig.

—El sueño de la Alborch es ser embajadora en Cuba o en un país de América Latina.

—No creo que el PP la nombre.

—Maruja Torres dice que es una tía muy legal, y si lo dice Maruja... A Solé Tura, que era muy aburrido, le iba el esquí de fondo; y a la Alborch, el esquí nocturno.

—Aznar es aficionado al esquí de fondo.

Por lo que parece, el esquí de fondo imprime carácter y forma espíritus sosegados. Rioyo se desliza sobre la nieve imaginaria como un jinete justiciero:

—Aznar, ¿sabes?, va a esquiar. Le preparan la pista como a Franco los cachalotes, hace un poquito de esquí, la foto y ya está. Luego juega al paddle con Pedro J. Todas las estrategias de Aznar, sobre todo en el terreno de la cultura, se las planifica la Fundación Ortega y Gasset. Ésos son los que le han hecho los discursos, le dictan la decantación, le dicen que va mal por el lado de Nati Mistral, que hay que nidar a los otros, y entonces, de repente, alguien...

—¿Nati Mistral será ministra con el PP?

—No, entiéndeme, Nati Mistral se ofrece. A Aznarín le dicen: «Tú tienes que ir a por José Luis Gómez, a por Aranguren»... Bueno, a Aranguren va a ser difícil, pero vamos... «Tienes que ir a por García Calvo».

—García Calvo no se dejaría tentar.

No es de la misma opinión Boyero:

—Como va de anarquista, quién sabe. ¿No viste la colecta aquella que hizo para que le pagaran las cuentas de Hacienda? Yo estaba con Del Olmo, y aparecía allí García Calvo pidiendo pelas a sus seguidores para pagar a Hacienda y me dije: «No me jodas, José Requejo». Pero qué gilipollas y qué crédulos hemos sido algunos.

Observo el distanciamiento de Esperanza y quiero tenderle un puente, aunque sea de zinc, para que se meta en conversación:

—Lo que es tremendo es la sensación de hundimiento de un par de generaciones, que pueden estar entre los 45, 55 y 60 años, parece como si cedieran el territorio a los bárbaros de la derecha acampados a las puertas del Estado. A los uzbekos acampados a las puertas de Samarkanda. Dan la batalla por perdida.

Boyero y Rioyo están de acuerdo, Esperanza lo está pero me ha puesto rictus de desagrado y recurro a pedir una vez más aceitunas. No. Nunca, aunque sepa los caminos, nunca comeré aceitunas en Samarkanda.

—Voy a escribir para *El País* una elegía de la aceituna, desterrada de un restaurante de Madrid moderno que se llama Samarkanda.

Rioyo me recuerda que tengo una visita pendiente a Costa Polvoranca, acompañado de Juan Madrid, que se lo sabe todo sobre la noche y las razas del *bakalao*.

—Hay que hacer la ruta del bakalao madrileña. Parece ser que es y será materia prima literaria: Mañas, Loriga...

—Les he leído, y también a aquel otro que está en China ahora, que tiene una novela como muy homenaje indirecto a Baroja, Grasa. Luego he leído a Benjamín Prado.

—¿El raro?

—Sí, *El Raro*.

—Ése es de *Diario 16*.

—Sí, he leído a toda esa gente y estoy sociológicamente impresionado. Los héroes que describen forman parte de una pequeña burguesía, no son marginales, pero se han inventado un héroe romántico que es marginal. Me he impuesto incluso hacer una interpretación lingüística del de Mañas, porque, evidentemente, es un libro basado en la provocación del argot. Construye toda la novela sobre un reducido grupo de palabras de argot, veinte, y modismos, ese sistema de unir las palabras, por ejemplo, la emeveintetalytal.

—Ya te dije que a mí la novela me parece, desde varios puntos de vista, ¿eh?, pero sobre todo para entender a esa generación, equivalente de *El Jarama*. Lo digo en serio, Carlos, no, no, no, la novela puede estar mal escrita, puede ser...

—Horrorosamente mal escrita, pero no porque se lo haya propuesto, ¿eh?

—No, no tan horrorosamente mal escrita, Carlos, no; incluso puede utilizar un lenguaje que se queda en pobreza, pero está muy bien retratado lo que quiere retratar. Ha captado muy bien esa generación que es la suya.

Leticia se cuela entre Boyero y Rioyo. Cree que el retrato puede ser veraz, pero con un punto de vista teñido de moralina.

—La novela no, la película sí.

Les digo que *La fuga de la ciudad* de Loriga tiene páginas muy bonitas.

—Yo es que no; leí la primera y nunca más.

—Lo que ocurre es que todos ellos tienen una estructura mental para contar de balada de rock, o sea, no tienen un modelo literario, tienen baladas, cuentan como un baladista.

—Loriga lo que ha hecho hasta ahora son algunas buenas letras de canciones. Mañas ha querido hacer una novela, no sé si le ha salido tan bien, pero ha querido hacer una novela, o sea, la historia de Mañas, a mucha distancia literaria, podría ser el *Nuevas Amistades* de esta época.

Boyero vuelve con el salfumán.

—¿Visteis su entrevista en televisión, cuando dijo que Cervantes estaba muy pasado? ¿Que sus frases eran demasiado largas? Son una panda de gilipollas. A mí me parecen unos abortos todos.

—Son más hijos del rock, del cómic, que de la Literatura.

—¿De qué rock? Porque éstos abominan de Dylan, de los Stones. Van de modernos. Son Prince y todo este rollo.

—No, Loriga ha oído mucho a Dylan...

—Yo es que les tengo tanta manía, es que sólo verles el careto... Van posando todo el puto día.

—El Mañas para nada, el Mañas es absolutamente natural.

—¿Sí? Pues ése fue el que vi yo en la tele diciendo lo de Cervantes.

¿Cómo puedo meter en el mundo a Esperanza? Le pregunto:

—¿Estás al día sobre escritores madrileños?

Las palabras le salen del hígado. Son como cálculos hepáticos:

—Me quedé en Umbral, cuando aún se podía leer a Umbral.

Comento la columna de Umbral aparecida aquel día en *El Mundo* sobre la muchacha bosnia que se ahorcó porque no pudo asumir la irracionalidad de lo que la envolvía. Creo que es una de las piezas de periodismo literario más hermosas que se han escrito. Boyero está de acuerdo. Esa imagen de la muchacha ahorcada pero ingrávida, como si no le pesara al árbol.

—Cuando sale Umbral así, *chapeau*...

Leticia lamenta la manía que algunas gentes le tienen a Umbral:

—Yo solamente he cenado una vez con él y le dije que me parecía un hombre muy tierno y me dijo: «Sí, sí que lo soy».

—¿Y a ti qué te parece Umbral, Esperanza?

—Paso.

No habrá más remedio que pasar de Esperanza, que nos pone cara de sentimiento trágico de la vida y de la Historia.

—Quisiera preguntaros una cosa, de cara a este desembarco que se avecina y que cada vez está más claro, porque lo de los arrepentidos ya es la hostia. Tenía una cena ayer con Garzón y me la aplazó porque empezaron a salir arrepentidos por todas partes, y los que saldrán. Ante eso hay una sensación como de pánico, pero de inminencia de cambio. Le he preguntado a Alborch y ella empieza ya a percibir los cambios de actitudes, los cambios de chaqueta. Pero también cree que el PP será lo suficientemente inteligente como para no entregarse a los comisarios culturales que todos se temían.

—Si fueran inteligentes no perderían demasiado tiempo conquistando a los rojos. Lo que tienen que resolver es su problema interior, el de esos fundamentalistas culturales que quieren recuperar la cultura de la España eterna. Si fueran inteligentes apostarían por lo indiscutible: Valle-Inclán, García Lorca, Azaña. Por un patrimonio cultural neutralizable, aunque por culpa del franquismo Valle-Inclán, Azaña y Lorca hayan quedado como rojos.

—Yo recuerdo —intervengo— una película polaca, que contribuí a premiar en un festival de cine, ahora no sé si fue en Valencia o en San Sebastián, lo cierto es que jamás se estrenó. La película se llamaba *Yesterday*. Nunca se ha proyectado en España. Trataba de un grupo de chicos de un instituto de Varsovia que quieren imitar a los Beatles y la represión, encarnada en el jefe de estudios, no les deja porque considera a los Beatles un modelo pequeñoburgués. Tratan de luchar y los expulsan del instituto. Años después, cuando empieza el cambio, el mismo que los ha reprimido actúa en un conjunto musical disfrazado de Beatle. Yo creo que aquí se producirá una apropiación indebida de la otra cultura.

—A mí me pasó una cosa curiosa: en Valencia presentamos una cosa con Vicent para la televisión autonómica, cuando la dirigía ese progre...

—Fabregat.

—Fabregat, eso es. Y al ver que ganaban las derechas pensamos que no prosperaría el proyecto. Pues, oye, nos han llamado: «¡Nos interesa mucho Manolo Vicent!».

—En Valencia para dirigir el Festival de Cine contrataron al autor de *El anarquista desnudo*.

—Es que esto del anarquismo da para un barrido y un fregado.

—No, pero aquí ¿sabes lo que pasa? Los corrimientos de tierra culturales todavía sólo se ven porque aún son muy subterráneos. Se dice: «Oye, ¿sabes que no sé quién está ya colocado? ¿Sabes que alguien ha pedido ya...?». No sé si tú te has enterado de que en tu periódico alguno ya ha levantado la mano para ofrecerse a cosas.

—Pablo Sebastián para dirigir Telemadrid.

—Y ahí ha habido una batalla tremenda. Ruiz Gallardón quería a Ferrari, ¿no?

—Han conseguido anularlo. Tengo una entrevista acordada con Ruiz Gallardón la semana que viene. A ver qué me cuenta.

—Ése sí que es interesante.

—¿Sí? ¿Lo dices en serio?

—Yo me temo que han construido un progre de derechas de probeta.

—El otro día le decía yo a Sádaba que a él le iban a llamar. Se lo dije: «Te van a tentar».

—¿A Sádaba?

—Se lo dije yo a Sádaba. «¿Qué dices? Para nada». Ya lo veremos.

Les pregunto si confían en una posible proclamación de la III República por parte de los conjurados contra Felipe. Me muerdo los labios pero ya está dicho. Esperanza parece al borde de la estampida.

—Presidente, Vargas Llosa.

—O rey. Imagínate un rey peruano.

—¿Cómo empezaba eso que pone en lo de *La catedral*?: «En qué momento te jodiste, Zabaleta».

—Me encanta, ¿eh?

—Me encanta.

—A Leticia le encanta Vargas Llosa.

—No, no me encanta Vargas Llosa.

A Boyero le parece detestable, pero le interesa la posición de Leticia:

—Pero ¿te gusta?, ¿te parece guapo? ¿O te encanta como persona?

—Sí, ahora menos.

—Les gusta mogollón a las mujeres este tío.

Leticia cree que Vargas antes era muy guapo, ahora menos.

—Lo que no me gusta es que se casa siempre con las mujeres de su familia.

Les digo que, en mi opinión, Vargas ha viajado ideológicamente como Semprún, pero Jorge es más inocente. Son dos mesiánicos. Fueron mesiánicos cuando eran criptocomunista el uno y comunista el otro y ahora lo son como arcángeles de la guarda del paraíso democrático.

—Yo pensaba que Semprún era más cínico.

—No, no, no lo creo.

Quedo con Leticia para un encuentro con jóvenes intelectuales orgánicos de *Abc*. Tomás Cuesta y Jorge Berlanga, el autista, según me han dicho algunos que le conocen, ignoro si para bien o para mal. Boyero dice que deberíamos construir en Madrid un cementerio para las víctimas de la II Transición, para los inmolados tras la invasión uzbeka.

—En el PSOE hay quien vive con el síndrome de afrancesado a punto de ser expulsado a las tinieblas exteriores por la reacción absolutista.

Les hablo de una reciente visita al cementerio Père Lachaise en París y mi encuentro casual con la tumba del Príncipe de la Paz, Manuel Godoy, el extremeño que se metía en la cama matrimonial de Carlos IV cuando él no estaba y que veía Europa en francés.

—Me encontré su tumba, una verdadera mezquindad, por casualidad. Yo iba a ver la de Jim Morrisson, como una concesión a la modernidad, o la de Edith Piaf, como una concesión a mi educación sentimental. También el muro de los confederados o los monumentos fúnebres dedicados a los españoles republicanos que lucharon contra el nazismo. Me gusta llorar en Père Lachaise. Menos mal que la depresión causada por la miserable tumba de Godoy la compensé con la estimulante sepultura de Oscar Wilde. Alguien le había dejado una botella vacía de champán y una copa.

Boyero ha estado ante esa tumba, y ya que hablamos de raíces sentimentales, confiesa que se montó un viaje a París junto a Fernando Trueba, el director de *Belle Époque*, para ver una actuación, una de las últimas, de Georges Brassens.

—Le llevábamos una botella de vino y un chorizo, pensando que nos iba a enviar a tomar por el culo. Pero nos trató maravillosamente.

—Tal vez porque erais españoles. A él, cuando contrajo la tuberculosis en la posguerra, le cuidó un matrimonio de españoles exiliados. El chorizo actuó como la magdalena de Proust. Sin duda le recordó a sus amigos españoles que le curaron la tisis a base de chorizo.

Subimos a las terrazas de Atocha, movimiento que Esperanza convierte en huida, pretextando algo que ni siquiera atiendo. Me indignan los suicidios de la razón a lo bonzo. En la terraza hay gente que me empuja a asumir mi condición de *señor mayor*, gente insultantemente joven y veraniega entre la que me abro paso para ver la exposición de fotografías de chicas *MAN*. Son muchachas definitivamente bidimensionales, en blanco y negro, no tienen carne, sólo luces y sombras. ¿Será la realidad ya un producto recién salido del *lifting*? Me guía el director de *MAN*, Juan Carlos de la Iglesia, uno de los impulsores de la ya arqueológica *movida* madrileña desde la revista *La Luna de Madrid*. De la Iglesia se ha hecho mayor y vuelve la cabeza atrás para contemplar aquel momento de esplendor en la hierba de una ciudad que emergía del pozo franquista, de su papel de capital del último fascismo superviviente en Europa. Me habla de un libro básico para entender la *movida*.

—¿Cómo se llama el libro?

—*Sólo se vive una vez*. Título inspirado en una antigua canción de Gabinete Caligari que se llamaba así.

—Y en un antiguo bolero que venía a decir más o menos lo mismo. Lo cantaba Machín. *Se vive solamente una vez / hay que aprender a querer y vivir*. Recordando o leyendo cosas que decíais los de la *movida* por entonces, parecía como si el mundo, la razón, el sentimiento, los boleros, la rueda... hubieran nacido con vosotros.

—El trabajo es de Juan Luis Gallero. No se encuentra. Te haré una fotocopia. Es un trabajo de campo. Entrevistas. Un tochito.

—Y de todo aquello ¿qué ha quedado, individualmente o como grupo?

—Es el espejo de la nada. Porque el problema de aquello es que es algo muy intangible, sobre todo para un polaco, sois demasiado racionales los polacos. Todo lo de la *movida* estaba basado en un concepto muy burdo: la pasión. La gente hurgaba, buscaba. Fue un movimiento básicamente municipal, de gente sin prejuicios excesivos. Aquello cuajó porque había una conjunción ideológica y astrológica. La gente entonces se libró del escepticismo, y todo el mundo cooperaba en todo. Porque era emocionante. No es cuantificable.

Hace quince años del esplendor de la *movida*. Sus principales protagonistas tenían veinte y pocos años y les reunía una radical desconfianza por casi todo lo anterior. Santiago Auserón escribía en *La Luna de Madrid* que la *movida* era «una conciencia en la calle de que Madrid estaba vivo y de que había mucha gente preparada. Fue como un toque de atención. ¿Estamos todos en nuestros puestos? Pues, adelante». Borja Casani fue el intelectual orgánico más representativo de la publicación y el gurú espiritual de buena parte de la *movida*, a partir de una mezcla ideológica de anarquismo y posmodernismo, con el valor añadido de una cierta desgana hacia lo histórico, tal vez porque sobre aquellos personajes de la *movida* gravitaba la advertencia de Gil de Biedma de que la Historia, al menos la de España, siempre acaba mal. Los de la *movida* cumplieron la norma de querer, si no matar al padre, sí enterrarlo y sólo permitirle resucitar como abuelo. Fueron bastante desdeñosos contra los que les precedíamos y a veces actuaron y opinaron como si la Historia y la Cultura, las buenas, empezaran con ellos. En este sentido, es muy revelador recuperar las afirmaciones de Casani por entonces. Recuerdo que una vez Parreño me pidió una colaboración para *La Luna de Madrid* y me la publicaron en un lugar de castigo, en la peor esquina de la peor página, en los peores tipos de letra.

—Había la consigna de marear a los consagrados. Había una sección que se llamaba *La galería de náufragos*. A Umbral le pedimos una entrevista y cuando se vio en la Galería quedó un poco sorprendido. En *La Luna* sólo estuve dos años, los años fuertes. Hay mucha gente que se ha quedado colgada de todo aquello porque realmente fueron años emocionantes. Luego, cada cual siguió su vida. Ingresó en el importante gremio de los supervivientes. Otros se lo montaron bien. Lo de Almodóvar es muy obvio. Lo de Alaska, también.

—¿Qué significa que lo de Alaska es muy obvio?

—Todo el mundo sabe lo que están haciendo. Almodóvar es una estrella internacional.

Plaza me informa de que Almodóvar está colaborando con Loriga para hacer una película. Sería algo así como el enganche entre la promoción de la *movida* y la llamada *generación X*.

—¿Qué se hizo de Borja Casani? Pasaba entonces por el intelectual orgánico del grupo.

—Lleva lo de *El Europeo*.

—¿Qué quiere decir estar en *El Europeo* ahora, después de haber estado antes en *La Luna de Madrid*?

—Insisto, cada cual ha sobrevivido como ha sabido. Ágata Ruiz de la Prada sigue de modista. Ouka Lele sigue de fotógrafa importante. La Moriarty se ha casado. Pérez Villalta y Barceló pintan. Jacobo Martínez de Irujo ha sacado adelante Siruela. Lo de Jacobo fue una experiencia muy personal. Era el hijo intelectual de la duquesa de Alba y empezó por querer hacer una revista semanal, después una mensual, después una anual, y al final se convirtió en un editor de libros minoritarios y muy bellos.

—¿Por qué se deshinchó el globo de la *movida*?

—Todo lo que es bueno tiene un periodo de duración. Como me imagino que ocurrió en la corte polaca en tiempos de la *gauche divine* de Barcelona. Tampoco queda nada. Bueno, quedan individualidades. Ya hemos hablado de algunas.

—¿Y escritores?

—El más representativo hubiera sido Haro Ibars y murió. También hubo mucho de montaje aupado desde fuera, porque lo de la *movida* fue un producto de exportación. En todos los medios de comunicación importantes del mundo se habló de aquel fenómeno: *Rolling Stones, The Herald Tribune, The New York Times, Le Nouvel Observateur, Newsweek, Le Soir*... Era como la catarsis del Madrid franquista. La recuperación del Madrid democrático y republicano. Tal vez Ray Loriga sea hoy el que mejor se reencuentra con el espíritu de la *movida*, en su escritura y en su vida.

—¿Vive como escribe?

—Yo creo que sí.

—El otro día apareció en un programa de Canal Plus con una rockera que parecía una heroína prerrafaelista.

—Cristina, su compañera actual, de origen danés. ¿Recuerdas aquel dúo Cristina y Alex que participó en el festival de la OTI? Pues era ella. Otro escritor de estos nuevos, Benjamín Prado, creo, es el marido de la hermana de Cristina.

—Estos escritores perpetúan el rechazo de lo anterior, al menos de la tradición literaria inmediatamente anterior. Me he leído unas diez novelas de varios de ellos y la única referencia que he encontrado a escritores que les son contemporáneos aunque mayores es una cita de Mendoza, concretamente de *Gurb*, en el libro de Mañas sobre el Kronen.

—Cine, rock, ésos son los referentes. Bowie, Cobain, algo de Dylan. Aun estando en el mismo lote, más o menos, generacional, Loriga es algo mayor que Mañas. El del Kronen es un tío frío que ha captado las vivencias de una generación de drogas químicas.

—¿Loriga es la generación X y Mañas la Y o la Z?

—Las generaciones ahora pasan muy rápidas.

—¿Y la violencia como materia y manera? Con la cantidad de motivos que hay entre los jóvenes para la rebelión con causa, ¿por qué ese empeño en que parezca una rebelión sin causa?

—Tal vez no quieren recurrir a un discurso de compromiso político que de hecho también rechazó la *movida*. De ahí la desconfianza hacia vosotros, las generaciones más politizadas; aunque de pronto, por ejemplo, nosotros, los de la *movida*, podíamos aceptar a un Senillosa, que era muy mayor y monárquico liberal. Pero se le aceptaba por el talante. Era un *senior* cojonudo. Siempre colgado de alguna chica joven que presentaba como su sobrina.

—Una vez se me presentó con una chica que vestía de paracaidista y Senillosa me juró que era una sobrina de Milans del Bosch. Oye, ¿y qué se hizo de aquella muchacha tan radiante, la Moriarty?

—Recuerdo que Ricardo Cid Cañaveral estaba loco por ella. Cautivó a un montón de gente en esa época. Se casó con Huarte, el constructor. No se llamaba Moriarty, se apellidaba Villar.

—Tomó el apellido del personaje malvado de la serie de Sherlock Holmes. ¿Todo aquello acabó por una cuestión biológica? ¿Por el factor crecimiento?

—El PSOE gana en el 82, pero hasta el 86 siguió lo de la *movida*. Luego se disgrega, pero tampoco tiene un acta de defunción. Se va diluyendo. Tal como estaba planteado, cada uno tira por su lado, unos tienen algo que hacer y otros no saben qué hacer. Tampoco ha salido nada mejor después. Lo de las tribus urbanas actuales es arrasador. No quieren crear nada. Son esencialmente nihilistas. ¡Que pase algo! Lo más triste sería que este país se quedara en blanco. Madrid en general es una ciudad muy vivible, por lo que convivirán todos. Pero me da la sensación de que esta nueva generación, que no conozco, tiene esquemas muy personales de actuación. Para mí son muy marcianos. Después de la *movida* las aguas han vuelto a su cauce.

—A un cauce tradicional. Los libros más vendidos son los de Jiménez Losantos, con títulos como *Lo que queda de España*, y los de Alfonso Ussía.

—Es que no se ha conseguido nada. Pero a mí me encanta que no se haya conseguido nada. Tal vez encarnábamos el pensamiento débil y así ha crecido Aznar. ¿Mi impresión del momento actual? Salgo a la calle poco. Llevo cuatro años de casado. Tengo un hijo de un año que es lo que más me interesa actualmente. Tampoco quiero caer en la idea de que lo de ahora no vale nada. Tengo un ejemplo muy claro: Kurt Cobain ha cometido la gran genialidad de suicidarse y la gente se muere por él en las esquinas. La primera vez que escuché a Cobain me pareció bien porque me gusta la música, pero pensé que ya no era de primera generación. Que era el grupo Psichodelic Furs reinterpretado. Yo entiendo que la gente de ahora llame de primera mano a eso, a Madonna, o a Michael Jackson, pero a mí eso no me parece de primera mano. Me emociono de otra manera. Me pongo su disco, no mucho, y si el tío se suicida me parece lo mismo que si se suicida un camionero de Düsseldorf. No me parece que sea para ponerlo en un altar. Creo que esa mitología pop de morir joven y tener un cadáver exquisito es un poco boba. También te digo una cosa, me repatea una frase estúpida de un tío estúpido que se ha inventado lo de la Generación X. La única frase brillante que tiene el libro es que a partir de los treinta y pocos te da la sensación de que no te está pasando nada. Quizá lo que te pasa ya no te traspasa la epidermis. Ni en lo personal ni en lo social me impactan las cosas. Las veo y las analizo.

Sobre lo que se canta y lo que debe cantarse, me orienta hacia la antología publicada por *EGM*: Family, Willy Crook, Australian Blonde, El Inquilino Comunista, Sex Museum, Doctor Explosión, Lyons in Love, Flechazos, Vancouvers, Penélope Trip, La buena vida, Amphetamine Discharge, Pribata Idaho, Mil Dolores Pequeños. Los nombres de los grupos parecen emparentados con los de la *movida* hace quince años: Radio Futura, Gabinete Caligari, Golpes Bajos, Loquillo y los Trogloditas, Alaska y los Pegamoides, Ejecutivos agresivos, Mecano, Hombres G, Kaka de Luxe, Siniestro Total, Glutamato Yeyé.... Independientemente del valor de las canciones o de los intérpretes individuales de la *movida*, entre los que sobrevivieron, Luz Casal o Sabina o Antonio Flores hasta su muerte, es innegable que aquellas gentes supieron buscar nombres a sus grupos y a sus canciones. Algunos títulos de canción se incorporaron al habla coloquial o venían de ella, ya es lo mismo: *¿Qué hace una chica como tú en un sitio como éste?* o *¡Qué público más tonto tengo!* o *Pongamos que hablo de Madrid.*

También me orienta sobre mis contactos con los llamados intelectuales orgánicos del futuro centrismo, Berlanga y Cuesta:

—Cuesta estaba en la sección musical hasta que lo fichó Ansón. Es el director de *Blanco y Negro*. Y Berlanga se ha convertido en articulista dos días a la semana.

—Y a ti este Madrid de la cultura del bakalao, de la Costa Polvoranca, ¿te inspira curiosidad?

—Estoy dejando que pase un tiempo.

—Pero tú has ido a la Costa Polvoranca.

—No me excita nada. Yo he estado en discotecas de bakalao en Benidorm y por ahí, pero no me apetece. No me dice nada. Me apetece hablar y pensar. Teníamos nuestra música tecno. Era muy esteticista pero tenía su función. Mecano y esa gente. Entonces me sonaba fatal, pero ahora me he hecho amigo de Ana Torroja.

—Y si has de leer, ¿qué lees?

—Flaubert.

Leticia, Rioyo y Boyero me acompañan hasta el hotel para que no me pierda. Nos acoge ese Palace en descanso de todo lo que he urdido a lo largo del día y queda en pie el encuentro con Tomás Cuesta y Jorge Berlanga en un restaurante llamado Guisando, que es gerundio del verbo guisar o pueblo donde se ubican los famosos Toros de Guisando, esculturas célticas tardías (s. II a. de C.), animales cuadrúpedos de difícil identificación, a los que unas veces se ha considerado representaciones de toros y otras de cerdos.

10. La generación X, Y y Z

Este Juan Carlos que ahora tenemos es muy saludador
y en cuanto puede se va a esquiar a Candanchú.

ISMAEL GRASA, *De Madrid al cielo*

La *movida* creó un orgullo de ser madrileño como
la *quinta del Buitre* renovó el orgullo de ser del Real Madrid. El libro de Gallero es un hermoso balance y epitafio
de lo que nació como un rock y en realidad, nada más y
nada menos, fue un bolero. De ahí el título del libro: *Sólo
se vive una vez*. Contemporáneamente yo recuerdo cuántas veces me preguntaron mis entrevistadores extranjeros
por la *movida*, dando la razón al análisis de Gérard Imbert,
un profesor de la Sorbona capaz de hacer análisis sobre
temas tan españoles como el consultorio radiofónico de
doña Elena Francis. Para Imbert la *movida* marcó una
existencialización de los valores, la espacialización de la
búsqueda y una figurativización del hacer. Ahí es nada. La
movida fue una utopía bonsái, ubicada en Madrid, y un
discurso formal específico basado más en objetos que en
sujetos. Supongo que cuando Imbert utilizaba la *movida*
madrileña como un modelo de la posmodernidad, pensaba que iba a ser en cierto sentido trascendente, porque
parecía que Madrid creía en sí misma y que había lanzado
una vanguardia, dentro de lo que puede esperarse de una
vanguardia posmoderna. Pocos años después de su auto-
liquidación, El Gran Wyoming escribía en *El País*: «La
gran oferta cultural que puede dar Madrid es la hostelería,

saber que a las cuatro de la madrugada hay sitios abiertos. Hay gente que piensa que esto es una gilipollez porque prefiere que haya otro Premio Nobel, pero yo lo veo así. Los extranjeros cuando vienen a Madrid se quedan acojonados. No saben si esto es el paraíso o un decorado que les han montado para ellos. Eso es la libertad». El pintor Pérez Villalta lamenta que sus compañeros de la *movida* no asumieran la formación de un grupo y primaran las individualidades: «Seré un tonto, pero sigo pensando que con un poco más de amistad todo hubiera sido mucho mejor y seguramente más divertido». Jorge Berlanga glosa la cantidad de músicos, pintores, fotógrafos, diseñadores, cineastas que expresaron la reacción visceral de la juventud de una ciudad para proyectarse, y frente a esta argumentación, Javier Marías, que vivió la *movida* desde Londres, se muestra escéptico sobre las reales novedades de un movimiento que de hecho representaba una manera tradicional del vivir madrileño. Más implacable fue el ya *senior* Juan Luis Cebrián cuando escribió a manera de epitafio de la *movida*: «Comienza a ser un trasto viejo y el paso del tiempo nos permite analizar lo que está dando de sí: un par de bares y algunos chascarrillos». No son palabras demasiado posteriores al esplendor en la hierba. Son palabras de 1987, cuando probablemente aún están de moda algunos bares posmodernos: el café La Bobia, en la calle de San Millán, lugar de encuentro de rockeros, punkis y gentes de la juerga urbana; las discotecas de extrarradio Argentina, Canciller, Barrabás; Malasaña como capital de la nueva gloria y Lavapiés, su sucursal; locales emblemáticos como El Buscón, Elígeme, El Juglar, El Botas, la plaza del 2 de Mayo, Rock-Ola, Morasol, Astoria, Sá, Autopista, Mac, el Baile, Golden Village, el complejo Azca. Eran los tiempos en que la Consejería de Educación y Cultura de la Comunidad Autónoma promocionaba exposiciones de la *movida* en Italia o en París, en la mismísima Tour Eiffel, y el alcalde de Buenos Aires imitaba los bandos municipales de Tierno Galván, mientras Vigo o Valencia o Sevilla inventaban *movidas* locales. En 1988, Belén Gopegui y Fernando Cohen escriben para la revista *Tribuna* que la fuerza del dinero ha terminado con la *movida* madrileña y que los que antes acudían a Rock-Ola y compraban *La Luna de Madrid*, hoy bailan sevillanas y adoran a los divos de las finanzas, es decir, a Mario Conde.

Ahora los actuales protagonistas de la cultura joven traducen un pesimismo generacional en este Madrid situable no ya entre dos guerras, sino entre dos desencantos. Al hacer balance de mis impresiones, lo que más me molesta no es esa disposición a estar de vuelta de gentes que apenas tienen recorridos hechos, sino la división de los mayores, de aquellas promociones que hicieron posible la primera transición, algunos mediante una larga y dura lucha contra el franquismo, en los definitivamente desencantados o cínicos supervivientes, cuando no en constructores de un búnker desde el que defienden irracionalmente todos los errores de los Gobiernos del PSOE que han puesto en cuestión la esperanza del cambio. Esperanza es casi un tópico. Voy a verla para aligerar los efectos del fallido encuentro en Samarcanda. No está en casa y utilizo la llave, la única prueba que tengo de más de treinta años de complicidades. La espero lo suficiente para que llegue y se sorprenda ni agradable ni desagradablemente, sino todo lo contrario. Apenas si me da tiempo de templar gaitas:

—Lo de la otra noche fue una encerrona. Me rodeaste de personas empeñadas en zaherirme, en hacer leña

del árbol caído. Son ninguneadores, de una frivolidad es-
peluznante. Entre esos ninguneadores y el acoso de periodistas, jueces y la oposición, os estáis cargando esa expectativa de la que hablas.

    ¿Y los motivos objetivos para la crítica que el poder
ha dado? ¿La corrupción? ¿El terrorismo de Estado? Esperanza es un frontón, pétrea como un verraco, pienso,
pero no quiero insultarla ni siquiera mentalmente y sustitu-
yo el verraco por el toro lítico: pétrea como los toros de
Guisando. Tal vez el ejemplo me lo dicte la urgencia de ir a
cenar con Leticia, Berlanga y Cuesta en Guisando. Esta vez
ni se me ocurre invitar a mi amiga. El restaurante que es
gerundio también se caracteriza por ser negocio entre paralelo y convergente de El Amparo, uno de los grandes restaurantes madrileños donde alguna vez comí un bacalao al
pil-pil tricolor. De Tomás Cuesta sé que es responsable
directo de *Blanco y Negro*, subdirector de *Abc* y brazo derecho o izquierdo de Luis María Ansón. De Jorge Berlanga,
que es articulista que gusta a la clientela joven del centro
derecha y autista, opinión que legitimo en el Diccionario de
Psicología de Friederich Dorsh: «*Autismo*: (gr. autos, sí mismo); Sin. de pensamiento autista. En el lenguaje común:
estar sumido en ideas y ensoñaciones». Hasta aquí perfecto, yo también soy autista, pero Bleuer metió la palabra
autista en la selva de la psiquiatría para caracterizar un tipo
de esquizofrenia dramática, la que padecen las personas
encerradas en su propia lógica, incapaces de conectar con
la de los demás. ¿Quién no ha sido, alguna vez o muchas,
autista? De la mano de Leticia, que actuó siempre como una
procuradora milagrosa y perfeccionista, Cuesta y Berlanga
tuvieron la gentileza de perder unas horas de sus vidas trans-
mitiéndome el tono de una cierta apatía que jamás entendí

dirigida hacia el presente, yo, sino hacia el pasado, González, y el previsible futuro, Aznar.

Empezamos hablando de Ruiz Gallardón y su política de fichajes para el PP que viene: Villapalos, la calidad. Van a fichar gente cualificada. A Berlanga le suenan
nombres. Pedro Pérez, de la productora Cartel, para Cine.
Cuesta opina que ficharán a un tipo de gente de amable
tradición conservadora, como Alonso Millán, y a representantes de una trasnochada modernidad, como Ricardo
Bofill. Berlanga cree llegado el tiempo de los camaleones:

—Hay quienes empiezan a dorarle la píldora a Aznar.

—Durante casi cuarenta años el horizonte cultural
de este país fue la reconstrucción de la razón democrática.
Luego llegó el PSOE y se inventó la Nueva Frontera de la
Modernidad. ¿Qué objetivo presentará el PP?

—La cuestión cultural les interesa mucho —aporta
Cuesta—, pero van a trabajarla con cuidado porque no basta con poner dinero sobre la mesa, también deben seducir.
Lo ideal sería que consiguieran lo mismo que Giscard cuando movilizó a la plana mayor de los nuevos filósofos.

—O sea, que no irán con Jiménez Losantos por
delante.

Cuesta tiene una idea clara: los fichajes los conse-
guirán a base de dinero y vanidad. Berlanga añade el factor
resentimiento: los agraviados por el PSOE, los que conci-
bieron expectativas en su momento que no se vieron con-
firmadas, ésos son carne de PP.

—Pero estarán muy vigilados por los medios y los
poderes fácticos afines. *Abc* acusaba a Ruiz Gallardón de
respetar la programación del festival de Otoño dejada por
Leguina, «llena de comunistas y socialistas», por ejemplo,
Eurípides.

—Eso se suavizará.

Es respuesta de Cuesta, y ¡si él lo dice! Pero tanto él como Berlanga añaden que no saben qué planes tienen los populares, y a partir de este momento sospecho que entraron en una excesiva modestia sobre su utilidad y prosiguieron la cena acomplejados porque no informaban tanto como ellos suponían que yo suponía podrían informarme. Equívocos de este tipo suelen producirse, pero tanto Cuesta como Berlanga tuvieron palabras y silencios interesantes: «Lograrán ganarse a los descontentos, porque son un filón. Hay muchísimos. Gente maltratada, olvidada, relegada.» «No creo que vayan a hacer caso a las presiones de *Abc* o de *El Mundo*, que es lo que espera la izquierda.» «Es lógico que haya un vínculo del PP con esas publicaciones, como lo ha habido y lo hay entre *El País* y el PSOE.» «Lo de Bofill te lo he dicho porque supongo que algunos nombramientos querrán crear impresión de marca, conseguir un profesional de marca.» «Deberán crear polos de atracción propios, por ejemplo, utilizar algo parecido al Círculo de Bellas Artes para convertirlo en un centro de irradiación cultural madrileña.»

—Me interesa algo que afecta al comportamiento más cotidiano. Toda ciudad genera unos referentes y la ciudad es en sí misma una metáfora. Hay una ciudad socialista. ¿En qué consistirá la ciudad del PP?

Los dos dudan que el PP se lo haya planteado en términos de imaginarios.

—Pero el nuevo poder saldrá a la calle, saldrá de noche. ¿Adónde irá? Los lugares que escojan serán como huellas de sus intenciones.

Berlanga sostiene que a los del PP no les gusta salir de noche:

—No son gente de restaurante.

Leticia está al quite:

—Comen en el VIPS.

Cuesta asegura que donde suele encontrarse a más gente del PP es en bistrós y casas de comidas de tipo medio, o a lo sumo llegan a restaurantes parecidos a lo que era Viridiana al comienzo. Y es que en opinión de mis dos modestos y contenidos comunicantes, los del PP aún no tienen asumido que van a ganar, que se van a apoderar de la ciudad. Son como uzbekos desconocedores de que son uzbekos a punto de apoderarse de la Samarkanda socialista. Todavía especulamos en Guisando sobre la presentación o no de González al frente de la candidatura socialista y el tanto por ciento por arriba que esa renuncia iba a aportar a las arcas electorales del PP, y mis compañeros, a pesar de la fama que tienen de posibles inspiradores de la política cultural uzbeka, no parecen demasiado entusiasmados y esperan tiempos donde se cumplan las previsiones de la Rivière, tiempos caracterizados por el exhibicionismo de la virtud, tiempos puritanos. Los del PP suelen ganarse la confianza de las masas cerrando discotecas, por ejemplo, porque hacen mucho ruido y a la inmensa mayoría posmoderna le gusta dormir. Cuesta avanza:

—No es que no se crean que pueden ganar, pero tocan madera.

—No paran de tocar madera —corrobora Berlanga.

—¿Y los augures? ¿Acaso la victoria en la Liga del Real Madrid no anuncia la victoria electoral del PP?

Para Cuesta es más importante la victoria del Real Madrid y Berlanga predice la ocupación del palco del Madrid por parte de los nuevos dueños del país. Cuesta no cree que el PSOE creara una expectativa cultural específica, y para él la *movida* fue un movimiento típico de la clase media madrileña, el sector que no había tenido protagonismo durante la dictadura y que de pronto notó que estaba preparado para asumirlo y para divertirse además en el empeño.

—Una sociedad de diversión pero al mismo tiempo con un interés artístico y cultural —cree Berlanga.

Pero Cuesta no lo ve tan claro:

—Primero todo el mundo quería ser guitarrista y cinco años después todos querían ser pintores. La mayoría no sabían tocar la guitarra y tampoco sabían pintar. Barceló fue un descubrimiento del PSOE. Recuerdo que en el año 81 u 82 yo estaba en el despacho de Borja Casani y alguien comentó que quería comprar un Barceló por lo que fuera, no importaba el dinero, 15, 20 millones. Luego te ibas a Nueva York y un Barceló te costaba cinco millones. Lo de la movida fue como un mercado endogámico desmesurado. En la peletería de la Benarroch, por ejemplo, pues iban las señoras a comprarse un visón y llevaban cuatro millones en metálico, y venían señoras de Albacete a Madrid a comprarse bolsos de diseño a 400.000 pesetas la pieza.

No hay que ver la *movida* entonces como un fenómeno artificial fomentado por los socialistas y ligado a la cultura del consumo, del pelotazo, de los años del optimismo económico. El PP queda exculpado de aportar un embrollo cultural semejante y propio. Berlanga considera que los socialistas se encontraron lo de la *movida* ya hecho, como fruto de una reacción social más o menos espontánea. Cuesta le pone colores a la opinión de Jorge:

—Los socialistas se encuentran con algo que de repente está ahí, con una flor silvestre, y la riegan, que es lo que hicieron, regarla con muchos millones de pesetas. Lo indudable es que la gente estaba ilusionada.

—Es una ilusión que ahora no encuentras por parte alguna entre la gente más joven. Bueno —sostiene Berlanga—, ilusiona consumir a la sombra de los padres, pero sin confianza en el futuro. Va a producirse un cambio, un cambio de chip, pero no está claro en qué sentido.

Recuerdo la afirmación de Polanco: «Si el PSOE pierde se termina definitivamente la sombra del franquismo». Ahí está Cuesta al quite:

—El PSOE, que no la izquierda, es una consecuencia del franquismo, como Chirac es una consecuencia de Mitterrand. Todo desencanto provoca lo contrario, y lo contrario aparece como lo salvador.

A Berlanga le interesaría saber cómo va a llevar los servicios secretos Aznar y nos sumergimos todos por un momento en la especulación precoz de los nuevos dueños de las cloacas futuras, pero a la vista del retrato robot del futuro orden, ¿para qué coño van a ser necesarios servicios secretos? ¿Por qué habrá que vigilar al *establishment* de la ciudad uzbeka o aznarita si los padres serán carne de VIPS y los hijos de la ruta del bakalao?

—Os veo un poco desganados.

—Es que este país ya empieza a aburrirse hasta de sus excitaciones y en el futuro puede ser aún más aburrido. La transparencia puede ser aburridísima.

Leticia no está de acuerdo con Berlanga en lo de la transparencia, y en cuanto al tedio, queda por ver cómo se van a resituar los aliados del PP. Ahí está el espectáculo.

—¿Y cuando se acabe el PSOE como muñeco de pimpampum, qué va a pasar?

Cuesta:

—Eso que se llama la normalidad democrática, tediosa, inevitable, insustituible.

Berlanga:

—Se hará un cine, una televisión, un teatro para señoras por la tarde, o ni siquiera para señoras por la tarde.

Yo:

—¿Ni siquiera para señoras por la noche?

—Ni siquiera.

—¿Y el sentido del humor?

—Tal vez el de Ussía —opina Cuesta—, que no está tan mal. Recuerdo que un día íbamos juntos en el coche cerca del Bernabéu y era el 20-N. Atravesamos una manifestación franquista y Alfonso asomó la cabeza por la ventanilla y peguntó: «¿Saben cómo ha quedado el Real Madrid?». Aporrearon el coche. Nos querían matar.

—Ése es el humor diletante, está bien. Pero ¿no hay una alternativa más amplia a lo que haya podido representar el PSOE, a sus señales culturales, morales?

Cuesta sentencia:

—Hubo si quieres una literatura franquista, pero no hay una literatura del PP.

A Berlanga lo que le interesa es que los años de transparencia futuros no perjudiquen las pequeñas libertades personales, que son las que le importan.

—Esta derecha es muy cutre, muy de medio pelo.

Frente a los temores de Berlanga por la cutrez, Cuesta ni confía ni desconfía. Jamás se sentirá desencantado porque no está encantado. Si estos dos jóvenes intelectuales son del PP o respaldan argumentaciones políticas afines, representan fidedignamente la disposición vital del ciclista de Brecht, aquel que medita junto a la rueda pinchada de su bicicleta y se plantea: «No estoy contento de donde vengo ni me entusiasma adónde voy. ¿Por qué entonces aguardo el cambio de la rueda con impaciencia?».

—Y si el cambio apenas va a percibirse, ¿por qué tanta histeria?

—La histeria está en lo político, sólo en ese mundo y en el mediático —alerta Cuesta—. Todos quieren presumir de haber matado al toro y la verdad es que el toro se ha muerto de viejo.

No hace falta, pues, esperar la invasión de los bárbaros. Cansinamente se van a apoderar de la ciudad por cansancio y hablo de la ciudad en sentido metafórico. *Pongamos que hablo de Madrid*, digo, y es el título de una canción de Sabina que divulgó sobre todo Antonio Flores, el hijo de Lola Flores y de un gitano catalán, el polaco El Pescaílla. Pero ni siquiera la canción de Sabina está más allá del equívoco. Berlanga aporta que hay variantes de los versos finales:

—Al final había un párrafo que decía: «Que me lleven al sur donde nací», y otras veces pide que le entierren en Madrid.

—Yo recuerdo una versión que acaba en el sur.

Luego arrastraremos las amabilidades y la noche en pos de la última copa que tomé contigo. Berlanga se quedará por el camino y seré yo el que deserte a continuación, fatigado sobre todo por una sensación de cansancio tan general. En mi habitación del Palace repaso tan larga marcha para ver al Rey y me entra una melancolía de hotel o de avión, el momento preciso para garabatear poemas. Pero tengo la cabeza llena de la canción de Sabina, de la voz del malogrado Antonio Flores, enterrado junto a su madre, muerta dos semanas antes:

Allá donde se cruzan los caminos
donde el mar no se puede concebir

donde regresa siempre el fugitivo
Pongamos que hablo de Madrid

Donde el deseo viaja en ascensores
un agujero queda para mí
que me dejo la vida en sus rincones
Pongamos que hablo de Madrid

Las niñas ya no quieren ser princesas
y a los niños les da por perseguir
el mar dentro de un vaso de ginebra
Pongamos que hablo de Madrid

Los pájaros visitan al psiquiatra
las estrellas se olvidan de salir
la muerte pasa en ambulancias blancas
Pongamos que hablo de Madrid

El sol es una estufa de butano
la vida un metro a punto de partir
hay una jeringuilla en el lavabo
Pongamos que hablo de Madrid

Cuando la muerte venga a visitarme
que me lleven al sur donde nací
aquí no queda sitio para nadie
Pongamos que hablo de Madrid

Escucho a continuación el compacto editado por
EGM, es lo último que se compone y se canta, en lengua
inglesa, explícita o mental. La lengua del mundo como un
mercado y una impotencia unificados. El prologuista del

compacto, Andrés Rodríguez, nos advierte que acabamos de aterrizar en el Planeta Indie, un asteroide galáctico poblado por una nueva generación de músicos:

«Los pioneros son hijos del *grunge* que sobreviven a la falta de oxígeno, armados de creatividad ante la falta de medios, vacunados contra el éxito masivo. Androides de carne y hueso que saben de la *movida* y del Rockola por las tertulias de televisión. Replicantes sin memoria histórica de la dictadura, artistas que crecieron con la socialdemocracia y que escriben canciones bajo parámetros rítmicos sajones. Músicos concienciados que conocen los peligros de ser un superventas, pero que están dispuestos a hacer de la disidencia una postura artística digna. Atrincherados en el relevo, dirigen la cantera y desde el exilio nos han enviado este CD para *EGM*, su revista favorita. Destruido el planeta azul por el acelerado envejecimiento de su población, tienes en tus manos la vacuna contra el mal de Alzheimer. Un *collage* de grupos variopintos, responsables de la nueva savia del pop ibérico. Son la última hornada del rock español, tan irritante como aquella que vapuleó los ochenta. Aunque ya nadie derribe nada y los Almacenes Arias hayan desaparecido.

»Abróchate el cinturón.»

Voy por Madrid con el cinturón siempre abrochado, a la espera de las tribus bárbaras exteriores o interiores. Leticia es experta en tribus de Madrid; y en cierto sentido, Boyero y Rioyo, de la Iglesia y la *movida*, Cuevas y Berlanga representan tres puntos cardinales de una situación de *impasse*, de presente continuo, que cerrarán los rigurosos posmodernos de una posible generación X o Y o Z.

Pero antes de llegar a conclusiones sobre la huella literaria dejada por las nuevas generaciones, me voy una noche a Costa Polvoranca, así llamada por los indígenas, aunque en el rótulo de su avenida principal consta como Costa Polvaranca. Me acompañan en la expedición Barroso, el joven corresponsal de *El País* en Alcorcón, y Juan Madrid, alias *Toni Romano*, el novelista que mejor sabe sumar y restar los días contados. Si en su novela *Días contados* Juan había dado testimonio de la extinción de la capa de ozono que había hecho posible la vivencia popular de la *movida*, sus barojianas crónicas del Madrid maldito están destinadas a ser memoria de los trabajos y las noches de la ciudad sumergida. Juan Madrid me confirma la información de Barroso: el bakalao de Costa Polvoranca no es el de los señoritos madrileños que se buscan la noche por Argüelles. El bakalao de Costa Polvoranca, como la cebolla del poema de Hernández, es cerrado y pobre, al servicio de la ansiedad de una juventud periférica que buscaba el octavo día de la semana en Donqui de la Marcha o en La puta calle, dos locales ahora cerrados después de que muriera pinchado un punki anarquista, Ricardo Rodríguez, según parece a manos de José Cristóbal Castejón, *El Mallorquín*, un *ultra* neonazi perteneciente a la tribu de los Bases Autónomas, aunque él atribuya el crimen al portero de Donqui de la Marcha, David García Gómez. Así cuenta el crimen el auto de procesamiento: «Situándose probablemente a la derecha de Ricardo, por delante de él y en oblicuo a su cuerpo, le agarra con la mano izquierda por el cuello, a la vez que con la mano derecha le asesta con una navaja de un solo filo, plana, estrecha y con punta». El navajazo le cortó el esternón y parte del corazón, pero cuando el moribundo estaba en el suelo, un colega de El Mallorquín —El Chema— le golpeó en la cabeza con una pistola, mientras El Mallorquín le hacía un corte en un muslo a un amigo del muerto. El Mallorquín, de 21 años, había sido detenido tiempo atrás por haber pateado a una pareja, pero él no estaba de acuerdo con esta versión de la policía, según le confesó al propio Barroso: «Qué va. Dos chavales se pusieron a darse besos. Les dijimos: Oye, que viene un pequeño con nosotros, ¿os podéis ir por ahí? Entonces uno empezó a chuparle la cara al otro, ¿sabes? Y nos llamó hijos de puta. Yo cogí, me levanté y le pegué una patada en la cara».

De día Costa Polvoranca, o Polvaranca, no existe, como no llamemos existir a la alineación rutinaria de 63 naves industriales prefabricadas, recubiertas de planchas metálicas frágiles aunque acanaladas, paredes de ladrillete pálido de canto, almacenes adosados, vacíos la mayoría, apenas talleres auxiliares, servicios, *stocks* de peletería de animales anónimos, 57 bares a la espera de la noche, cuando la juventud periférica, a veces llegada desde Toledo y Cuenca, acuda convocada por el pozo magnético de una oscuridad mal iluminada, apenas salpicada por los chorretes del rock duro que se escapa desde las puertas de establecimientos supervivientes de la estética psicodélica. Los vecinos temen las resacas de Costa Polvoranca y las razias de los cabezas rapadas borrachos cuando asaltan los autobuses que cubren el recorrido Alcorcón-Móstoles-Madrid. Incluso han pedido la clausura de esta Meca de la cultura del bakalao, con el suficiente empeño como para que, a raíz de las elecciones municipales posteriores al asesinato de Ricardo Rodríguez, los partidos políticos se plantearan si incluían o no en sus programas la supresión de Costa Polvoranca.

—No es lo que era —comenta Barroso—. El navajazo pinchó el globo.

Aquí vienen los jóvenes trabajadores o los jóvenes parados sin apenas colchón familiar y se alimentan de una subcultura que poco tiene que ver con la que abastece a sus equivalentes biológicos de las capas medias. También en Lavapiés se ha creado una isla para jóvenes en estado de ansiedad, navegantes por mares de litronas, mientras Malasaña sigue abastecida por los ex jóvenes de la *movida* o por sus hijos, que tratan de llegar a las raíces, a aquellas noches de vino y rosas de los años setenta que los hicieron posibles.

—En aquel descampado se folla.

Barroso informa y *Toni Romano* da la nota naturalista.

—O se hacen mamadas a mil pelas.

La avenida Costa Polvaranca. Polvaranca, que no Polvoranca, marca el límite de este artificial *Las Vegas* para una juventud pobre y más allá se extiende un solar donde las espaldas mojadas se tumban bajo la luna de Alcorcón, la misma luna del Bósforo, la misma luna de las pasiones turcas, para un polvete al estilo Polvoranca, con los tejanos a media asta y los sexos urgentes.

—No. No es lo que era. Después del pinchazo mucha gente se ha ido a Móstoles o a la Batera, a lugares similares.

—Es cierto que la gente acude a estos sitios desde un incontrolable y no aclarado estado de ansiedad, pero fíjate —informa Juan Madrid— que no es difícil ver en Lavapiés o en otros lugares pintadas a favor de ETA o de Herri Batasuna. Es una manera como otra de dar un navajazo, un navajazo al sistema desde una posición de rebelde primitivo.

En Costa Polvoranca los nombres de los locales responden tanto al patrimonio castellano como a las exigencias miméticas de la modernidad, y podemos ir de Juana la Loca a Replay pasando por Arcano o Cook.

—Después del pinchazo hubo una manifestación y terminó en pillaje. Saquearon, arrasaron Donqui de la Marcha porque era el local de los cabezas rapadas.

El bakalao ha sido definido como una *movida* para los tiempos de crisis, como el estilo *grunge* que lleva a disfrazarse de pordiosero es una reacción airada frente al imperio de las marcas y el diseño de los 80. Frente a lo que opinan *seniors* como Karmele Marchante o Manolo Vicent, los que venden la mercancía del Madrid nocturno insisten en que la ciudad podría llamarse *La de las mil y una noches* y establecen una ruta que sobre todo abastece a los *yuppies* que sobreviven al desprestigio de su raza: Chicote, Balmoral, Cock, el café Latino, Hispano, Boccaccio, El Portón, Al Andalus, Faralaes, Universal, café Maravillas, Berlín Cabaret, Elígeme —el local emblemático de Malasaña—, Zenith, 4 Rosas, El Cutre Inglés, Pachá, Joy Eslava, Oh Madrid, Archy, Voltereta, Amnesia... Locales para el Madrid céntrico, centrista y centrado y para tribus más o menos, mejor o peor domesticadas, lejos, muy lejos de las tribus tal como se viven en la periferia, en Costa Polvoranca o Polvaranca, el territorio de El Mallorquín y jóvenes como él que rompen a patadas la luna de Madrid si consideran que la luna les mira mal o es una mariconada.

De creer a Leticia Gil de Biedma, en la corte del Rey Juan Carlos hay tribus jóvenes, el futuro como esperanza no teologal como proponía Ernst Bloch, como los *Rockers*, hijos de Presley y Marlon Brando, románticos y machistas; los *Ciberhippies*, fruto de una bifurcación de cibernética y *new age*, estilo de vestuario *space*, adictos al cosmos y a las ferias de biocultura; los *Siniestros*, oriundos de los punkis, enlutados, aman el *rol* y los cementerios; los S*kinheads*, cabezas rapadas, sean fascistas o rojeras, según les dé por el racismo o por la solidaridad con los perdedores de la vida y de la Historia; los *Punkis*, ácratas convencidos de que no hay futuro, ocupas y seguidores de conjuntos como La Polla Records o los Sex Pistols; los *Bikers*, nacidos con la Harley Davidson, adoran esta motocicleta como los sociólogos posmodernos adoran la olla a presión, escuchan country, juegan al billar, beben cerveza y les gustan las muchachas rotundas; los *Heavies* vienen del rock duro, de la comunión musical de los santos, machistas, fogosos, les gustan los Iron Maiden entre lo foráneo y la Soziedad Alcohólica entre lo nuestro; los *Ciberpunkis* quieren dinamitar la sociedad jerárquica mediante la información digital, asisten a *ciberparties*, fiestas multimedia donde se consumen bebidas inteligentes compuestas de vitaminas y aminoácidos; los *Jóvenes Flamencos* mezclan el jondo, el jazz, el rock, el blues y la salsa, son hedonistas y pintureros; los *Skaters* ven Madrid a la velocidad de sus patines, mente sana en cuerpo sano, niñez prolongada, según Leticia, y les chifla el *hardcore* y el *rap*; los *Bakalaos* vienen de la música electrónica y van hacia el estado catatónico los fines de semana, drogas de diseño, visten como niños; los *Mods* se hibernaron en los felices sesenta, traje de cuatro botones, vespas llenas de espejos para verse y para vernos, zapatos Deesert Boots; a los *B-Boys* les va el *rap*, odian la droga, siguen la música de Public Enemy y de Madrid Rap, pelo afro, anillos, perillas, ellos; los *Grunges* adoran el rock duro y a Kurt Cobain, un gurú musical de culto, suicidado en 1994, les encanta la tele, visten moda basura, toman drogas; finalmente, los *Pijos* consumen marcas y disfrutan de la vida, leen *Hola*, hacen deporte, toman alcohol y drogas de diseño, hablan con las vocales relajadas, como si estuvieran cansadas de apoyar consonantes. Éstas son las *tribus urbanas* de Madrid que actúan como referentes más o menos, mejor o peor seguidos por la llamada *generación X* a punto de ser *X, Y* y *Z.* Sus pasiones son musicales, su curiosidad es egocéntrica, pueden llegar a militar política, religiosa, étnicamente en el Real Madrid o en el Atlético y generalmente no votan o votan al PP. La mayoría adoptan algunos de los trazos de su modelo tribal para sentirse identificados e interpretar un personaje que les preste mismidad, desde la sospecha de que ni siquiera han heredado la identidad social de sus padres: bípedos reproductores consumistas en la era del pleno empleo, del pluriempleo y del crecimiento continuo de las deudas y del espíritu.

Cuando se ha querido caracterizar a la llamada *generación X* se la ha historificado como la primera promoción biológica de españoles rigurosamente posfranquistas. Su memoria lógica se forma con la muerte de Franco o incluso después y ni siquiera ha sido suya la expectativa de la transición, la urdimbre de la democracia y la *movida* madrileña como juerga catártica que recuperaba el Madrid liberal tras el Madrid de las adhesiones inquebrantables al franquismo en la Plaza de Oriente. Ésas han sido guerras que no les pertenecen y han crecido bajo el pesimismo de la Ley del Crecimiento 0 decretada por el Club de Roma, a la par que las crisis energéticas, el catastrofismo ecológico y la demolición del optimismo burgués y del marxista, basados en que el trabajo otorga al hombre su identidad y el control de la finalidad histórica. Al contrario, han comprobado malos tiempos para la épica y exteriorizan su mal del siglo a través de la lírica rupturista del rock. Sólo se sienten dueños del territorio comprendido entre las cuatro esquinas orinadas en noches de excesos, pongamos que ese territorio sea Madrid, la capital donde se ubica la corte del Rey Juan Carlos, aunque hay tribus hasta en pueblos donde no queda nadie. Pero es que Madrid además ha sublimado una literatura, posterior al sueño de la *movida*, que voluntaria o involuntariamente testimonia sobre ese malestar de fin de milenio, sea cual sea el disfraz tribal que acepten los miembros de la mal llamada *generación X*. Por eso cuando algunos escritores *seniors*, de gran calidad y cualidad en ocasiones, se dejan llevar por un ataque de arterioesclerosis y añoran aquella literatura española que «testimoniaba» la sociedad real, demuestran que han dejado de leer a los demás hace muchos años.

Está claro que escritores de éxito inmediatamente por debajo o por encima de los cuarenta años, y pongamos los ejemplos de Muñoz Molina, Llamazares, Almudena Grandes, Juan Madrid, Juan José Millás o Rafael Chirbes como códigos estéticos variados, no para hacer selecciones nacionales *seniors*, tienen memoria directa o indirecta muy viva y literaturizada de lo que fue el franquismo y el antifranquismo. También está claro que una promoción más joven, de la que citaré también a título de simples referencias a Ana Santos, Luis Mangrinyà o Belén Gopegui, se mueve en pos de estrategias personales y literarias no explícitamente sociologistas, aunque Adorno ya dejara bien claro que el tiempo se mete por las rendijas de las obras más expresamente herméticas. No es el caso de los escritores que este polaco visitante de Madrid vincula al retrato moral de una generación enigma, sin la voluntad socialrealista de «denunciar» que en su día tuvieron o tuvimos escritores nacidos entre guerras, entre qué guerras no importa, sino de constatar la insoportable levedad del ser y el estar en la corte del Rey Juan Carlos. Se ha dicho que la sentimentalidad y la consciencia de la *generación X* está marcada por el narcisismo, la afirmación del yo frente al nosotros y el hedonismo como finalidad o como frustración. Ese redescubrimiento del yo, conflictivo con el «nosotros», arranca del famoso espíritu del 68, escindido entre el mandato colectivista de Marat y el hedonismo ultimista de Sade, según la metáfora de Peter Weiss que tanto me impactó entonces, y una escritora como Mercedes Soriano, que tenía más o menos veinte años en 1968, ha dedicado libros casi enteros a la mala conciencia por sentir la pulsión del yo frente a la comunión de los santos del nosotros. Ahí está *Historia de no*, que incluye una reflexión sobre la revolución pendiente implícita en el «nosotros», frente a los intereses personales escondidos en el «yo», o la sarcástica diatriba con que se inicia la segunda parte, titulada «Nadie», de *Contra vosotros*: «Lo único que verdaderamente tiene sentido es olvidar ese yo, pestífera máquina de producir y padecer, para dejar paso a la insospechada conciencia de humanidad que yace en el letargo».

Pues bien, escritores como Ismael Grasa, José Ángel Mañas, Ray Loriga y Benjamín Prado, entre los 25 años de Mañas y los 34 de Prado, han ubicado en Madrid el acta de los desastres del yo concebido como una «pestífera máquina de producir y padecer», sobre todo de padecer la insoportable levedad total de lo que se sabe y de lo que se puede hacer. Ismael Grasa ha publicado *De Madrid al cielo*, escrito en Madrid en dos cuadernos de hoja cuadriculada de 0,5 cm, obra que parte del punto de vista de un pícaro posmoderno, un marginado que ha vivido las luchas finales del tardofranquismo y que se llama Zenón de Madrid. Ex comunista, republicano, guitarrista, buscavidas en su furgoneta de segunda mano y sin gasolina, Zenón de Madrid emite sentencias dignas de Zenón de Alejandría: «La consciencia nace de la cultura y de la representación de los actos que son las costumbres, aunque el hombre culto no es más consciente que los demás». O bien: «El hombre culto es un bichito que se ha empachado y casi no puede arrastrarse». El personaje enmascara al autor, Grasa, licenciado en Filología y por lo tanto consciente de la mala relación que a veces tienen la cultura y la vida, como lo era el padre de la novela española, el autor X de *El Lazarillo de Tormes*. A pesar de que Grasa ha nacido en 1968, el año de aquella revolución sin revolucionarios, obliga a su personaje a sancionar el aburguesamiento de viejos camaradas del 68, la batalla de Brunete o la involución económica de España, perceptible en el hecho de que hasta el hotel Palace lo han rebajado a cuatro estrellas. Zenón-Grasa asume irónicamente la historia que no ha vivido y adopta ante la que le envuelve una mirada ácrata, rousseauniana más que marxista, barojiana en la percepción de los cielos de Madrid o de la policía: «El cielo de Madrid no se orienta por las iglesias como otras urbes... El cielo de Madrid es un cielo republicano donde los haya... Los policías españoles andan un poco desorientados con el lenguaje: tan pronto hablan en caló como te sueltan frases de Roberto Alcázar». Aunque por la edad no sea «cosa suya», Grasa historifica las vivencias de Zenón, en el origen y en el instante histórico en el que el superviviente se busca la vida dando vueltas a la simbólica estatua de Pío Baroja, comprobando que ni la vida ni la Historia han sido como las esperaba.

Cuando Juan Carlos I fue proclamado Rey de todos los españoles, Benjamín Prado tenía catorce años, veintinueve al publicar su primer libro de versos, *El corazón azul del alumbrado*. Recientemente su novela *Raro* es uno de esos pocos casos en los que el redactor de la contraportada ha acertado de pleno en el diagnóstico de la obra: «Diez novelas distintas y una sola canción». La acción transcurre en un territorio geofísico convencionalmente español, pero sobre todo en el territorio mítico de los llamados héroes del rock, al decir de Pau Riba, los únicos héroes posibles de nuestro tiempo. El equívoco del territorio narrativo es constante: «fuimos a Hollywood a tomar hamburguesas» se refiere al local, pero desde la misma ambigüedad con la que sus amigos se llaman Lennon o Bowie o ensueña a Dylan y homenajea mitómano a través de personajes que se llaman Tess o Laura. Un primer capítulo espléndido marca el origen de un viaje de huida por el interior de una balada caracterizada por el propio autor: «Todas las canciones terminan por ser tristes, por ser la banda sonora de algo que has perdido». Si Grasa satiriza el retrato de un medio tan concreto como el Madrid de la involución económica, política y lúdica, Prado, el mayor de los cuatro documentalistas, con perdón, escogidos, autorretrata el yo cargado por el *malheur* fin de milenio, esa pestífera máquina de padecer, aunque... «Nadie llega a almirante en el barco de otro, así que todo el mundo necesita su sueño». Los personajes de Prado, como los de los otros tres, parecen venir de una galaxia cultural en la que no existe la literatura ni la cultura española: «Estoy dispuesto a aceptar cualquier cosa que me haga un poco más Carver y un poco menos yo», y aporto como prueba el inventario casi sistemático de sus referencias culturales, sean musicales o literarias: Joyce, Beckett, Wilde, Mac Neice, Police, Red Hot Chili Peppers, Satellite of Love, Bob Dylan en *Desire*, Sam Shepard, Bowie, Jerry Lee Lewis, la madre de Anthony Perkins, George Foreman, Kurt Cobain, Smells Like Teen Spirit, *Laura* y Gene Tierney, Jim Morrisson, Matt Dillon y *Rumble Fish*, la película de Coppola. Bueno, sí hay una brizna de cultura española, el protagonista es raro, pero es del Real Madrid. No me meto en cuestiones de estilo o de estructura de la novela, pero la imaginería poética de Prado deja observaciones memorizables, a manera de sentencias del rock poético, pauta que también se encuentra en Grasa o en Ray Loriga: «La gente no hace amigos, coge rehenes» o «En realidad Dios era de Liverpool y tenía cuatro cabezas» o «Una canción es siempre más triste que el silencio», mientras algunos personajes consiguen niveles lúdicos a lo *Hotel de New Hampshire*, como el padre pequeño filósofo venido a menos por el paro, pero capaz de reparar dinosaurios y sancionar cabalmente el *ranking* de la novela policiaca: «Puede discutirse si el número uno es Chandler o Hammett, pero el que diga que Ross Mac Donald no es el número dos, es porque no sabe lo que se dice». El protagonista despeja su propia X cuando dice: «Un hombre puede imaginar un río, pero no una manera de cruzarlo».

De José Ángel Mañas he podido leer una ópera prima, inédita, *Soy un escritor frustrado*, muy reveladora de la trastienda intelectual de este licenciado en Historia Contemporánea, veinteañero, responsable de una novela tan emblemática como *Historias del Kronen*. Los apuros del crítico de prestigio que quiere ser escritor y no lo consigue ¿qué tienen que ver con la alocada carrera de Carlos, el personaje de *Kronen* que sólo soporta la lectura de *American Psycho*, es decir, de *Americansico*, según la transcripción fonética de las gentes de Kronen? Mañas distancia la materia de su novela: los jóvenes marginados de la burguesía madrileña que hablan mediante cuarenta palabras de argots mezclados y buscan el *flagrant délire* de un Peter Pan ahíto de drogas y dispuesto a instrumentalizar hasta el desprecio y la destrucción a todos los que le rodean. Si en Prados o Loriga hay una apropiación plena del retrato malditista, creo que Mañas quiere tener entre las manos un personaje y un universo lleno de seres humanos X, Y y Z que, tal vez sin conocerla, hacen suyo el espíritu del verso de la canción de los The The, *Giant*, que cierra el libro: *soy un extranjero de mí mismo*, un extranjero aplastado por su propio derrumbe. El personaje central forma parte de la estirpe de *El conformista* de Moravia, pero con drogas y sin correlato fascista, y la descripción de un estamento biosocial podría ser relacionada con *El Jarama* de Sánchez Ferlosio, y soy consciente de lo aventurado de la relación. Pero la poética behaviorista de *El Jarama* reaparece en *Historias del Kronen* como única manera de hacer el retrato detallista, no subjetivo, del aquelarre humano en torno a la fiesta catártica, el pobre Jarama preconsumista de hace cuarenta años y ese punto de definitivo desencuentro de la generación X: Kronen.

En Holanda, una hispanista me invitó a *geneever* y me reveló el descubrimiento del último escritor español que le había interesado: Ray Loriga. Le he leído, por orden de aparición, *Lo peor de todo*, *Héroes* y *Caídos del cielo*. Así como de los otros tres sólo presento una novela como prueba, Loriga ofrece una línea coherente con tres paradas. *Lo peor de todo* fue un manifiesto ético y literario, saludado por su editor como: «Una novela sobre una juventud que no es la del 68. Ya era hora». Loriga, como los otros tres, asume un personaje escritor *outsider* y recurre a héroes literarios que no necesariamente son sus álter ego.

El protagonista de *Lo peor de todo* es un posnormal o prenormal, jamás le llamaría subnormal como se califica a sí mismo, que de niño estudió en colegios con jardín y piscina particular y en el espacio-tiempo de la novela trata de encontrar sentido a su trabajo en una hamburguesería: «Mi padre y mi madre me tenían que haber visto. Tanto dinero gastado en colegios para ministros y lo más que consigo es apilar cajas». Como el personaje de Eliot, sólo conoce un montón de imágenes rotas sobre las que se pone el sol y vive su peterpanismo desde una militancia desganada. La infancia cercana es su territorio a la vez épico, cutre y truculento, y él es un personaje tierno, pero receloso ante lo arbitrario de la ternura: un polluelo recién nacido, colocado junto a una bombona de butano, llega a creer que la bombona es su madre. Hay una línea lógica entre este «extraño» expulsado de la infancia y el «extraño» de *Héroes*, que se niega a salir de su habitación, como treinta años antes se enclaustrara el antihéroe de Juan Marsé en *Encerrados con un solo juguete*. El de Loriga contempla el imaginario de su futuro, con una mujer y un niño corriendo por la casa: «¿Quién voy a ser entonces? ¿Qué cosas podré coger con las manos y cuáles no? ¿Mediré lo mismo?», y consigue una muy válida metáfora del sentido de la vida: «Me siento como un negocio que va cambiando de dueño». Si la desgana de crecer y salir de la placenta, no magnificada, de la infancia, da sentido a las dos primeras novelas, en *Caídos del cielo* el antihéroe se lanza a una huida hacia adelante, hacia la muerte trágica extramuros de la corte del Rey Juan Carlos. La fuga se vive en directo a través del fugitivo, un joven asesino gratuito y una muchacha, su adicto rehén, y a través de las observaciones de un hermano menor que se convierte en héroe de televisión, junto a su madre, a causa de los crímenes y la busca y captura del hermano. Si el fugitivo escapa de la infancia para encontrar la muerte, su hermano se parece muchísimo a los sujetos narrativos de las dos novelas anteriores, aportando un punto de vista de contenido sarcasmo: «Los de la televisión se creen que como no matan a nadie son la hostia. Te juro que yo no he visto a nadie tan mezquino como esos tíos». O bien: «Hay muchas maneras de acabar con un buen chico, algunas se ven y otras no hay manera de verlas». O bien: «En el informativo semanal nos dedicaron casi media hora. Mamá estaba estupenda, parecía una actriz de cine». O bien: «Insistían mucho en que yo tuviera aspecto de delincuente juvenil. En la sala de maquillaje me despeinaron un poco». La huida del hermano les mete en el *star system* de los nuevos marginados, cuando por su nivel de vida ni los personajes de Loriga, ni los de Benjamín Prado o los de Mañas, son lumpenproletarios. Al contrario, son hijos de familias con un bienestar suficiente como para financiar el peterpanismo de sus hijos, sus noches de rock y drogas. Padres y madres aparecen como monstruos tolerables y necesarios, pero adeptos a unos códigos que en nada solucionan los nuevos temores. Frente al miedo, recursos defensivos: ironía, lirismo, nostalgia de la nostalgia y definiciones categóricas sobre el origen del mundo: «Antes de Hendrix no había nada», o un contundente nihilismo: «Estaba harto. Harto de oír hablar de todo. Harto de explicaciones. Harto de que las cosas fueran inexplicables. Harto de que nada pudiera ser de otra manera» o bien: «¿Qué harías? Nada. ¿Y eso qué tiene de bueno? —Que no tiene nada de malo» o bien: «¿Qué le pide a la vida? —Nada de nada de nada de nada de nada de nada de nada».

11. En la lucha final

Agrupémonos todos
en la lucha final
el género humano
es la Internacional

La Internacional

Si el PP es la derecha que viene, el PSOE la izquierda que pudo haber sido y no fue y las nuevas generaciones son tan nihilistas que ni siquiera confían en la existencia en algún lugar del octavo día de la semana, me voy a los territorios de la izquierda convencional por si allí le suministran calcio al esqueleto del futuro vertebrado. Curiosa gente Cándido Méndez, secretario de la UGT, y Antonio Gutiérrez, que lo es de Comisiones Obreras. Acudieron juntos al Palacio de la Moncloa. Terminaba julio de 1995, Antonio Gutiérrez conducía un Peugeot 405 gris, sin escolta, y Cándido Méndez parecía dejarse llevar. UGT y CC OO iban a escuchar una vez más, con cierto escepticismo, la declaración de intenciones de un Felipe González aparentemente en fase política terminal. Entre Cándido Méndez y Antonio Gutiérrez hay unidad de vehículo, de acción, de expectativas ante el PP que viene. También hay casi un calco ambiental entre las sedes de los dos sindicatos, UGT y Comisiones Obreras, austeras y neutras, sin otros adornos que los carteles, no muchos, y esos inevitables regalos *souvenir* de los compañeros de aquí y allá: el muestreo del *kitsch* conmemorativo. También coincidencias de percepción de la situación en España, Europa, el mundo, y en el análisis del camino andado hasta la tercera fase de la democracia española en la que la derecha puede recuperar el poco tiempo perdido y aprovecharse del trabajo sucio del «felipismo», por ejemplo: la reforma laboral, los contratos basura, el decisionismo del Gobierno imposibilitando la pedagogía de la negociación entre empresarios y sindicatos. Los empresarios de este país están acostumbrados a influir políticamente sobre los Gobiernos, para evitarse el diálogo con los sindicatos. No les va mal. En España se han producido unas ganancias del capital muy por encima de sus rendimientos medios en la CEE sin que eso se traduzca en una mayor productividad. De esa productividad del capital poco se habla. El capitalismo español, salvo loabilísimas excepciones, es una chapuza. Los dos también coinciden en que las huelgas generales sirvieron para minar la arrogancia de quienes decretaron la obsolescencia sindical, pero González no supo o no quiso propiciar un cambio de política económica. El pulso fue presentado como una competencia desleal entre la soberanía democrática hegemónica del Parlamento y la presión extramuros de los movimientos sociales. El corporativismo parlamentario recibió la ayuda argumental y logística de la *beautiful people*, la derecha económica y sus *brokers* ideológicos, de algunos intelectuales Armani, de la mayor parte de poderes mediáticos, que se aplicaron a minimizar el éxito de las huelgas con argumentos como: «Reina la normalidad en las calles. Circulan más coches que nunca». Y es que los diferentes Gobiernos del PSOE nada han hecho por una pluralidad informativa que implicara a los diferentes sectores sociales. El PSOE en el poder menosprecia o teme a los movimientos sociales, pero tampoco son tranquilas las relaciones entre IU y CC OO. Méndez y Gutiérrez constatan falta de comprensión de la autonomía sindical, fruto todavía de la tremenda desorientación de la izquierda, no sólo de la española. Tras la caída del muro de Berlín los socialistas no han superado el discurso de la guerra fría, piden perdón por haber sido socialdemócratas, flirtean con el neoliberalismo puro y duro, mientras en demasiados sectores poscomunistas se piensa que los pueblos del Este son unos ingenuos que se desengañarán del sistema capitalista y de la democracia formal y algún día reclamarán el retorno del comunismo. UGT y Comisiones Obreras deben resolver qué hacer con la derecha que llega faldicorta pero con bigotillo, también con la izquierda que arde y con la que quema. Además han de conservar la unidad en la estrategia y la acción sin forzarla superestructuralmente, porque a veces de la fusión de dos nacen tres. Más allá de tanta, tanta coincidencia, a estos dos secretarios generales que viajan juntos a La Moncloa les distinguen obsesiones hijas del pasado, de su yo y de su circunstancia.

Para Cándido Méndez, secretario general de UGT, los sindicatos son sindicatos y los partidos políticos partidos políticos, pero considera que los partidos de izquierda están en una situación más difusa que los sindicatos por su sistema de conexión con lo real. UGT ha vivido su divorcio con el PSOE con desgarro, pero también como una necesaria clarificación del papel de los sindicatos y de los partidos.

—¿Cómo es posible que a formaciones políticas de izquierda les resulte incómoda la presión ejercida por los movimientos sociales?

—Eso es un profundo error. La comprensión del papel dinamizador de los movimientos sociales debería ser un elemento fundamental de los partidos de izquierda, así como unas señas de identidad basadas en el colectivo y no en el personalismo del líder providencial. La izquierda política debe comprender el carácter sociopolítico de los sindicatos si no quiere forzarlos a una estrategia corporativista.

En Inglaterra, el Labour Party acaba de recortar las prerrogativas de las Trade Unions dentro de la organicidad del partido. Cándido Méndez lo entiende, porque allí el problema se había invertido y a veces podía peligrar la autonomía del Labour por el exceso de referente sindical. Dentro de la ofensiva ideológica neoliberal, los sindicatos son presentados como una rémora heredada de «cuando había lucha de clases», obsoletos instrumentos que de nada sirven cuando la lucha de clases parece haberla ganado una abstracción llamada Mercado. Se les propone que se integren en el sistema productivo colaborando con la empresa en la conquista de ese Mercado.

—No rechazamos intervenir en la programación de la producción, pero al empresariado, al menos en España, eso no le interesa. De producirse esa integración, nosotros conservaríamos nuestra libertad en defensa de los intereses de los trabajadores. Ahora, si nos movilizamos, rompemos la armonía del sistema productivo, y si no nos movilizamos, hasta la derecha dice: «¿Lo veis? Son unos burócratas integrados».

—El PSOE en la oposición. ¿Beneficiaría una recomposición de las relaciones entre el partido y UGT?

—No podemos vivir en situación espasmódica. A malas cuando el PSOE está en el Gobierno y a buenas cuando está en la oposición. Ni el sindicato ni el PSOE deben dejarse llevar por esa dinámica. Cada cual en su casa y Dios en la de todos.

Tanto Méndez como Gutiérrez reconocen que hay militantes de sus respectivos sindicatos que votan al PP.

Méndez va más allá: algunos representantes sindicales de UGT votan al PP o votan a CiU en Cataluña. Él está afiliado al PSOE, pero en el seno de UGT aumenta la pluralidad y un sindicato ha de ofrecer un proyecto general en el que cualquier trabajador se sienta cómodo, independientemente de su opción política. El nuevo sindicalismo ha de integrar a profesionales y trabajadores por cuenta propia, ha de superar el clasismo inoperante. Esta liberalidad ideológica y social no está reñida con la defensa estricta de la función sindical, discutida por los neoliberales de fuera y de dentro del PSOE, con talante de auténticos déspotas mejor o peor ilustrados, borrachos de neoliberalismo y de prepotencia. Todo ha valido en la campaña de descrédito de los sindicatos, incluso instrumentalizar la grave crisis de la cooperativa PSV, que el Gobierno dejó pudrir para que afectara a la credibilidad social de UGT.

—Me quedé perplejo cuando Felipe González en persona me dijo: «Eso hay que resolverlo cuanto antes porque hace tanto daño a UGT como al Gobierno». En la realidad dejaron que se pudriera. Pero estamos saliendo bien de ese golpe durísimo.

Así como el hostigamiento a los sindicatos fue dirigido por el ala neoliberal del PSOE, resulta que la reforma laboral la auspician personas de signo izquierdista como Marcos Peña, quien recientemente confesaba su relativo desánimo ante la falta de estímulo que detectaba en el sector del capital para crear trabajo. Méndez atribuye a la alianza con CiU la progresiva derechización de la política del PSOE, al servicio de una estrategia de la derecha económica en su conjunto, no sólo de la catalana. Los contratos basura y el empleo precario están en revisión en toda Europa por sus escasos logros.

—En este campo, el Gobierno de González ha hecho un trabajo sucio, molesto e inútil. Lo que más me duele es que haya sido inútil.

¿Será peor con la derecha que viene? Méndez no tiene miedo a la alternancia. Miedo a la alternancia implica miedo a la democracia. Pero la perspectiva económica que ofrece el Partido Popular es deliberadamente confusa. Confuso y electoralista el modelo fiscal, confusa y peligrosa su opción por un régimen de pensiones a la chilena que seduce a los responsables del PP, según confesión personal de Aznar, y defiende un banquero proclive a los populares como Botín. El Banco Santander promueve un fondo de pensiones en Chile que a la larga profundiza el abismo que separa a una minoría de ricos y una inmensa mayoría de gentes cada vez más marginadas.

—La política sobre prestaciones sociales del PP debe concretarse en otoño para saber a qué atenernos.

—Nicolás Redondo profetizó: «Cuando el PSOE pase a la oposición tendrá que luchar contra leyes que él mismo creó».

—Sin duda. Hay que clarificar qué separa a las derechas de las izquierdas cuando están en el Gobierno. En el futuro será necesario un líder de la oposición que pueda decir: «Eso lo hizo mi partido, pero no me responsabiliza a mí».

¿Puede haber una política económica de izquierdas? Méndez cree que o se introduce una racionalidad distributiva en el crecimiento económico, nacional y mundial o las diferencias brutales entre los diversos mundos que cohabitan dentro de un solo mundo pueden llevar a un *crash* sin precedentes. ¿Con qué instrumentos puede la izquierda impulsar esa racionalidad, así en España como en el universo, así en la tierra como en los cielos, si ni siquiera es operativa una II Internacional Socialista, la única internacional de izquierdas realmente existente? Cándido lo tiene claro: hay que resucitar el internacionalismo de los trabajadores frente al internacionalismo del capital y movilizar a las organizaciones de izquierda, sindicales, políticas y sociales para que actúen como medios de información y conocimiento frente a la concentración de la información y la cultura dominante en manos de la derecha. Y la batalla cultural de la izquierda ha de basarse en la ya tardía afirmación del viejo Mitterrand: «Todo empieza por el empleo». El progreso tiene que servir para que el ser humano se libere, se desaliene y participe mediante el trabajo. Suena a Marx. ¿Por qué no? Méndez cree que pensadores hoy demonizados tienen actualidad, salvando las distancias entre diagnósticos para el siglo XIX y para el XXI.

En la acera de enfrente, en Comisiones Obreras, Antonio Gutiérrez, un veterano pero joven luchador sindical que ha tenido que cumplir la difícil misión de sustituir a Marcelino Camacho, uno de los símbolos de la lucha de clases en la España del siglo XX. Y lo ha sustituido cuando Camacho aún coleaba, vaya si coleaba, y vigilaba, vaya si vigilaba, el signo de las acciones de Comisiones Obreras. Cuando me veo con Antonio Gutiérrez, la crisis interna en CC OO aún está larvada y las escaramuzas entre el sindicato e Izquierda Unida todavía son eso, escaramuzas. Gutiérrez considera más inexplicables los problemas entre IU y CC OO que los que existen entre el PSOE y UGT.

—UGT es un producto del PSOE y ha sido muy meritorio que consiguiera despegarse de su papel de correa de transmisión. En cambio CC OO tuvo voluntad autonomista con respecto al PCE desde sus orígenes, entre otras cosas porque Carrillo las veía como «un magma fluido» del que se iba a nutrir su sindicato de verdad, la OSO que en la práctica no llegaría a existir. Y yo, que tuve el carnet del PCE antes que el de identidad y el de CC OO, no me explico a veces el hostigamiento que percibo por parte de algunos dirigentes de Izquierda Unida. Creo que las concepciones clásicas de la socialdemocracia y del comunismo lo tienen todo perdido. La autonomía sindical es irreversible porque va cada vez más asociada a la unidad.

—La unidad estrictamente nacional ¿es suficiente para enfrentarse a un capitalismo internacionalizado?

—No. Es más, la renacionalización del sindicalismo, aunque sea unitaria, conduciría un nuevo corporativismo. Sería el gran fraude del movimiento sindical en los albores del siglo XXI. El sindicalismo ha de tener dimensión internacional en la negociación con las empresas, con las instituciones supranacionales y estableciendo objetivos de solidaridad en la relación Norte-Sur. Es hora de que el movimiento obrero supere algunas hipocresías, incluso hipocresías bien intencionadas como la de practicar la solidaridad mediante resoluciones muy enérgicas en apoyo de los trabajadores del Sur o del Este y pasarles unos pocos duros de las cajas de resistencia de los sindicatos. Hay que entender la solidaridad como un vínculo material y permanente, para equilibrar los derechos sociales y laborales con la Europa llamada periférica y más allá de Europa. Hemos de superar hipocresías en nuestro propio país, en mi propio sindicato. Ante el conflicto de la pesca con Marruecos, defendemos, claro, el derecho a pescar, pero si somos coherentes, si queremos que alguna vez los derechos sociales, laborales y civiles se universalicen, primero habrá que universalizar el trabajo. Nosotros no podemos seguir acaparando todo tipo de actividades, las nuevas, las que tienen futuro, las de desarrollo intermedio y las más primarias, sin descentralizar, sin derivar actividades productivas a otras latitudes del mundo. El problema es quién está gobernando la descentralización productiva en el mundo, la nueva división internacional del trabajo. La dirige la derecha pura y dura, en busca de mano de obra más barata, casi esclava, y la izquierda no es capaz de resituarse. No concibo un mundo para siempre sometido al capitalismo salvaje. Concibo un mundo futuro en el que la universalización de la producción se corresponda con la universalización del reparto de la riqueza.

Frente a disgregación de «las múltiples clases trabajadoras», Gutiérrez cree que hacen falta sindicatos de servicios que no dejen de ser sindicatos sociopolíticos con una perspectiva universal de la lógica del sistema capitalista y del papel que pueden cumplir los movimientos sociales para corregirla positivamente. No como partidos bis, sino como entidades orgánicas conectadas cotidianamente con la dinámica social frente a la tendencia al desmantelamiento del sistema democrático social. Pero el movimiento sindical produce sindicatos de trabajadores, no *sindicatos de ciudadanos*: para eso están los partidos.

UGT y CC OO han representado en España un referente cultural de izquierda en tiempos de desnaturalización socialista y débil instalación de Izquierda Unida. Gutiérrez cree que los sindicatos tienen la ventaja de estar cotidianamente en tensión social: negociaciones, convenios, expedientes de crisis, secuelas del paro, reivindiaciones, en todos los sectores de la producción. Hay que cambiar la relación entre los partidos y la sociedad, después de trece años de Gobierno socialista, perdida la oportunidad de crear una nueva cultura democrática que recogiera el lema de Azaña: «No hay que hacer una República para los ciudadanos, sino unos ciudadanos para la República».

—¿El felipismo ha sido como un socialismo bonsái cultivado en los jardines de La Moncloa?

—En este país no nos merecemos elevar el llamado «felipismo» a la categoría de doctrina sociopolítica. Ha sido el practicismo más sobado, sin originalidad. Eso es más viejo que el *meao*: un tuerto rodeado de ciegos.

A Gutiérrez casi le indigna que en este final de la etapa se le esté abriendo a la derecha una gran autopista de llegada al poder sin haber hecho ningún mérito. Al contrario. Conductas desmerecedoras del PP se compensan automáticamente por las enormes torpezas y desaguisados de González y su Gobierno.

—Sin embargo, no vayamos a pagar muy caro un error de apreciación. Aquí no va a haber una simple alternancia. Entre los poderes económicos reales de este país puede predominar el modelo de banca más depredador, como el del Santander, al parecer muy conectado con el posible nuevo poder. Una banca no comprometida con la economía productiva, no como la Société Generale de Banque de Bélgica, que siendo mucho más importante reparte dividendos mucho más modestos, porque se implica en el desarrollo industrial de su país. De prosperar el ala dura neoliberal del PP aumentará la desertización industrial. Y si se produce un cierto continuismo en política económica, culturalmente hay síntomas de una alternativa reaccionaria, sectaria, xenófoba, puritana, socialmente revanchista. Todo eso sobre la desertización de la cultura de izquierdas propiciada por los Gobiernos de González.

Tal vez vuelva a ser necesaria una *Ilustración de Izquierdas*, sin caer en el mesianismo, ni en el recurso de reñir a las masas porque tras equivocarse votando a los socialistas ahora se equivoquen votando a las derechas. Gutiérrez recuerda cuando Carrillo se autocriticaba porque la gente no le entendía, y el PSOE aún insiste: «¡No nos entienden!».

—Me revienta que tras un fiasco electoral nuestra autocrítica sea criticar a la gente por ser idiotas. Sin explorar seriamente en qué nos hemos equivocado.

La izquierda debería tener preparada su alternativa para el día siguiente, en todos los dominios, tratar de reconstruir un imaginario de poder democrático. Hacer suyas propuestas responsables en el terreno económico, como reducir el déficit público, porque quien más lo paga es el que está abajo. Los bancos hacen negocio con el déficit público. Pero reducirlo con medidas reaccionarias como congelar el gasto social o la inversión pública, eso es no sólo una estupidez sino también una temeridad. Los sindicatos anunciaron chapuzas que luego se han confirmado, por ejemplo, la desvirtuación del proceso para llegar a la unidad monetaria en el 96, ahora aplazada hasta el 99. Hay que trabajar en la línea de la economía productiva con el gasto público necesario, sin recaer en ortodoxias monetarias ni en inversiones disparatadas como las de los fastos del 92, incluido el TAV. Sólo la economía productiva puede solucionar el problema del paro.

—Iba a llegar la cultura del ocio y se ha instalado la del paro. ¿Hay soluciones estructurales?

—Las hay si se abandona un modelo de desarrollo insostenible y si la izquierda define cómo concibe la empresa. Hay que disputarle al capital la distribución de la riqueza para crear más y mejor empleo. Las nuevas tecnologías en algunos lugares ya están creando más puestos de trabajo de los que destruyen. Tendría que ser una panacea de la izquierda la universalización del derecho al trabajo, base de los derechos del hombre. En las inmensidades pobres del mundo capitalista unificado vemos el desorden del hambre, de las enfermedades, de la destrucción del medio, de las guerras civiles. ¿Una autorreordenación del capitalismo? ¿Con qué cerebro?

Dos líderes jóvenes, tan cerca de la realidad que parecen reales. Además, creen en algo. Que el Mercado, uno, grande y libre, necesita un cerebro racionalizador y que ese cerebro sea de izquierdas. No creen en el partido único. Tampoco en el pensamiento único. Ni mucho menos en *lo políticamente correcto*, sino en *lo políticamente necesario*. Durante la década de los 80 las acciones críticas de las izquierdas estuvieron desautorizadas por ex jóvenes filósofos y ex jóvenes sociólogos, en la órbita posmoderna. Lyotard decretaba que no existe alternativa a la sociedad actual y que el saber sólo tiene una finalidad práctica: «Hoy se produce saber como se producen paraguas», y Baudrillard sancionaba que la Historia desaparece bajo la saturación de información, no se pueden emitir juicios históricos sobre los hechos. No sé qué pensarán Gutiérrez y Méndez sobre esta perla de Baudrillard: «Estamos en la crisis, pero no son ya posibles los argumentos críticos».

Cada vez que pienso «¡Si las izquierdas se unieran!» me viene a la cabeza un fragmento de la zarzuela *Gigantes y Cabezudos*: «Si las mujeres mandasen / en vez de mandar los hombres / serían balsas de aceite / los pueblos y las naciones». Tan quimérico me parece el propósito que me presento en la sede de Izquierda Unida a por Julio Anguita, el dirigente político que ha recibido más descalificaciones por parte del PSOE y las vanguardias del neoliberalismo más agresivo: profeta, califa, iluminado. Y es que Anguita provoca semiológicamente: emite un código de señales irritantes para *lo posmoderno*. Hablamos con el corazón en la mano porque inicialmente intercambiamos experiencias de cardiópatas. Con un año de diferencia, nos atendió el mismo equipo de cardiología del Hospital Clínico de Barcelona.

—Por cierto. Se enfadaron algo contigo cuando dijiste que la burguesía catalana era la peor de España. Un cirujano se siente más o menos burgués, y si es catalán se siente más o menos burgués catalán. Un escritor que vende libros también se siente algo burgués.

—No me dirás que tú te sentiste agredido cuando me metí con la burguesía catalana.

—Es que yo, más o menos, intuía a qué burguesía te referías, pero eso se avisa. En cualquier caso, los médicos te siguen recordando con aprecio y si llega el caso te remendarán con afecto.

Julio Anguita me dice que si fuese creyente, al parecer no lo es, se tomaría su infarto como un aviso del cielo: se quitó del tabaco, tres días a la semana va a un gimnasio, se ha convertido en un andarín, realiza una tabla de gimnasia con pesas, hasta cree haber rejuvenecido. Le felicito cordialmente, nunca mejor dicho, y para no seguir por territorios tan viscerales, le pregunto:

—¿Tienes una hipótesis de los GAL?

La tiene:

—Yo estoy convencido de que el impulso, el «¡hágase!», el acuerdo, o el silencio expreso, son de González.

Si algún día lo juzgaran y saliese absuelto por lo que fuera, mantendría mi convencimiento pero callaría. Mi convencimiento parte de la lógica de los hechos. Conquistan el Gobierno en 1982. Se ha abortado el golpe de Tejero, pero ¿cómo? ¿Qué han firmado las fuerzas políticas? ¿A qué compromiso se ha llegado? A veces me han insinuado que no soy respetuoso con los compromisos adquiridos entonces por Carrillo en nombre del PCE. Allá Carrillo con sus compromisos. En 1982 el PSOE es depositario de 11 millones de votos y tiene ante sí un reto: modernizar el país. Sin duda no coincidimos en el sentido de este reto. Para mí modernizar es desarrollar la Constitución e imponer el respeto a los derechos humanos, y eso conlleva un enfrentamiento con los aparatos de Estado represivos franquistas, que todavía existen, de qué manera. No lo hacen. No aprovechan la fuerza del voto. ETA sigue matando y les reclaman que al terrorismo hay que oponerle guerra sucia, y así se hace, utilizando los aparatos represivos franquistas intocados y acostumbrados a la chapucería impune. Fondos reservados. Juergas. Mercenarios. Casino de San Sebastián. Aquello era Jauja. Cuando se enteran de que se están cometiendo auténticas barbaridades, Lasa y Zabala por ejemplo, por acción u omisión están cogidos en el ajo. Creo que González es una persona muy inteligente y muy intuitiva, pero ahí falló. Se enfeudó con las viejas prácticas y el bumerán ha vuelto al cabo de los años.

—¿Cómo te explicas entonces que sabiendo todo eso fiche a Garzón para que haga la catarsis, luego se desentienda de él y fiche a Belloch y su equipo para que la prosiga? Con todas sus ambigüedades, la política de los ministerios del Interior y Justicia al menos ha sido menos obstruccionista que la de titulares anteriores. Al buscar a exorcistas como Garzón o Belloch, ¿qué pretende? ¿Autocastigarse?

—En González hay dos o tres personalidades. Dos Felipes que actúan de manera contradictoria. En el fondo la que domina es la que responde a un falso concepto del sentido de Estado. Pero también trata de buscar la catarsis interior, la inocencia perdida.

—Hablas con tanto conocimiento de causa sobre la escisión de personalidad que tal vez reflejes tu propio problema.

—No, pero es mi obligación aplicarme a estudiar y analizar a los demás dirigentes políticos que están al frente de colectivos humanos, políticos, sociales, electorales.

—Pero este personaje escindido va a una elección tras otra y o bien ha ganado por mayoría absoluta o ahora los peores sondeos le confirman una base de un 30% del electorado. Tanto escándalo y tan poco desgaste. ¿Eso no implica el fracaso de las posibles alternativas? ¿De Izquierda Unida como alternativa por la izquierda? ¿Qué va a pasar si no superáis un 13%?

—Antes de que te vayas te voy a dar el informe más autocrítico que hayas visto en su historia política. El informe a la IV Asamblea Federal de IU. ¿Por qué vamos tan lentos? ¿Por qué no aprovechamos en mayor medida el desgaste del PSOE? Hay varias causas. Voy a hablar primero de las propias. Cuando aparece Izquierda Unida, se autobliga a unas formas nuevas de trabajar, la elaboración colectiva de los programas, la apertura de asambleas abiertas hacia la gente del entorno, del barrio. Sin embargo, siguen las viejas pautas de conducta y los viejos prejuicios que se trasladan desde el PCE, por ser el PCE mayoritario en IU. Se trasladan sus virtudes y sus vicios: el tacticismo más inmediato, el conyunturalismo, el «confiarlo todo» a lo que está escrito en los papeles. Izquierda Unida no se ha movilizado. Yo llamo movilizar, y me duele la boca de tanto explicarlo, no solamente a la ocupación callejera, sino también a informar, concienciar, participar, debatir, elevar el nivel de conocimientos. Ahora vamos a intentarlo, con informaciones concretas, con octavillas, pero no la clásica octavilla de insultos, sino folleto informativo. A ver si sale. Pues bien, eso no se hizo. Como no se hizo un análisis suficiente de lo que significa la caída del muro de Berlín, que no puede reducirse a si se disuelve o no se disuelve el PCE y a que nos vayamos todos a la Casa Común. Somos responsables de una aplicación timorata de una política nueva y su instrumento. Hay otra causa. Izquierda Unida se hace con un PCE mayoritario, hegemónico en algunos casos. Las propias divisiones de Izquierda Unida provienen del PCE, y todo eso en un contexto de los años boyantes del PSOE: 86-87-88-89-90. Yo mantengo el mensaje, a veces con palabras radicales, porque es la única manera de que suene. Yo estoy dispuesto a cambiar de métodos, de lenguaje, pero de contenido para nada. La gente que defiende el sistema sabe que somos así, y no nos da cancha. A nuestra oposición sin concesiones se la tilda de catarsis a la griega, en complicidad con la derecha, con el PP. Trini, mi secretaria, está recibiendo, desde las elecciones municipales, cartas urgentes de personas en torno a los 70 años que en un 90%-92% rechazan cualquier complicidad con el PP porque, me escriben, «los cementerios están llenos de socialistas y comunistas». Eso pesa, es como cuando *Gog*, el personaje de Papini, habla de que los muertos pesan sobre los vivos. Yo sé que el PP es la derecha y que el PP tiene en provincias y en pueblos elementos claramente fascistas, por supuesto que ya lo sé, pero también sé lo que ha ocurrido aquí con el PSOE desde que está gobernando. Como también sé que UGT, a pesar de los pesares, vota mayoritariamente al partido socialista. Así como una parte no despreciable de Comisiones Obreras. Votan al PSOE y a una política que han combatido en huelgas generales. Aquí hay algo que nunca se confiesa, que la ideología puede mucho y que estos supuestos sindicalistas apolíticos son más políticos que la leche, y que hay una opción de catecismo que pasa por encima del voto de la razón. Si ustedes le montan huelgas generales a un Gobierno al que luego vuelven a votar, ¿por qué quieren hacer las huelgas generales? Porque ustedes combaten una política por sus efectos, pero participan de los principios de la sociedad capitalista. Toma competitividad. Toma construcción de Maastricht. Claro. Éste es el problema. Hay una profunda desorientación ideológica y separación entre lo que se dice y lo que se hace en el seno de la propia cultura de la izquierda. Decían que no querían la Unión Soviética, pero ahí estaba, para unos era el referente negativo, para otros el resguardo seguro. La izquierda siempre tiene que ser riesgo, autocuestionamiento permanente y mensaje creador.

—Veo difícil que podáis cumplir esos objetivos de movilización. Implicaría un tipo de militancia que está desapareciendo. Las grandes formaciones políticas se valen de aparatos profesionales carísimos, de ahí los problemas de financiación, y vosotros ya no podéis contar con aquella disponibilidad militante sacrificada de la clandestinidad y la primera etapa de la transición.

—Puede que yo tenga falta de visión de futuro, pero nuestra misión consiste en que no sea así, porque no hay otra salida.

—En cambio los movimientos sociales de organizaciones no gubernamentales concitan una gran generosidad de acción, un nuevo voluntariado solidario.

—Sí, pero esos movimientos, muy positivos, no están en condiciones de modificar el sistema.

—Pero han conseguido sostener la cultura de la solidaridad, mientras que las formas de actuación de la izquierda tradicional, sea la socialista o sea la que representa IU, parecen anquilosadas.

—¡Claro! Pero ahí está el fallo nuestro. Ayer estuvimos en una manifestación en la que había 40.000 o 50.000 personas por lo bajo y 100.000 por lo alto. Pero movilizar no es sólo eso. Ha habido fallos, para empezar, de la propia dirección cuando no se ha hecho lo que se ha dicho: el régimen abierto de las asambleas de Izquierda Unida, que se abran nuestras sedes para toda la gente, para generalizar el debate. Aquí hemos estado presos por las luchas de las listas, presos de esas cosas que el PCE trajo y los demás también, pero el PCE más porque era mayoritario. Para transmitir nuestra política no podemos confiar en, ni competir con los medios de comunicación. Imposible. Además yo no me gasto ningún tiempo en una batalla que yo creo inútil. Buena parte de nuestras propuestas son no sólo ideológicamente irreprochables, sino técnicamente sólidas. Ahora mismo yo puedo decir que tenemos una de las mejores áreas de economía que hay en España, en una semana convoco ciento y pico de economistas, gente de talla, vinculada con los ministerios, con el Banco de España. El problema es volver a la movilización de la información fundamental, renunciando a intervenir en los aspectos tangenciales. En recuperar un tiempo pausado para influir en el tejido social: el PSOE se funda en 1879 y no tiene el primer diputado, creo que Pablo Iglesias, hasta muchos años después. Me dirás: «Estás hablando del XIX; la aceleración que se produce en la conciencia, en la visión de futuro, ha aumentado». Pero una cosa es que aceleres tú y otra que te acelere la maquinaria infernal y banal de crear conciencia de usar y tirar. Ahí tenemos preparados unos folletos sobre treinta cuestiones fundamentales, desde aspectos económicos hasta el sistema electoral. Folletos con lenguaje elegante, claro, con tacto, concisos, pedagogía pura. En torno al folleto, movilice usted 500 o 600 cuadros de Izquierda Unida, repártalo por la geografía española y desde la asamblea de base con el folleto, que entregarán también en su día en la Puerta del Sol, periódicamente, hasta la conferencia de la Universidad, vamos a intentar crear una opinión y, al aire de ella, no estar ausentes en ninguna movilización, siempre y cuando esté en nuestra línea política. Soy consciente de que eso supone un esfuerzo. Esto sí que es prometeico.

—Tenéis muy pocas posibilidades de controlar vuestro propio mensaje y de modificar los tópicos establecidos. Por ejemplo, tú, el califa de Córdoba. Para una masa social amplísima tienes una imagen muy positiva, incluso más positiva que la de IU, pero en sectores socioculturales más críticos, fundamentalmente entre los profesionales, apareces como el ogro gramático que siempre está pegando broncas. E Izquierda Unida, si quiere dar ese *sorpasso* al que tantas veces te refieres, necesita atraer a un amplio tejido social progresista. Otro aspecto negativo es que el tope de crecimiento de IU parece relacionado con el límite de su identificación con el PCE y, es cierto, IU no puede prescindir del PCE como su parte más activa y determinante. Tú has conseguido detener la caída en picado del

PCE, pero ¿tú mismo y el PCE no sois los límites para la expansión política de Izquierda Unida?

—Vamos a ver. Primera parte: el PCE en todo esto sigue su vieja base, para lo malo y para lo bueno. Yo sigo siendo comunista, mi tradicionalidad es la misma. ¿Hasta qué punto una formación política tiene que hacerse amputaciones para satisfacer a los que quedan fuera? ¿O no es mejor que esa formación política consiga convencer con mejores métodos, con mejores imágenes, con otros dirigentes si es preciso? El primer camino me lleva irremisiblemente a la cínica dialéctica del mercado: hay que modificar el producto para que agrade. Yo siempre he sido, desde mis tiempos de alcalde de Córdoba, objeto de amores y de antipatías radicales. Pero yo te voy a argumentar algo, a la espera de que al menos tú no me lo desvirtúes y escribas: «Anguita va de profeta». Mira, estamos en tiempos de profecía.

—Me tientas a cambiar el título del libro: «El polaco y la profecía».

—Haz lo que quieras. El profeta o el lenguaje profético o el contenido profético no es la adivinación de los hombres verdes. El mensaje profético es el más lúcido porque denuncia quiebras sociales y morales que ya son evidentes, pero que hay que hacer evidentes a los demás. Ésa ha sido la función tradicional de la izquierda, incluso antes de llamarse izquierda. Hay que señalar con el dedo lo que está mal aunque nos corten el dedo. Yo sé que mi labor es asumir ese papel a veces muy desagradable. La cantidad de hostias que me dan. Que el lenguaje profético, que significa señal, invite a cambiar, esto no gusta. Los profesionales a los que te refieres se llenan la boca de palabras como corrupción, injusticia, paro, precariedad, pero que no les toquen el *status*. Soy yo el que tiene que decirles que no puede ser, aunque no me guste, que no puede ser que cada ciudadano español tenga un chalet con una piscina. Me ha tocado a mí decírselo. Hay que conseguir una riqueza democrática, es decir, solidaria: hace poco tiempo, un ilustre catedrático, en un debate, se enfurruñó: «¿Qué quiere usted —me decía—, que el trabajo no esté en precario y no conoce a esos profesores numerarios por oposición que después no trabajan?». Lo que quiero es que haya control; por ejemplo, yo soy enemigo de las oposiciones, y a usted, catedrático, si lo hace bien, que le garanticen el puesto de trabajo. Pero usted ya tiene trabajo estable y entonces es muy fácil abogar por el trabajo precario para los demás.

—Tal vez debieras modificar el continente de tu discurso. Se puede ser profeta, pero no es necesario parecer un profeta enfadado.

—Sí, sí. Empiezo siempre suave, muy dialogante, pero reconozco que a veces me escapo de mí mismo. He vuelto de vacaciones más relajado y si observas mis últimas entrevistas filmadas, me autocontengo. Pero es difícil, es difícil porque soy temperamental.

—¿Qué sentido tiene militar en un partido comunista en estos momentos, a la vista de los referentes culturales, políticos y económicos que se dan en el mundo entero?

—Precisamente porque esos referentes indican que algo hay que hacer para cambiarlos.

—Ése es el sentido que podía tener la liga de los comunistas en el siglo XIX. ¿Y ahora? ¿Volver a empezar, a alertar sobre el desorden capitalista?

—Yo siempre me acojo a que Marx veía el comunismo como un movimiento. En el año 82 yo planteé en el partido comunista de Andalucía la necesidad de un movimiento más amplio que el PCE, lo que se llamó Convergencia por Andalucía. Yo siempre vi a los comunistas más como un movimiento que como una organización, y ése es su sentido actual y futuro, un movimiento capaz de dinamizar una organización como Izquierda Unida. Lo que no veo es un partido comunista que concurra a las elecciones, que tenga un programa. Yo a los comunistas los veo como otra cosa, los veo como perturbadores, como los inquietadores, los que mantienen una actividad proteica pero desde la lealtad de insertarse individualmente en IU, sin actuar como un grupo de presión.

—¿Y ésa es la nueva disposición del PCE? ¿No parece más bien el residuo de una vieja cultura militante con tantas virtudes como vicios insuperables?

—En el PCE me he encontrado con gente muy mayor que paradójicamente ha asumido el mensaje de Izquierda Unida y lo entiende, y con gente joven que no tanto. Pero ésta es nuestra materia prima. No hay otra. Estamos en tiempos propensos al fundamentalismo. Desde el año 84, en el documento que yo llevo de Córdoba a Sevilla, cuando hablo del partido comunista ya digo que no quiero un partido en el sentido tradicional, sino que lo veo como ese movimiento proteico. Estamos gastando dinero en formación, pero no en adoctrinamiento, y a nuestros cursos vienen cuadros que no son comunistas. Hemos relanzado la Fundación de Investigaciones Marxistas (FIM) con apertura al mensaje ecológico, que nos ha perturbado ciertas evidencias, cierta visión futurista. Se está intentando, pero, Manolo, esto no es Hollywood.

—Pero esa aspiración proteica va para largo y vosotros cada cuatro años debéis presentaros ante las urnas.

—Entre los garbanzos de cada día y la siembra de futuro hay un punto equidistante. A veces me exaspero porque mi vida se escapa y el avance es demasiado lento. Año 89: diecisiete diputados; año 93: dieciocho, uno más. Hubo allí el tirón bipartidista y algo tuvo que ver mi infarto. Elecciones autonómicas, hemos subido un millón de votos. Elecciones europeas, el 14,3 % de los votos. Ha habido una subida, pero luego ves lo poco que puedes contribuir a cambiar el sentido de una gobernación. Aun así, hay que huir de caer en el *marketing* y rebajar planteamientos. Yo no estaría aquí, en el puesto de coordinador general, si tuviera que hacer operaciones cosméticas que afectasen a lo que yo considero que es fundamental.

—Dentro de Izquierda Unida hay diferentes expectativas constantes: una es el *sorpasso*, es decir, convertirse en principal alternativa de izquierdas. Yo creo que se ha puesto el listón a destiempo, que se tendría que haber esperado más para hablar de *sorpasso*, porque no había elementos para que se produjera y al no producirse puede crear sucesivas frustraciones. Otra es la de los que desde IU piden un encuentro con el guerrismo y con Izquierda Socialista para ir hacia una formación política de socialistas auténticos y justos. Finalmente, la expectativa abandonista partidaria de meterse de una vez en el PSOE y así coincidir con la mayoría socioelectoral de izquierda. Plantéate el día siguiente de las próximas elecciones generales y resulta que el PSOE resiste, el PSOE se queda en veintinueve, treinta por ciento, y se acaba el *sorpasso* y la urgencia de cambio interno en el PSOE.

—Vayamos por partes. Cuando formulamos lo del *sorpasso* no lo hacemos desde una perspectiva de inmediatez electoral.

—Insisto en que no controláis vuestro propio mensaje. Lo que llega al mercado de la información es: «IU quiere sobrepasar al PSOE».

—A mí, que los medios de comunicación no se enteren o lo manipulen o no lo capten, me importa menos, el problema es que los dirigentes de Izquierda Unida no lo entiendan y lo voten sin entenderlo. Cuando llegan las elecciones municipales y autonómicas, como no se han conseguido los objetivos que las encuestas dicen que nos atribuían, se dice que el *sorpasso* ha fracasado, y yo eso se lo puedo aguantar a Antena 3, o a cualquier equivalente, pero a gente de la dirección no, porque esa dirección ha debatido como ninguna dirección debate. Ha debatido delante de los medios de comunicación, que esto no lo hace nadie. Me irrita que no lo asimilen dirigentes tallados en mil y una batallas y que saben de política, por lo menos de sindicalismo, saben muchas cosas, y yo cuando voy a exponerles los objetivos, al mismo tiempo les propongo volver a la sociedad, volver a la sociedad, volver a la sociedad. En las elecciones avanzamos, pero no tanto como decían las encuestas. Consecuencia: frustración. ¿Por qué un grupo de dirigentes no ha explicado esto a nuestra gente? ¿Por qué los informes del coordinador general en nombre de la presidencia se aprueban a veces de manera abrumadora y se quedan en los cajones? Repito: que los medios de comunicación obligados a esa cultura mediática de blanco y negro, donde los matices se pierden, no entiendan lo que vamos a hacer, pase, pero los dirigentes, los que los tienen que poner en marcha, deben comprender lo que hacen y por qué y para qué. A lo mejor la palabra *sorpasso* es impropia porque se cogió muy a la ligera procedente del vocabulario italiano...

—Además en Italia tenía el sentido de pasar a la Democracia Cristiana, y a su vez Craxi lo tenía que pasar al PCI.

—Pero nuestra concepción no se reduce al *sorpasso* electoral... ¿Quieres un caramelo?

—No.

—Es que yo tengo el estómago... Segunda cuestión: la izquierda social. Vamos a ver, vamos a hacer una breve historia. En el 90, en la tribuna del Congreso de los Diputados, se le ofrece a Felipe González documentada colaboración basada en puntos concretos. Callada por respuesta. Llegan las elecciones del 93. Paco Frutos va a hablar con Felipe, yo estoy entonces convaleciente, y le plantea una salida a la izquierda para evitar la derechización a manos de Convergència i Unió. Ni caso. Felipe rechaza la mano de Frutos y se casa con Pujol. En debates teóricos e incluso en colaboraciones concretas, por ejemplo en la revista de Tezanos, *Temas para el Debate*, colaboran miembros de IU y de Iniciativa per Catalunya. ¿Cenas con Santesmases, con De la Rocha? ¿Y después qué? Me han planteado hablar con Alfonso Guerra, pero yo esperaba que Alfonso Guerra diese una señal, ante el problema del mercado laboral, por ejemplo. Tengo cincuenta y tres años, me queda muy poquito. No quiero perder el tiempo. ¿Sentarse? Cuando quieran. Pero sentarse para algo. En IU hay socialdemócratas y nuestro programa es socialdemócrata aunque yo sea comunista. Luego quedan los que tú has llamado abandonistas, que tal vez no se van al PSOE por ser fieles a su propia memoria, a su propia trayectoria, pero piensan: «Coño, ¿qué hago yo aquí dentro si no voy a modificar nada?». Porque IU no es un instrumento realmente de poder, todo son dificultades, no hay manera de abrirse camino socialmente. Yo les comprendo y les invito a que asuman la auténtica dimensión del tiempo. La izquierda ha sido derrotada, la caída del muro de Berlín ha sido utilizada propagandísticamente; aquello cayó por sus errores, pero también lo tiraron. Fue algo surrealista cuando en 1988 los de la *perestroika* me llamaron para adoctrinarme en el Instituto de

Ciencias Sociales y en el Comité Central de Moscú. Habían descubierto la democracia y el mercado. La noche y el día de la caída del muro de Berlín, el menos impresionado era un servidor. Había caído dentro de mí hacía mucho tiempo.

—Creo que ése era el sentir mayoritario de los comunistas españoles, al menos desde 1968. Pero el comunismo soviético lo necesitaban sobre todo los socialdemócratas y los liberales para consolidar su propia identidad. Ahora lo que queda es una ofensiva cultural neoliberal demasiado burda, la paralización de la socialdemocracia y una difícil resituación del poscomunismo en plena mundialización definitiva de la economía y desde la imposibilidad de oponer un modelo operativo al neocapitalismo. En cierta ocasión me emborraché en el transcurso de una larga sobremesa, en Buenos Aires, con un importante ex montonero. Llegamos a la conclusión de que necesitábamos una nueva Internacional, pero, primer problema: ¿Dónde instalábamos la oficina y el fax?

—A nivel internacional tratamos de conectar con formaciones políticas afines como la de Cárdenas en México o la LUA en Brasil. En Europa es difícil reconducir un internacionalismo transformador, pero se está en ello. Tienes razón. Todo es muy precario, todo va para largo, pero no tengo más que una opción, o combato o me rindo. Yo creo que la propia mundialización del sistema genera sus contradicciones mundiales y las víctimas del capitalismo salvaje relanzarán una alternativa basada en la tradición cultural del movimiento obrero y las nuevas culturas emancipatorias. Pero yo no me autoengaño. No soy un mesiánico ni un numantino, como dicen.

—Es muy difícil delimitar un nuevo sujeto histórico con voluntad de cambio y que ese sujeto histórico, además, descubra que necesita cambiar las cosas. Ese sujeto histórico de cambio es muy sutil, muy complejo, y por ejemplo, cuando dices «la burguesía catalana es la peor de España» te juegas que muchos anteriormente llamados pequeñoburgueses se aparten de Iniciativa per Catalunya. Hay mucho pequeño burgués catalán, manchego y del mundo entero, susceptible de apuntarse a estrategias de cambio por hechos de conciencia, como el peligro ecológico o las desigualdades.

—Si yo tuviese la oportunidad de volver a hablar, no lo diría exactamente así. Yo no tengo la culpa de la ignorancia de los servicios de información, ni de que muchos profesionales, erróneamente, se autoconsideren burgueses. Lo que me preocupó fue recibir cartas que reflejaban el afán de desquite de muchos inmigrantes ante una explotación que identificaban con la burguesía que respalda a Pujol. Se lo comuniqué a Ribó, porque IU jamás será un factor para fomentar un nuevo lerrouxismo en Cataluña. Pero no me desdigo de mi idea de que por su modernidad, a lo largo de este siglo, la gran burguesía catalana ha malgastado una detrás de otra la oportunidad de reformar democráticamente el Estado español. Al contrario, ha prestado su aval a las soluciones más reaccionarias. Y creo que Pujol ha mantenido demasiados años hipnotizadas a otras formaciones políticas catalanas.

—Para ser entendido necesitarías primero convenir tu vocabulario y tu visión del mundo y eso es muy difícil con la escasez de poder mediático que tenéis.

—El comunismo es una cosmovisión. Yo prefiero que los que somos comunistas aportemos nuestras propuestas sabiendo la relatividad del tiempo en que están formuladas y las pongamos en orden con nosotros mismos.

—¿Para IU sigue siendo válida la fórmula berlingueriana de partido de Gobierno y partido de lucha? ¿Gobernar para transformar desde las instituciones, sin descuidar la presión social? Ahora anuncias movilizaciones, pero resulta que se plantea un duro pleito entre la dirección de Izquierda Unida y el principal movimiento social crítico más o menos afín a vosotros: Comisiones Obreras. ¿Qué ha pasado ahí?

—Te lo repito tres veces: movilizaciones, movilizaciones, movilizaciones.

—Tres veces: movilizaciones, movilizaciones, movilizaciones. Este ritmo tuyo de «programa, programa, programa; Constitución, Constitución, Constitución»... ¿es un eco de *Sanctus, Sanctus, Sanctus*?

—Las repeticiones son pedagógicas. Mis informes los hago como un expediente administrativo, recojo lo que dijimos ayer, porque estoy a veces ante una cultura que olvida lo que votó el día anterior. Tiendo a ser pedagógicamente repetitivo. La izquierda no ha de ser manipuladora, sino impactante. Las movilizaciones que proponemos han de tener un 80% de información, de actos, de asambleas, de asambleas en fábrica, de charlas en Universidad, de organizaciones básicas abiertas, de mítines y de reparto de un folleto o tríptico con lenguaje claro, sencillo, elegante, riguroso, sin insultar a nadie. Hay que evitar coincidir con el lenguaje que utiliza la derecha, porque en el discurso de la fiesta de mañana hay una parte muy importante dedicada al lenguaje: cuidado con el lenguaje. Movilización quiere decir que vamos a salir a la calle, que vamos a agitar, a agitar y a agitar. Cuando digo a agitar me refiero a su significación más noble, ¿eh? Vamos a informar, y cuando hablemos de privatizaciones, en el folleto irán los datos escalofriantes de lo que ha costado reflotar la banca, de lo que ha costado la SEAT, ¿eh? Y de ahí, que la gente saque sus propias conclusiones.

—¿Y el conflicto con Comisiones Obreras?

—Vamos a ver si yo consigo no dejar ni un resquicio sin contestar. Para empezar, nunca me he quejado porque compañeros de Comisiones Obreras, miembros del Partido Comunista o de Izquierda Unida, se hayan reunido, como tales miembros, para influir en Izquierda Unida. En el PCE, y perdóname ahora la metáfora, está decretada la pena de muerte para aquel que intente organizarse para el entrismo. Lo que se ha dicho en el PCE es que el comunista es comunista en el PCE y es comunista en Comisiones Obreras. En el seno de la clase obrera y en sus sindicatos hay una lucha ideológica, y en la lucha ideológica no hay tregua, ni cuartel, ni descanso. ¿Mis relaciones con Antonio Gutiérrez? Ni buenas ni malas, nos vemos al frente de delegaciones con cordialidad. ¿Que no soy una persona que se ve con él con frecuencia? Evidentemente. ¿Razones? No ha habido lugar, y en segundo término es que yo no creo que para entenderse o desentenderse haya que estar todos los días comiendo juntos, yo nunca he concebido eso. ¿Que desde aquí se está moviendo el banquillo de Gutiérrez? No, ni hablar, eso lo niego, y además: que se demuestre. Hay un debate, y cuando el debate se dio en el PCE, miembros de CC OO opinaron. Ahora, ¿por qué no pueden defender sus posiciones en el debate sindical gentes que también están en el PCE? Cuando hay un debate tenemos que decir que no estamos de acuerdo con vuestro concepto de competitividad, compañeros, y después ya veremos lo que resulta. ¿Por qué da miedo eso?

—Tú has dicho que el sistema está arrinconando a los sindicatos, para reducirlos al papel de sindicatos de servicios. Tanto Méndez como Gutiérrez se me han declarado partidarios de sindicatos sociopolíticos.

—Cuando ellos dicen sociopolítico, ¿de qué están hablando? Yo entiendo como sindicato sociopolítico aquel que tiene un modelo alternativo de sociedad. Tanto UGT como CC OO han asumido la competitividad como diosa madre, y el mercado como instrumento milagroso. Ahí empieza el cuestionamiento crítico.

—No les veo yo tan sumisos a la tesis de la competitividad, y sí muy críticos con la productividad real del capital.

—En los documentos sindicales aparece la palabra «competitividad» y apuestan por la recuperación. Muy bien la competitividad y la recuperación, pero ¿a costa de qué? ¿A costa de la libertad salvaje de las reconversiones industriales y de la depredación universal de los mercados de trabajo? A mí me llegó a contestar Rubalcaba: «Es que el señor Anguita no cree en la recuperación». ¡Ay, Dios mío! Estoy en la Edad Media, se me obliga a que crea; pues mire usted, soy ateo, porque el problema para mí no es que si yo creo o dejo de creer en la recuperación. Vamos a ver a qué resultados conduce.

—¿Crees que los sindicatos son entreguistas?

—Yo no anatemizo. Tienen que escoger. O son sociopolíticos en el sentido que he explicado, o asumen el modelo existente y dicen: «Sacaré de él la mejor tajada posible». Ese camino lleva a ir firmando acuerdos que implican retroceder, porque el sistema presiona y se impone. No es una cuestión de maldad. Es cuestión de elección de un papel determinado de los movimientos sociales, y tal como vamos, así se explican los pasos atrás tras los impresionantes pasos adelante de las huelgas generales. Se impone el estómago, el empresario se envalentona, se pierden conquistas sociales que se han convertido en derechos humanos.

—Pero los sindicatos parecen más presentes en la conciencia social, con toda su fragilidad, que los partidos de la izquierda. Igual puede decirse de corporaciones como la de los jueces, algunos líderes de opinión o de grupos de presión, todos ellos más determinantes que los partidos políticos. La democracia se está convirtiendo en un rito inoperante y el Parlamento sólo interesa cuando representáis alguna tragicomedia en Cinemascope. ¿Se debe esta situación al cansancio creado por la situación de perpetuo escándalo o es el inicio de un cansancio democrático a la española?

—Se han reducido bajo mínimos los mecanismos de participación, dentro y fuera del sistema de partidos, no digamos ya en el Parlamento o en la capacidad de respuesta y articulación de la sociedad. La democracia corre el riesgo de convertirse en una simple representación, que se tiene a sí misma como fin. Es como una romería hueca, como un rito hueco, mientras disminuye la posibilidad real de participación política y la concentración de medios de información reduce la libertad de expresión. El otro día aprobamos, por doscientos noventa y nueve votos a favor, ninguno en contra, ninguna abstención, una condena al Gobierno de Francia y al de China por las pruebas nucleares. Apenas fue noticia. En cambio, si yo bajo de mi estrado y le doy un capón a Felipe González, entonces primeras páginas. Pongo la televisión por la mañana y me veo la retransmisión de la asamblea de la Liga Profesional de Fútbol, que parece una parodia de una reunión de gángsteres, y por la noche el telediario da más importancia a esa reunión que al atentado que Solana ha sufrido en la antigua Yugoslavia. Los medios están ofreciendo una mercancía nauseabunda. Está volviendo el «vivan las caenas» y quizá nosotros no seamos otra cosa que los *afrancesados* fin de milenio.

—Dejémoslo en profetas. Quizá cuando vuelva la derecha al poder habrá que rearmarse culturalmente. Alguien me dijo: volveremos a representar a Brecht, pero veo que ya las carteleras madrileñas se llenan de obras de Brecht. Volverá a estar de moda la ética de la resistencia.

—Maldita la gracia, con la ocasión que se perdió en 1982. Estos señores se marcharán del poder después de haber desertizado la cultura de izquierdas y dejando las televisiones en manos de toda clase de Rambos.

—Te han llamado el comunista místico. Lo que la gente no sabe es que hay muchos comunismos. No todos provienen del modelo marxista-leninista soviético, que es de hecho el más reciente. Un anarquista también era un comunista, y tú a veces me has parecido más anarquista que marxista-leninista.

—En el sentido teórico y vivencial le debo mucho al anarquismo.

—Los anarquistas han quedado como una especie de extraños locos muy bien intencionados, pero sin cerebro histórico, sin finalidad histórica.

—Eso es una injusticia. Por ejemplo, hoy que hablamos de la ecología, hay un antecedente reivindicativo en *La Revista Blanca* de Federico Urales y Soledad Gustavo, los padres de la Montseny. ¡El movimiento pedagógico de Ferrer Guardia, el movimiento de concienciación obrera de los Salvochea, la pedagogía de Salvador Vallina! El anarquismo significó también un movimiento intelectual obrero. Yo en cierta ocasión dije: Soy comunista porque quiero que el Estado no exista, pero no que desaparezca para que se mueva a sus anchas la empresa privada, como quieren estos neoliberales que se autoproclaman, a veces, «anarquistas de derechas».

—Tú has dicho: «El problema de los comunistas es el PSOE». ¿Están acomplejados por el PSOE o el PSOE está ocupando un territorio que no le corresponde?

—La gran cuestión es Felipe González. Sabe cómo camelarse a la gente, pero no piensa con una perspectiva más allá de tres meses. Ha gobernado durante trece años y ha desperdiciado una gran ocasión de transformar realmente el país, para empezar, una gran transformación cultural. Santiago Carrillo decía: «comunista igual a PCE, socialista igual a PSOE», primera cosa que no es correcta; había más comunistas que los del PCE y más socialistas que los del PSOE. Entonces, para Santiago Carrillo era muy fácil: el PCE más el PSOE, juntitos, podían construir el bloque social de progreso. Pero el bloque social de progreso en una simple teorización, no se consigue sumando siglas, se ha de conseguir en la calle, en la realidad. Santiago fue contestado, pero muchos, incluso de los que lo combatieron, siguieron con la idea de que «comunista más socialista igual a bloque de progreso». Incluso cuando se crea Izquierda Unida, en los primeros momentos, no voy a citar nombres, pero tengo memoria y tengo cuadernos de intervención, hubo quienes razonaron así: «Izquierda Unida es simplemente un instrumento, pero cuando alcancemos determinado electorado, reequilibremos la izquierda». Es el discurso de Curiel, por ejemplo. Es el eterno discurso de la vuelta a la Casa Común. Hemos hecho una excursión, nos ha salido mal, y cuando cae el muro de Berlín: «Volvamos a la casa madre». Bueno, pero el problema es que cuando vuelves a la casa madre, tú no eres el mismo, y a la madre ya no la reconoce ni la madre que la parió. El PSOE ha sido para muchos de nosotros, yo no me cuento entre ellos, como el astro rey, como el imán que hará posible el reencuentro en la casa común de la izquierda. ¿Acaso es de izquierdas la política del PSOE? ¿Por qué seguimos detrás de la sombra de las palabras sin replantearnos qué quieren decir ahora? ¿Comunismo? ¿Socialismo? Pero el mito existe y muchos compañeros de edad avanzada me escriben expresando su sorpresa porque dialogamos con la derecha y no con la izquierda. No tengo ninguna animadversión al PSOE. Creo que debe seguir existiendo.

—El problema está en el tejido socioelectoral socialdemócrata que no dará el paso hacia IU.

—Lo mismo ocurre cuando desaparecen las estrellas. Seguimos viendo el reflejo no sé cuántos años más. Es que PSOE socialdemócrata ya no existe. La gente está siendo víctima de un espejismo, porque el que crea votar socialdemocracia está votando la reforma del mercado laboral. ¿Cómo le explicamos eso a la gente?

—O sea, el que quiera votar socialdemocracia, ha de votar IU.

—El que quiera votar un programa socialdemócrata, sí, para que no me venga la anatema. Mira, otra vez la ruptura democrática se nos aparece por ahí. Y no es que yo lo plantee, quiero decir que hubo una ocasión de oro que no se aprovechó: aplicar la Constitución, su gran espíritu social. Pero han secuestrado la Constitución y la han dejado vacía de contenido. Nos vamos el día 6 de diciembre a tomar unas copas y «¡que viva la Constitución!». Nuestro programa hoy por hoy es socialdemócrata, pero ya no socialdemócrata clásico, porque incorporamos el análisis ecológico. Y es que un programa socialdemócrata hoy en España, ¡joder!, es casi carbonario.

—¿Tú no crees que hubiera sido táctico, sin rebajar principios, el haber jugado precisamente al Jano bifronte? ¿Crear un rostro amable de Izquierda Unida complementario de tu rostro reñidor, severo y profético? Es que me he encontrado a más de un votante potencial de Izquierda Unida o de Iniciativa per Catalunya que me ha dicho: «Pero este tío, cada vez que le veo está echando una bronca».

—Yo voy a un pueblo de Andalucía y a mí me empiezan a poner «verdes» a los socialistas, y me cabreo cuando veo que los han votado. Yo es que no le aguanto eso a la gente. Me la jugué una vez en Barbate. Voy a las cinco de la tarde a un mitin y me acompañan compañeros míos, gente con dinero, pero que habían estado en las cárceles, que habían sufrido torturas y estaban en Izquierda Unida, algunos perdiendo dinero. Entro, doy el mitin y oigo que se meten duramente con los socialistas, pero no habían hecho nada para que se dejara de votar a los socialistas. Tuve que decirlo: «Usted podrá haber contraído todos los méritos éticos e históricos que quiera, pero usted es un inconsecuente, caballero». Cuando voy a una reunión, la gente, para acercarse a mí y ganar mi confianza, me empieza a hablar mal de Felipe González y luego van y le votan. Es que no puedo con eso, lo siento mucho. Yo seré quizá en su día uno de los, no digo defensores de Felipe González, pero de los que van a decir: «A ver si se lo colgamos todo, como antes se lo colgábamos todo a Franco, ¿no? Y los que tengo allí delante sentados en el Congreso de los Diputados, ¿qué?».

—Adam Schaff, a manera de metáfora sobre el estalinismo, se pregunta quién era más responsable: Calígula nombrando procónsul a su caballo o el Senado que se lo toleró.

—Pues eso. El felipismo puede existir sin Felipe González, y además es injusto que un personaje se lleve las hostias, cuando sus colegas han estado medrando. Yo creo que algún día voy a tener que salir en defensa de Felipe González, dentro de lo que cabe.

—Te aconsejo que lo hagas, todo lo proféticamente que quieras, después de las elecciones.

En las semanas siguientes, las batallas entre la dirección de Comisiones Obreras y la del PCE fueron subiendo de tono hasta el clímax irrespirable de sendos congresos, el del PCE y el de Comisiones, que confirmaron la quiebra, personalizada en la defenestración histórica de Marcelino Camacho como presidente de CC OO, por su apuesta por las posiones críticas del PCE en el interior del sindicato. La mayoría *oficialista* encabezada por Gutiérrez vencía a la minoría *izquierdista* dirigida por Agustín Moreno. Los en otro tiempo presentados como magníficos representantes de un sindicato combativo y con futuro, Moreno y Gutiérrez, Gutiérrez y Moreno, se convertían en ángulos opuestos por el vértice, y Marcelino Camacho exhibía sus incorruptos jerséis de cárcel como una llamada a la memoria histórica, a la que pertenece como uno de los grandes líderes del movimiento obrero de este siglo. Las encuestas preelectorales se mostraban cada vez menos generosas con Izquierda Unida, aunque Nicolás Redondo, pocas semanas antes de las elecciones, pidiera el voto para Anguita y no para Felipe González.

Redondo piensa que la manía de González de contener el crecimiento de los árboles para conseguir bonsáis la ha aplicado al propio partido socialista como instrumento y al socialismo como teoría social y propuesta doctrinal. ¿Acaso no es evidente que la tarea enanificadora de González ha tenido efecto no sólo sobre los arbolitos de sù jardín de bonsáis, sino sobre el propio Partido Socialista Obrero Español, la UGT, la conciencia de la izquierda en general? En un lugar del Palacio de la Moncloa, el presidente ha organizado un jardín de bonsáis, árboles enanos que descubrió durante su primer viaje oficial a Japón. La actividad del bonsái se practica en Oriente desde 200 años antes de Cristo y González la incorporó a su vida más o menos quince años antes del final del segundo milenio. Luis Vallejo, jardinero asesor de Felipe González, valora los legados que el jefe de Gobierno ha recibido de Japón, que le permiten componer un bosque de bonsáis de más de 40 años de antigüedad. Dentro de una pérgola de madera especialmente realizada por el arquitecto Antón Dávila, colecciona González sus 200 árboles enanos, conseguidos a base de impedir el crecimiento normal de las especies mediante un complejo cuadro de determinantes herramientas y ataduras que trabajan para conseguir bellezas enanas de la naturaleza enana. Cuando el presidente se refugia en los parques naturales de España, como el de Doñana o el de la sierra de Cazorla, ¿contempla los árboles con normalidad o les echa el ojo reductor, mientras sus manos se mueven bajo el síndrome de las tenazas y el alambre? Hay una filosofía del bonsái, si consideramos filosofía conocer el ser y el sentido de las cosas, los vegetales y los animales, los hombres incluidos. Todo ser vivo existe en el tiempo. Nace, crece, envejece y muere. Lo captamos en un momento de esas fases. Si determinas el crecimiento de un ser vivo, lo controlas, de hecho le salvas del azar, de las casualidades que puedan hacerlo bueno o malo, alto o bajo, fuerte o débil. Estos árboles ya son, devienen esenciales. Pero no crecen o lo hacen dentro de un límite que tú mismo les has dado y los puedes hacer perfectos, mucho más perfectos que los seres vivos que crecen a sus anchas. Cada árbol tiene su alma y mientras lo cultivas y controlas su crecimiento te vas apoderando de su alma. Cuánta variedad de almas: alerces, pinos, arces, cotoneaster, manzanos silvestres, abetos, cipreses, abedules, crateagus, zelkova —un olmo japonés de corteza gris—, carpes, hayas son las variedades más seguras. Pero también se consiguen arces tridente o el sequoiadendrón, que puede medir casi casi un metro, ¡casi un metro! Los bonsáis no son eternos. Están amenazados por las malas hierbas, las bacterias, los virus, los hongos, los insectos, las pestes, pero si los controlas tienen más esperanza de sobrevivir que esos árboles que crecen desordenadamente por los campos y los bosques, a su aire. Los bonsáis se crían en laboratorios y se consiguen a base de semillas o de esquejes o de arbolillos recién nacidos, cogidos en el campo o en la montaña para luego modificarlos. Hay que abonar bien la tierra en la que va a desarrollarse el bonsái, una vez trasplantado desde la maceta donde ha germinado la semilla, un abonado con alto contenido de nitrógeno para que tenga salud y vigor la planta. Cuanta más salud tenga, más emocionante es doblegarla obligándola a adaptarse al volumen que nosotros queremos darle. En cuanto empieza el desarrollo hay que tener preparada la intervención para canalizar el crecimiento del árbol, cortando el tronco para que no siga subiendo hacia el sol, podando las ramas para darle la estructura necesaria, utilizando alambres para forzarlas y que se ajusten al proyecto que tiene el jardinero. Todo cuerpo vivo tiende a crecer y hay que dirigir ese crecimiento hasta el límite que nos interesa con la ayuda de la caja de herramientas: tijeras de podar, cuchillo de poda, alicates, rastrillo de raíces, corta-ramas cóncavo, corta-hojas,

cepillo, sierra, alambres de cobre para atar las ramas, torniquetes para doblar tronco y ramas cuando la fuerza del
alambre no es suficiente. ¡Cuántas delicadezas concentran
los diferentes estilos bonsáis! El «vertical», *Chokkan*, muy
difícil porque las ramas se van espesando a medida que se
acercan al ápice y deben repartirse equilibradamente alrede-
dedor del tronco. Para domesticar mejor al vegetal, es preferible empezar por la semilla o el esqueje. Hay que conseguir
un árbol masculino, es decir, un árbol fuerte, sin fisuras, con
tendencia a un carácter austero. Se diferencia del estilo «vertical informal», *Moyogi*, más frívolo, con más ritmo, que se
consigue mediante una mayor poda de ramas y alambreando
bien las restantes para que se adapten al tronco según lo con-
venido. Es un estilo femenino, lleno de curvas. Luego está
el estilo «inclinado», *Shakan*, y su variante «azotado por el
viento», *Fukinagashi*. Este segundo tipo es muy romántico
porque crea arbolitos enanos que parecen haber crecido al
borde de un acantilado, azotados por el viento, aunque los
más alocados son los estilos «cascada» y «semicascada», *Han
kengai* y *Cascada kengai*, esos preciosos bonsáis que crecen contra el sol, como atraídos por el abismo de las galaxias. Y otros estilos: «escoba», «raíces sobre piedra», «madera seca», «tronco hendido», «tronco retorcido», «raíces
expuestas», «pulpo», «doble tronco», «bosque», «balsa»,
«sinueso»... y tantos, tantos aún más hermosos si las palabras
suenan en japonés: *Hokidachi, Sekijoju, Sharimiki, Sabimiki,
Nejikán, Neagari, Bankan, Takozukurri, Sokan, Kabudachi,
Korabui*...

    ¿Qué podría ocurrir si en pleno proceso de enani-
zación se desataran los arbolillos, se les quitaran los alambres, esos torniquetes? ¿Qué pasaría? Un especialista en
bonsáis contestaría:

—No tendrían sentido. Serían malformaciones de
la naturaleza que han crecido donde no debían y como no
debían.

Cuando se supo que González se estaba haciendo
un chalet en Somosaguas, zona residencial de ricos, se persi-
guió esa construcción como si un presidente de Gobierno,
al cabo de más de diez años de ser el primer especialista en
política de su país, no pudiera acumular lo suficiente para
construírselo. A ese chalet no podrán ir los 200 bonsáis y
González pensaba legar los más enjundiosos al Jardín Botá-
nico de Madrid. Pero los responsables declaran no tener
espacio y sobre los bonsáis del presidente se ciernen los mismos malos presagios electorales que sobre su jardinero.

12. El señor de los bonsáis

La esencia del bonsái clásico es producir una réplica
saludable en miniatura de un árbol.

DAN BARTON, *El libro del bonsái*

Hace casi doce años que no nos vemos. Pedí, entre otros firmantes, que dimitiera cuando creí que obstruía la normalidad democrática como responsable político de todos los escándalos y se me presenta en la antesala de La Moncloa como si tuviéramos tantas cosas en común que hubiera olvidado mis repetidas críticas a lo largo de esos años. Incluso parece haber olvidado *Felípicas*, compendio de todas mis columnas feliperas, dictadas a veces por la indignación y en ocasiones por la angustia ante la evidencia de que ni la Historia ni los líderes de izquierdas son como esperábamos. Nuestro anterior almuerzo en La Moncloa fue a tres y Carmen Romero era el personaje para mí principal porque quería retratarla en *Almuerzos con gente inquietante*. Pero el propósito me valió entonces un almuerzo con el matrimonio y un largo monólogo de Felipe González sobre la economía y el Estado del Bienestar o asistencial, según los gustos, en el que ya me anticipó buena parte de las quiebras futuras, desde las reconversiones industriales hasta la crisis del sistema de pensiones. Era un Felipe González lleno de ímpetu, un torete recién salido al coso del poder, imbuido de la razón teórica y práctica de economistas como Mariano Rubio, Miguel Boyer o Solchaga, es decir, por los caminos del economicismo socialmente bien intencionado, primer paso para llegar al economicismo por el economicismo. El menú de 1984 consistió en *mousse* de espárragos y ternera rellena al estragón, acompañada la pitanza de un Marqués de Cáceres, vino enóloga y políticamente correcto. Y un Cohiba.

Ahora el personaje está marcado por las cicatrices de los más diversos arponeros, como las ballenas blancas que han pagado un alto precio por el dominio de los mares, y ya no arrolla verbalmente, incluso ha perfeccionado su espléndida técnica de hablar comiendo y comer hablando que ya me maravilló en 1984. Comer, hablar y fumar, porque empalmó un cigarrillo con otro a lo largo de la comida, sin que yo me atreva a dar una interpretación psicológica de un fumar tan compulsivo. Sobre una mesa redonda y breve que propicia el mano a mano, flotantes los dos en un salón de La Moncloa, le explico a Felipe González *Un polaco en la corte del Rey Juan Carlos* y censo la lista de los interrogados, a pocos días de que me reciba el Rey. Retiene el nombre de Ruiz Gallardón.

—Y Alberto Ruiz Gallardón ¿te ha hablado del ataque a su autonomía política, o no se ha atrevido?

—Le pillé en un momento en que aún no le habían acosado los medios teóricamente adeptos, como *Abc*.

—O los del Sindicato del Crimen.

—Sabía lo que podía pasarle. Pero eran los primeros días de gobierno y a pesar de eso ya *Abc* le acusaba de respetar unos festivales de otoño llenos de comunistas, como por ejemplo *Eurípides*.

—Conozco ese acoso e incluso lo hemos comentado personalmente con Alberto en alguna ocasión, la más reciente fue durante la manifestación contra ETA tras el asesinato de Paco Tomás y Valiente. Siempre le he aconsejado que defienda la autonomía del poder político. Yo creo que el poder político puede pactar, sin duda, puede pactar con el movimiento sindical, con el mundo financiero, con el empresarial, puede pactar con lo que quiera, ¿no? Incluso, en un momento determinado, con los intelectuales, los artistas, para promocionar una política cultural. Lo acepto. Pero tiene que mantener su autonomía. Y lo que está ocurriendo en este país desde hace algún tiempo es que hay determinados poderes que se expresan a través de medios de comunicación, o medios de comunicación por su cuenta empeñados en que el poder político no sea autónomo. Y me refiero a la actitud de diarios como *Abc* y *El Mundo*. Porque no me preocupa tanto que haya un ataque absolutamente decidido y despiadado contra el Gobierno socialista, ya nos defenderemos, como que sea un ataque a la autonomía del poder.

Y llegan las lentejas. El presidente espera y consigue sorprenderme agradablemente: «Lo que menos te esperabas es comer lentejas hoy en La Moncloa, ¿no?». «Me parece extraordinario, patriótico y dietético», le contesto. Estamos respaldados por el saber de un dietista republicano, el eminente Grande Covián, defensor de las legumbres, que llegó a suegro de Mónica Lange. Las lentejas están buenísimas y luego vendrá una ternera asada acompañada de cogollos adornados, nunca mejor dicho, de boquerones en vinagre y aceitunas. Vino Villa Real 86. Excelente. El señor presidente es un maestro. Acaba las oraciones y los platos con una precisión de *master* en comidas coloquiales.

—Lo más preocupante de lo que ocurre en este tiempo es esa pérdida de autonomía del poder político.

—No creo que se deba a la especial circunstancia española, aunque el acoso del poder judicial o del mediático se ha debido a la cantidad de escándalos que han aparecido en España. Pero en todas las democracias avanzadas se percibe el poder político cada vez más cercado por el mediático, el judicial, el financiero. Tal vez estemos en puertas de otra democracia orgánica *de facto*.

—Sin duda, eso está pasando. Y en España hay una tradición de control del poder político bien conocida, sobre todo en periodo de dictadura. En tiempos de Franco todo el mundo sabía que aquí no podía haber un ministro de Economía sin el consenso de la banca, o un ministro de Industria sin la aprobación de las Eléctricas, para entendernos. Por consiguiente...

Estudio su expresión cada vez que me dice «por consiguiente», un latiguillo ya en poder no sólo de los humoristas que le caricaturizan, sino incluso de la gente normal y corriente. González ha conseguido decir «por consiguiente» sin oírse a sí mismo y en los mítines finales de la campaña sus adeptos completaban el latiguillo hasta convertirlo en un pareado: «Por consiguiente... ¡Felipe, presidente!».

—... la política estaba radicalmente mediatizada. En todas las democracias existe una lucha contra la autonomía del poder político por parte de otros poderes reales. Y en este momento hay demasiada cesión, incluso a nivel internacional, a esa presión. Cualquier medio de comunicación, en muchos casos ligado a intereses poco claros, puede ser instrumentalizado para mermar autonomía al poder político. El problema es que en España durante la transición se ha pasado, por primera vez, de una absoluta dependencia del poder político, a una recuperación de su autonomía. Los enemigos de esa autonomía han esperado unos años: seis, siete, ocho, pero han decidido que no aguantan más, y han puesto todas las baterías para recuperar el control del poder político. ¿Ocurre en otros países? Sin duda. Pero allí tienen muchos más resortes para defenderse.

—Habéis dado muchos motivos para que prosperara esa operación: escándalos económicos, el terrorismo de Estado, la financiación de los partidos.

—Sin duda, sin duda alguna. Los errores en el funcionamiento del poder ejecutivo aumentan la facilidad de condicionarlo. No digo sólo del poder ejecutivo como Gobierno, sino del propio aparato del Estado, sin duda. Se crean elementos que pueden ser instrumentalizados para condicionar al poder político, como por ejemplo el debate sobre los GAL, desde intereses absolutamente oscuros. Y los casos de corrupción, quizá no muchos pero muy espectaculares, debilitan al poder político y su capacidad de defender su propia autonomía. Cuando se demuestra que alguien del poder político se ha vendido a otros poderes, la sospecha se alimenta para todos, se hayan vendido o no. Que alguien con responsabilidad política cobre comisiones en el ejercicio de su función no sólo le debilita a él, debilita al conjunto del sistema. Además, aquí estamos dispuestos a pensar que el que se corrompe es el que recibe la comisión, no el que la da, a éste no se le considera corrupto. Lo cual es una deformación de la realidad en favor de quienes tratan de condicionar al poder político.

—Dentro de una semana va a haber elecciones y unos resultados. Pueden pasar tres cosas, una que ganes, otra que pierdas, y una tercera: que ganes por poco o que pierdas por poco. Las variantes son importantes. Si es una derrota grave, no sólo perdéis el poder, sino que puede lesionarse el PSOE. Este nuevo PSOE no ha pasado por la experiencia de una travesía del desierto. Si ganáis por poco, otra vez los pactos, siguen sin resolverse jurídicamente los escándalos y se reproduciría la situación que ahora se quiere superar. Supongo que debes tener una serie de estrategias sustitutorias. Es decir, si pasa esto, si pasa lo otro, a título personal y a título colectivo.

—No demasiado. No demasiado. En primer lugar, porque tengo una cierta confianza en la capacidad de resistencia del núcleo duro del socialismo democrático en el país. No digo que si hubiera una derrota —que espero no se produzca— estrepitosa, no vaya a haber una cierta conmoción en el partido. Si la hay en la socialdemocracia alemana, o en el laborismo británico, ¿cómo no va a afectarnos a nosotros? Pero la experiencia me ha demostrado que lo que llamo el núcleo duro del partido socialista, que paradójicamente no es el de los cuadros, sino el de la llamada puta base, es muy resistente. Con esta confianza fui a las elecciones en el 77 y en el 79. Por consiguiente, digamos que hemos pasado por situaciones mucho peores sin que ese núcleo duro desaparezca. Si lo que se produce es una victoria por la mínima o una derrota por la mínima, el escenario es distinto. Cuando venía ahora mismo para acá, estaba leyendo la carta de Antonio Banderas, la que ha escrito ayer, allí en Buenos Aires. Yo no conozco mucho a Antonio Banderas. Lo tuve cenando aquí hace poco tiempo. No entro a calificarle como actor, me parece secundario el calificativo. Me parece una buena persona y un tipo progresista, y lo que están haciendo con él es puro macarthismo. Es de un sectarismo absolutamente intolerable. A nadie se le ocurriría meterse con un José Luis López Vázquez porque diga que va a votar al PP. A nadie, nadie en la izquierda española se le ocurriría hacer eso. Entonces ¿qué me preocupa? Más que una derrota personal o del partido, me preocupa la situación del país después de una posible victoria del PP. No me obsesiona, porque en definitiva uno cree en la alternancia y en el funcionamiento de la democracia, pero me preocupa que podamos retroceder en conquistas importantes, como sanidad pública, o la educación sin discriminaciones, o un sistema de pensiones que atiende también a los que no cotizaron. Me preocupa la cuestión social seriamente. Creo que se ha avanzado y se puede retroceder. Pero también me preocupa en el ámbito cultural. Esa reacción, aún por medir, que lleva al alcalde de Torremolinos a decir que no le dedica una calle a Pablo Picasso porque era antifranquista y comunista. Y que eso te llegue al mismo tiempo que la visita de Aznar a Alberti. Estoy algo desconcertado. Pero, en fin, si la victoria fuera por una distancia razonable, es decir, si estuvieran a tiro de piedra para poder recuperar otra vez la mayoría, haríamos una oposición probablemente más seria y más responsable que la que ellos han hecho.

—¿Y la encabezarías tú?

—Sí, en principio yo creo que eso es casi indiscutible. O sea, eso no se discute, salvo que en el partido se produjera una reacción extraña y pensaran que me tendrían que sustituir. Cosa que en este momento dudo, porque es lo que propuse en el mes de diciembre y me he encontrado con cero apoyos o con muy pocos.

—Ese refrendo ¿cómo lo interpretaste? ¿Realmente como el resultado de un análisis de necesidad objetiva, o bien como una calculada estrategia para que te quemaras en las próximas elecciones?

—La verdad es que la reunión ejecutiva en la que se discutió la renovación de mi candidatura, desde el punto de vista del análisis político, es la más seria a la que he asistido después del Congreso. La gente hizo un esfuerzo de análisis político desde ópticas diferentes. Fue un análisis bastante frío y sólido a la vez. Claro que los compañeros aceptan mal, sobre todo los más técnicos en procesos electorales, que uno llegue a decir con convicción que ya no soy la solución, sino que soy la solución y el problema a la vez. Estoy convencido de que el deterioro político produce el efecto de que en un momento determinado uno empieza a ser el problema y no sólo la solución. No sé medir exactamente cuándo se produce ese momento.

—Esto les pasa a todos los partidos políticos demasiado personalizados. Aznar es la solución y es el problema. Anguita, no digamos. Pujol...

—Manolo, tienes que reconocerme que yo he sido durante muchos años la solución y no el problema, pero hay un momento en que empiezo a ser el problema y la solución. Y ese momento se produce ante las elecciones de 1993, que salen bastante bien. Ahora podemos perder, y en este escenario, probablemente, los compañeros van a querer que siga haciendo de oposición. Saben que eso es lo que más le preocuparía al Partido Popular y a Aznar. Lo saben. Es análisis político. No valoraciones de carácter personal.

—Pero será una oposición marcada por todos los casos judiciales aún abiertos, se refieran a la corrupción económica, se refieran al terrorismo de Estado.

—Eso no me preocupa. El funcionamiento de la justicia no me preocupa. En algunos casos estoy muy convencido del resultado, y en otros también pero en la dirección contraria. Yo creo que el precio en términos políticos que teníamos que pagar por los casos de corrupción ya está pagado. Por consiguiente, no me está preocupando eso, ni me va a quitar autonomía para hacer la crítica que crea deba hacer al funcionamiento del Gobierno. En absoluto me va a quitar libertad. Y la tercera hipótesis que planteas es el posible triunfo por minoría mayoritaria, por consiguiente con necesidad de coaliciones. Reaparece la necesidad de pactar con alguien. Excluida la posibilidad de pactar con Anguita, sólo queda la de hacerlo con los nacionalismos moderados.

—Despejemos la hipótesis Anguita porque es fácil despejarla. ¿Se trata de una incompatibilidad personal o de una incompatibilidad programática?

—No es cierto que sea de carácter personal. Soy capaz de superar lo que puede ser una falta de empatía desde el punto de vista personal. Cuando he empezado a relacionarme con Pujol partíamos de una base de enfrentamiento, en el punto Banca Catalana, terrible. En el que además yo siempre he pensado que no tiene razón, porque yo me porté con absoluta corrección en ese asunto, pero él no lo percibió así y uno tiene que aceptar que cada cual tiene la percepción que tiene, pero no había ninguna facilidad de comunicación con Pujol, ninguna. Eso ha cambiado radicalmente, incluso más en el terreno personal que en el político. No soy el más adecuado para decirte cuán difícil soy como personaje, pero Pujol es extraordinariamente difícil. ¡Extraordinariamente difícil!

—Tenía que vender cara su piel, ¿no? A mí me dijo en cierta ocasión: «¿Usted cree que estos chicos andaluces —se refería a Alfonso y a ti— pueden entender algo de Cataluña?».

—Pujol es un hombre áspero de carácter y yo no lo soy, tiene unos prontos que yo no me permito. Te lo digo para que compruebes que las cuestiones personales no condicionan mis alianzas políticas. Con Anguita, el problema, dicho simbólicamente, consiste en que yo me enteré de la

435

caída del muro de Berlín en el 89 y Julio Anguita todavía no se ha enterado. Da escalofríos ver lo que hace con la organización en Cataluña, con Iniciativa per Catalunya, la organización con más posibilidades. Y luego su comportamiento con gentes como López Garrido. Pero Iniciativa es la organización con más posibilidades de encarar en el futuro lo que puede ser la gran formación alternativa de la izquierda y Anguita trata de impedirlo resucitando cosas superadas por la historia.

—Anguita ha insistido muchas veces en que quiere verte con unos programas encima de la mesa y que está dispuesto a ceder, incluso pronunció una frase grave: «Estamos dispuestos a quemarnos». No le has dado ocasión de poner el programa encima de la mesa.

—Es bastante grotesco cuando dice programa, programa, programa, y por ejemplo niega, no Maastricht, sino todo el proceso de construcción europea. Ahora me acuerdo de Maastricht, pero es que está en contra de la moneda única, del mercado interior, de la construcción europea en su conjunto. Él tiene una visión de Europa que no comparten más que los grupos extraparlamentarios europeos. Es decir, yo me siento con Occhetto o con D'Alema y puedo discutir perfectamente los problemas europeos, perfectamente. Podemos discrepar en alguna cosa, pero hay una sintonía en lo fundamental. Con Anguita es imposible. Yo no digo que sea un extremista, porque creo que no lo es. Creo que es un fundamentalista y, a la edad que tenemos, me parece imprescindible un poco de relativismo intelectual y Anguita carece de él. Por ejemplo, cuando habla de reparto del tiempo de trabajo, se cree que eso lo arregla una ley. A mí me parece de una ingenuidad…, me parece un error tan dramático que, claro, no hay manera de entenderse, incluso cuando plantea un tema en el que podría haber acuerdo.

—Descartado Julio Anguita, Izquierda Unida-Iniciativa per Catalunya, te queda Pujol. Esa alianza ha causado muchos problemas y entre otros ha acentuado el divorcio entre comunidades. Te han acusado de abandonar una percepción española y estatalista, para entregarte al secesionismo catalán. Una alianza con Pujol significaría la agudización de esta campaña.

—Es un precio a pagar por la incorporación del nacionalismo moderado catalán a la gobernabilidad del Estado. Yo acabo de decir en la reunión con los sindicalistas, y quizá no era el escenario más apropiado, anteayer en Cornellá, acabo de decir que soy de aquellos que están convencidos que no se puede gobernar desde Madrid sin contar con el catalanismo político, en términos generales, y entiendo que la exclusiva del catalanismo político no la tiene Pujol y afecta también al PSC y a Iniciativa per Catalunya. El anticatalanismo no sólo puede emerger en el conjunto del Estado, sino también en la propia Cataluña a través del PP. La solución de gobernar contra el catalanismo político es un desastre para el Estado. O dicho en otros términos, yo creo que este país ha superado, con matices, pero ha superado básicamente la cuestión militar, la cuestión religiosa, incluso la cuestión social, dramática en los años treinta, y no ha superado la cuestión interterritorial. Y el tipo que agite la cuestión interterritorial no merece ser gobernante de este país, aunque saque muchos votos a costa de enfrentar a las comunidades entre sí.

—Es absolutamente rentable la demagogia antipolaca.

—Absolutamente rentable, desgraciadamente rentable. Igual que fue en su día rentable agitar la cuestión religiosa o la cuestión militar y eso nos condujo a una situación absolutamente sin salida, que de hecho es lo que me preocupa en el momento que vivimos. Fue una irresponsabilidad total.

—Ya están planteadas las tres posibilidades, victoria tranquila, que parece imposible, victoria por poco, o derrota y pasar a la oposición y confiar en la capacidad de reacción de eso que llamas el núcleo. Pero aquí hay una serie de discursos aplazados en el seno de la izquierda, no sólo de la española, sino de la europea, precisamente después de la caída del muro de Berlín. ¿Para qué sirve la izquierda, qué función tiene la izquierda? Y sobre todo una izquierda de las características de la socialdemocrática. ¿Tú crees que se ha resituado la socialdemocracia cuando deja de ser una alternativa moderada de izquierdas impuesta por la mecánica de la guerra fría? Desaparecida esa circunstancia, el capitalismo piensa que ya no necesita del mal menor del Estado asistencial y de la socialdemocracia como su instrumento. ¿Vosotros os habéis resituado realmente?

—Todavía no. El tiempo de adaptación tiene que ser un poco mayor. Realmente, la sorpresa de la caída, con todo su simbolismo, del muro de Berlín, ha paralizado la reacción. Es que es muy gordo lo que pasó. Un imperio no se desmorona de la noche a la mañana como se desmoronó el soviético. Esa rapidez no ha permitido resituarse prácticamente a nadie todavía. Esto no significa que la función del socialismo democrático no sea una función esencial en la sociedad universal resultante.

—Pero se os ve a la defensiva, como defendiendo a la desesperada el baluarte no ya socialdemócrata, sino el keynesista y a la baja, y no se ve una alternativa estratégica de la socialdemocracia frente al capitalismo salvaje.

—Yo, sin embargo, lo veo. Comprendo que no es fácil situarse, pero lo veo. Y lo veo no sólo en una defensa numantina, nunca mejor empleado ahora que jugaba el Numancia con el Barcelona.

—Horroroso. Se aprovecharon de las virtudes del Numancia Club de Fútbol para resucitar toda la épica del numantinismo.

—No hay que encerrarse en una defensa numantina del Estado del Bienestar, sino en una nueva forma de ver esta sociedad posindustrial, en cuyas predicciones se equivocaron aquellos que hacían los estudios sociológicos, sobre todo franceses, a final de los 60 y principios de los 70. Entre otras cosas porque creían que el problema sustancial de la sociedad posindustrial iba a ser la organización del ocio, y lo que se ha demostrado es que el problema sustancial de la sociedad posindustrial es la organización del trabajo y no la del ocio. Y en esto yo creo que tenemos un papel que jugar para crear una nueva conciencia social. Y lo digo en el sentido fuerte del término, no lo estoy diciendo como una expresión, digamos, de campaña. Una nueva conciencia y un nuevo consenso social sobre la necesidad del reparto de trabajo, compatible con el mantenimiento, incluso con el incremento de la competitividad a la que nos obliga la mundialización de la economía. Ésa es la fórmula, a mi juicio inexorable. Yo no soy pesimista, porque incluso en una sociedad donde la base productiva del país se estreche, el crecimiento del producto nacional bruto va a seguir siendo bastante importante. Es decir, vivimos un drama, y es que para producir cualquier cosa se necesita la mitad de trabajadores que hace veinte años. Se ha multiplicado por dos el producto bruto en veinte años. La productividad ha aumentado de manera exponenciable. Pero de todas maneras, si la sociedad no se desintegra, que es el grito de guerra de los neoliberales o de los nuevos conservadores, si no se desintegra, la capacidad de generación de riqueza puede permitir hacer una política redistributiva. El 25 % del producto bruto en nuestro país, que es lo que se redistribuye en términos generales, es el doble de lo que era el 25 % del producto bruto en el año 82. Por lo tanto permite hacer una política de cohesión, de integración social muy importante. Incluso con la dificultad del empleo, si hay un Gobierno que quiere mantener de verdad a la sociedad unida, cohesionada, que quiere mantener el Estado del Bienestar, tiene recursos para hacerlo, por más que el egoísmo puede primar y los activos pueden desesperarse de tener que aguantar a los pasivos, que cada vez serán más en la relación, si no cambia el reparto del tiempo de trabajo.

—Hay que contemplar el factor cualitativo de lo que se reparte. Se pueden garantizar los mínimos de supervivencia de la gente que no trabaja, pero se genera como una nueva raza de gente no productiva, subvencionada, bajo mínimos, que padece y fomenta trastornos importantísimos y que va a ir creciendo.

—Yo no estoy seguro de eso. Aceptemos que la situación de nuestro país, desde el punto de vista del empleo, es la peor situación de Europa, aunque no sea tan exagerada como se refleja en la EGPA (Encuesta General de Población Activa). Te diré algo que te va a sorprender. Si el número de activos que la EGPA es capaz de detectar es el número de activos que realmente hay en el país, es decir, si el millón de activos que ellos mismos dicen que les falta, que no encuentran, realmente existieran como activos, éste sería el país más competitivo del mundo, más que Alemania, más que Japón, más que cualquier otro. Cualquiera que conozca la realidad de nuestro país, desde el punto de vista de la percepción social, cualquier persona con sentido común sabe que no somos el país más competitivo del mundo. Por tanto ahí hay algo que falla. Aun así, tenemos un problema que es el del empleo, y debo decirte que en la década de los ochenta y lo que va de los noventa, el empleo crece en nuestro país un 8,3% y la media de la Unión Europea es un 4,3%. Por tanto, yo no pierdo la esperanza de que esta nueva revolución tecnológica, que en principio crea el estupor y la desconfianza de la destrucción del empleo, rebote y vuelva a crear, como la primera y la segunda revolución industrial, una capacidad de mayor generación de empleo. Pero entre tanto se produce ese ciclo histórico, no hay más remedio que plantearse un nuevo pacto social, en el sentido amplio y no como pacto del sindicato con la patronal, para repartir el tiempo de trabajo disponible. Creo que es una operación perfectamente posible si hay consenso social y si se respeta la competitividad. Mira, nosotros tenemos un 9% de contratos a tiempo parcial, los holandeses están ya en el 36%, y los alemanes, que van mucho más lentos porque es una sociedad mucho más industrial, en el 21%. Por consiguiente, esto es posible, no sólo a través de ese mecanismo, sino de otros muchos, siempre que se cree esa conciencia social. Yo no soy tan pesimista, yo creo que vamos a pasar por una época mala y muy incierta, y lo que me preocupa sobre el resultado electoral es que esa incertidumbre lleve al nuevo Gobierno a la destrucción del tejido social cohesionado que supone el Estado del Bienestar, o se eche la culpa al Estado del Bienestar de la falta de competitividad. Sería absolutamente inconcebible.

—La precariedad ha demostrado la existencia de una picaresca empresarial extremadamente insolidaria. Contratos por horas, por días, la contratación es un tiovivo. Estadísticamente es rentable porque esos datos sirven para el inventario de puestos de trabajo, pero tan fugaces que no repercuten en el sistema de vida de sus víctimas.

—Te daré datos alentadores. De los 372.000 puestos de trabajo que se han creado en el año 95, 212.000 han sido fijos y 60.000 autónomos, que se deben considerar como fijos, y sólo 110.000 son contratos eventuales. De los contratos a tiempo parcial, el 80% es de más de media jornada.

—Las bolsas de paro existen y la precariedad coloca en estado de precariedad la vida misma de los trabajadores que la sufren. Y no hay perspectivas de mejora cualitativa de la situación. Se ha creído hasta hace poco que la desaparición de sectores industriales obsoletos generaba por sí misma la aparición de nuevos sectores industriales que la sustituían. En la época actual de la robótica ese crecimiento sustitutivo automático no se produce. Pero aparecen nuevas necesidades y nuevos posibles trabajos, de asistencia social, de asistencia ecológica, pero no generan mercancías y por tanto no propician el ciclo clásico del trabajo productivo: mercancía vendible, salario, precio de la mercancía, ganancia. Cada vez hay más posibles trabajos necesarios no productivos, según el esquema clásico. ¿Quién los va a pagar si el Estado asistencial está en crisis? ¿Cómo se van a pagar?

—No, no, es que no debemos asumir que el Estado asistencial esté en crisis. Está pasando por una mala época, eso es todo. Es decir, el Estado del Bienestar, no el asistencial, la capacidad de redistribuir riqueza del Estado no tiene por qué estar en crisis. Si de los 18.000 millones de dólares que empleamos en el año 94 en subvencionar o en pagar como contraprestación el desempleo hubiéramos tenido la oportunidad de emplear la mitad en fomentar trabajos en los nuevos segmentos de empleo, habríamos hecho un gran ahorro en Seguridad Social, por tanto esta mutación es posible que se produzca. Y de hecho yo creo que se abrirá paso inexorablemente. En Europa se impondrá y se impondrá pronto. Es verdad que todavía hay un grado de desconcierto muy fuerte en la izquierda para encarar la nueva situación, pero los recursos de los países europeos no están amenazados de disminución. Los países europeos más bien tienen un horizonte de crecimiento, en productividad, en riqueza, más que los países del Tercer Mundo, incluidos los emergentes. Por lo tanto, la capacidad de redistribuir sigue existiendo, si perdemos el miedo de decir que mucho mejor que bajar los impuestos es aumentar los impuestos para dar bienestar social en un momento determinado, o por lo menos mantenerlo. Si la izquierda pierde ese miedo probablemente hemos salvado la situación. ¿Cuál va a ser el tránsito histórico? Eso es imposible de prever. ¿Qué es lo que va a pasar de verdad con la revolución tecnológica que estamos viviendo? No se puede saber. No se sabe si va a ser más generadora de empleo o no, incluso si el concepto del empleo se va a mantener o vamos a pasar a un concepto distinto que puede ser el de la ocupación, que quizá no sea siquiera el empleo. Siempre respetando que la ocupación es el único mecanismo de realización de verdad del ser humano, y no el ocio, como decían los sociólogos entre la década de los sesenta y la de los setenta.

—Hemos ido de la cultura del ocio a la cultura del paro.

—Eso es. La situación no queda muy lejos de la que vislumbraban: la máquina y la informática sustituyen al hombre. Pero ellos no creían que se fuera a cuestionar el Estado del Bienestar o la cohesión social, lo que creían es que iba a haber mucho más tiempo libre y mucha menos jornada de trabajo. Y lo que hay es mucho más paro y se mantiene relativamente estable la jornada de trabajo.

—Tanto en lo que respecta a la cultura del paro como a la mundialización de la economía y la estrategia del capitalismo internacional, ¿carece la izquierda de una respuesta estratégica?

—No tiene. Paradójicamente, quien ha cumplido su finalidad internacionalista ha sido el capitalismo.

Es en este punto cuando me ofrece un Cohiba y se me encienden las señales de alarma cardiópata. Pero ¿cómo puedo rechazarle un Cohiba a mi jefe de Gobierno, un Cohiba enviado sin duda por Fidel Castro como prueba de agradecimiento porque el Gobierno español no se ha sumado al bloqueo norteamericano? La educación sentimental o la cardiopatía. Hay que elegir. Acepto el Cohiba. ¿Qué sería de la virtud sin la transgresión?

—Mira, el otro día estuve con Rubin, el secretario del Tesoro americano. La conversación tuvo un cierto interés. En un momento determinado, el tipo tiene muy buena cabeza, le dije: ¿Hasta cuándo vamos a poder soportar esta situación de los mercados de cambio en el mundo? Este movimiento puramente de especulación financiera a nivel mundial que mueve de 1,2 a 1,3 billones de dólares por día, buscando los beneficios de diferentes tasas. ¿No cree usted que habrá que intentar establecer unas ciertas reglas de juego? Porque en este momento, sin mover una peseta, no digo ya sin mover mercancías, que sería la reflexión de fondo, pero sin mover dinero físico, simplemente tecleando ordenadores, Gran Bretaña puede perder en una mañana veinte mil millones de dólares de reserva, porque al señor Soros y a cuatro especuladores más se le ha ocurrido acabar con la estabilidad de la libra. Y Rubin decía: «Bueno, esto no sé cuánto tiempo va a durar, no sabemos qué mecanismo tiene que haber para que esto entre en una regla razonable, pero seguramente se llegará a eso». Iba a la reunión del G-7 a París. Por tanto, cuando tú me preguntas desde la perspectiva del movimiento obrero, la perspectiva de la socialdemocracia a nivel internacional, a mí me gustaría decirte que yo, incluso desde esa perspectiva o en esa perspectiva, superando esa perspectiva, no contemplo la posibilidad de racionalizar el orden productivo mundial. Contemplo cómo es posible construir la Europa política junto a, o acompañando a, o complementando a la Europa monetaria y económica. ¿Cómo es posible? Me encuentro con un problema, que es un problema apasionante desde el punto de vista intelectual, y es que hay doctrina suficiente para la supranacionalidad en materia monetaria y económica y digamos que se ha elaborado una doctrina que te permite hacer la transición de la moneda múltiple a la moneda única a nivel europeo, y sin embargo no hay doctrina política de la supranacionalidad. Doctrina económica hay de sobra. Tendríamos que concentrar nuestro empeño en saber si somos capaces de elaborar una doctrina política de la supranacionalidad que sea algo más y distinto de la pura doctrina política del Estado-Nación. Porque el debate de Europa es entre federalistas y antifederalistas, entre zona de libre cambio y federalización europea. Ya que se hizo el documento para la unión económica y monetaria, ¿cómo se hace un documento para la unión política que no responda a los parámetros clásicos? Estamos muy retrasados en eso.

Dicho en otros términos, el fenómeno económico, no sólo el capitalismo, el fenómeno económico va muy por delante, muy, muy por delante del fenómeno político, y creo que hay que meterle mucho esfuerzo a imaginar cómo se avanza políticamente. Cuando se habla, por ejemplo, de una Constituyente europea, se está tomando un elemento de referencia que rechazo siempre, porque sé que no va a haber una Asamblea Constituyente en Europa. Comparto la búsqueda de esa unidad política, quede claro, lo que no comparto es que el concepto que usamos como Constitución en nuestro país pueda ser un concepto que se lleve al conjunto de Europa. Porque no va a ser verdad, nunca va a haber un Parlamento europeo discutiendo una Constitución para los pueblos de Europa.

—Pero tú crees que simplemente con voluntad política existe la posibilidad de crear una superestructura política comunitaria, teniendo en cuenta que aun dentro de Europa se producen desarrollos desiguales tremendos y que la voluntad de unidad política de los países más poderosos a veces se confunde con la de hegemonía porque parten de una hegemonía económica. Quizá no les interese esa unidad y a nivel popular no es aceptada. Las masas siguen ancladas en sus imaginarios nacionales.

—La dinámica va en esa dirección unitaria, aunque no va a ir a la par en todos sitios. Tienes razón, los desniveles, los desequilibrios se van a agudizar de manera exponencial cuando entren los países del centro y del este de Europa. Debo decirte que los doce países que ahora aspiran a la Unión Europea, de centro, oeste y sur de Europa, los doce, suman el mismo producto bruto de Holanda, entre los doce. Por lo tanto, el desequilibrio es verdaderamente brutal. Pero durante una fase transitoria se construirá una Europa de círculos concéntricos, con responsabilidades diferenciadas, pero con una óptica o con una perspectiva de futuro de unión política. Me parece que eso es inexorable. Si no fuera así, la dinámica intraeuropea previsible en las próximas décadas sería preocupante. Kohl a veces dice que quiere una Alemania europea y no una Europa alemanizada. Este propósito tiene un calado importante. Alemania sigue siendo un país que cada vez que ejercita el derecho de la autodeterminación es para unirse y nunca para separarse.

—Falta un proyecto cultural europeo, no existe una cultura de masas proeuropeísta. La cultura de masas sigue siendo o nacionalista o proamericana.

—¿Te acuerdas de la última fase de la vida de Monet? Decía, con una cierta exasperación: «Si hubiera que volver a construir Europa, si hubiera que empezar de nuevo, habría que empezar con la cultura». Hay una cierta impronta cultural europea que habría que cuidar, y yo creo que eso también se va a abrir paso difícilmente, porque la hegemonía del poder americano es tan fuerte que creará muchas dificultades. Yo creo, sin embargo, que hay una cierta capacidad de resistencia y de renovación autocrítica en Europa, que es una característica muy específicamente europea. La capacidad de regenerarse autocríticamente. Se avanzará probablemente en el terreno cultural. Con más lentitud, pero se avanzará también.

—Tú has formulado una cuestión capital, el replanteamiento de la idea del Estado-Nación, a superar mediante una superestructura europea. Pero quedémonos en el Estado tal como es hoy y hablemos de la cultura del poder. La mayor parte de las críticas que yo os he dirigido se han debido a que sospecho que más que cambiar vosotros la cultura del poder, la cultura del poder os ha cambiado a vosotros. Por ejemplo, vayamos a la cuestión del secreto de Estado: hasta qué punto la izquierda democrática en el poder puede cambiar cualitativamente el sentido del secreto de Estado o debe supeditarse a su sentido tradicional creado por una cultura de poder de derechas.

—Yo más bien creo que el ejercicio de la responsabilidad, o mejor, la ética de la responsabilidad, no coincide necesariamente, no digo que sea contradictoria, con la ética entendida en el sentido individual. Te lo diré en otros términos. Cuando se produce el escándalo de las escuchas del Cesid, independientemente de la resolución de la jueza, al mismo tiempo se había producido con muchos menos truenos la misma situación en Alemania. En Francia, problemas de este tipo son habituales, igual que en Gran Bretaña. Claro, es cómodo acostumbrarse a eso. Pero es que, además, no sirve. La revolución tecnológica ya es tan importante, que lo del control del espacio radioeléctrico es una broma. Ya puede ser tan seguro un portátil, o más seguro, que un teléfono de línea. Por consiguiente, ¿es fácil acostumbrarse a eso? No es fácil, no es fácil. Pero si estás dentro del aparato y conoces alguno de los resultados de esas operaciones, pues naturalmente, por responsabilidad, aceptas que eso era así. Intelectualmente, visto desde el punto de vista individual, siempre produce una cierta repugnancia eso que se llama razón de Estado. Sin embargo, existe la razón de Estado. Y los países que no tienen razón de Estado son países que van al desastre. Es un poco el modelo italiano, digamos, frente al modelo francés. Son los antípodas. El francés, Estado, Estado, Estado. Italia, liquidación del Estado, prácticamente anarquía desde el

punto de vista institucional. Pues bueno, ¿en qué beneficia realmente, incluso al asentamiento de las libertades, la
anarquía de que no haya ni Estado, ni razón de Estado,
frente a que haya un Estado con razones de Estado, que a
veces abusa de esas razones?

—Por ejemplo, un secreto de Estado hace diez años
podía pretender durar cien años. Ahora, unas tropas de
élite francesas matan a un ecologista en Oceanía y secreta-
mente Mitterrand condecora a los asesinos porque tiene
que dar moral a la gente que trabaja en los frentes ecológicos. ¿Cómo es posible que el Estado avale mediante una
condecoración a gente que ha matado a un ecologista? Se
dice: «Todos los Estados democráticos practican la guerra
sucia», como en el siglo XVIII se decía que la esclavitud la
practicaban las naciones más civilizadas o hasta hace veinte o treinta años la pena de muerte tenía la coartada de que
se utilizaba en Estados Unidos, Inglaterra o Francia. Pero
hoy día esa cultura del secreto que permite al Estado de-
linquir contra los derechos humanos empieza a ser contemplada como una monstruosidad de la razón.

—Tienes razón. Produce una cierta repugnancia
intelectual, y hay casos además que no se deben sobrepasar. Cuando en España se habla de la guerra sucia, yo
debo decirte honradamente que si aquí hubiera organizado el Estado la guerra sucia, si la hubiera organizado,
habría acabado con ETA pero no con el problema del
terrorismo.

—No con el problema nacional y social que hay
detrás de eso.

—Eso es. Al contrario, se hubiera probablemente
agudizado. Aunque hubiera estado soterrado, pero se hubiera agudizado. Pero si hubiera habido la determinación

de hacer la guerra sucia, se hubiera acabado con ETA. Cuando hace diez o doce años se decía que la dirección de ETA estaba en Francia, era verdad. Hoy no es verdad. Hoy la dirección de ETA está dentro. ¿Tienes capacidad para demostrarlo? No tienes capacidad para demostrarlo, pero tienes la evidencia que está dentro. Es decir, que los autores intelectuales, los que deciden los asesinatos de ETA están en Francia y aquí, pero ya no están en Francia como estaban hasta hace unos pocos años, entre otras cosas porque Francia dejó de ser santuario. Bueno, por tanto, se produce un fenómeno como el de la guerra sucia, fenómeno común en todos los países democráticos. La hipocresía no permite decir eso. Esa guerra sucia siempre tiene dos características: o bien el impulso desde el poder, la lucha contra la OAS en Francia, o bien, digamos, que el poder se inhiba frente a ese fenómeno, entre otras cosas porque no tiene capacidad para decidir que las fuerzas de orden público, que están siendo asesinadas por los terroristas, vuelvan la espalda a ese fenómeno para seguir siendo asesinadas y en cambio persigan a los contraterroristas que no van contra ellos. Tú tienes la capacidad para decidirlo. La reflexión con Mitterrand en diciembre del 83 fue en este sentido espectacular. Nunca la he contado y todavía me resisto a contarla. Voy a dejar pasar un poco más de tiempo. Pero el fondo de la reflexión es lo que te estoy diciendo. Lo que hizo cambiar de actitud a Francia, la cooperación en la lucha antiterrorista, es esto. Pero vuelvo a tu razonamiento de fondo. ¿Está en crisis el Estado-Nación? ¿Va a desaparecer la razón de Estado? No va a desaparecer. En el horizonte previsible no va a desaparecer. Si me preguntas qué va a pasar dentro de cincuenta años, no sé. Ni siquiera sé si el Estado-Nación sobrevivirá.

—Pero el control democrático del secreto de Estado, de la razón de Estado, tendría que ser de una precisión
extraordinaria, porque es que, si no, se cuelan goles...

—Sin duda.

—Goles como que un aparato de Estado que prac-
tique el terrorismo puede convertirse en un negocio...

—Puede ser.

—Y desde el punto de vista moral, se pueden producir hechos repugnantes como que dos desaparecidos puedan permanecer dos meses ocultados y torturados para
aparecer años después enterrados en cal viva. Es repugnante y sobre todo para las izquierdas, que han vivido en
carne propia cómo las gasta el Estado terrorista, capaz de
hacer desaparecer, torturar, asesinar, violar los derechos
humanos.

—Sin duda, repugna a todo demócrata. Bueno, para
establecer un matiz, repugna a todo espíritu democrático.
Ni siquiera quiero aceptar que sea la izquierda la que lo ha
vivido en sus carnes. Depende de las situaciones, porque
en la Unión Soviética lo ha vivido, no la izquierda, sino
todo el mundo, izquierda, derecha, o lo que sea. Lo han
padecido los ciudadanos, tienes razón, y desde luego repugna a la conciencia democrática y desde luego hay que
luchar para evitarlo, pero cuando hablo de la razón de Estado, no hablo de eso. Hombre, por ejemplo, yo considero, lo he dicho algunas veces en público y no me importa
decirlo, considero, por ejemplo, que el trato que se da o que
se ha dado al general Manglano es absolutamente injusto.
Yo no lo nombré. Cuando yo llegué estaba nombrado por
el Gobierno de Calvo Sotelo, por el que entonces era ministro de Defensa, que lo conoces muy bien, Alberto Oliart.
Uno puede coincidir o no con Oliart, pero no puede dudar

de que sea un tipo demócrata sensible desde el punto de vista democrático.

—¿Te refieres a Oliart o a Manglano?

—A Oliart, me refiero. A Oliart. Probablemente tú lo conoces incluso más que yo.

—No, no. Lo conozco de referencias, a través de Carlos Barral, Jaime Gil de Biedma o José Agustín Goytisolo. Era de ese grupo de la Facultad de Derecho de Barcelona.

—Bueno, pues yo asimilé ese nombramiento de Manglano a cargo de Oliart y lo he mantenido hasta hace muy poco tiempo, y este hombre, desde una zona del Estado en la que siempre hay una cierta opacidad y un cierto juego sucio, ha prestado servicios a la democracia tan impagables como para permitir que estemos tomando aquí una copa y un café y charlando sobre el secreto de Estado.

—¿También hay que agradecérselo a Rodríguez Galindo?

—Es bastante parecido. Es bastante parecido. No idéntico, porque cada uno tiene una función. Rodríguez Galindo, durante su mandato en la lucha contra el terrorismo, probablemente ha perdido entre ochenta y noventa hombres a su mando. Para hacer un juicio de valor del comportamiento de cualquier responsable de cualquier nivel institucional, hay que hacer un poco el esfuerzo de ponerse en su piel. Este hombre ha protagonizado las operaciones más importantes, cualitativa y cuantitativamente, anti-ETA que se han hecho en el país, y ha pagado el precio de ochenta o noventa personas a su cargo. Yo espero que creas hasta qué punto es desgarrador, incluso desde la distancia, pero desde la responsabilidad de la presidencia del Gobierno, un asesinato terrorista, pero no digo uno que te coja próximo, no, no. Cualquier asesinato terrorista te quita el sueño. Por consiguiente, cuando alguien dice que puede haber cometido excesos de cualquier tipo, no lo sé, está por demostrar... Además, según lo que me dicen, yo no lo conozco, es un hombre profundamente religioso y estas cosas...

—La Brigada Político Social estaba llena de torturadores de comunión diaria.

—Desde luego. A mí, te digo una cosa, a mí me interrogaron algunos que eran superreligiosos. De Rodríguez Galindo, la verdad, es que no tengo los datos para juzgarlo, pero que es un tipo que ha hecho, de verdad, de verdad, un servicio extraordinario en la lucha contra el terrorismo, clave para disminuir el fenómeno terrorista, no te quepa la menor duda. Pero no estoy estableciendo ni siquiera una relación. Ya te digo, Manglano, yo le he visto actuar, sé algunas de las cosas que se han evitado en este país, y se han evitado por Manglano, y sé que hay una parte del asentamiento de la democracia que depende de los servicios que ha prestado.

—Comprendo que en 1982 os fuera muy difícil haceros cargo del Estado sin una experiencia directa de sus mecanismos. Recuerdo que en los años sesenta Nenni razonó el pacto de los socialistas con la Democracia Cristiana diciendo que la izquierda no podía permitirse otros diez o veinte años sin adquirir experiencias de gobierno. En 1982 vosotros tenéis una idea teórica del poder y a través de los técnicos de Economía os sentís más o menos seguros en la política económica. Pero ¿Interior? ¿Defensa? Los dos instrumentos represivos casi directamente heredados del franquismo. ¿Hasta qué punto pagáis el precio de tener que aceptar profesionales que vienen de la antigua situación? Algunos se pueden identificar con la nueva causa, pero otros no es así. Además no se cambia de la noche a la mañana la cultura de los aparatos represivos, sean los de orden público o sean los militares. ¿Sois conscientes de ello? ¿Qué medidas tomáis?

—Absolutamente conscientes, y en el modelo de transición española, aún más conscientes. Es decir, que no es un modelo de transición como la portuguesa, que depura los aparatos represivos. Te cuento una anécdota que refleja más que una explicación larguísima el sentimiento que tengo. Mira, me senté a tomar una cerveza con Vaclav Havel en el momento en que ellos estaban discutiendo en el Parlamento una ley disparatada, que entre otras cosas afectaba a los que hicieron la primavera de Praga, Dubcek incluido. Era una ley disparatada, de exigencia de responsabilidades de los comunistas de los años no sé cuántos... Bueno, y él me decía con interés: «¿Qué habéis hecho vosotros?». Y le digo: Te contaré algo que probablemente te lo explique mejor que darte muchos datos, que también estoy dispuesto a dar. Digo, mira. Yo llegué al Gobierno un día 2 de diciembre del 82, y el 6 de enero, el 6 de enero del 83, es decir un mes después, se murió el padre de Carmen. Mi suegro había sido oficial del ejército y me trasladé al funeral a Sevilla. Me bajo del avión y me espera en la escalerilla del avión una persona que es comisario de policía, que me saluda y me dice: «Señor Presidente, yo soy el responsable de su seguridad, mientras esté usted en Sevilla». Yo le di la mano y lo llamé por su nombre. ¿Qué tal estás, Fulano? Cambió de color, se demudó. Dice: «¿Me conoce usted?». Digo: Sí, tú me detuviste en el 74. Me detuvo y me interrogó en el 74. Y el hombre intentó darme una explicación. No me expliques nada. Las cosas son como son, lo que quiero saber es cómo estás y saludarte. Esto es la transición en España. Y había que asumirla así desde la responsabilidad de Gobierno. Nosotros sustituimos a Ballesteros, a pesar de que personas como Javier Pradera o Clemente Auger nos decían que no nos complicáramos la vida y no tocáramos nada, ni en Economía, ni en Interior, ni en Defensa. «Demostrad por primera vez en España que la izquierda puede estar cuatro años en el poder, y para demostrarlo no hagáis nada». Claro, después todo el mundo se vuelve exigente y dice: «¿Por qué no haces más cosas de las que haces». Pero una de las cosas que decían con sorna y con coña, ya sabes cómo son, era: «Vamos a ver lo que haces con Ballesteros». Le quitamos la responsabilidad a Ballesteros.

—Ése era un torturador en Valencia.

—Llegamos y le quitamos la responsabilidad. ¿Le quitamos también la capacidad de cooperar con la información que tenía en ese momento para luchar contra el terrorismo? No. Le seguimos dando esa capacidad. Y hubiéramos sido absolutamente irresponsables e imbéciles de no haber obtenido la información que Ballesteros tenía en el tema del terrorismo. Pero le quitamos la responsabilidad. A eso es a lo que llegamos, pero no a más. Si me quieres decir que si cambiamos a los responsables máximos de las fuerzas de seguridad, en absoluto. Seguían siendo los responsables de las fuerzas de seguridad que había antes, tres, cuatro, cinco, siete años antes. Pero para ser justos con las fuerzas de seguridad, cuando llegamos nosotros, ya toda la base de esa fuerza, todos los guardias civiles jóvenes y toda la policía joven ya no era del franquismo, ya se habían formado, digamos, incluso en las escuelas en la transición democrática.

—Pero con una cultura interna ademocrática, en el mejor de los casos. Esos aparatos generan una cultura interna que sólo cambia a través de una reeducación democrática. Y habéis pagado un precio por haber asumido esos aparatos prácticamente tal como los heredasteis.

—Evidente. Pero seamos de todas maneras justos. Los excesos antiterroristas en España, teniendo en cuenta las circunstancias que tú describes, han sido digamos que mínimos y perfectamente homologables o equiparables con las democracias asentadas. Yo creo que incluso ha sido mejor en términos generales el comportamiento antes y durante nuestra estancia en el poder. Y también puedo decirte, en honor de la verdad, que a partir del 87 se acaban. Y cuando me dices que las organizaciones se autoalimentan, es verdad. Nosotros tuvimos una conversación en un momento determinado cuando hablamos de la importancia que tenía la formación para el cambio de mentalidad de las fuerzas armadas, y es verdad que la formación tiene una importancia trascendental. Cuando yo llegué al Gobierno, una de las conversaciones que tuve con mis colaboradores fue así: imaginemos que tenemos la posibilidad hoy, 1982, de cambiar el sistema educativo para las fuerzas armadas, incluso que tenemos profesores con una nueva mentalidad, lo cual es mucho imaginar. ¿Cuánto tiempo tardará un cadete que empecemos a formar ahora en esa nueva formación, imaginándolo como muy positivo, en llegar a ser jefe del Estado Mayor de Tierra o jefe del Estado Mayor de la Defensa? Hicimos los cálculos y me salía el 2015 o el 2010. No teníamos tanto tiempo. Había que actuar enseguida. Yo tengo que asentar la democracia con los mimbres que hay. No puedo esperar al 2010. Yo creo que hay que tener un poco más de esperanza en la historia. Porque ¿qué es lo que está ocurriendo ahora y desde hace años? Que las fuerzas armadas han cambiado sustancialmente su mentalidad. Sustancialmente.

—Eso se os reconoce como la principal aportación al hacer un balance: que los militares ya no son un peligro.

—Pero no sólo que no son un peligro, es que, de verdad, van a Nicaragua o a El Salvador y se ponen entre la guerrilla y la extrema derecha y colaboran en el advenimiento de la paz. No es que sean un peligro, o no es que no sean un peligro, sino que ha cambiado su mentalidad.

—No es la misma impresión que producen los aparatos de seguridad, hablemos de parte de la Guardia Civil o de los aparatos policiales o de los servicios de información.

—Ha cambiado sustancialmente.

—Ahí tenemos el caso GAL y otras manifestaciones de juego sucio de mafias policiales.

—Inevitablemente, por Dios, inevitablemente.

—La izquierda creo que debe ser pedagógica, incluso cuando está en el poder. Si asumisteis los riesgos de unos aparatos del Estado predeterminados, cuando se descubrieron las transgresiones democráticas teníais que haber dado una explicación pública consecuente. No me refiero a una salida cínica a lo Margaret Thatcher cuando asume el asesinato de miembros del IRA en Gibraltar.

—Quizá tengas razón, pero las circunstancias fueron y son difíciles, ¿no? En el tono que estamos teniendo esta conversación, te digo: yo no he tenido nunca la tentación de utilizar en la lucha contra terroristas armas violentas. Nunca he tenido esta tentación, y ha sido bajo mi Gobierno bajo el que se ha producido el fenómeno. Por consiguiente, ¿tendría que decir lo contrario para clarificar lo ocurrido? Pues no me parece razonable decir lo contrario, porque nunca he tenido la tentación de legitimar el contraterrorismo sucio. Y honradamente te digo que, si la hubiera tenido, probablemente el resultado tendría que haber sido necesariamente distinto. Porque eso sí te lo digo. Desde la responsabilidad de Gobierno y desde el conocimiento que un Gobierno puede tener en un momento determinado, sabemos mucho de mucha gente, y sin embargo no ha ocurrido lo que podía haber ocurrido de decidir que acabábamos con el terrorismo a tiros, como ellos están intentando acabar con la democracia. Por lo tanto, ¿cuál es el límite de lo que puedes explicar? ¿Que ése es un fenómeno que tarda en corregirse hasta el 87? Sí. ¿Y no lo pudo corregir Adolfo? No. No tenía capacidad, no tenía margen de maniobra para corregirlo. ¿Lo pudimos corregir nosotros cuando llegamos? No. No teníamos margen de maniobra, y la gente puede creerlo o no. Ahora estamos en el 96. Pero hay que ponerse en el 85, ¿eh? Con cien muertos a la espalda. Cada semana un puñado de asesinatos. Hay que ponerse en esa situación para decir qué margen de maniobra tenía el Gobierno.

—Volvemos a estar en la cuestión del secreto de Estado, que a mí me repugna especialmente. Cuando he ejercido la crítica del Gobierno pocas veces me he metido en casos de corrupción derivados de financiamiento irregular. Me parecía *peccata minuta* al lado de la transgresión de derechos humanos en nombre de la razón de Estado, del sentido de Estado. Me afectaba mucho, quizá porque he pasado por manos de esta gente y sé lo que puede ser el encontrarse ante un poder paralelo instalado dentro del poder legal, ejercido desde la impunidad. Me parecía monstruoso, sólo como cálculo sensible. Pero es que el secreto de Estado es nocivo cuando necesitas la participación ciudadana para hacer frente al terrorismo, sobre todo cuando a partir de Hipercor se argelinizan las acciones de ETA y ningún ciudadano está a salvo de un atentado en su calle, en su escalera. Así como las guerras posmodernas se ceban en la población civil, el terrorismo tratará cada vez más de aterrorizar a la gente de la calle para que reclamen una solución, la que sea. Las gentes no están dispuestas a morir por una cuestión de legitimidad nacional estatal.

—Nunca está suficientemente informada.

—A la población se le ha estado diciendo, cada quince días, que ETA se acabó, que son residuos, que son coletazos...

—Nunca se ha dicho eso. Ha bajado mucho la capacidad operativa de ETA, igual que ha bajado en su día la capacidad operativa del Grapo.

—El Grapo es un grupúsculo ideológico sin base social, como las Brigadas Rojas o las Baader-Meinhof. No es el caso de ETA.

—No es lo mismo, no. Pero ha bajado mucho la capacidad operativa de ETA. Ahora están recuperando calle.

—Lo de los chicos de Jarrai es gravísimo, porque eso es un caldo de cultivo de nuevas mesnadas y la complicidad de los padres, los tíos, los primos de los presos. Eso crea un tejido social de cultivo de terroristas futuros.

—No estoy totalmente seguro de que sea caldo de cultivo de nuevas oleadas que van a ETA. No estoy tan seguro. En este fenómeno habría que introducir matices cuando se estudia bien. Porque, aunque parezca mentira, quien quema un autobús a lo mejor está menos dispuesto a matar una persona que quien tiene un proceso de teologización o de sectarización sin quemar un autobús y pasa directamente a matar a una persona. Ahí hay matices. Pero, en fin, a pesar de todo, la gravedad del fenómeno es manifiesta. Yo debo decirte que hace varios años que va bajando la actividad te-

rrorista de una manera notable. El año 92 fue paradigmático de lo que quiero decir, con Barcelona y Sevilla y Madrid,
como ciudad cultural, y el despliegue que se hizo entonces,
la caída de toda la dirección de ETA en un momento determinado, creíamos que la repercusión iba a ser muy dura.
Eso vale para el 92, 93, 94, 95, hasta el final del 95. Y en el
final del 95 se produce un nuevo brote de violencia que da
un saldo de catorce personas asesinadas, y ahora lo que lleva-
mos del 96 con dos asesinatos, frente a 80 o 90 asesinatos en
los años 84, 85 y 86. Pero, no, te digo... no sólo que haya asesinatos, sino con una conmoción social infinitamente mayor
que la que se producía hace siete u ocho años, cuando había
incluso un cierto hábito de que se produjeran.

—Cuando ETA empieza a matar a gente democráticamente intachable, sabe lo que se hace. Mata a Múgica,
que ha sido abogado de polis-milis, o a Tomás y Valiente, que
ha sido un constitucionalista en contra de la LOAPA, sabiendo que eso va a provocar más pánico social que si hubieran
matado a un capitán general posfranquista. Por eso ahora
van a por gente que incluso forma parte del espectro democrático.

—Pues si me permites decirlo, porque no tenemos
ningún compromiso electoral, la gente que han matado en
el año 1996 es para debilitar al Gobierno del partido socialista y facilitar el ascenso del Partido Popular. Por eso te
digo que la estrategia de ETA va orientada a eso y produce
resultados, desde el punto de vista de los ciudadanos, sobre todo cuando el líder del PP se sube a la tribuna para
exigir: «¡Cumplimiento íntegro de las condenas!», sabiendo que el Código Penal habla de cumplimiento efectivo de
las condenas. Por consiguiente, creo que están en ese juego, no digo que no maten con una orientación selectiva, ellos

tienen la suya. Es difícil meterse en su lógica, pero de todas maneras tienen su orientación selectiva. Pero no debemos acostumbrarnos nunca al terrorismo.

—En Inglaterra se han tenido que acostumbrar, llevan ochenta años.

—Sí, sí, sí. Fíjate lo que les ha ocurrido ahora, después de firmar incluso el acuerdo, lo que les ha ocurrido en Londres estos días. Yo creo que nosotros debemos tener más esperanzas. Aquí es más posible aislar el fenómeno del terrorismo. Más aún cuando han cometido el error dramático de llevar a una lucha callejera a los ciudadanos del País Vasco. El grito de la manifestación de Madrid, «¡Vascos, sí; ETA, no!» apunta hacia la salida del fenómeno terrorista, porque implica cada vez más a los vascos. Sería contraproducente que siguiera siendo un conflicto entre un grupo terrorista en el País Vasco y el Estado. Ahora han cometido, a mi juicio, un error estratégico que nos llama mucho la atención y que sin duda tú dices que es gravísimo, que es el error de llevar el conflicto a la sociedad vasca, y la sociedad vasca va a repeler ese conflicto, porque la inmensa mayoría no está de acuerdo.

—¿Tú crees que tienen energía para repeler eso?

—Sin duda. Con la ayuda y la solidaridad del Estado.

—La Ertzaintza tiene que ir con capucha, porque no puede reprimir con la cara al descubierto.

—Sí, cosa que nunca pudo hacer la Guardia Civil y sí lo hace la policía británica en la lucha contra el terrorismo.

—Pero la policía británica es un ejército de ocupación desde la perspectiva del terrorismo, y la Ertzaintza es carne de su carne, gente vasca, y se tienen que poner capucha porque piensan que van a tener réplica social y van a fastidiarles en sus propias casas.

—Réplica social, no. Piensan que corren riesgos, peligro para su vida. No réplica social.

—Es un eufemismo la réplica social.

—Yo apoyo esa decisión, yo la apoyo. No deja de producir una cierta repugnancia que el criminal vaya a cara descubierta y el defensor del orden público no.

—Provoca desde fuera la sensación de que se está perdiendo el pulso.

—Pero no es cierto. Esto es lo que quiero que comprendas. En la medida en que el conflicto se interioriza en el País Vasco, en la medida en que los vascos son cada vez más conscientes de que el problema es de ellos, el conflicto está más cerca de la solución.

—Eso puede llevar a la conclusión al PNV en un momento determinado de que si el Estado español le ha traspasado el problema, ¿para qué le sirve seguir en el Estado Español? A no ser que le dé mucho miedo quedarse con marxistas-leninistas dentro del país luchando por la hegemonía.

—Para acabar con el terrorismo es imprescindible la cooperación no sólo del Estado español, también del Estado francés, y lo sabes muy bien. Quiero decir que esa línea de razonamiento sería la reducción al absurdo del problema, porque si estuvieran solos frente a un fenómeno terrorista en el País Vasco, tendrían mucha menos capacidad de defensa frente al terrorismo, y eso lo sabe la inmensa mayoría de la población vasca, y eso lo sabe el PNV.

Se acaba el tiempo que los dioses electorales nos habían dado. Felipe iba a recibir al ministro de Asuntos Exteriores de Líbano y yo le había pedido que me enseñara su jardín de los bonsáis, pero yo tenía la sensación de que no me había hablado lo suficiente del día siguiente al enfrentamiento decisivo contra los bárbaros y a la prevista derrota.

—Una vez, en una reunión del Comité Central del PSUC, dije que me hubiera gustado ser secretario general del PCUS (Partido Comunista de la Unión Soviética) porque así como los Papas son los que saben si Dios existe o no, los secretarios del PCUS sabían si la revolución existía o no. Está claro ahora. No existía. Perdona que vuelva al día siguiente al 3 de marzo, pero ese día puedes perder el poder, perder esta atalaya que te permite codearte con los dueños de la Tierra y saber tanto como ellos. Y además sospecho que te sientes lleno de mordeduras, de heridas. Se especula mucho sobre tus depresiones.

—Soy muy poco depresivo, afortunadamente.

—¿Has interiorizado la derrota?

—Tan interiorizada que no me preocupa saber lo que tengo que hacer. Yo he tenido conversaciones con Adolfo Suárez a lo largo de estos años, porque Adolfo ha sufrido mucho después del poder, no sólo ejerciendo el poder. Yo tengo ahora una buena amistad personal con él, y siempre le ponía de ejemplo la historia de los griegos que hizo el escritor y periodista italiano, este magnífico..., hombre...

—Indro Montanelli.

—Eso, Montanelli. Y siempre recordaba la historia de Arístides, ¿no? Cuando hace la reforma de la Asamblea griega, la Asamblea ateniense, y le da la facultad de expulsar del territorio, de condenar al ostracismo a los individuos que consideraran molestos, y la primera vez que ejercen esa facultad expulsan a Arístides. Y le decía a Adolfo, bueno, en política, a lo más que se puede aspirar es a que, sosegadas las cosas, se tenga un reconocimiento de lo que se ha hecho. Pero es absurdo que tú permanezcas psi-

cológicamente en la actitud de que los demás te agradez-
can lo que has hecho, porque los demás, con toda razón, te
ven como un triunfador ya compensado. El propio planteamiento de tu pregunta es significativo a ese respecto:
«Tú te has relacionado con la élite de poder a nivel mundial». Y es verdad, de Reagan a Gorbachov, pasando por
los que quieras; he tenido una conversación en mi despacho
con Gromiko extraordinariamente interesante, un almuerzo muy interesante con él. Me he relacionado, efectivamente, con todo un mundo de personajes, y además no
puedo pedir a la gente que me agradezca que haya hecho,
entre comillas y subrayado, el sacrificio de ser presidente
del Gobierno con cuarenta años, meter a España en Europa, estar en los Consejos europeos, etcétera. Por lo tanto,
yo eso lo tengo suficientemente claro como para que no
me genere ningún tipo de frustración. Pasará algún tiempo para que haya algún reconocimiento de que el país ha
cambiado, en el caso de que salga del poder y tal. Y el país
ha cambiado sustancialmente y en muchas cosas. Es posible que no lo reconozcan. Tampoco me preocupa mucho.

—La gente te tendrá más cariño cuando pierdas.
En España nos encantan los muertos y los perdedores.

—«Abajo el que suba» podría ser una consigna
bastante general. Nos gusta exaltar al caído.

—Pero tú no tirarás la toalla como Suárez, tú se-
guirás.

—Sí, no. Yo probablemente seguiré en activo. Cum-
pliré 54 años el día de las elecciones o dos días después, que
no se pusieron nunca de acuerdo mi padre y mi madre sobre
la fecha. Esas cosas que nos pasan a nuestra generación. La
fecha de inscripción es clara que es el día 5, pero la del nacimiento no es claro que sea el 3 o el 5, puede haber esa dife-

rencia. Total, lo que te digo es que soy perfectamente consciente de que voy a seguir dentro de esta pelea, de esta batalla política, durante el tiempo que tenga fuerzas. Adolfo Suárez no ha seguido por una razón fundamental, porque no tenía un partido para respaldarlo. No tenía un partido para poder crear ese mecanismo de solidaridad que te permite sobrevivir políticamente en tiempo de dificultad y en tiempo de bonanza. Él estaba bastante solo. No es mi caso, por lo tanto seguiré peleando.

—Tú confías en ese núcleo duro de que hablabas.

—Estoy absolutamente convencido.

—Confías más en el núcleo duro que en la gente más allegada.

—No, también confío en ella. Los cuadros intermedios del partido son más frágiles, pero la gente de la base es fuerte. Te contaré una anécdota. Volvía de Finlandia, me fui a Extremadura, y estaban participando en la matanza de un cochino, y me divertía mucho y tal... y el gesto de la señora, de la jefa que dirigía la matanza, me impresionó: «Usted no se va a ir, ¿verdad?». Pero así, muy seca. ¿Qué quiere usted decir? «Que usted no se va a ir». Pero es que no la entiendo. «Sí, sí me entiende. Usted no puede irse, usted no tiene derecho a irse». Eso me impresiona mucho más que una discusión con un cuadro del partido. Una mujer sin estudios, que está dirigiendo la matanza y no concibe que me vaya.

No quiero quedarme en el buche el enigma, el gran enigma, de por qué recurrió primero a Garzón y luego a Belloch para que tiraran de la manta de la corrupción y del terrorismo de Estado, sabiendo que podría ser contraproducente, porque más tarde o más temprano se llegaría a la corresponsabilidad del poder.

—Se asumía el riesgo...

—Tras el fracaso de la operación Garzón, Belloch empieza a generar una serie de actividades, que se convierten casi en bumeranes, por ejemplo retirarle los fondos reservados a Amedo y Domínguez, tanto si lo hizo él como si lo hizo Margarita Robles. Belloch me dijo que fue un riesgo calculado, que lo hablasteis tú y él muchísimas veces.

—Sin duda. La lucha contra cualquier tipo de corrupción ha sido un riesgo calculado. Es una manera de hablar, ¿no?, pero vamos, ha sido un riesgo que debíamos asumir. Que hemos pagado muy caro, eso es cierto.

—¿Y de cara al futuro?

—Eso no me preocupa tanto. Cuando te digo que no me preocupa tanto, te explicaré lo que quiero decir. Te acuerdas del drama del referéndum de la OTAN, ¿verdad? Yo no lo puedo olvidar, porque para mí fue una de las decisiones más traumáticas que he tenido que tomar. Por varias razones. Primero, porque nosotros estábamos por no entrar en la OTAN. Segundo, porque cuando Calvo Sotelo decide meter a España en la OTAN, y yo empiezo a negociar, bajo mi responsabilidad, la integración en Europa, me doy cuenta de que para el país es imposible hacer el gesto de decir: «Me voy de la OTAN y sigo aprovechando las ventajas de la integración».

—¿Por qué una persona tan próxima al poder como era Morán, nada menos que ministro de Asuntos Exteriores, no pensaba lo mismo? Pensaba que se podía estar en Europa y no en la OTAN.

—Sí, incluso lo piensa ahora, Morán. En fin, y yo respeto además que lo piense. Yo te digo cuál era mi percepción, que me parece que estaba mucho más cerca de la realidad. Cuando tú tienes la percepción de que no te queda más remedio que ir por ese camino, y sin embargo tienes el compromiso de consultar a la opinión pública mediante un referéndum, y piensas que un referéndum sobre la participación en una alianza militar es simplemente un disparate, dices: bueno, no tengo más remedio que cumplir un compromiso. Podía haberlo arreglado con un decreto, para salir de mi contradicción personal y no meter a la ciudadanía en la misma contradicción. En aquellos días dramáticos alguien con mucho sentido del humor me dijo: «Oye, ¿sabes cuál es la pregunta perfecta, la que nos daría el noventa por ciento de los votos?». Digo: ¿cuál? Y me responde: «Diles a los españoles que se pronuncien sobre si están de acuerdo con que España se quede en la OTAN con su voto en contra. Y entonces te van a decir que sí, que están de acuerdo que se quede en la OTAN pero con su voto en contra».

—La pregunta que hicisteis se parecía muchísimo.

—No. Desgraciadamente no se parecía mucho, hasta el punto de que una semana antes había dos contra uno en los sondeos de opinión, y en una semana cambió radicalmente.

—Operó tu amenaza de que, si ganaba el no, ¿quién gestionaría el no?

—No era una amenaza, era la visión de una realidad clara. Si lo ves como una amenaza, me dejas un poco preocupado porque en esta campaña electoral tengo la tentación de decir, como Adolfo en el 79: Señores, yo no sólo tengo el derecho, tengo la obligación de decirles que podemos poner en crisis esto y esto y esto del Estado del Bienestar. Decidan ustedes, decidan con libertad, pero sepan que podemos poner en riesgo esto. Yo tengo la tentación de decirlo solemnemente en un programa de televisión. Mire usted, esto es así.

—Se ha dicho en alguna ocasión que tu afición a tener bonsáis te ha llevado a convertir al Partido Socialista y a la ideología socialista en un bonsái.

—Ojalá fuera así. Porque el bonsái en la cultura oriental es la perfección, es la representación simbólica de la naturaleza, y no es el empequeñecimiento como algunos piensan. Decir en China o en Japón que yo he hecho del PSOE un bonsái sería el mayor de los elogios. Pero, en fin, yo creo que he hecho uso del material del que disponía la izquierda a través de una selección positiva.

—Ahora pides el voto de la izquierda para que sea posible la izquierda. Y una réplica que se te puede hacer, yo mismo te la haría, es: ¿para qué pides votos de izquierda, si luego vas a pactar con Pujol, que representa la derecha económica española en general y la catalana en particular?

—Pujol representa el centro, no el PP. Creo que la cultura del pacto se terminará abriendo paso en España. Yo no tengo ningún pudor cuando me acusan de que he sido demasiado institucional como presidente. No tengo ningún pudor en reconocer que he hecho un esfuerzo por ser un presidente de todos. Pero también me siento orgulloso de ser la izquierda real de este país, la que ha cambiado las pensiones, la educación, el sistema de salud pública. Eso es la izquierda real, lo demás me parece una quimera, es decir la peor izquierda posible, la quimérica. Eso conecta con una reflexión que me hacías hacer antes: que se dedique a inventar el futuro para que la derecha gobierne el presente. Ésa es la izquierda que le conviene a la derecha. La que inventa el futuro, pero permite que la derecha gobierne el presente.

Se pone el abrigo, salimos al jardín y pasamos revista a los bonsáis, que nos rinden sus armas invernadas. Me siguen pareciendo árboles patéticos más que obras de arte y me enternecen sobre todo unas hayitas en su maceta, con las hojas muertas esperando el milagro de la primavera. Como Felipe espera el milagro de la victoria.

—Vamos a ganar o vamos a perder de tal manera que vamos a ganar.

Me quedan pocos minutos de uso y abuso de tanto poder y le pregunto si no teme que un resultado insuficiente para el PP, aunque gane, puede romper la derecha y dar paso a una fracción derechista más dura. Se detiene y me mira como a un caso imposible:

—¡Pero cómo se nota que eres demasiado de izquierdas! Hoy me han razonado igual que tú unas compañeras del partido. Ése es el típico miedo de un izquierdista excesivo. ¿Que se rompe la derecha? Pues que se rompa. Más les costará conservar el poder o volver a tenerlo.

13. Su majestad el Rey

—Gentil señor, ¿queréis justar conmigo? —preguntó el individuo.
—¿Que si quiero qué?
—Batiros en singular batalla por unas tierras, una dama, o...
—¿De qué me hablas? —dije—. Vuelve a tu circo o te denuncio.

MARK TWAIN, *Un yanqui en la corte del Rey Arturo*

El Gobierno ha insistido en los últimos meses en que existe una conspiración urdida entre banqueros, medios de comunicación y jueces, y los nombres que más suenan son los de Mario Conde, De la Rosa, Ruiz-Mateos, el coronel Perote, Pedro J. Ramírez, Ansón, la COPE, Garzón, Anguita, Aznar... y tiempo después González hablaría de la Triple A: Anguita, Aznar, Ansón. Así estaban las suspicacias cuando Ernesto Ekaizer aporta la información de que ha habido un chantaje al Gobierno, chantaje puro y duro, concretamente de Mario Conde y el coronel Perote, a través del abogado común Santaella. Un chantaje plasmado en el encuentro en La Moncloa entre Santaella, Belloch y Felipe González. ¿En qué consistió? ¿La paralización de los dossiers a cambio de un buen trato judicial para Conde y Perote?

28 de marzo de 1993: Mario Conde convence a Felipe González, con la ayuda de Francisco Palomino y Manolo Prado y Colón de Carvajal, para que se presente a las elecciones generales como cabeza de lista del PSOE. Aznar no está preparado para gobernar, le dicen, y Mario Conde necesita otros cuatro años para alcanzar el punto de madurez que le permita presentarse como el Berlusconi español. Ekaizer aporta otra fecha: 10 de noviembre de

1993: Conde consigue asociar la Banca Morgan a Banesto y aplaza la crisis de la empresa, recibe el doctorado *honoris causa* por la Universidad Complutense en un acto presidido por el Rey, viaja a Israel, donde goza de un trato casi de jefe de Gobierno; el banquero se siente seguro de sí mismo y Ekaizer supone que en este momento empieza a pensar que ha dejado de ser negro, que es definitivamente blanco, hasta que el 28 de diciembre el Banco de España interviene Banesto. 30 de mayo de 1994: encuentro secreto en La Moncloa entre González y Conde. El banquero o bancario, como prefieran, pide árnica y se queja de que Serra le haya espiado y elaborado el Informe Crillón. «Ni yo ni Narcís hemos tenido nada que ver en lo del Informe Crillón», le contesta González. 23 de junio de 1995: escribe Ekaizer que Conde ha pasado ya un mes en la cárcel y González tiene encima una pirámide de escándalos: las revelaciones de Roldán, de Sancristóbal, las dimisiones de García Vargas y Serra, las revelaciones de Perote, el acoso a Manglano, todas las sospechas sobre el cuartel de Intxaurrondo y el coronel Rodríguez Galindo. ¿Quién mueve todas estas informaciones? Barrionuevo y Conde se encuentran, al uno le amenaza la cárcel, el otro acaba de salir de ella, y por ese camino se llega al encuentro de La Moncloa entre Santaella, Belloch y González, porque Conde no quiere ir: «Felipe siempre me ha engañado, ve tú», le dice a su abogado, que también lo es del coronel Perote. Y así empieza la negociación en busca de silencios reparadores y se revela eficaz porque el pozo sin fondo de los dossiers parece haberse secado a partir de este momento y el mercado del escándalo va a vivir del desarrollo de los ya conocidos: Filesa o la financiación ilegal del PSOE, los GAL o el terrorismo de Estado, y la supuesta relación entre los negocios de Sarasola y Felipe González. La convocatoria de elecciones anticipadas inaugura 1996 y a la vez casi lo clausura, porque la vida política factual quedará interrumpida hasta después del verano de 1997. No hemos salido de la atmósfera electoral desde 1993 y el cansancio de los que asediaban la fortaleza felipista empezaba a notarse tanto como el de los electores, saturados de motivos para no votar a los socialistas y por lo tanto dispuestos a reconsiderar su voto. Pero el juez instructor del Supremo dio la razón a Garzón, y Barrionuevo y Vera fueron severamente procesados en el mismo momento en que los partidos redactaban las listas de candidatos y el PSOE se empeñaba en meter en ellas a sus más ilustres sospechosos, Barrionuevo y Serra.

Por su parte, ETA buscaba colocar a las instituciones democráticas al borde del abismo. El asesinato de Gregorio Ordóñez, el hombre del PP en San Sebastián, fue seguido de un atentado contra el propio José María Aznar, y ya al borde del proceso electoral de 1996, los terroristas asesinan a un hombre clave del PSOE en el País Vasco, Fernando Múgica, y a Francisco Tomás y Valiente, el constitucionalista más utilizado por el Gobierno y por el propio Rey para orientarse por el espíritu de las leyes. Prosigue el secuestro del industrial Aldaya y masas de jóvenes abertzales se echan a las calles de Euskadi a manera de *intifada* pro etarra con el afán de amedrentar a los movimientos pacifistas que habían ido conquistando posiciones en el tejido social vasco. Emocionalmente, en el resto de España se creaban así las condiciones para *comprender* el terrorismo de Estado. ¿Acaso un clavo no saca a otro clavo? ¿Cómo podíamos pugnar los horrorizados por el caso GAL en un momento en que ETA golpeaba tan selectivamente el cuerpo democrático del país? Tuve entonces un encuentro, un monólogo acompañado, con Esperanza. Me enseñaba los cadáveres producidos por el terrorismo como una acusación contra mi purismo crítico, contra mi falta de sentido de Estado, e insistió en que era más fácil entenderse con gentes del PP como Fraga, viejo galápago del franquismo que podía comprender el sentido de Estado, el sentido del secreto de Estado, como lo entendían González o Pujol, frente a la hipocresía tacticista de Aznar y sus compinches de Izquierda Unida y del diario *El Mundo*. Traté de razonarle a Esperanza que yo creía que al menos dentro de un estamento culto y civilizado habíamos alcanzado la capacidad de matizar, de distanciar críticamente, de no caer en ningún tipo de fundamentalismo ni de religiosidad hacia personas e instituciones. Yo pensaba que las lecciones asumidas a costa de todos los fideísmos de este siglo nos habían vacunado contra el fideísmo, y que ese sector genéricamente llamado «progresía», que en general nace de fuentes muy próximas aunque circule por diferentes cursos, debía ir a parar al océano común de la reconstrucción de la razón. Pero resulta que el caso GAL ha resucitado el fideísmo y es cuestión de fe que nuestros gobernantes «no pueden ser unos terroristas» y que cualquier intento de presentarlos como «terroristas», aunque sea como «terroristas de Estado», es fruto de una conjura de los enemigos del Estado democrático.

Esperanza me escuchaba pero no me oía. Una extraña fe interior iluminaba sus ojos, y la media sonrisa era una mueca de rechazo no ya de mi argumentación sino de mí mismo. Sin duda recordaba que yo pertenecía al pasado, a su pasado, pero que ya nunca más tendría que ver con ella, ni con la comunión de los santos socialistas protegiendo a sus mártires frente a los conspiradores.

—Te informo que fui a la cena de homenaje a Barrionuevo y habría ido a la de Narcís Serra de haber podido viajar a Barcelona. Te has sumado al oportunismo anti-socialista. Lo siento por ti.

—No me he apuntado a ninguna conspiración tendente a quitarles a los socialistas lo que han ganado en las urnas y en más de una ocasión me he pronunciado sobre la necesaria recuperación de la inocencia, dentro de lo que cabe, de una nueva cúpula socialista capaz de dar la batalla electoral a la derecha.

—Me da igual que sumes quinquenios de persecución del felipismo. No podéis tragar que los socialistas sean la izquierda real, la izquierda socioelectoral real.

—Te consta que no creo en el *sorpasso* atribuido a Anguita, según el cual IU puede alcanzar la hegemonía socioelectoral de la izquierda que hoy detenta el PSOE por el simple deterioro de la oferta socialista.

—No crees en eso porque eres inteligente, pero tu actitud general es de hostilidad. No puedes ver claro.

—Que no me haya apuntado a ninguna conjura para dar la batalla del dossier y del arrepentimiento no quiere decir que cierre los ojos a la lógica de la situación. Y la lógica de la situación dice que ha habido terrorismo de Estado y de ese terrorismo de Estado son responsables los máximos representantes del Estado a través del Gobierno, por lo que hicieron o por lo que no hicieron. Se trata de una sanción política, ética y democrática que no implica una condena jurídica, porque probablemente con las leyes en la mano nunca se consigan las pruebas suficientes para demostrar implicaciones corpóreas. Pero la lógica de la situación les señala, les deja bajo los reflectores que demuestran que ha habido checas, supuestamente para defender la democracia, para darle al terrorismo lo que se merece, pero a la hora de la verdad esas checas democráticas han servido a ETA para autojustificarse y entre otros logros han conseguido enriquecer a los chequistas.

—¿Tú me hablas de checas?

—Acabaréis negando la evidencia de la existencia de los GAL o de las chapuzas del Cesid porque las consideráis meras falsificaciones conspiratorias puesto que nuestros gobernantes, carne de nuestra carne, paisanos, «compañeros del alma, compañeros», no pueden ser unos «terroristas». Meterse en el *búnker* ¿elimina las responsabilidades políticas de esa existencia? Lo peor que os podría ocurrir es que sentimental y expectativamente os convirtierais en cómplices de los GAL, porque eso contaminaría a todo el colectivo. Ese toque a rebato se percibe cotidianamente: «Venid, vayamos todos a refugiarnos en Numancia, porque sólo dentro de sus muros estaremos los justos y lo que queda de verdad, mientras afuera crece la conspiración que unifica a todos nuestros enemigos». Ese encuentro en Numancia puede ser sectaria y sentimentalmente muy gratificante, pero habrá hecho un daño terrible a la credibilidad de la izquierda en su conjunto, capaz de asumir niveles de alienación fideísta que no parecen de este final de siglo, una alienación dispuesta a negar la evidencia de que se han construido checas, se ha torturado durante meses al menos a dos personas y se ha matado a inocentes a todos los efectos en el sur de Francia, entre otros a un objetor de conciencia, un pacifista, en nombre de la razón democrática de un Estado democrático, mientras los GAL se convertían en un negocio antiterrorista muy lucrativo.

Esperanza no me había invitado a quedarme, ni mucho menos a una copa. No había introducido ni una brizna de vivencia personal en nuestro encuentro y trataba de reducirme a la condición de insoportable convidado de piedra vinculado a los jardines de piedra de su peor memoria. Tampoco yo había acertado en el tono. Me irritaba tanto que una mujer inteligente y copartícipe de tantas evidencias hubiera caído en tan militante religiosidad, que no había acertado en el tono de la comunicación y había contribuido a bloquearla más todavía. Pretexté una razón para marcharme, que ella no combatió como otras veces. Ni siquiera me acompañó hasta la puerta. Allí me espera la lectura de los diarios mientras camino al encuentro de algo o de alguien. Según parece, Javier de la Rosa ha lanzado insinuaciones sobre el Rey como usufructuario de beneficios derivados de KIO a través de Manuel Prado y Colón de Carvajal. *Diario 16* publicó un avance del libro de Díaz Herrera e Isabel Durán *El saqueo de España*, en el que De la Rosa se jactaba de haber dado mucho dinero a Prado y Colón de Carvajal, amigo personal del Rey, y no sólo para él. Meses después se lanzaría la misma insinuación desde un libro demoledor contra Javier de la Rosa titulado *J.R.* El escándalo revela hasta qué punto tocar al Rey es como tocar una lata de conservas fundamental para que se aguante la pirámide de latas en un supermercado, porque columnistas y tertulianos, viudas y militares, ciegos y videntes se ponen en marcha para demostrar en los más elevados tonos su total confianza en el Rey.

—En este clima no voy a conseguir la audiencia con el Rey. Lo estarán conservando entre algodones —me lamento ante Juan Cruz, mi conseguidor, del que estoy leyendo *El territorio de la memoria*, dentro de su reciente obsesión por recuperar el país de su infancia, como en una operación de salvamento de un definitivo naufragio, aunque Juan tenga la suerte de que le persigan, hasta en los taxis, recitaciones radiadas del poema de Kipling *If*, el poema de cabecera de Aznar, y viva consiguientes euforias: «Una especie de euforia telúrica se apoderó de aquel viejo muchacho de más de treinta años que una vez había borrado con sus uñas lo que iba a ser la pared blanca de la memoria, el territorio en el que habita toda la literatura». Juan está cansado de recibir largas del PP cuando les recuerda la cita con Aznar, pero está convencido de que la audiencia con el Rey se producirá. Y me llega de momento una carta del vizconde de Almansa, jefe de la Casa Real, se dice que por influencia de Mario Conde, cuando el financiero era tan grato en La Moncloa que estaba en condiciones de moverle la silla al anterior jefe de la Casa Real de Su Majestad, el teniente general Sabino Fernández Campos. Mi poco trato con reyes —sólo he dialogado con Juan Carlos, rey de España, y con Peret, rey de la rumba polaca— me había hecho redactar una petición de audiencia acompañada de currículo, como si pidiera una plaza en Correos y Telecomunicaciones.

«Aunque hemos visto su petición con el interés que merece, dada su brillante trayectoria, resulta difícil atenderla por las razones que nos expone mostrando gran comprensión. En efecto, son muchas las solicitudes y, además, los miembros de la Familia Real, en general, no conceden entrevistas.

»En cuanto a la redacción de libros, seguimos normalmente un criterio restrictivo por razones de elemental prudencia y por el elevado número de trabajos que se realizan sobre el Monarca.

»Entiendo, no obstante, que la posibilidad de conversar con su majestad el Rey le ayudaría a trazar su semblanza. En una audiencia —cuyo carácter, como sabe, es privado— podría saludar a Su Majestad y presentarle su proyecto literario. Espero su respuesta a esta proposición y en caso afirmativo, con mucho gusto, solicitaré dicha audiencia a don Juan Carlos.

»Aprovecho la ocasión para desearle lo mejor en este año 1996 y enviarle mi más cordial saludo.

»El vizconde del Castillo de Almansa»

No tengo demasiada experiencia de trato con los reyes y temo presentarme algún día en La Zarzuela como el inspector Colombo más que como Pepe Carvalho. Aunque al Rey le gusta vivir su vida y sus noches, es lógico que no haya llegado a todos los puntos cardinales. Pero en Madrid llegó al sur, donde Madrid pierde su nombre, en compañía del concejal de Izquierda Unida López Rey, al que también le costó Dios y ayuda conseguir explicarle a Juan Carlos cuanto quería. López Rey no necesita preguntas. Las intuye y construye el monólogo en el que cohabitan más que coexisten la narración del viaje del Rey y su propia vida y la del vecindario del Madrid oculto y la de la clase obrera y la mía y la vuestra. Le escucho primero en su despacho del Ayuntamiento de Madrid, luego a bordo de su utilitario y en cada parada del vía crucis del Rey por el sur de Madrid, el sur con respecto al norte donde viven Mario Conde y Botín y Felipe González, y le sigo escuchando en un restaurante de barrio de periferia o en la Casa de la Cultura de Orcasitas, en buena parte hecha con las manos, el cerebro y el corazón de López Rey y de gentes como él.

—Cuando he leído cosas tuyas, sobre todo las de *Interviú*, las veo claras. Yo siempre digo que hay que hablar para los albañiles porque los arquitectos lo entienden todo, pero es que hay gente que sólo habla para los arquitectos y eso es desesperante. Me fui de la escuela a los 13 años porque había que comer, y por la mañana, antes de llegar al colegio, ya vendía una cesta de churros. A veces, cuando veo unas palabras escritas, me digo: ¿Qué significan? ¿Qué habrá querido decir este tío? Hay que ir al diccionario. Yo creo que lo hacen como para sentirse más importantes. Y a ti..., pues a ti te entendemos. Es cierto. Llevé a los Reyes al sur de Madrid porque yo vivo allí. Concretamente en Orcasitas. Llegué en el año 56, y fuimos los barraquistas los que durante treinta años forcejeamos para dar dignidad e identidad al barrio. En 1970, ahora se cumplen 25 años, en octubre, yo era un chaval de 22 años, junto con tres o cuatro personas fundamos la Asociación de Vecinos y empezamos a trabajar. Y en el 86 conseguimos acabar más o menos el barrio, en cuanto a lo que se toca, los parques, las casas, las escuelas. Entonces nos dijimos: esto merecería la pena que lo celebráramos por todo lo alto. Conseguimos que la Comunidad de Madrid nos diera un dinero para esta fiesta, con la disculpa de un libro que luego podría regalar presumiendo de lo mucho que habían cambiado los barrios. El trabajo lo habíamos hecho nosotros y la Comunidad quería salir en la foto. Fuimos recibidos en audiencia por el Rey y aquel día yo hacía de portavoz, ya no era el presidente de la Asociación de Vecinos pero hacía de portavoz. Y le dije a Juan Carlos: «Mire usted, a diez minutos de donde vive hay otros mundos y sería bueno que los conociera». Estuvimos charlando de lo divino y de lo humano. Esto era en el 86. En el 87 yo salgo elegido concejal y hay costumbre de que la nueva corporación haga una visita a La Zarzuela y pensé que había que aprovechar la ocasión. Estaba Tamames todavía con nosotros, nos duró poquitos meses, por lo que éramos tres concejales de Izquierda Unida: Tamames, el actual portavoz, Paco Herrera, y yo. Yo había sobrevolado Madrid en helicóptero con Tamames y le había enseñado cómo vivía la gente en chabolas peores que las que nos habíamos hecho nosotros en los años cincuenta. Eran peores las nuevas chabolas donde vivían los gitanos, los llamados gitanos portugueses y gitanos extremeños. Al lado de esto lo nuestro parecía un pueblo manchego, con independencia de las malas condiciones de por dentro, pero esto es otra cosa. En el helicóptero le dije a Tamames: «Esto es impresionante, Ramón, aquí hay que hacer algo, hay que aprovechar esta circunstancia». Y él me contestó: «Bueno, pues hazlo». Recuerdo que me presenté en el Palacio de la Zarzuela con un álbum de fotos que cogí de mi papelería —tengo una papelería— bajo el brazo. Cuando íbamos a la audiencia, ya en el autocar, tuve un rifirrafe con un ex comunista pasado al PSOE, porque pensaban que yo iría a armar allí alguna trifulca a lo Sagaseta, y no lo digo en ningún tono peyorativo contra Sagaseta, persona que siempre me ha caído muy bien. Entonces, cuando llegamos, Barranco iba de alcalde, la gente le hace un corro al Rey y el alcalde le entrega una estatuilla diciendo que es un regalo que le lleva la corporación. Yo me subo al carro: «Yo no le traigo ninguna estatuilla; le traigo un álbum con las fotos de cómo vive una parte de la gente de esta ciudad». Aquello le impactó. Y la mitad de la visita, o más, giró en torno a hablar de las chabolas de Madrid. Allí no estaba casi nadie muy preocupado por el tema. En honor de la verdad, el Rey estaba muy despistado: «Bueno, es que les dan pisos nuevos pero luego los venden». Y yo le contesté: «También yo he conocido a subdirectores generales que han cambiado de partido y también han vendido su piso de protección oficial. Con la capa del gitano se ampara el payo». Y le insistí en que había que salir a ver aquello. Y él me dijo: «Que lo organice el alcalde». Y así quedamos. Los medios de comunicación lo recogieron, pero Barranco no hizo nada. Vino la moción de censura en el 88 y el asunto quedó así. Pero en el 91 vuelvo a repetir de concejal y otra vez de visita al Rey, ya con Álvarez del Manzano de alcalde. En esta ocasión no se llevaba regalo. El Rey iba saludando a cada uno, y al pasar a mi lado, el alcalde, para hacer una gracia, dice: «Majestad, aquí el concejal de Orcasitas», y le explicó más o menos qué era Orcasitas. Ésta es la mía, me dije. «¡Hombre!, por cierto, todavía le estamos esperando». Y otra vez se volvió a hablar de lo mismo. Y a la salida los compañeros concejales que había allí pues estaban impresionados porque hubiera un concejal que se pusiera a decirle allí al Rey las verdades del barquero. Y, bueno, se quedó en «organícelo usted» y tal. Y a partir de ahí es cuando yo empiezo. Mando cartas y contesta el teniente general Sabino Fernández Campos, entonces jefe de la Casa Real, diciendo que aceptan, pero que vienen los Juegos Olímpicos, la Expo, que están muy ocupados y que hasta que no pase eso... Cuando pasa eso les seguimos recordando el compromiso y además yo le marco unos itinerarios posibles. Uno comenzaba en el Pozo del Tío Raimundo y terminaba en Orcasitas, y otro comenzaba en una zona de chabolas, allí por General Ricardos, cerca del campo del Atlético de Madrid, por los cementerios, y terminaba también en Orcasitas, donde hay un buen centro cultural. Orcasitas es el barrio donde más conquistas ha hecho el movimiento ciudadano. Como se salió de la nada, se salió de la chabola, pues ahí se hizo más. Hubo el lío que hubo en La Zarzuela y hay cambio en la

Casa Real: se va Sabino Fernández Campos y viene Fernando Almansa, dicen que por una jugada de Mario Conde, yo qué sé. El que llega está pillado porque el anterior ya había dicho que sí y el Rey en persona por dos veces. Hablo con los responsables de la Casa Real y a mí me consta que ya no saben qué hacer, el asunto les es molesto. Mandan una carta al alcalde, de la que conozco el contenido, pero no me hago con la copia literal, y en ella le dicen al alcalde que lo que quiere la Casa Real es que el Ayuntamiento se meta por medio, que quiere cumplir con la visita, pero les preocupa este concejal que ha salido por ahí. «¡A ver qué hacen con él!» Me llego a enterar de que el confesor del Rey había sido obispo de la zona sur de Madrid, un obispo auxiliar castrense, monseñor Estepa. Un día aprovecho un encuentro con él a través de un amigo común y le hablo del viaje tantas veces aplazado y me dice que en la Casa Real temen los peligros de la zona, hasta el punto de que el obispo les ha dicho: «¡Pero si ahí fue el Papa en no sé qué año y no nos pasó nada malo! Al contrario, la visita del Papa sirvió para que nos quitaran un poco de mierda». Hubo un último encuentro con motivo de la inauguración de los recintos feriales de Madrid, que llevan el nombre de Parque Juan Carlos I. Yo acudo con la intención de decirle algo al Rey, y allí, ya fuera de protocolo, delante del presidente de la Comunidad y del alcalde de Madrid, con la buena suerte de que había periodistas de una agencia de noticias y estaba el Rey en un plan distendido, le digo: «Oiga, por cierto, ¿qué pasa con usted? Aún le estamos esperando». Textual. Entonces dice el Rey otra vez: «¡Que lo organice el alcalde!». El alcalde era Álvarez del Manzano y estaba allí al lado calladito. «¿Cómo cree usted que el alcalde va a organizar algo donde le pongamos las orejas coloradas? ¿No ve que no le interesa que veamos eso?» Entonces el Rey dice: «Pues organícelo usted, concejal». Y a partir de ese momento me siento con más fuerza, con más autoridad para tirar para adelante. Voy a ver a Álvarez del Manzano: «Alcalde, lo que quisiéramos es escribir un libro sobre la problemática esta que hay, hacer un vídeo y montar una exposición de todos estos barrios». Me consta que el alcalde no hace nada, que lo que está intentando es boicotearlo y que se aprovecha de que aparentemente los que lo boicotean son los de la Comunidad. El 1 de noviembre del 94 me llama el director del periódico *Ya*, Juan Balboa, porque toda la prensa de Madrid estaba al tanto de estas cosas y cada equis tiempo salía alguna noticia, y además la Casa Real nunca las desmentía. Ocurría que alguna emisora de radio se iba a algún barrio de éstos y preguntaba: «¿Usted cree que aquí vendrá el Rey?». «¿Aquí? ¡Qué va a venir!» Mientras, nosotros seguíamos reuniendo datos de las diferencias de esos distritos con otros de Madrid, para que se enteraran de qué iba la cosa. Cada ciudad tiene su norte y su sur. En Madrid, la mayoría de la gente con problemas de Tribunal Tutelar de Menores, paro, vivienda, fracaso escolar, pertenece a la zona sur. En las cárceles madrileñas la mayoría de la gente es analfabeta o semianalfabeta y todos procedentes del mismo sitio, del sur. Lo que está claro es que los que han evadido capitales, o el diplomático ese que todavía no ha aparecido, el Palazón, o como se llamase, pues claro, ése no era de Villaverde Bajo ni de Palomeras. Por fin me avisan del *Ya*, diciéndome: «Oye, que el Rey va tal día». «Pero ¡si yo no sé absolutamente nada!» Llamo inmediatamente al alcalde, quien ya había recibido una notificación de la Comunidad Autónoma: hay una comisión para esa recepción en la que están los concejales de dos distritos por donde el Rey iba a ir, pero de mí pasan absolutamente. Montamos en cólera y la prensa empieza a moverse y el alcalde rectifica y me incluye en esa comisión, comisión que nunca se reunió, o sea, que el Ayuntamiento de Madrid seguía sin hacer absolutamente nada. El jefe del gabinete de Leguina resulta que es un Solana, hermano del ministro, al que yo conozco porque cuando terminó su carrera de arquitectura yo era presidente de la Asociación de Vecinos y colaboró en el proceso de remodelación de Orcasitas, es decir, lo conozco de antes de que se convirtiera en un burócrata. Me lo encuentro en el homenaje que se hace al padre Llanos, al que se le pone una estatua en el Pozo del Tío Raimundo, le abordo y le digo: «Pero, Ignacio, ¿qué pasa con esto?». Y me dice: «Aquí sólo hay una verdad: hay un huésped y hay un anfitrión. El huésped es el que es; el anfitrión es la Comunidad». Aquello me olió a cuerno quemado. Aviso a la gente de las asociaciones de vecinos porque yo intento ser en todo momento la voz de los sin voz. Yo soy un ciudadano de a pie, vivo donde vivo, siempre he estado ligado a este movimiento. La posibilidad de que el Rey vaya es una cosa positiva para nosotros, como cuando en su día tuve el honor de por primera vez a un alcalde de Madrid meterle en el lugar donde vivió Eleuterio Sánchez, cuando era El Lute. Bueno, pues yo allí metí al Arespacochaga, que era franquista, y fue de incógnito el tío. Venía con nosotros Florentino Pérez, el que luego fue candidato a la presidencia del Real Madrid, que entonces era el delegado de Saneamiento de este Ayuntamiento. Entrando en una chabola de una tal Delfina, dice la señora Delfina: «¡Aquí el que tendría que venir es el cabrón del alcalde y dar con los cuernos en el techo!». Y el Arespa-

cochaga, que es muy alto, agachado para entrar en la chabola, dice: «Señora, señora, todo se andará». Lo que quiero decir yo es que en aquel momento, militante comunista,
podía pensar que aquello era un balón de oxígeno para el
alcalde de Madrid, que era el último nombrado a dedo,
pero lo que nos proponíamos con la visita de Arespacochaga, como con la que hicimos con Joaquín Garrigues,
que en paz descanse, era llamar la atención sobre la situación de estos barrios. Lo del Rey no toda la gente lo entendía, pero la mayoría pensamos que era bueno que fuese.
La prensa tuvo un papel absolutamente decisivo, sobre
todo el periódico *Ya*. Era la época en que ni cobraban ni
tenían director, lo hacían como algo suyo y cada semana
sacaban reportajes, ayudados por el equipo del que te he
hablado, el que estaba sacando las diferencias y las desigualdades de unos distritos con otros. Y venga machacar.
También Antonio Herrero en la COPE, pero ya en programas de audiencia nacional. Y el alcalde venga echarse para
atrás. La Casa Real lo que hace es estar un poco, digo yo, a
verlas venir, porque ya salía en todas partes lo de la visita.
Luego, al final, se montan la historia de dar una vuelta por
el sur de Madrid en un autocar en el que van el consejero
del consejero, el pelota del pelota, es decir, un autocar tan
lleno que no cabía el que había iniciado el asunto, yo. Nos
enteramos de los planes del viaje: visto y no visto todo en
un día, sobre todo los pueblos del área metropolitana donde gobierna el PSOE, enseñando los polideportivos, como
en tiempos de Solís Ruiz, las demostraciones sindicales y
esas cosas, e ir a Orcasitas a un campo de fútbol, bajar en
helicóptero y ser recibidos con banderitas. Nos íbamos
hartando, porque el tal Solana y otros que ahora están en el
PSOE, pero que habían sido del PCE, trataban de descafei-

nar nuestro planteamiento. Solana nos dice: «No hace falta que habléis vosotros; poneos ahí, al lado del Rey y, como os va a sacar la televisión, ya la gente pensará que le estáis contando las cosas». Y le dije: «Bueno, chico, ¿de qué vas tú? ¿De tonto? Si estamos allí es para decirle lo que pensamos y punto». Días antes del señalado para la excursioncita, se nos hinchan las narices y mandamos un telegrama a la Casa Real diciendo que no podemos más y que con su pan se lo coman. Que no cuenten con nosotros y que hagan su viaje. Bueno, entonces, como una semana antes del día previsto para la visita del Rey, me llama a mí Fernando Almansa, cuando ya va viendo por dónde se va decantando la opinión pública. Me transmite en nombre de la Casa Real que este viaje se hace por iniciativa mía, o sea, que esta visita es como consecuencia de la invitación que yo había hecho y que me lo hace saber expresamente. Yo aprovecho para contarle lo contentos que estamos por cómo se lo habían montado los talentos. Por ejemplo, de los pueblos del área metropolitana, Parla es el más pobre de Madrid, el de más paro. Allí no iban. Tenían previsto terminar en la Puerta del Sol, en la antigua Dirección General de Seguridad, con una cena que costaba 14 millones o algo así. Las autoridades y todo el mundo allí a aplaudir y a hincharse. ¡Hombre, pero si el Rey va a recorrer zonas donde la gente esa noche a lo mejor no cena, o donde hay gente, como mi amigo Marcelino Recio, que recoge pan duro de los contenedores para venderlo en un pueblo de Toledo a 600 pesetas el saco para poder comer, porque con una subvención de 52.700 pesetas no se come y eso es lo que cobran una buena parte de los que se jubilan de la construcción, donde los pistoleros unas veces han cotizado por ellos y otras no! Yo no soy monárquico, pero ¿tan gilipollas

son los asesores para montar esa tontería del banquete?
Entonces dice Almansa: «Pues se lo agradezco, no hacemos
cena y vamos a Parla». Dije: pues bueno, vamos ganando
algo, tío. Ya nos tenían más que hartos, porque habían incluido en el recorrido una torre de viviendas que había hecho la Comunidad, presidida por Leguina, donde todavía
no vivía nadie. Desde esa torre el Rey vería el sur, o sea, ver
el sur desde una torre, ¿no te jode? «Que no vamos», les
decimos, y entonces me llama el día antes Solana y le noto
por la voz que le habían pegado un palo. También me llama el jefe de Protocolo, ahora no recuerdo el nombre pero
lo tengo apuntado, un diplomático: Que no me vaya de
Madrid, que lo ha dicho el Rey. Había intervenido el urba-
nista José Manuel Brinda, un hombre al que todos respeta-
mos, que había sido el jefe de Eduardo Leira, el marido de
Manuela Carmena, la jueza, toda esta gente un poco patriarca de los movimientos sociales. Brinda fue a decirle al
Solana: «Hombre, Ignacio, ¿cómo hacéis estas cosas?». La
víspera, cuando ya el Rey está recorriendo los pueblos del
área metropolitana, con las banderitas y con los polideportivos recién inaugurados, y sin dejar que el pueblo, de ninguna asociación ni de ningún colectivo, llegue hasta él a
decirle nada, me llaman y me dicen que se va a arreglar, y a
continuación me llama Ricardo Martín Freisá o Frusá, que
es uno de los de la Casa Real, el que va después de Fernando Almansa, y me dice que el Rey ha dicho que yo tengo
que estar. Bueno, pues yo se lo comunico al resto de los
compañeros y nos reunimos ese mismo día. A todo esto, la
prensa de Madrid hacía hasta apuestas sobre la Casa Real:
«¿Serán tan tontos de causar este destrozo publicitario? Pero, bueno, ¿de qué va el Rey ahora a estas historias, cuando
todo Madrid sabe cómo se ha gestado todo, a lo largo del

mandato de tres alcaldes?». A las 9 de la noche del día antes, cuando estábamos reunidos en un centro cultural, me dice Ricardo Martín: «El único obstáculo que tenemos de momento es el alcalde, que no quiere haceros el juego». Álvarez del Manzano (yo le llamo la sonrisa Profident, o sea, que siempre sonriendo, pero te arrea por detrás) se oponía porque, claro, no podía soportar el protagonismo de un «mindundi», un tío de Orcasitas, concejal de Izquierda Unida. Entonces me dice el de la Casa Real: «Esto se arregla porque el Rey ha dicho que adelante». Y ya a las 10 y pico de la noche, hablamos con el responsable de seguridad: «Vamos. Pero tiene que ser por nuestro recorrido. Ustedes amplíenlo si quieren, pero que se haga el recorrido que ofrecimos en su día». Se acepta el trato y a la mañana siguiente nos ponemos en camino. Además, se dio la anécdota de que Telemadrid, que lo televisaba en directo, no conocía nuestro recorrido y estaban las cámaras descolocadas: «Habrá habido atasco», se decían. ¡Cómo va a haber atasco, con el Rey y toda la policía para él! Pues resulta que teníamos al Rey en otro poblado de chabolas y la televisión sin enterarse. Yo me incorporé, no en la torre esa en que iban a salir con banderitas —que la Asociación Socialista de Vallecas desde las 5 de la mañana ya estaba repartiendo banderitas—, sino en el Pozo del Tío Raimundo, que es donde nosotros habíamos dicho siempre de empezar. Y desde allí nos encontramos con todo un aparataje, el pelota del pelota, una cosa increíble, así no pueden ver nada, y si se ha sabido algo es por los medios de comunicación. Recuerdo como anécdota que después del Tío Raimundo pudo haber otro incidente porque me abordaron dos chicas de *El Periódico* de Barcelona, me puse a hablar con ellas y luego, ya cuando me quería meter en el

autocar, como no suelo llevar pinta de concejal, entiéndeme, entre comillas, yo visto pues como tú, como una persona normal, y sólo me disfrazo cuando voy a ir a una
boda, pues como no iba vestido de pelota, ¡no me dejaban
subir al autocar! Hicimos el recorrido a la Celsa, aunque
intentan siempre ocultarlo y tal, y cuando llegamos a Orcasitas, de entrada, bajamos al Rey a las cloacas del Manza-
nares, porque aunque es aprendiz de río en todo su trayec-
to, a su paso por las partes nobles de la ciudad, por donde
Felipe González vive, no huele como huele en el sur, porque en el norte hay depuradoras. En el sur se acabó, ya se
termina la ciudad, y no solamente el río no va encauzado
sino que es una cloaca al aire libre. Allí metimos al Rey. Y
le explicamos que, por si algo faltaba, debido a las disputas
entre Comunidad y Ayuntamiento, había como ciento y
pico millones que no se empleaban en arreglar las márgenes, tal como quería Leguina, pero el Ayuntamiento no le
daba el permiso: «Mire, usted, señor, ya que está usted
aquí, a ver si esto nos sirve para algo, a ver si estos dos se
ponen de acuerdo». Luego ya llegamos a Orcasitas, donde
éramos los auténticos protagonistas, porque el señor Solana quería controlar, primero, que no habláramos, que nos
pusiéramos al lado para la foto, y luego, ¡a ver qué íbamos
a decir a éstos o a los otros! Y lo que tengo que proclamar
en honor a la verdad es que la Casa Real nos dijo: «Hablad
de lo que os dé la gana». Incluso cuando les dijimos: vamos a hablar de esto y de lo otro, había otro compañero
del Pozo del Tío Raimundo que decía: «Que lo lea un niño, que será más suave», y otro dijo: «Vosotros decid lo que
tengáis que decir. ¿Cómo no vais a hablar del paro en la
zona sur de Madrid, cómo no vais a hablar de la droga en
la zona sur de Madrid, cómo no vais a hablar del problema

de viviendas para todo el mundo, pero fundamentalmente de los jóvenes, que tienen contratos de 65.000 pesetas, el que tiene contrato, o contratos de 26 horas en los Prycas y en los Alcampos para trabajar los sábados y los domingos?». Bueno, cuando llegó a Orcasitas, aparte de tener más policías que nunca, más barrenderos que nunca, yo fui el que hice de presentador y luego pues... los compañeros de una serie de barrios de Madrid... cada uno leyó una especie de reivindicación hablando del paro, la vivienda, la marginación, todo lo que había que reivindicar. Le entregamos un dossier sobre el fracaso escolar en la zona sur de Madrid, que está demostrado ya desde hace años que es la zona de mayor fracaso escolar de Europa. Recuerdo que esa noche todos los medios de comunicación estaban detrás de nosotros: ese mismo día, desde allí, sin comer, nos fuimos a la COPE a hablar en el programa en directo de Encarna Sánchez; después, a Radio Madrid, a la SER a las 7 de la tarde, a Onda Cero, estuvimos en el telediario de Pedro Piqueras de las 9 de la noche, en directo, donde a mí se me decía: «Y mañana ¿qué?». Se me decía en ese día 13 de diciembre. «Y mañana ¿qué?» Pues mañana lo primero que voy a hacer es llamar al ministro de Educación, Suárez Pertierra, porque entiendo que, si no cambiamos la educación en estos barrios, difícilmente podremos llegar a igualarnos y estar en unas condiciones de equiparación. Al día siguiente llamo al ministro, y qué sorpresa para mí, yo tengo una tiendecita en el barrio, una papelería, no le localizo por la mañana en el ministerio y entonces por la tarde me llama él a mí, pero desde entonces hasta ahora le he puesto siempre verde, siempre que he podido, en cualquier emisora de radio, en cualquier medio, diciendo que no tiene vergüenza, porque todavía estoy esperando un segundo contacto. Nos dijo que primero nos reuniéramos con el subsecretario, un tal Álvaro, que de joven tenía ideas de izquierdas y vivía en un barrio de chabolas, pero, en fin, es un niño del Pilar y evidentemente ha vuelto al Pilar y ya nos han dado por el culo, o sea, que se acabó la izquierda y lo que se daba. Durante el recorrido, la conducta del Rey fue de cojones. Yo te puedo decir, con independencia de que creo que todos meamos por el mismo sitio, y todos somos de carne y hueso, y hay barrenderos que son unos hijos de puta y habrá reyes que sean unos hijos de puta, y gente buena persona, reyes y barrenderos buenas personas, yo lo que puedo decir de las veces que he hablado con el Rey es que he visto a cualquier delegado provincial convertido en un tontainas chulo, hablo ya del aspecto, y el Rey en concreto pues podría ir un poco de chulo porque es rey y quedan pocos, no sé cómo decirte, pero se comportaba como un tío normal, como tú o como yo. Y no creo que a cualquier jefe de Estado le pueda llegar un concejal del pueblo y decirle: «Bueno, y con usted ¿qué pasa?». Así, tranquilamente. Y yo lo que sí he notado en él es que no se altera, lo asume todo sin pestañear. Una cosa que sí me agradó de él, y no es que me dé un orgasmo de placer admitirlo, es que a la puerta del Centro Cultural de Orcasitas, cuando entramos, le dije: «Mire, usted, don Juan Carlos, este follón que hemos montado hay que conseguir que sirva para algo». Y él me dijo textualmente: «Aunque sólo sirva para que de una puñetera vez se entere todo el mundo de que no todo el mundo vive igual, ya merece la pena». Es una cosa que es real. Y yo, cuando llegue el próximo 13 de diciembre, le pienso mandar una carta para decirle, una carta abierta, para decirle que desde entonces para acá no ha pasado absolutamente nada, y que en ese mismo barrio donde él estuvo, esa misma noche, más de mil personas van a ir a su Ayuntamiento, a la Junta Municipal, porque nos está comiendo la droga. Teníamos nueve maestros por las tardes y las noches enseñando a leer y escribir a la gente, y a sacarse el Graduado, porque más de la mitad de los chicos, cuando llegan a los 14 años, no terminan sus estudios normales, y entonces ¿qué ocurre?, pues que caen en la marginación, no pueden seguir el ritmo educativo para trabajar hasta los 16 años, no se puede, y esas clases venían muy bien para cuando tienen 18 o 20 o 25 años y se dan cuenta de que hay que intentar como mínimo tener esos conocimientos. Bueno, pues las clases nos las han quitado. Lamentablemente para la vida de nuestros barrios, salvo que se reanudaron las obras para alojar a los chabolistas de un poblado gitano, no se ha hecho absolutamente nada más, lo cual causa indignación a la gente, porque aquel día le decíamos, y eso está grabado en las televisiones: «Hombre, si todos los que han venido con usted se dedicaran a venir uno cada semana, esto no estaría así, y para qué queremos hoy aquí todos los barrenderos y todos los policías si luego no volverán». Y voy a lo que te decía antes: yo he visto al Rey como una persona sencilla y normal. Yo no estoy por la Monarquía, pero entiendo que el debate hoy en este país no es si Monarquía o República; el debate es que los jóvenes tengan piso, que la gente tenga un trabajo estable y alcance una calidad de vida. Ahora gobierna Ruiz Gallardón en la Comunidad, Álvarez del Manzano en el Ayuntamiento y el PP puede tener el Gobierno de España. ¿Van a hacer algo por estas zonas o no van a hacer nada? Yo es que ya no sé qué creer, Manuel. Yo es que ya llevo 25 años en estos frentes, 8 de concejal, pero durante 17 años he vivido *para*, no *de*, sino *para* el movimiento vecinal, y o espabilas al poder o no hacen nada, y lo que hacen, sin ganas y torpemente. La visita sirvió para que el Ayuntamiento de Madrid aceptase en este mes de marzo pasado la celebración de un pleno monográfico sobre la situación de los distritos del sur, donde cada partido hizo sus propuestas. Se aprobaron una serie de cosas pero no se ha hecho nada. Te puedo decir que la mayoría de las fuentes públicas de estos barrios hace años que no corren. Que corra el agua de las fuentes no cambia la vida, pero es un síntoma de normalización del barrio. ¿Por qué no corren las fuentes? Porque en unos casos se lavaban las jeringuillas y la gente pedía que las cortaran, y en otros porque si se estropean, se dejan tal cual. ¿Y qué va ocurriendo con todo eso? La cultura del abandono. Cuando tú entras en un bar y ves las gambas por ahí tiradas y las tapas del mejillón de cualquier manera, pues la colilla no anda buscando el cenicero: la tiras. Si llegas a un sitio con aire acondicionado y todo absolutamente limpio, te da vergüenza, no se te ocurre tirar ni la colilla. Bueno, pues igual pasa con esto. La vida de estos barrios está yendo a peor. En febrero de 1973 la Delegación Provincial de Madrid hizo un censo de los chabolistas madrileños, y éramos 32.733 familias viviendo en chabolas, familias, ojo al dato. Multiplícale que entonces había menos televisión y lo de las píldoras no había, entonces cuenta una media de 5 por familia. Quiere decirse que en Madrid vivíamos en chabolas más vecinos de los que hay en Huelva o en un montón de capitales de provincia. Eso ha cambiado en Madrid, con independencia de que todavía quedan 2.000 chabolas ocupadas en un 98% por familias gitanas. Eso ha cambiado. En mi casa, en un barrio obrero en Orcasitas, después de muchos años de lucha, tenemos dos cuartos de baño. Antes siempre íbamos a cagar a la vía, o para lavarnos íbamos a las duchas municipales a 4 o 5 kilómetros de donde vivíamos. Como anécdota, decirte que yo me casé el día 20 de junio de 1970, cuando tenía 22 años, y aquel día me fui a bañar a los baños turcos, allí, de la calle de la Escalinata, que ahora es un garito. Costaba 20 pesetas. Claro, me casaba ese día, pues había que bañarse. Ésa ha sido la vida de la gente de estos barrios. Y eso ha cambiado, pero ahora hay unos problemas que entonces no se daban. En el año 80, unos fascistas, el 1 de mayo, en Madrid, mataron al dirigente de una asociacion de vecinos de al lado de mi barrio. Santiago Daroca, un periodista, vino a hacer un reportaje, y me pregunta: «¿Y la inseguridad?». Y le digo: «Eso de la inseguridad ¿qué es?». En el año 80, todavía en Orcasitas, no habíamos conocido lo de la inseguridad. Tampoco conocíamos la droga. Yo, que he sido niño ahí..., para ir a la civilización tenías que ir a Usera, y para ir a la escuela o al cine había que cruzar por descampados tres kilómetros, u otras veces íbamos por la vía del tren en invierno para no pisar el barro, aunque moría de vez en cuando alguno al que le pillaba el tren, y a las madres no les preocupaba la inseguridad, las madres te decían: «Ten cuidado no te caigas porque con estos pantalones de hoy tienes que tener para toda la semana». Entre otras cosas, en nuestra casa no había agua; el agua estaba como a 2 kilómetros en la fuente más cercana. El miedo era de que nos ensuciáramos, pero a nuestras madres no les preocupaba que en el barrio hubiera dos carteristas, que eran unos señores. Si te había pasado algo en alguna zona de Madrid, ibas a buscarlos y si eras del barrio recuperaban la cartera. Pero con la crisis de los años 80 nos empezamos a encontrar con legiones de jóvenes que no encuentran su primer empleo, y llega la droga, la heroína. Droga ha habido siempre, en todas partes, y los obispos y los príncipes se han drogado, y los políticos y los otros. Pero ahora ha llegado a los pobres y entonces es cuando viene la delincuencia, eso que llaman inseguridad, y hacen su agosto los que venden puertas blindadas. La gente se pone rejas aunque viva en un quinto o sexto piso, donde el peligro lo tienes en que el yonqui traficante es tu vecino de descansillo o el hijo de tu vecino. Desde los años 80 se acentúa la decadencia en estos barrios, a pesar de las conquistas urbanísticas: «Jo —decimos—, cómo ha cambiado el Pozo del Tío Raimundo, cómo ha cambiado Orcasitas, cómo ha cambiado Palomeras, en Vallecas se han hecho 12.000 viviendas nuevas, en Orcasitas 9.000». Eso es verdad, pero junto a eso tenemos otros problemas que antes no teníamos. Y además nos encontramos con el de la vivienda de los jóvenes. Mi padre, antes de venirnos del pueblo, allí en Toledo, vendió 36 olivos y una huertecita. Con ese dinero compró 200 metros que incluían una chabola con tres habitaciones hechas, y poco a poco, tendiendo mi madre sábanas para que los guardias no lo vieran, otra gente daba propinas al guardia por la noche, mi padre iba agrandando el espacio habitable, y cuando los jóvenes nos casábamos, nos podíamos hacer alguna habitación en el corral. Pero es que hoy, en esta ciudad, los pisos más baratos cuestan 12 millones de pesetas en el extrarradio y al joven nadie le da crédito porque no tienen ningún trabajo fijo, y los bancos no son *Cáritas*. Entonces, ¿qué está ocurriendo? Sea por el procedimiento que sea, la gente joven ha tratado de vivir en pareja, y ahora es imposible. Ni trabajo, ni vivienda. ¿Qué salidas hay? La falta de expectativas y de horizontes conduce a la droga. Y te habla alguien que no ha fumado ni bebido en su vida. En esos sitios, y entiéndemelo bien, por favor, no quiero molestar, no vivís ni los Iñaki Gabilondo, ni tú, ni los Luis del Olmo, ni los que creáis opinión. El que puede se va marchando y se va quedando el peonaje, y la gente mayor, la que no tiene otros recursos, y los barrios se van convirtiendo en guetos. Después de que hemos estado 16 años de pelea ininterrumpida para tener colegios, resulta que ahora la gente que gana 90.000 pesetas al mes lleva a sus hijos a otros barrios, a colegios privados, pero que no tienen ni parques para el recreo ni nada, porque la enseñanza pública se degrada. ¿Por qué? Ya no hay masificación en las aulas, pero en una clase de 15 alumnos, 7 u 8 son a lo mejor hijos de drogadictos, que esa mañana, antes de irse a la escuela, ya han visto que su madre no está en casa sino en busca del dinero para pincharse y el padre está en la cárcel. Niños que están bajo la tutela de los abuelos, que han visto cómo se están pegando el padre o la madre con la abuela para sacar las 1.000 pesetas para la papelina. Esa criatura no llega a la escuela en las mejores condiciones. Allí tiene por compañero al chavalito gitano, que con 10 años saca una navajita cuando la maestra se va a hacer pipí, y acojona a los otros. Si llamas al padre del gitanillo, no acude a la escuela. Si expulsas al chaval tres días, el gitanillo tan contento, porque se va con el padre a la venta ambulante. No ven la necesidad de ir a la escuela como la puede ver el hijo del trabajador de la Seat, que lo que quiere para sus hijos es que sepan lo que él nunca supo. Esos niños, víctimas de la marginación, cuando van a la escuela, la distorsionan. Las autoridades educativas sólo se fijan en las cifras: que esté la gente escolarizada, ya da igual que vayan, que no vayan, que haya absentismo, da lo mismo: el asunto es que estén escolarizados y que salgan las estadísticas. El primer sitio donde se está fallando es en la escuela. He asistido esta semana a una jornada que han hecho todos los sindicatos sobre las escuelas que algunos llaman *de alerta roja*, en Madrid ya hay más de 40, donde fue noticia tristemente, hace como tres años, que un niño de 10 años mató a otro y lo enterró en unos descampados a la salida de la carretera de Andalucía. Eso no es casualidad. Te pones a analizar que no tenía padres, que estaba con la abuela... Y eso antes no se daba. Antes éramos pobres pero el ambiente te ayudaba a superarte, no a hundirte. Yo he buscado huesos en los basureros porque los compraban los chatarreros, no sé qué harían con ellos, pero nos los compraban. Buscábamos balines de la guerra civil, porque el frente estuvo en Usera. Era todo muy difícil, pero la droga no existía. Quizá también haya influido la llegada de la televisión, que te come el coco anunciándote unas cosas que tú no vas a poder tener, unos anuncios que asocian la gran moto con la rubia que se te monta encima. Los chavales que pululan por las calles salen de la escuela sin horizontes y entonces pues emulan al Vaquilla, al otro y al de más allá. Y eso se convierte en un círculo vicioso, porque hasta la gente del barrio que se supera y está preparada, luego paga socialmente el vivir en estos barrios. Cuando mi hija, que acaba de terminar la carrera, ha ido a no sé qué sitio a buscar trabajo, todo va bien hasta que dice dónde vive: «Bueno, vale, pero de Orcasitas». Una buena parte de la economía de la gente de estos barrios se mantiene gracias a las horas que las mujeres suelen echar yendo a limpiar a las casas de otros fuera de aquí; entonces, si dicen que son de Orcasitas o del Pozo del Tío Raimundo o de la Celsa, a lo mejor no las cogen. Lo que hay que decir claramente es que en Orcasitas vivimos unas 35.000 personas, y 400 o 500 nos dan por el culo a todos, unos desgraciaditos, cadáveres andantes, que se están muriendo cada día, pero que están haciendo la puñeta todos los días a los demás. Y eso antes no existía. Aunque no haya solución mágica, el camino pasa por prevención, prevención, prevención. Primero: a los colegios de estos barrios hay que enviar a la gente más motivada y con más ganas; no es lo mismo enseñar en el Parque Conde de Orgaz, donde vive Aznar, que enseñar en Orcasitas, aunque los textos y libros sean los mismos. No señor. Lo que le estás contando en la escuela al de Orcasitas de lo que dice el libro no tiene nada que ver con la realidad que se encuentra fuera de las tapias de la escuela. Esto mismo se lo dije al Rey la primera vez que le vi: «Mire usted, a un chaval en Orcasitas las carencias de la escuela no se las puede suplir la familia». Yo, en mi propio caso, concejal del Ayuntamiento y esas cosas, pues he ido a la escuela hasta los 13 años. Yo saqué el Graduado Escolar y nada más. He ido a la escuela por la noche y estoy doctorado en la universidad de la vida, pero no en la otra. No lo digo con jactancia, pero ya tengo dos hijos universitarios. A mis hijos les he podido dar buenos consejos, he podido predicar con el ejemplo, pero yo no podía ayudarles cuando estudiaban y tenían dudas de las materias que aprendían, cosa que en tu casa, en la del Rey o en la de mucha gente, habéis podido hacer. Por lo tanto, las escuelas de Orcasitas tienen que tener más medios que las otras. En la casa del obrero de Orcasitas entra el *Marca* los lunes, pero no otra cosa. No hay voluntad de paliar estas cosas, porque no conviene; en la medida que la gente aprende, empieza a cuestionar lo establecido. Yo estoy encantado de llevarte por el mismo itinerario que hizo el Rey, porque creo que todo esto ayuda, en la medida que las cosas se conozcan. Yo me he hecho persona en la Asociación de Vecinos, soy hijo de un campesino que aquí en Madrid trabajó de albañil, y de una madre cuya ilusión era que viniéramos a Madrid para que sus hijas no tuvieran que ir a servir. Al final, una se separó y tuvo que ponerse a servir. Y no aspiro a vivir en otro sitio, porque primero no puedo, pero segundo es que tampoco quiero. Todavía, para tu conocimiento, los concejales de Izquierda Unida no cobramos íntegro el sueldo que nos paga el Ayuntamiento, se lo queda IU y nos da una parte. Y la verdad, como el Ayuntamiento no sube, porque es impopular, Izquierda Unida nos sube cada año y ya casi cobramos lo mismo. Pero es que yo quiero vivir en mi barrio, como tú si estás en tu pueblo a gusto. Pero hay gente preparada, chavales que tienen coraje, aquí, como el de aquella niña de 8.º curso de EGB que leyó ante el Rey una redacción en la que hablaba de la vida de cada día de un hijo del barrio, de su edad, lo que le permitía poner sus problemas en la boca del otro:

«Soy un chico, de nombre cualquiera, que estudio 8.º de EGB en un colegio de los que hay por ahí en el sur de Madrid. Mi padre ahora está sin trabajo y mi madre va por las mañanas a limpiar una casa en el centro, creo que cerca del Retiro. Me encuentro a gusto con mi familia y hasta me alegro porque veo a otros compañeros que sus padres no viven juntos o incluso hay alguno que su padre murió, creo que por algo de droga. En el colegio estoy contento, aunque hay algunas asignaturas que no me entran y casi siempre las suspendo. Los profesores se portan bien, aunque no todos. Hay algunos que se preocupan por los alumnos bastante y eso nos ayuda; y hay otros que parece darles igual lo que pasa.

»Me gusta mucho jugar al fútbol en el recreo, ya que al baloncesto no podemos jugar, porque las canastas llevan rotas dos años. Cuando no hay peleas en el cole nos lo pasamos bien. Yo me llevo bien con casi todos, menos con algunos que casi siempre están armando jaleo y nos quitan las cosas. Lo que menos me gusta es lo sucios que están a veces los servicios. Como no hay comedor en el colegio tengo que ir a mi casa a comer y como mi madre está trabajando y mi padre a veces está por ahí, como solo, a veces unos bocadillos para no tener que calentarme la comida. Yo no fui a guardería porque la única en que había plazas era una privada y mis padres no tenían dinero para pagarla; así que cuando era pequeño me quedaba en casa con mis abuelos hasta que volvía mi madre.

»Antes me ayudaban mis padres a hacer las tareas, hasta que un día vi que les daba mucha vergüenza porque no sabían resolver lo que tenía que hacer, porque ellos no tienen estudios; así que muchos días voy a clase sin las tareas hechas, unas veces porque no sé y otras porque me quedo en la calle jugando. Este verano me quería haber ido a un campamento con el Ayuntamiento, pero mi padre se quedó sin trabajo y no podían pagarme la salida; así que lo único que hice fue ir al pueblo y allí me lo pasé muy bien. El año que viene tengo muchas ganas de que podamos ir a la playa, pero ya veremos.

»Estoy contento de ir al cole, y de que me traten bien, pues conozco otros amigos que no van, y que están todo el día en la calle con gente que no me gusta y que se dedican a fumarse porros y hacer cosas que a mí no me gustan. De mayor me gustaría tener una profesión, aunque no sé todavía cuál; además por aquí hay pocos institutos de Formación Profesional, por lo que no sé todavía lo que haré el año que viene; y eso si apruebo 8.º, que no lo tengo fácil. Lo de la Universidad ni lo pienso, porque creo que es muy difícil y no se me da muy bien estudiar. Además me han dicho que tampoco es fácil colocarse con una carrera. El hermano mayor de un amigo mío estudió en la Universidad y el año pasado se presentó para conseguir un trabajo de barrendero en el Ayuntamiento; por eso creo que no merece la pena estudiar tanto. Algunos dicen que eso es para los hijos de los ricos.

»Me gustaría que hubiera cosas para hacer los fines de semana, como ir a la sierra o salir al campo, pero casi todas las que hay cuestan dinero y yo no lo tengo, así que me tengo que conformar con jugar con mis amigos, con los que me lo paso bien, o viendo la tele. Las películas que más me gustan son las de acción, las que los mayores dicen violentas, porque las demás me aburren. Hace dos años estaba con una Asociación de barrio que organizaba actividades y nos lo pasábamos muy bien; pero la Asociación cerró, creo que porque les retiraron el dinero que les daba el Ayuntamiento y la Comunidad. Hacíamos muchas cosas: salíamos a ver el zoo, al campo, a teatros infantiles y teníamos un club de deporte. Pero ahora ya no están; algunos días vienen por aquí los que lo llevaban y nos juntamos alguna tarde, pero nada más. Otros años había también actividades algunas tardes en el colegio que organizaba el APA. Pero los que lo llevaban lo dejaron porque sus hijos cambiaron de colegio y ahora no hay casi quien organice otras cosas. Teníamos clases de inglés, danza, teatro y deporte; yo me lo pasaba muy bien, pero ahora no hacen esas cosas.

»En otros colegios creo que siguen organizando actividades y talleres por las tardes y eso me gustaría que lo hicieran en el mío. Hubo también una temporada una asistenta social que se ocupaba de los chicos y las familias con más problemas, y eso estuvo muy bien, porque mejoró bastante la convivencia entre todos; pero dijeron que tenían que ir a otros sitios, y se quedó otra vez la cosa igual. Mis padres vienen alguna vez a hablar con los profesores, pero otras veces no pueden porque a esa hora están trabajando. Mis padres y los profesores me animan a estudiar; me dicen que es necesario, que es por mi bien y que así podré ser algo en la vida. Yo trato de hacerles caso y cumplir con lo que me dicen: pero es muy duro encerrarse en un cuarto a estudiar cuando tus amigos están jugando en la calle o en casa está todo el día puesta la tele. No sé cómo otros niños consiguen sacar los estudios bien, pero a mí me resulta muy difícil concentrarme cuando en lo único que pienso es en cuál de los juguetes que anuncian por la tele me gustaría tener estas navidades o en poderme pasar unas buenas vacaciones, como sé que otros chicos tienen.

»A ver si por lo menos este año lo consigo...»

—Cuando nos vinimos a Madrid, pues mi padre ganaba poco y aquí no teníamos ni váter ni nada. Mi madre decía: «Ay, Félix, pero aquí por lo menos por las noches no te tienes que levantar para echar de comer a las mulas». Mi padre tenía dos mulas y con ellas araba, iba con un carro para hacer portes, para llevar la paja. Recuerdo que en el pueblo yo siempre iba por el pan fiado. A mis hermanas, como eran más mayores, les debía de dar más vergüenza, y me mandaban a mí, que era el más chico. Pagábamos al final del verano, cuando mi padre ya había sacado unas pesetas. Todas esas cosas te marcan necesariamente. Pero me marcan no para olvidar lo que he vivido, sino para intentar que a los otros que vienen detrás no les pasen. Yo siempre recuerdo dos cosas: cuando mi padre hizo una habitación para que yo no durmiera con ellos, que yo dormía a los pies. Para lo único que te daban permiso era para hacer un váter. Entonces mi padre pidió permiso para hacer un váter, pero luego ¿qué hizo?: una habitación grande, y la partió para sacar dos habitaciones y así vivir un poco más sueltos. En uno de estos agrandamientos vinieron a tirarnos la chabola, y la Guardia Civil utilizaba para hacerlo a los presos políticos, que los pobres ponían unas caras que no veas. Y, bueno, mi madre por poco se muere. Recuerdo que por el barrio andaba un *ultra*, el padre fray Miguel Oltra, que era de la hermandad sacerdotal aquella del Venancio Marcos, el que hizo de obispo Polanco en una película sobre los mártires de la Cruzada y todo aquello, y al final pues, gracias a ese cura *ultra*, no nos la tiraron. Hubo por aquel entonces otra cosa que me marcó: iba mi padre a ver a uno que era de su pueblo, aparejador o no sé qué, y recuerdo perfectamente cómo salió la criada y oímos que el tío le dijo: «Diles que no estoy». Y a mí ver a mi padre totalmente destrozado y que el otro, el señorito de su pueblo, le dijera eso de «diles que no estoy» son cosas que me han marcado toda la vida. Yo soy capaz de recibir a todo Dios. Ayer me llegó uno que estaba loco, que dijo que estaba programado, que le habían metido el microchip, que estaba enchufado a una máquina y que le torturaban, y que quería ver a Anguita. Pues, bueno, prefiero recibirle y que se desahogue. Mira, ahí fue donde los del PSOE hicieron la pelota al Rey con las banderitas y con toda la historia y él entró por aquí. Aquí le enseñamos la plantación de arbolillos que la Comunidad Autónoma había dispuesto unos días antes, que, ya ves, está seca. Mira el cuidado que han tenido. Es que estas cosas desprestigian. Es mejor poner tres árboles, cuando tengas que ponerlos, y cuando tengas capacidad para mantenerlos, que no poner unos pocos árboles porque vaya a venir el Rey. Eso es tratar a la población de tontos. Esto que ves aquí es impensable en la zona norte de Madrid. ¿Por qué? Porque allí viven los que cuentan. Mira, ésta es la calle del padre Llanos. Este barrio sólo tiene dos calles con nombres de personas, una es la del padre Llanos y la otra de un deficiente mental del barrio queridísimo por todo el mundo. Ahí se hizo un homenaje al padre Llanos cuando se puso el nombre y vino la Pasionaria. El padre Llanos y Pasionaria se querían mucho. Yo estaba ahí; también estaba Ruiz-Giménez, Tierno Galván. Este barrio cambió absolutamente y como anécdota decirte que yo en el 79 renuncié a ser concejal, está en los periódicos, y no lo entendían. Recuerdo que Simón Sánchez Montero, que está vivo y lo puede atestiguar, me cogió una tarde por banda y me echó una bronca por no seguir de concejal, y yo le decía, salió en *El País*: «Yo soy un hombre del movimiento ciudadano que a su vez es comunista, no un comunista parachutado en el movimiento ciudadano». Yo entendía que en aquel momento tenía que estar en lo otro. En mi trabajo las cosas me iban mal porque no lo atendía, y aquí me acoplaron de albañil, porque la construcción ha sido siempre el refugio de todo el mundo. Y aquí me vine a ganar 42.000 pesetas, que era mi sueldo en el año 79, y estuve en la construcción hasta el 81. El Rey llegó aquí en el autocar. Aquí se bajó. Esto estaba lleno de gente y salimos a recibirle el presidente de la Asociación de Vecinos y yo. Ésa es la chisma del homenaje al padre Llanos, que se puso también en este mes de diciembre. Hay ahí unos textos muy bonitos. Ahí estaban, como si los viera, Ruiz-Giménez, Jiménez de Parga. Pepe Jiménez de Parga, sí. ¿Le conoces? ¿Desde 1959? Pues ya son años. Pepe ha creado la Fundación del Padre Llanos. Estuve con él en Parla, otro pueblo de la periferia, donde se le puso una plaza con el nombre de Padre Llanos. Éste es el Pozo, y el Rey vino para acá; el autocar estaba ahí y a mí ya aquí no me dejaban montarme, pero gracias a las periodistas estas catalanas, una pareja de *El Periódico*, me monté, y el autocar estaba aquí. En esa misma semana habían parcheado la calle por la que vamos a pasar, y yo, por supuesto, se lo decía al Rey: «Se lo han puesto bonito para que lo vea». Los otros me miraban como a una especie de mosca cojonera. Yo sé que no iba a cambiar mucho, pero al menos me quedaba a gusto. Cuando hablo con mis hijos, que son mis mayores críticos, les digo siempre: aspiro a que, cuando yo no sea concejal y esté en las calles de mi barrio, en el bar, en el fútbol, yo pueda decirle a la gente: «Pues, oye, hay que hacer esto», y que no me diga la gente: «Cacho cabrón, y tú cuando eras concejal ¿qué has dicho?». Hacer no puedo hacer, pero por lo menos tengo la obligación de decir lo que pienso. El Rey se detuvo allí. Éste ha sido un sitio donde se ha traficado con drogas toda la vida, vamos, del año 80 para acá, porque antes no existía la droga. Yo recuerdo que, en mis años jóvenes, para animarnos en el baile, para atrevernos a decirle a alguna muchacha algo, nos tomábamos algún vermut de color rosita, yo no conocía lo otro. Los de la Casa Real me confesaron, llegamos a intimar de tanto estar juntos, que temían que la chabola donde pararan no fuera a ser de un vendedor de droga importante. Ahora hay algo menos de venta de droga porque se han ido a otro poblado que han hecho para allá. A mí siempre me asalta una duda: si a esta gente se le hubiera dado la oportunidad de encauzar la venta ambulante y otras cosas antes de la llegada de la droga, posiblemente no estarían vendiéndola, pero, claro, si con esto se hacen ricos, ¿cómo van a coger y van a irse a un cursito del INEM a ganarse 80.000 pesetas? Esta gente, cuando vendían lechugas, eran tratados como delincuentes, y cuando se ponen a vender heroína, los tratan como señores. La elección es sencilla. Y si encima tú no tienes los mismos valores que otra gente... Yo siempre pongo el mismo ejemplo: yo, de pasar hambre mis hijos, no tendría inconveniente ninguno en robarle a un banco o a El Corte Inglés. Pero ¿por qué no lo hago? Pues porque no lo necesito y además podrían pillarme. Pero, claro, estos gitanos, si van a buscar un puesto de trabajo y hay uno, pues antes de dárselo a ellos se lo dan al payo. Es un círculo vicioso. Entonces, entró por aquí el Rey y aquí más arriba nos detuvimos. Esas casas llevaban años paradas y, mira, algunas viviendas ya están incluso entregadas. Son los únicos que han salido ganando con la historia del Rey. Pero parecen cárceles. Aquí vendió mi sobrino, que es toxicómano, el mantón de Manila que mi padre trajo de África para mi madre, cuando estuvo en la mili. Mira esos coches que llegan con tanto sigilo. Vienen a por droga. Estos gitanos mira qué coches tienen. ¿Qué te crees tú que vienen a comprar esos del coche? El alcalde Rodríguez Sahagún, en una campaña electoral, se fue a El Rancho del Cordobés, donde vivió Eleuterio, *El Lute*, con sus quinquis, y se metió en la chabola de un vendedor de droga, y ¡se armó una!, porque la gente pensaba que era la policía. Ya no vienen los políticos, porque ya no da votos, los quita. La mayoría de la población obrera está indignada y dicen que con sus impuestos no se puede estar financiando el que esta gente de la droga consiga casa, cuando tienen las furgonetas Mercedes que ves ahí, que eso no sale de la venta ambulante. Y ahí enfrente fue donde se montó toda la parafernalia, que si el café de puchero y tal y cual. En estos poblados se vive mayoritariamente de la venta de la droga. Si se hubiese querido, a principios de los años 80, a esta gente regularlos y buscarles otras salidas, no estaríamos así, de eso estoy convencido. Porque yo he cogido gitanos y les he ayudado. Hay que buscarles algo para que ellos también sientan que tienen algo que perder. Si tú a una persona la arrinconas del todo, ya le da igual 8 que 80. Me comentaba un arquitecto, que se llama Ramón Canosa, que 10 años después volvió a ver una de las primeras promociones de viviendas sociales que se habían hecho en Orcasitas. Él pensaba que aquella gente no podría cuidar aquello y tiró un periódico al suelo, sin darse cuenta, y se acercó un chaval y le dijo: «Oiga, usted, recoja ese periódico». Habían aprendido a apreciar lo que tenían. Eso que ves ahí es Merca-Madrid. Por aquí pasamos con el Rey y no estaba previsto en la ruta de la tele. No sabían qué decir. ¡Igual pensaban que lo habíamos secuestrado! ¡Cómo está esto de chiquillería! Un día le digo a la concejala de este distrito que por qué no hacer algo con ellos, prestarles servicios culturales, y me dice: «Que lo paguen sus padres». Pero vamos a ver, aunque haya que darles un bocadillo, si tú consigues llevar a esta gente aunque sea al cine perderán agresividad, hay que sacarlos del entorno en el que están, si no, seguirán siendo lo que sus padres, viviendo de esa manera no pueden ser otra cosa que delincuentes. Aquí hay accidentes de sobredosis todos los días. A la puerta de mi casa los ves en el coche pinchándose, y luego se van conduciendo, imagina en qué condiciones. Éstos viven de la venta de droga. Mira, ahora ya ha venido la policía. Éstos no son gitanos, éstos vienen a comprar sus dosis. No hay ley ninguna. A los gitanos hay que darles los mismos derechos que a los demás, pero también hay que exigirles las mismas obligaciones, y yo creo que posiblemente desde la izquierda, por la imagen que tenemos todos de la Guardia Civil, no hemos actuado como hemos debido. Mi imagen de la Guardia Civil es ver cómo la pareja le pegaba una paliza al que pillaban con una carga de leña, y no es que hubiera cortado las encinas de nadie, sino los chaparros que ahora se paga para que los quiten. Total, aquellos pobres ladrones de leña que sobraba la cambiaban por pan. Claro, cuando ves un guardia pues todavía te da miedo, pero esta gente hace absolutamente lo que quiere. El Rey entró por aquí, justamente por donde entramos nosotros. Para solucionar todo lo que ves hay peticiones de asociaciones ecologistas, que Izquierda Unida está apoyando; hay que intentar regenerar las márgenes del río. ¿Por qué el río a su paso por El Pardo tiene merenderos y chiringuitos y por aquí no hay más que estercoleros? Te contaré una anécdota. En el centro cultural de Orcasur, a un kilómetro de donde estamos, había un curso de piano, y el único alumno era un hijo de la maestra. O sea, yo no digo que esté mal el aprender a tocar el piano, que me parece fenomenal, pero a lo mejor para llegar a tocar el piano primero hay que llamar a la gente a los coros a cantar y después puedes ya ir sacando otras cosas. Ahí al lado hay otro punto de venta de droga importante. Esto también se ha remodelado, todo esto se ha hecho nuevo. El Rey llegó aquí, ahí nos bajamos y aquí fue donde le pegamos un palo al alcalde, porque es que Leguina venía con un hocico..., es que Leguina el día anterior llegó a decir en la radio: «Bueno, al final, pondré mi chepa para que le sirva de alfombra por donde pase el señor López

Rey». Hay socialistas más sectarios que Leguina. Yo creo que la culpa fue de los asesores. Ahí arriba, eso está lleno de chabolas. Hay como 100 familias viviendo en la margen del río. Esto fue una montaña que ahora están intentando matarla un poco, porque se hizo con las tierras removidas por una empresa sueca que iba a hacer, decían, un parque acuático. No sólo no se hizo, sino que se llevaron el dinero de las ayudas y nos dejó esa montaña de fango que lo pone todo perdido cuando llueve. Es como dejar una caca en forma de montaña. Hasta el año cuarenta y pico, aquí estaba el vertedero municipal de La China, pero ya no huele como en los primeros años. Las chabolas están ahí debajo. Algunas son de hijos de los de por aquí, y otras el juez ha dictado que se las queda la mujer y que el marido se vaya a la calle porque se han separado y él no tiene trabajo. Esto es un vivero que han plantado los chavales del barrio; han aprovechado estas márgenes que nadie usaba y han creado unas cooperativas, unas empresillas. Pero historias de éstas tienen que ser propiciadas desde las administraciones para ayudar a que la gente tire adelante. Mira, el barrio de San Fermín. El presidente de la Asociación de Vecinos es un tío majísimo, es un sociólogo que trabaja en Cáritas. Bueno, pues siempre están dando caña. Este barrio para nosotros tiene un triste recuerdo porque aquí estaba el cuartel de la Guardia Civil que funcionaba en esta zona, y aquí el que más o el que menos hemos dormido dentro. Recuerdo a mi mujer, que en paz descanse. Recuerdo que nos estuvieron acusando de chorizos porque cuando se tiraban unas chabolas del barrio, algunos nos trasladamos a otras chabolas todavía en pie, porque entonces los de izquierda pensábamos que teníamos que quedarnos los últimos, que había que dar ejemplo. Como yo no tenía cuarto de baño, cogí la bañera de otro que la iba a destrozar la máquina y nos denunciaron por chorizos y me detuvo la Guardia Civil. Cuando llegó mi mujer y otra gente a buscarnos, yo, a voces desde donde estábamos metidos, le gritaba: «¡Pero, Isabel, si es por chorizo, es por chorizo!». Si era por chorizo no había problema, no nos iba a pasar nada, y yo lo pregonaba para que estuviera la gente tranquila y no se liara ahí una desbandada. Mi mujer andaba siempre con nervios. Cuando lo de la guerra del Golfo escuchaba todos los días al Iñaki Gabilondo porque tenía un sobrino que iba a la mili, y empezó a tener colitis. Estaban que si eso era de los nervios y le daban cosas para los nervios, y todo lo que le estaban dando era contrario a lo que necesitaba. Empezó en enero y hasta el 14 de febrero no fuimos al hospital. Tendría que haber ido antes. Cuando llegó al hospital ya estaba auténticamente mal, estaba a caballo entre la colitis ulcerosa y la enfermedad de Kron. Cuando ya estaba entubada y empezaba a comer y a ir mejor, ocupó la habitación de uno que esa misma mañana había salido con sida, y ahí sí ya cogió de todo. Una infección generalizada. El 25 de marzo murió. Empezó el día de San José que ya no veía. Hace cinco años. En mi vida hay un antes y un después. Yo me casé con 22 años y un día, pero absolutamente enamorado. Mi mujer era la criada de Joaquín Peláez, que también se murió, el guionista de *Matilde, Perico y Periquín* y todo aquello. Recuerdo que en 1973 nos hicieron un programa de *Los Formidables*, el de Alberto Oliveras, para hablar de los problemas del sur de Madrid, a través de Joaquín Peláez. No les encajaba aquello porque nosotros no pedíamos dinero, queríamos justicia. Pero la gente de barrio lo escuchó y dijo: «¡Coño! Hay que empezar a hacer algo». Yo no militaba en ningún sitio. Yo había estado en un club juvenil que se llamaba Juan XXIII, mis inquietudes sociales habían nacido en torno a la Iglesia, pero cuando vi que lo que decía el cura no se correspondía con la realidad, pues aquello me escandalizó a mis 18 años. Yo era de los que habían hecho los primeros viernes de mes y me había mamado lo de la justicia social del régimen de Franco, pero Girón vivía de puta madre en Fuengirola. Empecé a ver las cosas claras. Conocí a algunos comunistas viejos, empecé a escuchar, a tener inquietudes. Yo era aprendiz cuando mataron a Grimau. Recuerdo haber escuchado la Pirenaica, la emisora clandestina del Partido Comunista, cuando iban relatando el nombre de cada uno de los ministros del Gobierno de Franco, corresponsables de la ejecución de Grimau, y decían: «asesino», «asesino», «asesino». Son cosas que te impactan. Y las luchas posteriores, y lo que cuesta cualquier conquista, como la de traer al Rey. Ya ves tú. Un rey en el sur de Madrid traído por un comunista a fines del siglo más revolucionario. ¡Y cómo acaba el siglo más revolucionario! Se lo cuentan a Marx resucitado e igual se vuelve a la tumba.

Los vecinos se hacían monárquicos por docenas: «Son tan majos y guapos como en la tele», decían de los Reyes, y *Abc* sustituiría su lenguaje monárquico más contemporáneo por el del Siglo de Oro: «El mejor alcalde el Rey». «Los Reyes con su pueblo». «Continúa la larga tradición de la Monarquía española: El Rey y el pueblo». A los pobres les gusta que los príncipes se casen con Cenicienta o, al menos, que los reyes rompan el protocolo y así hicieron los Reyes de España durante su viaje tal vez a ninguna parte por el sur de Madrid. Los vecinos aprovecharon la circunstancia para hablarles mal de los políticos y, a su lado, los políticos sonreían, daban cabezaditas de pícara tolerancia o trataban de introducir ruidos convencionales en el diálogo: «Es que eso está...» «No es del todo cierto, pero...» «Se hará lo que...» El alcalde del PP, Álvarez del Manzano, no lo tenía ni lo tiene claro, porque bajo su mandato, entre 1989 y 1995, el Ayuntamiento ha disminuido en un 44,2% el presupuesto y ha dejado en la mitad su ayuda social al sur.

«Leer hasta entrada la noche / y en invierno viajar hacia el sur», recomendaba el poeta Eliot. ¿A qué sur? ¿Al de Gauguin? ¿Al de Río Grande? ¿Al de López Rey? Estas gentes, sin la menor capacidad de intervención, contemplan el *sky line* del Madrid que ejerce de auténtica corte del rey Juan Carlos, donde las tribus de cuello blanco se juegan el presente y el futuro. No se cumplió la profecía-deseo de Jaime Gil de Biedma en su poema *Barcelona ja no es bona o Mi paseo solitario en primavera* cuando incita a los pobladores de las barracas de Montjuïc para que se apoderen de la ciudad:

> *Sean ellos sin más preparación*
> *que su instinto de vida*
> *más fuerte al final que el patrón que les paga*
> *y que el salta-taulells que les desprecia:*
> *que la ciudad les pertenezca un día.*
> *Como les pertenece esta montaña,*
> *este despedazado anfiteatro*
> *de las nostalgias de una burguesía.*

El vizconde de Almansa cumple su compromiso epistolar y me cita en el Palacio de la Zarzuela el 27 de febrero: «... informándole que el acceso a dicho Palacio se realiza por Somontes, en la carretera de El Pardo». Llego a Madrid con la suficiente antelación como para no defraudar la puntualidad de un Rey y callejeo por el que ya podría ser mi barrio: Alcalá, Marqués de Cubas, Carrera de San Jerónimo, Plaza de las Cortes, Calle del Prado, Plaza de Santa Ana... Y al pasar frente al hotel Suecia, ahí está Carmen Posadas avanzando, siempre avanzando por las aceras, esta vez a mi encuentro imprevisto para saludarnos con la timidez añadida que los tímidos exhibimos en la calle. Los tímidos necesitamos espacios cerrados y una mesa, no muy grande, casi camilla, a poder ser, para no vernos las piernas y dejar los brazos en reposo. Me tomo un whisky para evitar caer en la tentación de presentarme en La Zarzuela bajo el síndrome del inspector Colombo. Ni Colombo, ni Carvalho. Y por fin me entrego a un taxi y por el camino ocupa el escenario completo de mi más inmediata memoria la fotografía generacional que nos hizo Schommer en el Palacio, como foto fija final del programa de TVE *Los años vividos*. Veintiún cincuentones, nacidos entre 1930 y 1939, presididos por el rey Juan Carlos, Schommer posando para su propia fotografía. Es curioso que en un país de cuarenta millones de habitantes encuentre vínculos con varios de ellos. Al productor y director cinematográfico Elías Querejeta lo conocí en 1964 en la redacción de *Siglo 20* en Barcelona, una revista tan roja como Elías y yo, luego nos encontramos en saraos antifranquistas por España y Europa y recuerdo un pase de *El desencanto* en Estocolmo, el duque de Alba *in péctore*, Josep M.ª Castellet, Alfonso Sastre, Paco Uriz, Labordeta, yo mismo, escuderos de la presentación. Umbral escribió la primera crítica propicia y generosa a mi primer libro de poemas y siempre hemos sido amigos y adeptos literarios mutuos por encima de las reservas zoológicas que impone el narcisismo de este oficio. Jesús de Polanco, el patrón de *El País*, con el que hasta entonces sólo había cruzado algunos monosílabos, miradas de sobremesa. Santiago Dexeus, el ginecólogo que ayudó a nacer a mi hijo y con el que me han unido afinidades políticas de juventud y afectivas de toda la vida. Hermida, Jesús, el profesional algo mayor que yo al que le fui a pedir trabajo cuando él dirigía una dinámica crónica de la noche de la ciudad. Con Luis del Olmo colaboré varios años en *Protagonistas* y le conozco desde la década de los sesenta, cuando subió a mi casa con el micrófono en ristre a hacerle una entrevista a mi mujer, una de las corresponsables de un libro feminista, *La mujer en España*. Gala, no lo toquéis más, así es la pasión turca, Antonio Gala, compañero de mítines contra la OTAN y de un debate a muerte verbal en TVE sobre la guerra del Golfo, él y yo frente a Jorge Semprún y Antonio Elorza, dos personas a las que aprecio personal e intelectualmente. Mariano Rubio, entonces gobernador del Banco de España y hoy chivo expiatorio de la insuficiente catarsis del PSOE. Adolfo Suárez, al que entrevisté para mi libro *Almuerzos con gente inquietante* con la condición de que le sometiera a *nihil obstat* la entrevista y luego me rechazó hasta seis versiones, sin que fuera posible publicarla y se convirtiera en uno de mis inéditos. Pujol, con el que compartí manteles baratos hace muchos años y luego algunas conversaciones sobre Cataluña y España: «¿Usted cree que estos chicos de Sevilla tienen la más remota idea de qué quiere decir Cataluña?». Los chicos de Sevilla eran Felipe y Alfonso, Alfonso y Felipe. Con los otros pobladores de la fotografía de cincuentones me he visto alguna vez o les he visto muchas veces a través de la distancia que separa al artista del es-

pectador: Montserrat Caballé, Lina Morgan, Nuria Espert. Allí, allí estamos en la fotografía centrada, presidida
por el Rey, y de pronto me doy cuenta de que en la foto de
la memoria se ha producido un vacío, falta alguien, porque
sentado junto a Nuria Espert también estuvo aquel día
Francisco Tomás y Valiente, dotado de un envidiable aspecto de jurista bueno y fotogénico, equilibrado, dotado de
una virtud de la que tantas veces carezco: la mesura. Una
carencia a la que mis cardiólogos atribuyen la formación
de mis enemigos interiores, pero que tampoco es garantía de
que no los tengas exteriores. Tomás y Valiente acaba de ser
arrancado de esa fotografía de la memoria por un pistoletazo de ETA y los fugaces gestos de amabilidad que de él
retuve se reproducían en el paisaje de encinares y cabras
monteses que conduce desde Somontes al Palacio de la Zarzuela, a través de varios controles de seguridad y de la impresión general de que las medidas de protección se han
acentuado con respecto a aquella visita del 16 de diciembre
de 1991: una larga valla de material no identificable a la
distancia que lo percibo, no sólo marca los límites del ámbito forestal del palacio, sino que los tapia, a manera de
muro que mutila la belleza de marejada de encinares que
prolonga Madrid hacia el techo lunar de sus serranías.

Aquel 16 de diciembre de 1991 el Rey nos fue saludando uno por uno a sus compañeros de foto de promoción de cincuentones y para cada cual tuvo el comentario
que creyó más adecuado. A mí me tocó el PCE, por aquel
entonces con algún problema en el equipo dirigente: «Montalbán, ¿qué le parece lo que está pasando en el PCE?».
Me sorprendió que el Rey de España, precisamente el Rey
de España, me preguntara a mí por el PCE, y sólo se me
ocurrió contestarle algo que expresaba mi sorpresa, pero

que pudo sonar a desgana: «¿A usted y a mí nos interesa mucho lo que pueda pasar en el PCE?». En realidad le estaba diciendo: «¿Y cómo es que a usted le interesa lo que pueda pasar en el PCE?». Y así lo interpretó, afortunadamente, el Rey, porque a continuación me dio una lección sobre el ecosistema político español y el lugar importantísimo que ocupaba el PCE por muy partido de minorías que fuera. En cierto sentido, he crecido con este hombre, y la primera imagen que de él tengo es en huecograbado marrón, el de la portada de un *Diario de Barcelona* de mi infancia en la que reproducía su llegada a España para ponerse bajo la tutela de Franco y experimentar la reeducación de un Borbón, hijo de Borbón vacilante entre el afranquismo y el franquismo para volver finalmente al afranquismo. Le recuerdo como un niño muy rubio, de cabellos algo ondulados, ojos muy grandes y sensibles, o tal vez la sensibilidad la subrayaban unas ojeras que invitaban a preguntarle: «¿Qué te pasa, chico?». Mi madre dijo algo importante en aquella ocasión, sobre todo porque lo decía una mujer republicana, catalanista a pesar de sus orígenes murcianos, una mezcla de Esquerra Republicana y la CNT, viuda de un soldado de la FAI muerto ahogado en un río nada más empezar la guerra, luego compañera de un encarcelado del PSUC y madre de futura carne de cárcel: «Pobre chico, tan lejos de su madre y tan cerca de Franco». Durante los años siguientes he participado de las actitudes de la izquierda republicanista ante un príncipe tan heredero de Franco como de la dinastía borbónica, pero nunca dejé de considerar que Juan Carlos había pagado un duro precio por su fidelidad a la razón dinástica: pasar toda su infancia y adolescencia en la caverna franquista, aunque de vez en cuando tuviera oportunidad de conocer a niños tan listos como José Luis Leal o tan emprendedores como Manuel Prado y Colón de Carvajal, a manera de generoso esfuerzo de Franco para que no sólo se viera rodeado de militares y catedráticos adeptos a la verdad oficial. En mi novela *Sabotaje olímpico* imagino al Rey pegado a un manual de Formación Profesional Permanente de Reyes, imaginería que he respaldado cuantas veces me han preguntado, así en España como en el extranjero, por mis opiniones sobre el Rey o la Familia Real: «Es un excelente profesional. También la familia. Está compuesta por muy buenos profesionales». Y es que ser rey, uno de los pocos que quedan al borde del tercer milenio, es sobre todo un oficio, y sólo los reyes que lo hagan bien serán respetados en el mercado de las instituciones en la era más pragmática que los siglos contemplaron. También la lógica de la eficacia y la necesidad ha alcanzado a las realezas, y por eso Juan Carlos I de España, como todo buen profesional, distingue entre su vida pública, su trabajo, y su vida privada, tal como le dijo a José Luis de Vilallonga en su libro de conversaciones: «En tiempos del general Franco no se hacía diferencia entre el jefe del Estado y la persona privada. El general Franco no se consideraba en ningún momento una persona privada. A mí me importa mucho serlo en cuanto me libero de las obligaciones de mi cargo».

Al llegar a palacio se me introduce en un saloncito de espera dotado de los atributos de la asepsia. Ni siquiera las revistas que reposan sobre la mesa de centro emiten señales tendenciosas. Ni una revista de información política española y sí *The Economist*, *Le Nouvel Observateur*, *Le Point*, *Time* o bien *Apnea*, dedicada al submarinismo, y *Desnivel*, para montañeros. En una urna, Rosas de Hierro, floraciones cristalinas aportadas por el San Gottardo; en la pared, un boceto de Sorolla de lo que iba a ser un cuadro de Alfonso XIII frustrado por la muerte del pintor; en una mesa rinconera, una placa de plata del joyero Bulgari en la que se reproduce el nombre de la romana Via Condotti, una de las calles que van a parar a la Piazza di Spagna dentro de la retícula comercial más atractiva de la ciudad, placa dedicada al Rey, nacido en Roma y muy recordado por sus visitas a las trattorías del Trastevere; también un Astrolabio Universal Hispaniae, poético y ambicioso artefacto destinado a observar la posición de los astros y determinar su altura sobre el horizonte.

—Su Majestad va a recibirle.

«Su Majestad va a recibirte, Manolo». Navego en pos de mi introductor, que me abandona ante el dintel del despacho real. Allí me espera Juan Carlos con el rubio algo más pálido que hace cuatro años, las facciones borbónicas acentuadas con los años aunque se resiste a desaparecer la sombra de los melancólicos rasgos de su madre, tan presente en las fisonomías de infancia y adolescencia. Le explico de qué va el invento, Mark Twain, el yanqui en la corte del Rey Arturo, el polaco, el polaco en la corte del Rey Juan Carlos, la II Transición, el miedo a la invasión de los bárbaros...

—¿Y quién es el polaco?

—Yo.

Le hace gracia que el polaco sea yo. Le hace gracia hasta la carcajada. Tal vez incluso sopesó con la mirada la posibilidad de que yo fuera o no fuera polaco. No. No. Durante su etapa de estudiante de militar en la Academia nunca oyó que se llamara polaco a un catalán. Claro que él se movía entre caballeros aspirantes a cadetes, oficiales, rey. Don Juan Carlos suele escuchar mucho, retener en la recámara lo oído y a continuación responder atinadamente, y si realiza esta larga operación es porque le consta lo cara que va la palabra de rey. Pero, a pesar de la prudencia exigible por el oficio, consigue comunicar sinceridad y un deseo de traspasar los límites de la silueta coronada. Recuperamos la dureza de la polémica sobre las relaciones entre Cataluña y España, mistificada por los intereses políticos de debilitar la alianza entre el pujolismo y el felipismo, los ismos son míos, y el Rey confiesa que se sintió muy preocupado en el momento más crispado y trató de mediar, tal vez con expresiones parecidas a las que se dice empleó en la conversación con Pujol la noche del golpe de Estado de 1981: «Tranquil, Jordi, tranquil». Pero en esta ocasión a quien había que tranquilizar sobre todo era a quienes con el discurso antipujolista levantaban el poso del agravio anticatalán, del agravio de la España pobre y unitarista contra la Cataluña rica y secesionista.

—Pujol tiene sus cosas, como todo el mundo, pero nadie puede negarle sentido de Estado. El problema se ha exagerado. Mi hija lleva cuatro años en Cataluña y está perfectamente integrada. En su entorno se habla muchas veces en catalán. Ella lo entiende. Lo habla incluso.

Se cuenta que, durante su destierro en Lausanne, don Juan de Borbón aprendió el catalán para hacerse plenamente responsable de su título de Conde de Barcelona y el propio Juan Carlos, todavía príncipe, aprovechó una de sus primeras visitas oficiales a Barcelona como heredero del régimen de Franco para pronunciar en catalán una parte de su discurso. No le gustó nada el detalle a Arias Navarro, jefe de Gobierno, pero el Príncipe adujo que tenía carta blanca desde su condición de representante del jefe del Estado. Los gestos. Un rey se comunica mediante gestos más que mediante oraciones compuestas, pero a veces los gestos de los reyes quedan en el aire o a lo sumo en las fotografías.

—Muchas veces soy consciente de que abro puertas o caminos, y cuando tiempo después vuelvo la vista atrás, compruebo que nadie ha entrado por esa puerta o seguido ese camino. Se ha hecho la fotografía y ya está. Me ha pasado en asuntos internacionales y en nacionales. Se me llama para que avale una operación que traduce un interés de Estado y luego no se va mucho más allá de mi gesto.

Sea en la colocación de primeras piedras que nunca consiguen la continuidad de las segundas, sea en su gestualidad tolerante hacia lo polaco, Juan Carlos piensa que no ha sido suficientemente secundado y considera que es una cuestión *sine qua non* para la concordia, antes y después de ese 3 de marzo que se presiente como el antes y el después del chocolate socialista. «No. No va a pasar nada si gana el PP. ¿Qué puede pasar? Las instituciones están firmes», dice el Rey. «La democracia, consolidada. Los poderes financieros, tranquilos. Estaban más inquietos hace unos años. Nos falta rodaje democrático y todavía las alternancias de poder sientan casi como cambio de régimen». No le digo que mi brindis preferido es: «¡Por la caída del régimen!», para que no se lo tome como un arrebato republicano. De hecho cuando yo brindo por la caída del régimen estoy apostando por el sentido dialéctico de la Historia.

Hablamos del ausente de aquella fotografía de 1991 y confiesa que estuvo a punto de llorar cuando conoció su muerte:

—Le había consultado muchas cosas, casi siempre en relación con cuestiones autonómicas; por ejemplo, antes de la posible visita de Herri Batasuna, con Jon Idígoras a la cabeza. Tomás y Valiente me contestó: «Es un partido que detenta representación democrática y hasta que no la pierda debe ser tratado protocolariamente como los otros». Así se hizo.

—Le sería más cómodo el encuentro con Pilar Rahola, aunque ella se refiriera a usted como «ciudadano Juan Carlos».

—Lo de «ciudadano Juan Carlos» me hizo mucha gracia. Fue muy simpático. Ella me dijo: «No tengo nada personal, pero usted ha de comprender que yo soy republicana y he de procurar dejarle sin trabajo». «Natural», le contesté, «pero usted asuma que yo he de conseguir que no me lo quite».

El ciudadano Juan Carlos, Juan Carlos Igualdad, está al día y conoce la historia de la cólera de Pilar Rahola porque la grúa municipal de Badalona se le había llevado el coche. También sabe que la diputada por Esquerra Republicana ha pedido disculpas por su intemperancia.

—Tiene mucho mérito —opina el Rey— que haya pedido disculpas. En un político, ni en nadie, pedir disculpas no es fácil.

No conoce a Ángel Colom, el jefe de los republicanos catalanes, y me pide que se lo connote, pero cuando le digo que fue aspirante a cura me hace un inventario completísimo de la cantidad de políticos que han sido seminaristas o incluso curas. Confieso que el censo del Rey es mucho más completo que el mío. Por ejemplo, me aporta el dato de Suárez Pertierra. Obviamente tiene una memoria regia, o quizá sea simplemente una memoria de estadista, pero también recuerda perfectamente que quitó un vaso de whisky de sobre la cabeza de Maruja Torres en el transcurso de una de las recepciones anuales de artistas y escritores el 23 de abril:

—Le dije que si se rompía el vaso se lesionaba el patrimonio nacional. El vaso era del pueblo español. Era una broma, naturalmente.

—Y una verdad objetiva.

El Rey lamenta muchas veces no poder informar más que *lo políticamente correcto*, porque no siempre la celada verdad que rodea a la Monarquía sale al exterior con rigor.

—Hace unos días volvió a airearse todo lo relativo a la noche del 23-F. A veces opinaba gente que estuvo muy cerca de los hechos, de sus orígenes, de sus consecuencias, y sin embargo había en sus informaciones muchas inexactitudes.

Pero un rey, a diferencia de un presidente de la República, no puede salir a la palestra a decir la suya. El decálogo del oficio implica un mandamiento, no se cuál, que se refiere a la distancia necesaria con lo que pasa para no quedar afectado por ello, y tampoco existen libros de memorias de reyes. ¿Por qué no se han escrito libros de memorias de reyes en ejercicio? Tal vez estén condenados a no tener memoria, aunque Juan Carlos se la ha formado a lo largo de una de las vivencias dinásticas más interesantes y mortificantes de la posible Historia de las Monarquías. Nacido en el exilio, crecido en él condicionado por un dictador presuntamente monárquico, se convierte en heredero a la vez de la monarquía y la dictadura pero acaba propiciando el retorno de una democracia que en el pasado le hubiera costado la vida a una monarquía como la de su abuelo. Ouroboros: la serpiente que se muerde la cola. O en el caso de Juan Carlos el papel de la experiencia para enriquecer el instinto dinástico: las monarquías pueden perdurar si no se convierten en un obstáculo para la razón democrática y si

transmiten gestualidad interclasista. Juan Carlos no come-
terá los errores que les costaron la corona a su abuelo, Alfonso XIII, ese boceto inacabado de Sorolla, o a su cuñado,
Constantino de Grecia. Las dificultades de cumplir sus ins-
tintos dinásticos no le han amargado, sino, al contrario, le
han dotado de un sentido del humor puesto a prueba en situaciones objetivamente poco humorísticas. Me contó López Bulla, el ex secretario general de Comisiones Obreras
de Cataluña, que aprovecharon una audiencia del Rey para
recitarle la cartilla de las reivindicaciones de la clase obrera
española. Cuando el portavoz hubo terminado el memorial
de agravios, Juan Carlos se llevó la mano a la cartera y comentó: «¿Cuánto se debe?». El Rey recuerda como especialmente duro el momento en el que Franco le puso entre
la espada y la pared: «¿Quiere usted ser mi heredero a título de Rey?».

—Excelencia, acabo de llegar de Estoril. Si usted
me lo hubiera dicho antes, se lo hubiera consultado a mi
padre.

—Precisamente quería evitar eso. ¿Quiere o no quiere serlo?

¿Qué hacer? El instinto dinástico le hizo decir sí. Tantos años de sacrificio a la sombra de Franco, lejos de su familia, de sí mismo, ¿iba a tirarlos por la borda? El padre, pretendiente dinástico natural, no se lo tomó a bien, pero entonces
las mujeres, la madre, las hermanas, recondujeron al buen
sentido paternal y dinástico al pretendiente imposible y tantas
veces burlado por Franco. Padre e hijo no sólo acabaron re-
conciliados, sino que durante algún tiempo actuaron como
una pinza: mientras don Juan Carlos cumplía con la gestualidad de un heredero del régimen franquista, su padre seguía
alimentando las esperanzas de la oposición democrática.

Por este despacho pasa cada día el quién es quién más determinante de la vida del país identificado, y a veces el Rey ha tratado de conocer el país desidentificado, allí donde las ciudades pierden el nombre, la prosperidad, la vergüenza, el sur de Madrid por ejemplo, a través de la visita promovida por López Rey.

—Sé que es un gesto que quisiera que no se quedara en un gesto.

¿He soñado, yo, Manuel Vázquez Montalbán, que el Rey hace unos meses se metió en un coche con miembros de la escolta y se fue a dar una vuelta por el mismo itinerario recorrido en aquella ocasión para comprobar *in situ* la influencia de la visita? Me asalta la duda de si fue un sueño, porque tiempo después en *Diario 16* publicaron un extraño suelto bajo el titular *Un aparente mal entendido: El subconsciente de López Rey y la ficción de Vázquez Montalbán en un imaginario regreso del Rey a la zona sur*: «Los personajes de novela de Manuel Vázquez Montalbán y el ardor reivindicativo del edil de Izquierda Unida Félix López Rey se aliaron ayer en un aparente malentendido. En la rueda de prensa posterior a la Comisión Antidroga y cuando los periodistas abandonaban la sala, el concejal deslizó un *bombazo* informativo: *El Rey Juan Carlos ha visitado de incógnito el sur y lo ha encontrado más o menos como lo dejó.* Los cimientos de la Casa de la Villa temblaron durante unos minutos. Pero todo quedó en un susto. *Diario 16* pudo saber de fuentes solventes que la segunda visita real sólo existía en la imaginación de Vázquez Montalbán. El prestigioso escritor prepara un libro sobre el sur de Madrid. Es en sus cuartillas donde se está produciendo el viaje real por la Celsa, Orcasitas o el Pozo del Tío Raimundo».

Comprendo que al alcalde Álvarez del Manzano se le helara la *sonrisa Profident* ante las revelaciones de López Rey y comprendo que las *fuentes solventes* consultadas por *Diario 16* atribuyeran ese viaje a mi imaginación literaria, ¿o fue más bien una ensoñación romántica imaginar a un rey saliendo de palacio para comprobar si sus súbditos eran felices? Así como hay negros que tienen el alma blanca, ¿seré yo un rojo que tiene el alma monárquica y he ensoñado un rey populista? No quiero echar ningún pulso con las *fuentes solventes* mentadas por *Diario 16*, pero es conocida la afición de don Juan Carlos a subirse a su coche y conducirlo en busca de una autonomía de movimientos que los reyes no pueden permitirse. Le encanta a don Juan Carlos conducir personalmente e irse a Casa Lucio con la Reina y algunos amigos a tomarse, cómo no, el emblemático cogote de merluza. Al Rey le gusta comer culturalmente bien, lo que quiere decir que le gusta cumplir el precepto marxista —de Carlos Marx— de que para conocer un país hay que comer su pan y beber su vino. Tenemos además Mecas gastronómicas comunes. Ca l'Irene de Baqueira o el Hispania de Arenys de Mar, regentado por las hermanas Reixach, Paquita y Lola, capaces de vencer la resistencia vegetariana de la Reina. Al Rey le encantaría ir a todas partes en moto.

—Pero no me dejan.

—¿Quién le prohíbe ir en moto?

—La Reina. Mis hijos.

Las lesiones forman parte de la vida de un deportista y el instinto dinástico le aconseja no exponerse a fracturas excesivas mientras se confirma la educación del Príncipe, con el que hoy, precisamente este mediodía, ha despachado. Habla de su hijo como de un hombre joven, veintiocho años, con mucha curiosidad sobre la flora y fauna de la política española. «¿Y a ti fulano qué te parece, papá?» «¿Y zutano?». Oyendo las opiniones de Juan Carlos sobre esa flora y esa fauna, recuerdo el monólogo de Gelsomina, la protagonista de *La Strada* de Fellini, cuando dice que hasta las piedras tienen sentido en el orden del universo. El propósito programático de ser rey de todos le lleva a hablar con especial simpatía de los presuntamente más republicanos, sea de Pilar Rahola, sea de Anguita. Le cae bien el califa. Profesoral, pero bien. No creo que mejor que Carrillo, por el que conserva un aprecio extraprotocolario:

—Ese hombre hizo mucho por la concordia y por la consolidación de una monarquía para todos. Y eso que empezó llamándome Juan Carlos el Breve.

Lo recuerdo. En una reunión clandestina en París, Carrillo nos vaticinó que Juan Carlos sería un rey franquista y breve, pero a continuación ya nos habló de los militares en quienes se podía confiar por su talante democrático, Díez Alegría y Gutiérrez Mellado, cuando Gutiérrez Mellado todavía no sonaba a nada ni a nadie, dos militares inequívocamente monárquicos y a la vez bien vistos por el Departamento de Estado. Tal vez Carrillo supiera ya entonces que había Juan Carlos para rato y considerara que había que convencer poco a poco a las bases de que la Historia no iba a ser como la esperábamos. Recuerdo cuando nos vendió la Monarquía y el abandono de la bandera republicana:

—Una cosa es ser un oportunista y otra tener sentido de la oportunidad.

Así hablaba no mucho tiempo después de que en un mitin de Roma, en ocasión del homenaje internacional a Dolores Ibárruri, presente yo en aquel Palacio de Deportes, Carrillo descalificara al rey de España y se equivocara

al querer decir en italiano *regno di Spagna* (Reino de España) y le saliera *rogno di Spagna* (Roña o sarna de España).
Pero regreso al despacho del Rey cuando me está reco-
mendando un restaurante en Aranjuez, del que le han contado bondades sin cuento:

—Pero dése prisa en ir, porque en cuanto se ponga
de moda, ya no va a ser lo mismo.

Anoto el nombre. Y cuando puedo consultar la
referencia de las maravillas del restaurante aludido, compruebo que el Rey tiene buen gusto: cazuela de arroz cal-
doso con albóndigas de bacalao, jamoncitos de pichón en
escabeche templado, pescados frescos a la sal, los inevitables fresones y fresas de Aranjuez. Baroja era antimonár-
quico, entre otras cosas, porque decía que los Borbones no
sabían comer y que los domingos se guisaba pollo en el
Palacio de Oriente. Para mí, uno de los datos positivos de
don Juan en sus encuentros con Franco es que cuando el
general pedía una gaseosa para demostrar su puritanismo,
el pretendiente reclamaba un whisky, supongo que de mal-
ta. ¿Glendeveron, Knockando, Michel Couvreur, Single-
ton, Skye, Orkney, Laphroaig, Talisker? Maltas dignos de
reyes. ¡Cuando pienso que Ceausescu no pasó de acumular
botellas y botellas de J.B.! Que los reyes sean partidarios de
los placeres inocentes debe constar en su libro de Haber,
sobre todo de confirmarse la vigencia de la década puritana. Lo suscribiría también Carvalho, a pesar de su anarquismo recalcitrante. El Rey ha leído novelas de Carvalho
y acoge *El Premio* como una promesa de continuidad:

—No deje pasar tanto tiempo entre visita y visita.

Tal vez me convierta en proveedor de la Real Casa.
Proveedor del sentimiento polaco de la existencia y de noticias de algunos restaurantes novedosos. Telefoneo a López

Rey y le cuento que el Rey está al tanto de lo que no se ha hecho; de paso me compromete López Rey a formar parte de un comité de notables que vamos a hacer de mujeres y hombres reclamo de la infamia del Madrid Sur. El Rey en La Zarzuela y López Rey en Orcasitas. Tal vez sea cierto el orden del universo tal como lo viera la beata Gelsomina, en versión de Fellini. *La Strada*.

14. Polonesa

(A manera de epílogo)

Però ara es la nit
i he quedat solitari
a la casa dels morts
*que només jo recordo**

SALVADOR ESPRIU

Las elecciones se acercan y las encuestas señalan naufragios socialistas y victorias populares hasta crear la sensación de que la suerte está echada. Al menos es lo que se siente entre las élites de toda clase de poderes, y se percibe el cambio de adhesiones por las fluctuaciones eróticas. Si en el pasado Carmen Romero fue señalada como la bella señora de la democracia socialista, los medios de comunicación se pasan a Ana Botella, presentada como una Hillary Clinton a la española, muy a la española, pero muy Hillary Clinton también. Una señora que no necesita tener poemas sobre la mesilla de noche para recargar las pilas de su personalidad. Los comentaristas le encuentran todas las gracias y se esfuerzan incluso en considerarla rubia, aunque este extremo no lo consigan. Las distintas formaciones políticas en litigio coleccionan personajes de prestigio que les respalden y se crean problemas de choques de imágenes; por ejemplo, Antonio Banderas por el PSOE y Julio Iglesias por el PP. Tal vez se excediera el PP en su coleccionismo de notables, al juntar en el mismo lote a Julio Iglesias, Manolo Escobar

---

* (Pero ahora es de noche / me he quedado solo / en la casa de los muertos / que sólo yo recuerdo)

y Raphael, con el añadido ilustrado de Vargas Llosa o Eugenio Trías. Vargas Llosa pidió desde *El País* el voto para Aznar, a pesar de que no le encontraba suficientemente liberal, de que le reprochaba un exceso de veleidades keynesianas. Izquierda Unida recurrió a los firmantes notables rojos de siempre, entre los que me encuentro, pero pudo percibir que algunos profesionales, intelectuales y artistas, en otro tiempo habitualmente firmantes de sus convocatorias, salían esta vez en las listas avaladoras del PSOE por el temor a una victoria de la derecha. Un nutrido grupo de intelectuales pedía el voto para «la izquierda» sin señalar y Anguita lo interpretó como un respaldo al PSOE: «Son los intelectuales de la perpetua queja», dijo Anguita, y se quedó tan ancho. En el *spot* electoral del PSOE se insinuaba que el PP era un feroz *doberman* que venía desde los túneles del pasado franquista, mientras los polacos de Convergència i Unió identificaban a socialistas y populares como dos cabras monteses empeñadas en topar con sus testuces. Lamentablemente, nada dijo la Sociedad Protectora de Animales contra tan despreciativo uso de animales en peligro, el demonizado *doberman* y las cabras a tiro de cacerías millonarias. Felipe luchó para recuperar imagen y Aznar hizo una campaña triunfal jaleada por los medios afines, mientras los medios públicos ni quitaban ni ponían rey pero ayudaban a su señor: el Gobierno. Iba a ganar el PP. Sólo se trataba de saber por cuánto iba a perder el PSOE.

El día 3 de marzo de 1996 voté en Barcelona por la mañana, a Iniciativa per Catalunya, equivalente polaco de Izquierda Unida, y a continuación cogí el avión para Madrid. Coincidí en el puente aéreo con Juby Bustamante, periodista y ahora directora de la Fundación Thyssen. Hablamos de la derecha que viene y me aporta anécdotas sobre el talante de algunos de los próximos validos del presunto ganador de las elecciones, especialmente de Miguel Ángel Rodríguez, el hombre de las llaves del reino mediático aznarita, y de Miguel Ángel Cortés, el intelectual orgánico del aznarismo. Los dos personajes preocupan como presuntos comisarios de la información y la cultura de la nueva situación. Antonio Casado y Jesús Rivasés, en *Detrás de Aznar*, cuentan que Rodríguez es el responsable de algunos de los latiguillos de combate de Aznar: «Usted no tiene credibilidad, señor González», «Váyase, señor González», que es novelista a punto de publicar *Las últimas horas del barrio de Santa Cruz* y un celoso *guardia de corps* de su señor, al que protege de los periodistas que no le estiman: «¿Por qué no eres más cariñoso con mi señorito?», suele proponer a los que quieren acercarse a Aznar para preguntarle, por ejemplo, en qué momento dejó de ser de derechas para hacerse centrista o cuándo se dio cuenta de que podía competir con ventaja frente a las piernas de Isabel Tocino.

Miguel Ángel Aguilar, uno de los periodistas rompeolas frente a la derecha que viene y marido de Juby, la espera en el aeropuerto de Barajas con Andrea, la hija que comparten. Me acompañan generosamente hasta el Palace y por el camino me entero de que en el hotel cohabitaré con Mario Vargas Llosa, llegado a Madrid para cenar con Aznar y permanecer a la espera del triunfo liberal conservador, adjetivos que acompañaron al PP antes de asumir su carácter de centro, de partido céntrico, centrista y centrado. En el Palace se comenta que el PSOE canceló la contratación de sus salones para celebrar la fiesta electoral, aunque ya había abonado una paga y señal de diez millones de pesetas. Se presume que el PSOE no estará para celebraciones. Dejé el equipaje en mi habitación, no tan cómoda como otras veces, como si los responsables de atribuírmela presumieran que estoy acabando el libro, y antes de ir a almorzar con Juan Cruz, su hija Eva, Pilar, la madre de su hija, como me la presenta Juan, y Manuel Vicent, pasé por el piso de Esperanza y no estaba. Quise abrir la puerta con la llave que me había dado y no se abría. Acudí a la portera y allí me esperaba una carta a mi nombre:

«No te esfuerces con la llave. He cambiado la cerradura. He soportado tu campaña contra los socialistas a lo largo de más de diez años porque nos unían demasiadas cosas a lo largo de demasiado tiempo. Pero te he oído, a ti y a tus amigos, tantas barbaridades sobre Felipe González, Serra y tantos otros honestos compañeros míos, honestos, sí, porque su honestidad te consta, que no puedo aguantar más.

»Tú y los del PP y los de Izquierda Unida, esa reunión de comunistas nostálgicos responsables de tantos crímenes y que si ahora pudierais vendríais a por nosotros como en el pasado habíais ido a por Andreu Nin y los compañeros del POUM en Barcelona, en mayo de 1937, ¿cómo podéis escandalizaros ahora ante casos como el de los GAL?

»No me duele todo el cariño que haya podido tenerte, porque como dice la copla, ya sabes que soy muy coplera, *limosna también se da a un pobre y tú un pobre has sido.*

»Esperanza»

Esperanza siempre tan cupletera: «Y no es que me importe / haberte querido / que limosna también se da a un pobre / y tú un pobre has sido».

Almorzamos en el Thai Gardens, un restaurante tailandés que me evoca sabores y olores a cilantro de mis viajes al sudoeste asiático mientras escribía *Los pájaros de*

Bangkok. La cocina thai está emparentada con la del sur de China, generosa en sabores y especies, aunque en el Thai Gardens se hayan suavizado los picantes. El peso de la narratividad, nunca mejor dicho, lo lleva Vicent, que es un gran relator de novelas oral-genitales, hasta el punto de que cualquier hecho real que describe se convierte en una ficción vinculante. Vicent lo sabe casi todo sobre la vida del Madrid difícilmente secreto, tanto de cintura para abajo como de cintura para arriba, y siempre me deja boquiabierto con revelaciones sobre cambios de sexo que no puedo contar. Pilar, Eva, Juan y yo estamos pendientes de la sintaxis verbal de Manolo Vicent. Fuera es domingo y hace un sol helado por corrientes serranas que me acusan: «Te has dejado el abrigo en Barcelona».

Vuelvo al Palace y me encuentro a Mario Vargas Llosa. Le ha gustado la propaganda que me están haciendo de *El Premio*, basada en mi fotografía acompañada del eslogan: «Este hombre sería capaz de matar para conseguir un premio». Sin duda Mario estaba elogiando el discurso publicitario y no evaluando mis posibles tendencias asesinas. Mario me pregunta si es posible que el PP no gane por mayoría absoluta o contundente. Le digo sinceramente que espero una victoria del PP por pocos puntos y percibo como si Vargas Llosa tuviera la sensación de que ha viajado precipitadamente. En mi habitación sigo la retransmisión del partido Coruña-Atlético de Madrid, desde la premonición de que si gana el Atlético vencerá su presidente Jesús Gil y Gil y entonces será un aviso telúrico de que Aznar ha ganado las elecciones y de que *Imperioso*, el caballo de Gil y Gil, puede ser proclamado senador. Ocho de la tarde. Se desvelan las encuestas sobre los resultados electorales: el PP puede estar cerca de la mayoría absoluta, el PSOE queda a cuarenta o cincuenta escaños de los populares, Izquierda Unida aspira a los 25 diputados, siete más de los que tiene, Convergència i Unió pierde hasta tres diputados. Empatan Atlético de Madrid y Coruña. Resultado definitivo. Llega Ana Gavín, recién nombrada directora literaria de Planeta en Madrid, a traerme las credenciales para entrar en el Palacio de Congresos, colaboración generosa con la escritura de un libro que va a ir a parar a Alfaguara, la competencia. Ana ha sido mi ángel de la guarda en varios de mis lanzamientos literarios en la corte del Rey Juan Carlos y esta noche me acompañará en mis merodeos por la ciudad que va a vivir el breve viaje de comprobar si las encuestas aproximadas se corresponden con los resultados constatados por los escrutinios.

En la calle de Génova, frente a la sede del Partido Popular, centenares de jóvenes y de matrimonios endomingados agitan banderas blancas del PP y rojigualdas de España, más rojigualdas que blancas, en una clara semántica de apropiación nacionalista: el PP es España y todos los demás partidos tienen la españolidad bajo sospecha. Muchachas en flor cuya memoria personal se remonta a Diana de Gales, pura prehistoria para ellas, se han pintado la cara de blanco y sobre este paisaje han dibujado la doble P del partido que aman o el nombre de caudillo de Reconquista de su jefe, Aznar. La megafonía difunde salsa, pero no me sabe a salsa cubanocastrista, sino a salsa de Miami:

Un poquito más suave
Un poquito más duro

Algo tendría que decirles el Opus Dei a estas jóvenes generaciones del PP si es que quiere sacar sus almas del pantano de las salsas. Gorras. Muchas gorras ultiman las cabezas con los lemas España o Aznar mientras los labios coreaban: «Felipe, saca los muebles» o bien «Josemari, mete los muebles». En La Moncloa, claro. ¿Y los bonsáis? ¿Qué será de los bonsáis? Otros gritos no eran tan neutrales: «Felipe, jódete, España es del PP», «Un bote, dos botes, socialista el que no bote», y volvió a ser coreado «Pujol, enano, habla castellano». También hay pancartas que apuestan por la modernidad: «Papi, esto es guai» o bien «Abuela, hemos ganado», un claro homenaje a la abuelita franquista que no ha vivido o venido para verlo. A Álvarez Cascos, segundo de Aznar, se le escapará: «Hemos esperado veinte años para tener este sueño y tener esta victoria». Es decir, desde 1976, prácticamente desde el día siguiente de la muerte de Franco, Álvarez Cascos ha padecido el calvario de la oposición, del exilio interior. Algunas banderas españolas exhiben el águila imperial que le puso Franco y que no acaba de emigrar de los cielos de la derecha más dura, y cuando Aznar hable desde el balcón, respaldado por *Hillary* Botella y proponga un «¡Viva el Rey!», la mayor parte de los aquí congregados le contestarán: «¡Viva España!». El aspirante a meter sus muebles en La Moncloa ha procurado vivir fríamente, con cara de cubito de hielo, la antecámara de la victoria. Ha votado, ha ido a misa, ha jugado un partido de paddle tenis con Pedro J. Ramírez, ha comido en familia menestra de verduras, filete —¿muy hecho?—, helado de café, y se ha fumado un puro, Montecristo, que no Cohiba. De noche, ya casi decantados los resultados, Aznar demuestra el don de la frialdad y de la obviedad, y cuando está en el balcón de la sede del PP y ante tanto aplauso, no evita decir: «Comprendo vuestro apoyo». Faltaría más. Algunos entre la multitud van siguiendo mediante transistores las tertulias de la COPE, su emisora de cabecera, y no acaban de creerse lo que están comentando los tertulianos: se reducen las distancias entre el PP y el PSOE y ya se sabe que el PSOE ha ganado las elecciones autonómicas andaluzas, el PP ha retrocedido al sur de Despeñaperros e Izquierda Unida se ha hundido.

Nos vamos hacia el Palacio de Congresos, donde muchos periodistas juegan al Internet y ya saben tanto como el Ministerio del Interior sobre el resultado de la tragedia que puede convertirse en tragicomedia. En efecto, las distancias se reducen, el PP no podrá llegar ni a 160 escaños y el PSOE estará por encima de los 140, mientras Izquierda Unida no crece lo esperado, apenas tres diputados más. Convergència i Unió aguanta en Polonia. Internet, cazuelitas de albóndigas —excelentes— y bebida sin rubor ni límite, salvo el whisky, que no entra en el presupuesto del biministerio de Belloch, el anfitrión. Ana Gavín recupera compañeros de sus tiempos de periodista neonata y comenta que se ha elegido una sala pequeña para la rueda de prensa de los ministros Belloch y Rubalcaba, tratando de enfriar un comunicado final que esperaban muy adverso para el PSOE. Por fin llegan los dos ministros que son tres: Justicia, Interior y Portavoz del Gobierno, Belloch y Rubalcaba, Dafnis y Cloe, Ortega y Gasset, Faemino y Cansado, Robert Redford y Paul Newman. Rubalcaba, un atleta, dice ahogarse cuando lee los resultados, y Belloch se ha puesto cara de ambiguo Mefistófeles arcangélico, biministro y biflequillo con las ojeras ya no moradas de martirio, sino soporte de una mirada satisfecha y con horizontes lejanos. Cuando una periodista le llama «ministro saliente», le pregunta: «¿Saliente? ¿Está usted segura?». Éstos son sus poderes: PP: 156, PSOE: 141, Izquierda Unida: 21, Convergència i Unió: 16. Es decir, estamos prácticamente como en la anterior legislatura, salvo en el detalle, no mínimo, de que el PP ha ganado, muy relativizadamente, tanto, que dependerá del soporte de los partidos nacionalistas, de los repetidamente acusados de partidos antiespañoles, del enano Pujol, que no tendrá por qué hablar en castellano y que dispondrá de la clave de la gobernabilidad del país. Al PP le espera un infierno negociador antes de ser investido, y si consigue formar Gobierno, le aguarda un infierno legislativo con la mayoría parlamentaria en el alero durante cuatro años. Me cuentan que en Génova un allegado de Aznar, al conocer los resultados definitivos, ha comentado: «Aznar está bien... bien jodido», y los barones disconformes afilaban cuchillos futuros, mientras las masas en la calle seguían gritando inconscientemente: «Felipe, jódete, España es del PP» o bien «Pujol, enano, habla castellano».

Nos acercamos a la fiesta que han organizado Antena 3 Televisión, *El Mundo*, *Tiempo* y la cadena COPE. Allí están reunidos, juntos y revueltos, famosos de diferentes famas y amigos y conocidos de alguien con poder de convocatoria. Se come, se bebe, se sigue por la televisión las intervenciones residuales de los líderes ya conscientes de que la suerte está echada. Cuando interviene Aznar, unos cuantos, no muchos, aplauden con fervor; Anguita vive esta noche sin vivir en él y cuando le preguntan si dimitirá, no contesta esta vez «programa, programa, programa» o «Constitución, Constitución, Constitución», sino que su dimisión debe ser una decisión colegiada, colegiada y colegiada; González parece el ganador de la noche: «Me ha faltado una semana y un debate», y Alfonso Guerra caerá en la obviedad de asegurar: «Un empate técnico es una cuestión técnica», aunque luego echará los restos de su afición poética y, a la sombra de aquel Alfonso Guerra joven que representaba en Sevilla *Esperando a Godot* junto a Pepe Batlló, recitará un verso casi shakespeariano: «Esta noche hemos presenciado la derrota más dulce y la victoria más amarga». Imagino a Aznar y a su Estado Mayor recluidos en el local de Génova rumiando su amarga victoria, mientras en las calles los partidarios no acaban de asumir la insuficiencia del éxito. Pero en estos salones del Eurobuilding, donde actúan como anfitriones medios decididamente antifelipistas como *El Mundo* o la COPE y otro que ha tratado de ser neutral como Antena 3 Televisión aunque sean evidentes ciertas decantaciones felipistas residuales, han conseguido que confraternicen figuras del espectáculo dado y por dar. Massiel, ex musa del socialismo, le canta coplas a Aznar y pide a Dios que le otorgue el privilegio del olvido para a continuación difundir que su hijo, un hombretón hijo de padre y madre en otro tiempo socialistas, ha votado al PP. Hay algo mágico en este aquelarre intransitable de personajes a un canapé pegados, tal vez porque uno de los brujos sea Pitita Ridruejo, con su perfil de dama de alfarería cretense, aunque la impresión de desencuentro entre amigos perfectamente desconocidos me la rompa la repentina aparición de una mujer blanca y alta, sin maquillar, pálidamente rubia, preocupada por algo intransferible, que cruza la multitud sin chocar con cuerpo alguno, en diagonal, para ganar la puerta y llevarse su gravedad hacia el Destino. Me pareció haber visto el Alma de la noche y tras ella me fui para no hallarla y toparme primero con Raúl del Pozo, de la Agrupación de Escritores y Periodistas Independientes, votante de Izquierda Unida. Comentamos los resultados a nuestra manera: «Tenemos material de columnas para rato». Y ya me iba, cuando me sorprende Javier Sampedro, enviado de *El País* a territorio antipolanquista. Me pide un comentario, no sé si sobre las elecciones o sobre lo que en el Eurobuilding sucede, y le contesto: «Demasiados medios para tan poca victoria».

Ana Gavín se va a su casa, que está cerca, y yo me subo a un taxi y le pido que me acerque a Ferraz, donde los socialistas están celebrando la dulce derrota que de momento traspasa a manos de un PP disminuido la patata caliente de un país cargado de problemas sociales y económicos, sobre el que se cernirán durante años todos los procesos pendientes por corrupción y terrorismo de Estado. Lo que empezó siendo funeral de incondicionales se ha convertido en una relativa movilización de masas enfervorizadas y afelipadas que han neutralizado la presencia chulesca de automóviles y provocadores que habían establecido un cerco de banderas de España en torno de la sede del PSOE. Los sitiadores se han ido retirando y los incondicionales del PSOE vuelven a casa con sueños de desquites próximos y con la recuperada inocencia de una izquierda sin poder, casi desnuda, como los hijos de la mar. Atiendo la propuesta de Juan Cruz de terminar la noche y casi el libro en su casa, en compañía de Llamazares y su traductora danesa Iven; del escritor gallego Manolo Rivas; de Fernando Delgado, último premio Planeta y constante poeta; Ruth González Toledano, también poeta; Lucía Echevarría, sacerdotisa de la literatura *gore*; Eva Cruz y su madre Pilar; el compañero de Eva, el doctor Luis, que se va a Tenerife a curar tinerfeños; Rosa López, colaboradora de *El País*, que llega cansada de la sede de Izquierda Unida, con las noches y las elecciones a cuestas, a cuestas, a cuestas; amigos jóvenes de la gente más joven, entre todos comentamos la situación desde un sentido del humor básicamente canario-galaico hasta arrastrar las frases brillantes por los forros de la madrugada. Diríase que estamos aliviados porque el PP ha ganado por poco y contentos porque el PSOE ha perdido por ese poco, y que yo de mis perplejidades vengo a mis perplejidades voy, ante la evidente quiebra del código anguitiano. Anguita ha vuelto a echar la culpa a los españoles de votar a la izquierda *ful*, pero ya es imposible ocultar que nunca una formación como Izquierda Unida dispondrá de un PSOE tan frágil como éste para practicar el *sorpasso* o en su defecto una aproximación visible. Recuerdo las palabras de Julio en nuestro encuentro reciente: «El avance es demasiado lento. Año 89: 17 diputados. Año 93: 18». Ahora, 1996: 21. Una extraña razón colectiva ha dado una mayoría socioelectoral a las izquierdas sumadas, pero la capacidad de formar Gobierno en precario la tienen los bárbaros que durante veinte años, Álvarez Cascos *dixit*, esperaban acampados a las afueras de Roma, mientras los polacos seguirán siendo determinantes, así en la Tierra como en los Cielos. El diario *El Mundo* pondría el mejor titular a la situación: «Aznar ha ganado las elecciones pero necesita a Pujol para gobernar».

Al día siguiente leo la prensa y escucho las primeras tertulias de la resaca. Martín Prieto recomienda a Aznar que peregrine a Cataluña y M. P. reza: «Padre nuestro que estás en Cataluña, santificado sea tu nombre...». Pero cada tribu mediática vuelve por sus fueros. El felipismo es un cadáver que goza de demasiada salud y los bárbaros ya han entrado en Roma pero de momento no saben qué palacios asaltar. Por su parte ETA se nota, se siente, ETA está presente y asesina a un miembro de la Ertzaintza.

Tengo un encuentro con Aitana Sánchez-Gijón y Rafael Ribó, el secretario general del PSUC y coordinador

de Iniciativa per Catalunya, en el café Comercial de la Glo-
rieta de Bilbao, el café donde me citara Rafael Sánchez
Ferlosio para llevarme a su apartamento cercano, donde
redactaba por entonces, con paciencia y lucidez de profeta
ilustrado, su espléndido aserto contra el tren de alta velocidad. En realidad el encuentro se debe a que Ribó y yo
perseguimos a Aitana Sánchez-Gijón para que conduzca,
desde su esplendor de actriz y su inocencia de izquierda
futura, un debate con Ribó en el Club Siglo XXI. Ribó viene de despachar con Anguita. El califa está desorientado.
Bien hecho. Por ahí se empieza. Pero estará desorientado
por poco tiempo, y a los pocos días, como principal consecuencia del resultado electoral, musitará: *sorpasso, sorpasso,
sorpasso*. Ribó y Aitana preparan un debate sobre la izquierda más o menos, mejor o peor necesaria, y tiene mérito que
negocien el sumario precisamente hoy, 4 de marzo, con la
ciudad ocupada por bárbaros casi tan desorientados como
Anguita. Aitana cuenta que Aznar fue a ver la obra teatral
que ella protagoniza, *La gata sobre el tejado de zinc caliente*
y, como no le dejaran pasar a camerinos para hacerse la
fotografía electoral, después comentaría vengativamente
que el actor Carlos Ballesteros (ex Carvalho) lo hacía muy
bien, pero que Aitana Sánchez-Gijón le había dejado insa-
tisfecho.

Regreso a Polonia pensando que nos esperan tiempos difíciles, doblemente difíciles para los polacos no pujolistas y las izquierdas en estado de perplejidad, que no es
el caso de Felipe González, en realidad obsequiado con un
periodo de vacaciones de imprevisible duración. ¿Soy un
polaco? Mi abuelo paterno era un cantero gallego; el ma-
terno, un murciano guardia de la porra jubilado por la ley
de Azaña, al que le salió una hija separatista catalana y

anarquista. ¿Soy un polaco? Tengo raíces en demasiadas gentes de España, y España es sus gentes, no sus límites geopolíticos ni simbólicos. Sus gentes son mi gente, y hacia ellos siento la comunión, la comunión de los nacidos débiles, eso que hace algún tiempo se llamaba «condición humana». Y esa piedad, especialmente íntima, secreta, cómplice, la que albergamos hacia los muertos que sólo nosotros recordamos, como canta mi amigo Raimón, al que debo telefonear nada más llegar a Barcelona:

> *Però ara es la nit*
> *i he quedat solitari*
> *a la casa dels morts*
> *que només jo recordo*

Sí. Soy un polaco.

Pero es de noche y me he quedado solo en la casa de los muertos que sólo yo recuerdo. Ahí están, delimitados por mi mirada secreta. Pero la mirada externa vuelve a la realidad como si finalizara un círculo vicioso y viciado iniciado en la frase «Me voy a Madrid a ver al Rey». He conseguido ver al Rey. A cuantos necesitaba ver para que me ayudaran a construir un discurso que es círculo vicioso y probablemente viciado. Sólo Aznar fue demorando el encuentro hasta hacerlo imposible e irrelevante. Aznar. El mismo personaje incoloro, inodoro e insípido que en la televisión hace las primeras declaraciones de triunfador escaso y *grogy*. Dice que ha tratado de ponerse en contacto con Pujol y el polaco no se ha puesto al teléfono. Felipe González habla más tarde: ha tratado de ponerse en contacto con Pujol y sí se ha puesto al teléfono. Al día siguiente Aznar proclamaba las excelencias de la normalización lingüística así en Cataluña como en Polonia, incluida la inmersión, en otro tiempo calificada de genocidio contra el castellano. Pedro J. Ramírez apuesta por el *federalismo asimétrico* que respete la mayor voluntad de soberanía de las nacionalidades históricas. Las tribus mediáticas más combativas contra la invasión polaca dulcifican sus discursos y empiezan a encontrarle su lógica a la inmersión lingüística catalana, salvo Jiménez Losantos, que desde su destierro en Miami, forzado por las amenazas de ETA, escribe un simbólico *Pero se mueve* que le convierte casi en el último de Filipinas de la resistencia antipolaca o, mejor dicho, el último de Miami. Ya me dijo el *embajador* Joaquim Gomis, al inicio de mi indagación, que no hiciera caso de la virulencia de las campañas: «Luego los más escandalosos, en privado, son unas excelentes personas, pero aquí, ahora, todo el mundo tiene que llevar hasta sus últimas consecuencias el papel que se ha autoatribuido». Las tribus financieras presionan a Pujol para que pacte. Las judiciales se autodestruyen o se resitúan, pensando que se avecinan tiempos de Justicia de centro derecha. Y las mediáticas oscilan entre la condena al pueblo español por lo insuficientemente que ha votado al PP y el silencio meditativo sobre lo que se avecina, mientras crece la sensación de que los medios de comunicación hemos creado el espejismo de una excesiva caída socialista que hasta los socialistas se la habían creído. Pujol, el presidente polaco, se siente a la vez feliz e infeliz. Pujol es, como todos los polacos, un poco *patidor*, sufridor, y si bien es consciente de que está viviendo las mejores semanas de su vida política, conoce los riesgos de decir sí al PP y de decir no. Si dice sí, abraza a su reciente enemigo, y si dice no, se expone a que vuelva la campaña antipolaca, antifenicia, contra los bajitos. Si dice sí, deberá ser un sí para toda una legislatura, para toda una vida, como cantaba aquel bolero que casi sólo yo recuerdo.

Pujol dijo sí.

Yo nunca más telefonearé a Esperanza, ni la saludaré cuando la vea. Me jode que por culpa de los GAL, esa checa democrática, Esperanza me haya agredido con algo tan tierno como un cuplé y haya roto el imaginario de los mejores años de nuestra vida. Cuando éramos una izquierda tan inocente que pensábamos que Sartre y Camus, *Las manos sucias* y *Los justos*, ponían letra y música a la misma canción.

Este libro
se terminó de imprimir
en los Talleres Gráficos
de Palgraphic, S. A.
Humanes (Madrid)
en el mes de mayo de 1996

OTROS TÍTULOS PUBLICADOS
EN ESTA COLECCIÓN:

EL PIANO
Jane Campion y Kate Pullinger

ABRIL ENCANTADO
Elizabeth Von Armin

LA TABLA DE FLANDES
Arturo Pérez-Reverte

VIDA DE ESTE CHICO
Tobias Wolff

LA MACHINE
René Belleto

LA FERMATA
Nicholson Baker

PIERNAS DE SEDA
Maria Mercè Roca

CUENTAS PENDIENTES
Juan Madrid

CUENTOS DE FÚTBOL
Varios autores

MIEDO A LOS CINCUENTA
Erica Jong

TWO MUCH
Donald Westlake